Hitotsubashi
Business Review Books

COMPETITIVE STRATEGY AS A NARRATIVE STORY

ストーリーとしての競争戦略

優れた戦略の条件

楠木 建

東洋経済新報社

まえがき

エンターテインメントとしての小説やエッセイは別にして、私が本を読むときにまず知りたいことは、「この人はなぜ、この本を書くに至ったのだろうか」という動機です。私に限らず、多くの人がそうした関心をお持ちだと思いますので、まずはその辺をお話ししておきましょう。

私は、経営大学院（ビジネススクール）での研究と教育を仕事にしています。経営学の中でも、競争戦略とかイノベーションについて考えたり、調べたり、書いたり、話したりしています。こういう仕事をしていると、さまざまな業界のさまざまな会社の方々から「戦略」についてのお話をうかがい、議論をしたり、助言をする機会があります（どこまで役に立っているのかわかりませんが）。

そうした場で「これは！」という興奮を覚えるような秀逸な戦略構想が立ち現れることもあります。しかし、こんなことを言うのも僭越なのですが、どうにも面白くない「戦略」が出てくることもしばしばです。数でいえば、後者のほうがずっと多い。ここで問題にしているのは、プレゼンテーションの巧拙とか、必要なデータがもれなく含まれているかどうかとか、そうした表面的な話ではなく、戦略の中身そのものについての優劣です。

「イケてる」戦略は確かに面白く、もっと聞いてみたくなります。知的興奮を覚えるだけでなく、他人事であるにもかかわらず「その線でやってみようじゃないの！」という気にさせられます。一方で、「イケてない」戦略はからっきし面白くありません。この直感的な優劣は、私の主観的な好き嫌いといえばそれまでなのですが、わりとはっきりした感覚です。戦略の優劣の基準はどこにあるのか。

優れた戦略の条件とは何か。私は自分の感覚を、もっとしっかりとした言葉でつかみたいとずっと思ってきました。

こうした経験を一〇年、一五年と重ねているうちに、私なりの基準が次第にはっきりとしてきました。それは戦略が「ストーリーになっているか」ということです。そこに生き生きと動く「ストーリー」が見えるか。私がよりどころとしている戦略の優劣の基準はここにあります。

「ストーリー」(narrative story)という視点から、競争戦略と競争優位、その背後にある論理と思考様式、そうしたことごとの本質をじっくりお話ししてみようというのが、この本に込めた私の意図です。この本のメッセージを一言でいえば、優れた戦略とは思わず人に話したくなるような面白いストーリーだ、ということです。

ここで問題にしているのは、戦略の「当たり外れ」ではなく、あくまでも「優劣」です。「優れた戦略」が現実に成功するかどうかはわかりません。戦略として優れていても、失敗することは少なからずあります。顧客と競争相手という、直接的にはコントロールの利かない相手がいる話ですし、未来のことはどっちにしても不確実です。ビジネスの成功・失敗は、「やってみなければわからない」としか言いようがありません。しかし、それでも「優れた戦略」を持つことには意味があります。

戦略の「当たり外れ」と「優劣」を掛けあわせると、以下の四通りの組合せが考えられます。

A　戦略が優れていて、結果においても成功した

B　戦略は優れていたけれども、結果的には失敗した

C　戦略は優れていなかったけれども、結果的には成功した
D　戦略が優れておらず、結果においても失敗した

「当たり外れ」で見れば、AとCが成功で、BとDが失敗です。大前提として確認しておきたいのですが、現実のビジネスでは、成功よりも失敗のほうが間違いなく多い。野球でいえば、名打者でも打率三割です。どんなに優れた打者でも、打率四割は奇跡の部類に属します。ビジネスも同じようなものではないでしょうか。つまり、優れた戦略があったとしても、結果から見れば七割方はBで、Aに該当するのはせいぜい三割といったところです。いくら戦略が優れていても、いきなり八割とか九割の打率は実現できません。ビジネスが直面している競争と不確実性を考えれば、それはどだい無理な話です。

その一方で、二軍のベンチを温めているようなバッターでも、一軍の試合にずっと出ていれば一割五分ぐらいの打率は残せるのではないでしょうか。運とタイミングが良ければ、フォームは崩れていても、思い切りバットを振っただけでクリーンヒットになることもたまにはあります。この「一割五分」や「出合い頭の一発」が右の分類のCに相当します。放っておいたら二割以下にとどまる打率を、少なくとも三割、できたら三割五分に持っていく。これが戦略に与えられた仕事です。

ですから、「当たり外れ」という結果でいえば、戦略の優劣は、一割五分とか二割のごく小さな違いを問題にしているのです。本編で詳しくお話ししますが、そもそも利益ポテンシャルが大きい魅力的な業界に身を置いていれば、ユルユルの戦略であっても、三割以上の打率を残せるかもしれません。

戦略が優れていても打率四割は期待できないのですから、こうした外的状況に恵まれている企業にとっては、戦略の優劣など大きなお世話ということになります。

しかし、そのような恵まれた業界にいる企業は例外的です。多くの業界では、戦略がなければ、三割の打率は期待できません。打率三割五分の大打者と一割五分の二軍選手では、チームにとっては天と地ほどの差があります。「当たり外れ」は別にしても、優れた戦略を持つ意味があるのです。意味があるどころか、会社の生命線といっても過言ではありません。

話を戻しましょう。「そこにストーリーがあるか」、これが戦略の優劣の基準だという話でした。「ストーリーがある」とはどういうことでしょうか。「ストーリーがない」という例をお話ししたほうがわかりやすいでしょう。つまり、聞いている私が「イケてないな……」と盛り下がる典型的なパターンです。皆さんも一緒にイメージしてみてください。

その「戦略」のプレゼンテーションには、「X事業のV字回復戦略」とか、「新たなビジネスモデルの創出」とか、元気満々のタイトルがついています。タイトルだけでなく、実にいろいろな要素が盛り込まれています。市場環境やトレンドはどうなっているのか。ターゲット・マーケットとしてどのセグメントをねらうか。どういう仕様の製品（もしくはサービス）をどういうタイミングでリリースするか。プライシングはどうするか。どういうチャネルを使うか。どのようにプロモーションするか。どこを自社で行い、どこをアウトソーシングするのか。生産拠点はどこに置くのか。どういう技術を採用するのか。どういう組織体制で実行するのか。業績予測はどのようなものか。実に詳細に検討されています。

しかし、これでは「項目ごとのアクションリスト」にすぎません。そうした戦略の構成要素が、どのようにつながって、全体としてどのように動き、その結果、何が起こるのか。戦略全体の「動き」と「流れ」が、さっぱりわからないのです。戦略が「静止画」にとどまっているといってもよいでしょう。聞いている私が社外の人間で事情に疎いからわからないのかな、と思うとそうでもなくて、社内の人々も、個別のアクションについては議論をするものの、それが全体としてどう動くのかについては、意識してか無意識か、議論の俎上に載せないままやり過ごしてしまいます。ひどいケースになると、その戦略をプレゼンテーションしている当の本人も、全体の動きが腹に落ちないまま、半信半疑で話しているというありさまです。本来は「動画」であるはずの戦略が、無味乾燥な静止画の羅列になってしまう。戦略をつくるという仕事が「項目ごとのアクションリスト」を長くしたり細かくすることにすり替わってしまう。「ストーリーがない」「ストーリーになっていない」というのはそういうことです。

優れた戦略は、これと正反対のところにあります。戦略を構成する要素がかみあって、全体としてゴールに向かって動いていくイメージが動画のように見えてくる。全体の動きと流れが生き生きと浮かび上がってくる。これが「ストーリーがある」ということです。

戦略がこの意味でのストーリーになっているかどうかは、内容はもちろんですが、戦略のプレゼンテーションをする人の表情や声、雰囲気にも注意して聞いていれば、一目瞭然です。そこにストーリーがあれば、その戦略をつくっている人自身がストーリーに興奮し、面白がり、実に楽しそうに戦略を「話して」くれるからです。ストーリーなしのアクションリストの場合は、「中期経営計画を取りまとめなければいけないので、まぁ、一応……」という感じで、プレゼンテーションをする当人がまるで他人事のように話を進めるものです。当事者がそもそも面白がっていない。これがストーリーになっていない「戦略」に共通の特徴です。

ずいぶん前の出来事なのですが、ガリバーインターナショナルという会社の戦略を、村田育生さん（当時の代表取締役副社長）からうかがう機会がありました。このときのことを私ははっきりと覚えています。この本でもストーリーの読解（第6章）として詳しくお話ししますが、ガリバーは中古車の流通に革新的なストーリーを持ち込み、大きな成功を収めた企業です。当時のガリバーは今と比べれば小さな会社でした。私は中古車業界について特段の興味を持っていたわけでもありませんし、業界やガリバーという会社についてほとんど予備知識もありませんでした。しかし、初対面の村田さんは、自分でも話していて面白くて仕方がないという様子で、実に楽しくお話をしてくれました。

フォーマルな戦略の発表や議論の場ではなかったので、業界のバックグラウンドや市場の動向の詳細について説明があったわけでも、プレゼンテーション・スライドが準備されていたわけでもありません。自己紹介もそこそこに、「ちょっと、この話聞いてよ！」という勢いで、村田さんはいきなりガリバーの戦略ストーリーを語り始めました。「こういうことをやると、こうなっていって、そうすると、ほらこういう動きが出てくるから、こんなことができるようになると思うんだけど、どうよ!?」という感じで、前へ前へと流れるように話が進んでいきます。村田さんのお話を聞きながら、業界に素人の私にも、戦略ストーリーが動画としてはっきりと見えてきました。ガリバーの戦略がどうであろうと、利害関係のない私にとっては別にどうでもよかったのですが、村田さんの話に知的好奇心をかき立てられ、思わず議論に引き込まれてしまいました。

しかし、こうした経験は例外的で、戦略が静止画の羅列で終わってしまうのが、むしろ普通です。戦略が「項目別アクションリスト」として放置される傾向は、近年ますます強まっているように思います。これでは戦略をつくるという仕事がつまらなくなるのは当たり前です。自分で面白いと思えなければ、社内外の利害関係者が聞いて面白いわけがありません。顧客が食いつくはずがありません。その戦略にかかわる社内外の人々を面白がらせ、興奮させ、彼らを突き動かす力を持っていること、これは戦略が成功するための絶対の条件です。

戦略を構成するさまざまな打ち手がストーリーとして自然につながり、流れ、動かなければ、そこには何らかの本質的な矛盾や欠陥があるはずです。後知恵といってしまえばそれまでですが、この本で出てくるいろいろな事例にあるように、大きな成功を収め、その成功を持続している企業は、戦略が流れと動きを持ったストーリーとして組み立てられているという点で共通しています。戦略とは、必要に迫られて、難しい顔をしながら仕方なくつくらされるものではなく、誰かに話したくてたまらなくなるような、面白いストーリーであるべきです。昔から「儲け話」というように、戦略とは面白い「お話」をつくるということなのです。

この本自体がストーリーの競争戦略についての「ストーリー」なので（ややこしい言い方ですが）、読んでくださる方々にとって面白くなければ、それこそ「話にならない」のですが、少なくとも自分では大切で面白い話だと信じています。ただし、こうやったら「優れた戦略」を立てられるという勝利の法則は出てきません。戦略論に限っていえば、そんなうまい話はそもそも存在しません。学者としては実に素晴らしい仕事をしている経営学者であっても、もし現実に会社の経営をしたら、たちどころにその会社を破滅に追い込むこと間違いなしという人を、営業妨害になるのでここでは実名は伏せておきますが、私は即座に一〇人は挙げることができます。

戦略策定の実務ですぐに使えるテンプレートが出てくるわけでもありませんし、成功している企業のベストプラクティスを次から次へと紹介するわけでもありません。実務ですぐに使えるような「実践的」な何かを提案しようという、このところの戦略論の「テンプレート偏重」や「ベストプラクティス偏重」には、むしろストーリーのある戦略づくりを阻害している面があります。一見して効き目がありそうなテンプレートやベストプラクティスを探してきて自社に流用するという発想は、むしろ戦略ストーリーを破壊してしまうのが普通です。

この本では、さまざまなデータを紹介したり、厳密な実証分析をするわけでもありません。構成概念をつくり、測定し、その関係を厳密な実証分析で明らかにする。これが正統派経営学のやり方です。そうした「アカデミック」な作業にはもちろん固有の意義があるのですが、第1章で触れるように、一般性の高い理論を導出し、検証できたとしても、こと戦略に関していえば、かえって重要な洞察が得にくくなるというのが私の見解です。

そうしたことではなくて、ここでお話ししたいのは、競争戦略を「ストーリーづくり」(story-telling)として理解する視点と、その背後にある論理です。ストーリーという視点に立てば、競争戦略についてこれまでと違った景色が見えてくるはずです。

「お話」ですから、お気づきのように、「話すように書く」というスタイルで進めていきます。競争接間接に大きく影響されています。

経営と戦略の実務に携わっている方々との対話や議論は私にとって不可欠の栄養源であり、私の思考の血となり肉となりました。具体的には、所源亮さん、大前研一さん、村田育生さん、小嶋隆さん、井手光裕さん、江幡哲也さん、中竹竜二さん、吹野博志さん、マイケル・デルさん、出井伸之さん、丸山茂雄さん、辻野晃一郎さん、松井道夫さん、郡山龍さん、床次隆志さん、柳井正さん、今枝昌宏さん、佐山展生さん、寺井秀藏さん、熊本浩志さん、西岡郁夫さん、鎌田和彦さん、内田和成さん、金巻龍一さん、平尾勇司さん、新浪剛史さん、吉越浩一郎さん、小島雄一さん、といった方々です。なかでも小島雄一さんはソニーの事業部門長として活躍され、これからを嘱望されていたときに、残念ながらお亡くなりになりました。一九九八年一〇月にうかがった小島さんのお話は、戦略をストーリーとして考えるという私の思考の決定的なきっかけでした。

これらの方々の思考と行動のスタイルに、私は多くを負っています。心から尊敬と感謝の意を表したいと思います。ありがとうございました。

楠木 建

ストーリーとしての競争戦略◉目次

第2章 競争戦略の基本論理

第3章 静止画から動画へ

第4章 始まりはコンセプト

第5章　「キラーパス」を組み込む

第6章 戦略ストーリーを読解する

第7章 戦略ストーリーの「骨法一〇カ条」

装丁・本文デザイン／坂　重輝（グランドグルーヴ）
本文ＤＴＰ／佐藤浩明（デジタルアーカイヴ）

本書は『一橋ビジネスレビュー』二〇〇八年夏号（五五巻一号）～二〇〇九年冬号（五七巻三号）の全八回にわたる連載「ストーリーとしての競争戦略」をもとに大幅に加筆・再構成したものである。

第1章　戦略は「ストーリー」

◆論理と実践

　この本は競争の戦略についての本です。流れと動きを持った「ストーリー」（narrative story）として戦略を捉える視点にこだわって、競争戦略と競争優位の本質をじっくり考えてみようというのがこの本の主題です。そもそも戦略とは何か、ストーリーとしての競争戦略とは何を意味するのか、こうしたことは後ほどゆっくりお話しするとして、まずは私の話のスタンスをはっきりさせておきたいと思います。

　言いたいことは、「論理」が重要だということです。まわりくどく感じるかもしれませんが、世にあふれている「戦略」の議論に（私に言わせれば）おかしな話が少なくないのも、戦略を支える肝心要の論理をないがしろにしているからです。どうかしばらくおつきあいください。

　この本を手に取って読んでくださっている方々の多くは、ビジネスを実践している実務家だと思います。皆さんのような実務家に対してお話をする機会を、私はこれまでに数多く経験してきました。そうしたときに、いつも私は思います。私の話を聞いて実務家の頭によぎるのは、こういうことなのではないでしょうか。「おまえに何ができる？　偉そうなことを言うな！」

　私はこういう実務家の気持ちがよくわかります。時々は面と向かって言われたりもしますので、痛いほどわかります。戦略論という、なまじっか「実践的」な分野で学者稼業をしていると、経営や戦略を仕事として実践している人々とのインターフェースがどうあるべきなのか、真剣に考えざるをえません。

皆さんは、それぞれの実践世界で、何らかの「解くべき課題」に直面していることでしょう。そして、それは普通ちょっとやそっとで解決がつく問題ではないでしょう。資源や時間の制約の中でどうやったら業務プロセスをもっと効率化できるか。どうすれば競争力のある製品を開発できるか。そもそもどうやったら業績が上がるのか。とても具体的で切実な問題があるはずです。しかも課題の中身は一人ひとり違います。今、一〇〇人の実務家がいれば、そこには一〇〇通りの、それぞれに異なった「解くべき課題」があるはずです。

一方の私はというと、いわゆるビジネスの「実務経験」はありません。私は学生の頃から、自分がビジネスの方面に進むとまずいことになるだろうという確信（?）がありました。子どもの頃から、競争となるとどうにもダメなのです。厳しい競争や利害関係にできるだけ巻き込まれず、自由気ままに好きなことだけして生きていきたいな、というのが私の漠然とした将来についての希望でした。できることなら歌舞音曲の方面でユルユルとやっていきたかったのですが、それもままならず、流れ流れて行き着いた先が今の学者という仕事です。皮肉なことに、「ビジネス」スクールで「競争」戦略を教えているのですが、それでも利益を追求するビジネスではないことには変わりありません。大学はNPO（非営利組織）であります。

いずれにせよ、私のような立場の人間が皆さんのような実務家に話をするとして、その価値なり意

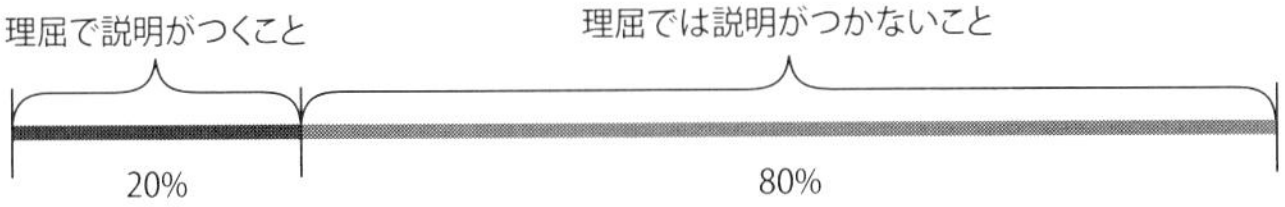

図1・1　「理屈」と「理屈でないもの」

義はどこにあるのでしょうか。一〇〇通りの解決すべき問題のすべてについて、こうやったらいいですよ、こうすればたちどころに業績が上がりますよ、というような個別のソリューションは率直にいってありません。経営学と経営は違うのです（一緒だったら、私はそもそも学者商売を選んでいません）。「学者の話を聞いて良くなった会社はない」という金言（？）もあるそうです。

「机上の空論」という言葉があります。この言葉の意味するところを、私は図1・1のように理解しています。ビジネスの成功を事後的に論理化しようとしても、理屈で説明できるのはせいぜい二割程度でしょう。丹羽宇一郎さんは「経営は論理と気合だ」と言います[1]。理屈で説明できないものの総称を「気合」とすれば、現実の戦略の成功は理屈二割、気合八割といったところでしょう。あっさりいって、現実のビジネスの成功失敗の八割方は「理屈では説明できないこと」で決まっている。

「理屈では説明できないこと」とは何でしょうか。まず、「運が良い」ということがあります。運が良いこと、これはどう考えてもビジネスの成功を大きく左右する要因です。幸運は理屈ではとうてい割り切れません。

もっと大切なものに「野性の勘」があります。ビジネスは多かれ少なかれ「けもの道」です。その道の経験を積んだ人しかわからない嗅覚がものを言います。右か左かどちらに行くべきか、判断を迫られたときに野性の勘で右を選び、五年経って振り返ってみたら、あのときのとっさの判断が効いていた、というようなことはしばしばあります。これもまた理屈では十分に説明できません。

野性の勘なり嗅覚は、さまざまな実務の局面で有効な判断基準のようなもの、「こういうときはこうするものだ」というフォームのようなものです。自分のけもの道を「走りながら考える」ことによって、実務家は判断基準なりフォームを構築していきます。自らの一連の行動が貴重な実験です。自分（や日常的に観察できる周囲の人々）の行動の一つひとつが判断基準の有効性を検証するためのサンプルになります。けもの道を日々走り、走りながら考える中でフォームが練り上げられ、これが野性の勘を研ぎ澄ませるわけです。

実務家であっても、完全に個別の具体的な現実にべったり張りついて、本当の意味での「直感」で場当たり的に判断し、行動しているかというと、そんなことはありません。優れた実務家は、必ずといっていいほど何らかのフォームを持ち、それを野性の勘の源泉として大切にしているはずです。学者のいう「理論」ではありませんが、その人に固有の思考や判断の基準があるのです。

当人にとっての有用性という意味では、野性の勘が一番上等です。自動車を運転しているときのことを考えるとわかりやすいでしょう。車で走っている人ほど、よく「見える」のです。ちょっとした障害物があっても、すぐにそれを認識し、ハンドルを切るなどして素早く反応し、適切な行動をとれます。これは立ち止まっている人間には、なかなかできない芸当です。そのけもの道を走っている人だけが、走っているがゆえに、きちんと見ることができるのです。

この比喩でいうと、学者とは、さまざまなけもの道を走っている人を眺めながら考えているという人種です。実務家に見えるものが学者には見えません。ましてや、迅速で適切なアクションもとれません。立ち止まっているからです。実務家にとって本当に有用なのは、結局のところ一人ひとりがそれぞれの仕事の経験の中で練り上げていくフォームであり、研ぎ澄まされた嗅覚のほうです。学者の考える理屈は、実務家の野性の勘に遠く及びません。だったら、理屈なんて考えないで、さっさとけもの道を邁進したほうがいい。「学者の理屈は机上の空論」と揶揄される成り行きです。

◆「無意味」と「嘘」の間

理屈では説明がつかない野性の勘が勝負の八割を決める。そのとおりだと思います。しかし、それでもなお、私は学者と実務家がやり取りすることには意義があると思っています（そうでないと、この本はここで早くもおしまいになってしまいます）。

図1・2をご覧ください。理屈（論理）と理屈でないものの比率は一緒です。八割は理屈では説明がつかないにしても、ビジネスのもろもろのうち二割は、やはり何らかの理屈で動いているわけです。「ここまでは理屈だけれども、ここから先は理屈じゃない」というように、左から右へと考えてみてください。すると、「理屈じゃないから、理屈が大切」という逆説が浮かび上がってきます。

何が理屈かをまるでわかっていない人には、「理屈じゃない」ものが本当のところ何なのかもわかりません。私も実務家の方々と議論しているときに、「まぁ、理屈としてはそうですが、現実は理屈じゃないので……」と言われることが少なくありません。しかし、私の経験からすれば、「現実は理屈じゃない」という声に迫力を感じる実務家に限って、総じて理屈っぽく、論理的なのです。「いや

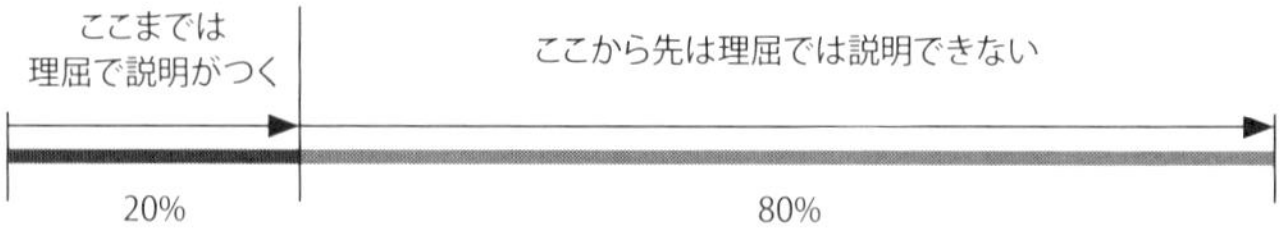

図1・2　「理屈じゃないから，理屈が大切」の論理

ー、ビジネスなんて理屈じゃないよね」ということで、のっけからけもの道を爆走しているだけでは、肝心の野性の勘をつかめないはずです。野性の嗅覚が成功の八割にしても、二割の理屈を突き詰めている人は、本当のところ何が「理屈じゃない」のか、野性の嗅覚の意味合いを深いレベルで理解しています。「ここから先は理屈ではなくて気合だ」というふうに気合の輪郭がはっきり見えています。だからますます「気合」が入り、「野性の勘」に磨きがかかる。「理屈じゃないから、理屈が大切」なのです。

　ここでいう理屈、堅くいうと「論理」、これは何を意味しているのでしょうか。論理（logic）とは、「AならばBである」というように二つ以上の思考や現象をつなぐ理由づけ（reasoning）を指しています。ですから、論理はwhatやhowやwhenよりも、一義的にはwhyを問題にしています。一般的な定義でいえばこのとおりなのですが、経営や戦略を考えるという文脈では、論理とは「無意味」と「嘘」の間にあるものとして理解できます。

　この本を読んでくださっている皆さんは、経営とか戦略といった方面にご関心がある方々でしょうから、いわゆる「ビジネス書」を手に取ってご覧になることも少なくないと思います。書店のビジネス書の棚のところに行くと、ありとあらゆる分野についての本が所狭しと並んでいます。こういう本を書いている私がいうのもちょっと何ですが、私の見るところでは、そのうちの二割か三割程度は、ほとんど無意味なのではないかと思うのです。タイトルは伏せておきますが、ある本を例にとって説明しましょう。その本は、次の三つの主張を手を替え品を替え繰り返すという内容になっています。第一に、日本経済はもはや成熟している。第二に、だからイノベーションで付加価値をつくることが大切である。第三に、差別化の武器としてはブランドが重要である。

私も著者の主張に基本的に賛成です。しかし、こうした話はほとんど全く無意味だと思います。なぜかといえば、この三つはいずれも自明のことだからです。「ブランドが大切だ」と言っても、それは誰しもがふだんから思っていることですから、「そうだよね……」と納得するだけでおしまいです(仮に「ブランドなんて何の役にも立たない。そんなものはどうでもいい」という主張をしている本があったら、ちょっと読んでみたいと思います。そういうことを主張するためには、どうしても「論理」が必要になるからです)。自明の主張は今に始まった話ではありません。一七世紀の東インド会社の人々も、「イノベーションが大切だ」とか「ブランド力をつけましょう」と言っていたのではないでしょうか(さすがに「日本経済は成熟している」とは言っていなかったとは思いますが)。誰にとっても自明の話は聞いていて耳に心地よく響くのですが、意味がないことには変わりありません。

一方で、いきなり「嘘」の世界を展開する本も少なくありません。たとえば「こうやったらブランド力が向上する!」というような「法則」を主張する類の本です。法則とは、どこでも成り立つ、どんな文脈でも再現可能な一般性の高い因果関係を意味しています。自然科学であれば、たとえば「この材料を使うとこの温度でも高温超電導が可能になる」という一般法則は成立します。そうした自然現象の法則を求め、法則を定立しようとするのが科学の基本スタンスです。

ところが、この後でまたこの話題には戻りますが、結論を先にいうと、その種の法則は、幸か不幸か（たぶん「幸」のほうだと思いますが）、戦略論の対象にはなりえません。経営や戦略は「科学」ではないからです。小売業界でとてもうまくいった施策を鉄鋼業界にそのまま持ち込んでも、うまくいくとは限りません。かえって変なことになるかもしれません。同じ業界であったとしても、ある会社でうまくいったやり方であっても、他の会社で全く効果がないということはごく普通にある話です。

先ほどの「理屈二割の気合八割」の話に戻れば、もしそんな普遍の法則があったら、成功要因の一〇割を理屈で説明できてしまいます。本当に一般性の高い法則があれば、その法則を取り入れて、それに従ってやっていればうまくいくのですから、経営などそもそも必要なくなります。「こうやったら業績が上がる」という法則は、大変に魅力的に聞こえるのですが、こと経営に限っていえば、そうした主張はどこまでいっても嘘なのです。

一橋大学の沼上幹さんは「どうすれば成功するのか教えてほしい」という実務家の問いに対して、次のような説得的な答えを提出しています。

この問いに対して経営学者に用意されている答え方が一通りしかないということはもはや明らかであろう。すなわち、「法則はないけれども、論理はある」という答え以外に、社会科学の一分野としての経営学は用意できるものがないのである。[2]

要するに、無意味と嘘の間に位置するのが論理なのです。経営や戦略を相手にしている以上、法則定立は不可能です。しかし、それでも論理はある、「論理化」は可能だという主張です。ストーリーとしての競争戦略も「法則はないけれども、論理はある」という立場に立って、優れた戦略ストーリーの論理を明らかにすることを目的としています。そして、その論理というのは、「イノベーションが大切だよね！」というほど元も子もない話ではありません。もう少し考えてみたほうがいい何か、しかもそれは実務の「けもの道」を走っているだけでは、なかなか見えない何かなのです。

◆戦略の論理化

戦略の論理化は実務家にとってきわめて大切です。ここでは三つの理由を強調しておきます。

第一に、けもの道で身につく嗅覚は決定的に大切なのですが、その一方で、限界もあります。それは、日々けもの道を走っていると、視野が狭くなり、視界が固定するという問題です。走りながら考えている人は、どうしても視界が狭くなります。

先の車の運転のたとえ話にあるように、日常の理論はひとたび自分の視界の中に入ると非常によくものを見せてくれます。しかし、見える範囲は限られてきます。運転中によそ見をしていると危険だからです。この傾向は高速で走っている人ほど顕著です。厳しくなる競争の中で、人々はますます速く走ることを強いられています。高速道路を走っている状態を想像してみてください。速く走れば走るほど、どうしても視点も固定してきます。ものがよく見え、的確な判断と行動ができるという野性の嗅覚の強みは、「走りながら考える」ということ自体にあるので、視野と視界の問題はすぐには解決のつかないジレンマです。

そこで、視点を転換し、視界を広げるために、他のさまざまな業界や企業や経営者に学ぶ必要が出てきます。しかし、それはそう簡単ではありません。ここに論理が大切になる第二の理由があります。この後すぐにお話しするように、戦略はサイエンスというよりもアートに近い。優れた経営者は「アーティスト」です。その会社のその事業の文脈に埋め込まれた特殊解として戦略を構想します。それが優れた戦略であるほど、文脈にどっぷりと埋め込まれています。経営者が経験に即して語る戦略論は迫力に満ちていますが、ユーザーがその知見を自らの状況に当てはめるのは困難です。いったん論理化して汎用的な知識に変換しておけば、(具体化能力のある)実務家は、その論理を異なった文脈に利用できるわけです。反対に、論理化のプロセスがなければ、知見の利用範囲がきわめて狭くなってしまいます。

第三に、ありがたいことに論理はそう簡単には変わりません。目前の現象は日々変化します。だからこそ「変わらない何か」としての論理が大切になるのです。

以下の文章は『日本経済新聞』の記事からの引用です。ちょっと読んでみてください。

いよいよ日本経済は先の見えない時代に突入したという感がある。今こそ激動期だという認識が大切だ。これまでのやり方はもはや通用しない。過去の成功体験をいったん白紙に戻すという思い切った姿勢が経営者に求められる。

そのとおり、とうなずく人も多いと思います。ただ、この記事は昭和も昭和、私が生まれた一九六四（昭和三九）年九月の『日本経済新聞』からの引用なのです。昔の新聞をめくってみれば明らかなのですが、この数十年間、新聞紙上で「激動期」でなかったときはついぞありません。今も新聞紙上では「今こそ激動期！」「これまでのやり方は通用しない」という全く同じような主張が躍っているのですが、新聞はいつの時代も「今こそ激動期！」です。「これまでのやり方は通用しない」と何十年間も毎日毎日言い続けているわけです。

これはどういうことでしょうか。マーヴィン・ゲイならずとも“What's going on?”と言いたくなるところです[3]。激動期が何十年間も毎日続くというのは、論理的にいってありえません。要するに、「変わっているけど変わっていない」というのが本当のところなのです。為替レートや株価は定義からして毎日変わる現象です。新しい市場や技術が生まれては消えていきます。そういう意味では現象が「激動」するときもあるでしょう。しかし、現象の背後にある論理はそう簡単には変わりません。日々動いていく現象を追いかけることに終始してしまえば、目が回るだけです。目を回してしまえば、有効なアクションも打てません。そういう人には腰の据わった戦略はつくれないのです。

実際に考え、決定し、行動するのはあくまでも皆さんです。本当の答えは皆さんの中にしかありません。しかし、新しい視界や視点を獲得すれば、背中を一押しされるようにアクションは自然と生まれるものです。この意味で「論理ほど実践的なものはない」と私は確信しています。逆にいえば、新しい実践へのきっかけを提供できない論理は、少なくとも実務家にとっては価値がありません。実践にべったりの処方箋は、ある特定の実務家にとって、特定の状況のもとでは有用でしょう。しかし実践は、どこまでいっても一人ひとりに個別の問題です。そうだとしたら、いわゆる「実践的なビジネス書」というものは実はひどく窮屈な話なのです。

即効性のある処方箋も、優れた戦略の「法則」もありません。しかし、優れた戦略の「論理」は確かにあるのです。ふだんから走りながらなんとなく考えていることであっても、一度立ち止まって頭の中から出してみて、じっくりと論理化してみれば、どうすればいいのか気づくことがあるはずです。この本を読んでいる途中や読んだ後で、皆さんの視点が転換したり、視界が拡張するようなことが起きれば、それは私にとって大いなる成功です。私はこのことを基準にして、これからの話を進めていきたいと思います。

◆戦略とは何か

「戦略」というのは実に使い勝手がいい言葉です。皆さんもさまざまなビジネスの局面で戦略という言葉を見たり聞いたり使ったりしていると思います。ただし、吸収力があるというか、入れようと思えば何でも入ってしまう言葉であるだけに、戦略という言葉のイメージや定義は人によってさまざまでしょう。「日常の業務を超えた大局的な何か」として戦略を捉えている人もいるでしょうし、「短期的な目先の対応ではなくて、長期的な指針」と時間軸で戦略を考える人もいるでしょう。

教科書的な定義では、「組織がその目的を達成する方法を示すような、資源展開と環境との相互作用の基本的なパターン」[4]とか書いてあるのですが、これではちょっとわかりにくい。いずれにせよ、

「戦略が良くない」とか「もっと戦略的にやりましょう」というときに、何が良くないといっているのか、どうしようといっているのか、ご自分の定義を思い浮かべてみてください。

たとえば、その辺を歩いているときに、「ところでおうかがいしますが、あなたの会社の戦略は何ですか？」と聞かれたら、どのように答えますか。もちろん現実にこのような人がいたらかなり怪しいので警戒してしまうのですが、ここでお聞きしたいことは、業界の事情通でない、ごく普通の知的水準の人に、自社の戦略をどのように説明するか、ということです。その答えに、あなたの戦略についての暗黙の定義があるはずです。

「あなたの会社はどういう会社ですか？」という質問であれば、答えは簡単です。こういう製品を扱っていて、誰が得意先で、売上高はどれぐらいで、従業員は何人ぐらいで、どこにオフィスがあって……、というようにいくつも答えが出てくるでしょう。ところが、「あなたの会社の戦略は？」となると、話が少し変わってきます。答えにまごついてしまう人も多いのではないでしょうか。

「違いをつくって、つなげる」、一言でいうとこれが戦略の本質です。この定義の前半部分は、競合他社との違いを意味しています。競争の中で業界平均水準以上の利益をあげることができるとしたら、それは競争他社との何らかの「違い」があるからです。他社との違いがなければ、経済学の想定する「完全競争」となり、余剰利潤はゼロになります。だから違いをつくる。これが戦略の第一の本質です。詳しくは次の章でお話しします。

ここで強調したいのは戦略のもう一つの本質、つまり「つながり」ということです。つながりとは、二つ以上の構成要素の間の因果論理を意味しています。因果論理とは、XがYをもたらす（可能にする、促進する、強化する）理由を説明するものです。個別の違いをバラバラに打ち出すだけでは戦略になりません。それらがつながり、組み合わさり、相互に作用する中で長期利益が実現されます。

神戸大学の三品和広さんは、次のような三点の興味深い指摘をしています。[5] いずれも戦略の「つながり」という本質にかかわる重要なポイントです。第一に、経営の問題の多くは、大きな事象を構成要素に分解し、そのうえで一つひとつの要素を別個に吟味しようとするアナリシスの発想に基づいている。だから企業の組織デザインにしても、マーケティング、アカウンティング、ファイナンスといった構成要素に分解される。第二に、しかし、戦略の神髄はシンセシス（綜合）にあり、アナリシス（分析）の発想と相いれない。だから、戦略に対応する部署は企業の中に見つからない。第三に、戦略は部署でなくて人が担う。サイエンスの本質が「人によらない」ことにあるとすれば、戦略はサイエンスよりもアートに近い。

戦略は因果論理のシンセシスであり、それは「特定の文脈に埋め込まれた特殊解」という本質を持っています。優れた戦略立案の「普遍の法則」がありえないのは、戦略がどこまでいっても特定の文脈に依存したシンセシスだからです。

ですから、多くの人々が優れた経営者に「戦略論」の知見を求めるのは自然な成り行きです。優れた「アーティスト」が経験の中で練り上げた知見はとても有用です。日本の経営者に限定しても、ヤマト運輸の小倉昌男さんの『経営学』[6]や、複数の企業再生に成功したのちにミスミの経営者となった三枝匡さんの一連の著作[7]はその代表例です。「論」のスタンスをとらない「自叙伝」「箴言集」的な書物からも、多くの有用な戦略についての知見を引き出すことができます。日本電産の永守重信[8]さんや伊藤忠商事の丹羽宇一郎[9]さん、ファーストリテイリングの柳井正[10]さん、こうした優れた経営者の著作はその好例です。

こうした優れた経営者による戦略論は迫力があります。第一に、当人の特殊な文脈の中で練り上げられた知見であるので、戦略の文脈依存性が確保されています。第二に、実際に丸ごと作動したシンセシスであるので、因果論理が骨太です。第三に、最も重要なこととして、その経営者は現実に成功（もしくは失敗）しているので、成果との因果関係が（少なくとも結果においては）強力に確保されています。

この種の迫力には学者の戦略論が遠く及ばないものです。たとえば、永守さんの主要なメッセージは「すぐやる、必らずやる、出来るまでやる」ですし、丹羽さんのそれは「汗出セ、知恵出セ、モット働ケ」です。柳井さんが二〇〇七年に全社に向けて打ち出した方針は、「儲ける」の一言でした。本質を短い言葉にしてしまえばそういうことなのですが、実行と経験に裏打ちされた主張を通して読めば、きわめて骨太な「論理」が浮かび上がってきます。自分でやったこともなければ、成果も示すことができない私が、実務家に向かってこの種の主張を文字どおり口にしたとすれば、黙殺されるか、冷笑されるか、殴られるかのいずれかでしょう。

◆「セオリーG」

アーティストが書いた戦略論の名著の一つに、ハロルド・ジェニーンさんの『プロフェッショナルマネジャー』があります[11]。邦訳の副題に「58四半期連続増益の男」とあるように、ジェニーンさんは一九五九年から一七年間、アメリカのＩＴＴのＣＥＯとして華々しい成果をあげた名経営者です。この本はアーティストによる戦略論としてとても優れているのですが、とりわけ面白いのは、ジェニーンさんが「経営理論」を全く信用していないということです。

自らの長期にわたる経営経験に基づいて、ジェニーンさんは世にある経営理論のうさんくささをこっぴどく批判します。ジェニーンさんは、経営理論というものはサーカスのような錯覚の魔術にすぎない、と言います。

> それでもわれわれわれは性懲りもなく、錯覚の魔術を見にサーカスや劇場へ行くことをやめない。われわれは常に何かの種類の妙薬、誇大なうたい文句とともに売り出される特効薬を求めてやまない。ビジネスの世界ですら、この事情は変わらず、そこではそうした妙薬は新理論と呼ばれる。というのは、われわれは常に複雑な問題を解いてくれる単純な公式を求めているからである。こぎれいに包装され、魅力的なラベルが貼られているものならほとんど何でも、効能への期待を込めて糖衣錠のようにのみくだされる。ビジネス理論というものは、おおむねそうしたものだ。…（中略）…そうした理論のどれ一つとして、うたい文句どおりには役立たないことを知らされた。…（中略）…実際、職業人としての私の全生涯を通じて、公式の組合せや図表や経営理論によって自分の会社を経営しようとした（いわんや、それに成功した）最高経営者には、いまだかつて出会ったことがない。趣味や服装の流行のように、ビジネス理論は次々

に現れては消えていくものだ。……（中略）……（経営理論の）「達人」たちは、バカでなければ、やがてそうした方式はビジネスの世界では、実験室の化学者や物理学者が用いる不易の公式のように通用しないことを悟る。真実はただ、ビジネスは科学ではないというだけのことだ。

当時世の中を席巻していたＰＰＭ（Product Portfolio Matrix）のフレームワークにしても、ジェニーンさんにしてみれば「とてもついていけない代物」です。ＰＰＭを導入すれば、約二〇年間にわたってＩＴＴで築いてきたもの、目標に向かって全速力で前進する一つのチームになった経営への信頼を台無しにしてしまうというのが彼の結論です。自分たちの利益をよそに持っていかれ、将来の成長の見込みがない「キャッシュ・カウ」のレッテルを張られた事業部で誰が働きたいと思うだろうか、とジェニーンさんは批判しています。

ジェニーンさんがこの本を出した頃、アメリカでは最新の経営理論として「日本的経営」がもてはやされていました。その代表例が「セオリーＺ」です[12]。セオリーＺは、それ以前にあったダグラス・マクレガーさんの「セオリーＸ」と「セオリーＹ」にちなんでつけられた名前です[13]。

セオリーＸとセオリーＹは二つの異なった経営についての前提を対比したものです。人間は必要以上に働くのが好きでなく、自分の職務を果たすのに必要以上の責任は持ちたくない、これがセオリーＸの前提です。この前提に基づくと、厳格な指揮系統を軸として経営することが大切になります。これに対してセオリーＹは、人間は内心では自己の最善の能力を発揮したいと望んでいるという前提です。そうだとすると、意思決定に積極的に従業員を参加させ、組織に共同体的なチームワークを定着させるような経営が効果的となります。

ところが、ジェニーンさんは、「いかにも手際よくまとまったこれらの理論の難点は、私の知る限り、セオリーYあるいはセオリーXに厳密に従って経営されている会社は一つもないということだ。（セオリーXの典型とされる）軍隊でさえ、そんなことは行われていない」と言います。

セオリーZは日本的経営の優位を、終身雇用に代表される従業員の重視、労使の協調、社員の会社に対するロイヤリティーとコミットメント、共同体的な企業文化といった、アメリカの経営との違いに注目することによって説明しようとします。セオリーZについてのジェニーンさんの見解は以下のとおりです。


そんなふうに言われると、バラ色の、静謐な、思いやりのある日本企業の職場に比べて、アメリカの事情は灰色で、寒々しく、ストレスに満ちているように見える。実際はそれほどひどく対照的ではないと私は思うが、たとえそうだとしても、われわれアメリカ人は個人の自由と個人的機会の平等の伝統を、日本人の中に深く根を下ろした温情主義と謙譲と無私と交換したいと思うだろうか？　また、仮にそうしたいと思ったとしても、できるだろうか？　われわれとはなはだしく異なった日本人の生活様式は、何世紀にもわたって培われた文化に根差すものであり、日本の近代産業の経営はその根深い文化の上に、他にはありようのない発展の仕方で形成されたのである。…（中略）…アメリカの働く男女が、日本の家族主義的な会社のやり方を取り入れて、GMやITTや、あるいはベル・システム社の社歌を歌って一日の仕事を始める情景を思い描くことは私にはできない。セオリーXにせよYにせよ、あるいはZにせよ、どんな理論も複雑な問題を一挙に解決してくれるということはありえない。

要するに、ジェニーンさんは、「文脈に埋め込まれたシンセシス」という戦略の第二の本質を強調しているわけです。日本企業とアメリカ企業は異なった文化的な文脈に置かれている。だから日本でうまくいくことがアメリカでもうまくいくとは限らない。同じアメリカの企業でも、それぞれに異なる文脈のもとで動いている。だから、よその会社でうまくいく戦略であっても、ＩＴＴでうまくいくとは限らない。戦略なり経営というものはどこまでいっても、その会社や事業の特定の文脈に埋め込まれたシンセシスであって、さまざまな断片をつなぎ合わせた総体として初めて意味を持つ。経営はサイエンスでなくアートだ。それなのに、「経営理論」は全体を無理やり要素に分解して、個別の要素を文脈から引きはがしてああだこうだとこねくり回す。だから理論には意味がない、というのがジェニーンさんの苛立ちです。

ジェニーンさんは究極の理論として「セオリーG」を提示しています（Gはジェニーンさんの頭文字）。それはこういうものです。「ビジネスはもちろん、他のどんなものでも、セオリーなんかで経営できるものはない」。

◆「ストーリー」とは何か

実体験の迫力を出そうとしても出せない経営学者としては、特定の文脈に埋め込まれたシンセシスとして戦略を扱いながらも、経営者とは違ったアプローチで、しかし実務家にとって有用な戦略論を語る必要があります。そこで私がたどり着いたのが、「ストーリーとしての競争戦略」という視点なのです。

ストーリーの戦略論は、因果論理のシンセシスという戦略の本質を正面から捉える視点です。ストーリーとしての競争戦略は、「違い」と「つながり」という二つの戦略の本質のうち、後者に軸足を置いています。競争戦略は、「誰に」「何を」「どうやって」提供するのかについての企業のさまざまな「打ち手」で構成されています。戦略は競合他社との違いをつくることです。さまざまな打ち手は他社との違いをつくるものでなくてはなりません。

しかし、個別の違いをバラバラに打ち出すだけでは戦略になりません。それらがつながり、組み合わさり、相互作用する中で、初めて長期利益が実現されます。ストーリーとしての競争戦略は、さまざまな打ち手を互いに結びつけ、顧客へのユニークな価値提供とその結果として生まれる利益に向かって駆動していく論理に注目します。つまり、個別の要素について意思決定しアクションをとるだけでなく、そうした要素の間にどのような因果関係や相互作用があるのかを重視する視点です。

戦略をストーリーとして語るということは、「個別の要素がなぜ齟齬なく連動し、全体としてなぜ事業を駆動するのか」を説明するということです。それはまた、「なぜその事業が競争の中で他社が達成できない価値を生み出すのか」「なぜ利益をもたらすのか」を説明することでもあります。個々の打ち手は「静止画」にすぎません。個別の違いが因果論理で縦横につながったとき、戦略は「動画」になります。ストーリーとしての競争戦略は、動画のレベルで他社との違いをつくろうという戦略思考です。

サッカーにたとえるとわかりやすいでしょう。相手チームに勝つために、どこのポジションにどういう選手を配置するかという問題は戦略を構成する「点」です。しかしそこで選ばれ、配置された選手たちが繰り出すパスがどのようにつながり、ゴールへと向かっていくのかは、点を結びつける「線」の問題です。サッカーの戦略というのは、要するにそのチームに固有の「攻め方」なり「守り方」を意味しているわけですが、攻め方なり守り方はいくつもの線で構成された「流れ」や「動き」として理解できます。戦略の実体は、個別の選手の配置や能力や一つひとつのパスそのものではなくて、個別の打ち手を連動させる「流れ」、その結果浮かび上がってくる「動き」にあるのです。

ストーリーとしての競争戦略とは、「勝負を決定的に左右するのは戦略の流れと動きである」という思考様式です。将棋や囲碁にしても同じ話で、普通私たちが戦略というときは、意識しているか無意識かは別にしても、個々の打ち手ではなく、打ち手をつなぐ流れ、勝利に向けたストーリーをイメージしているはずです。戦略をストーリーとして捉える思考は、何も新しい話ではなく、素朴なレベルではごく自然な理解です。

個別の要素についての意思決定（たとえば、ある製品の生産を社内でやるか、それとも外部企業に任せるか）は、基本的にwhatやwho（whom）やhowやwhereやwhenを確定するということです。こうした個別の打ち手に対して、戦略ストーリーが問題にするのはwhyです。右で「線」とか

「流れ」といっているのは、なぜある点がもう一つの点につながるのか、ある打ち手がなぜ次の打ち手を可能にするのか、という因果論理に注目しています。戦略を一連の流れを持ったストーリーとして考えなくてはならないゆえんです。

◆戦略の「流れ」と「動き」

マブチモーターは技術的に成熟した、小型モーターを専門につくっている会社で、一見してあまり儲かりそうもない業界に身を置いているのですが、高い利益率を長期的に維持してきました。いずれまた事例として詳しくお話ししますが、小型モーター事業について、マブチの考えたそもそものストーリーは、最も単純化していえば「大量生産によるコスト競争力で勝つ」というものです。「大量生産」という打ち手と「低コスト」をつなげる線は、「規模の経済」という、ごくありふれた論理です。

これだけならば話は単純なのですが、マブチの戦略ストーリーが面白いのは、大量生産につながる打ち手として、「モーターの標準化」という意思決定をしたことにあります[14]。今でこそ「標準化」は当たり前のように聞こえますが、当時のモーター業界では常識に反した「禁じ手」でした。玩具やドライヤーなどの家電製品に使われていた小型モーターは、それぞれのセットメーカーからの特定仕様の注文を受けて、それに合わせて生産されていました。セットメーカーは自社の競争力を高めるために製品差別化を行おうとするので、それに内蔵するモーターも少しずつサイズや特性を変えなければなりませんでした。受注生産時代のモーターは典型的な多品種少量生産でした。

モーターを特定少数のモデルに標準化すれば、これまでの少量生産のくびきから解放されて大量生産が可能になるだろう。マブチの顧客であるセット（モーターを組み込んだ完成品）業界にしても、競争が激しいところばかりで、製品開発のサイクルも早まる一方だ。一円でも安く、一日も早い開発を迫られるユーザーにとって、モーターの標準化は初めのうちは抵抗があるだろう。しかし、そこを我慢すれば長期的には経済合理性を認められるはずだ。そのうちにユーザーが次々とマブチの標準モーターを買うようになれば、さらに標準モーターに対する抵抗は薄れ、マブチにとってはますます規模の経済がコストを下げるという好循環が生まれるだろう……。こうしたストーリーが構想されたのです。

標準化の他にも、それを取り巻くように、玩具や生活家電以外の「新しい市場の段階的な開拓」、中国を中心とする「海外での直接生産」、意図的に自動化の水準を下げた「労働集約的な生産ライン」、支店や営業所を持たない「一極集中の営業体制」といった手をマブチは打ちました。そうしたいくつもの打ち手が相互に因果論理でつながり、全体として「標準化→大量生産→規模の経済→低コスト」という長期利益をたたき出すシュートを可能にしました。その背後には、さまざまな打ち手がなぜ結びつき連動していくのかについての論理を突き詰めた独自のストーリーがありました。マブチの成功は、個別の打ち手が功を奏したというよりも、ストーリーの勝利でした。

小説や映画のストーリーに優れたものとそうでないものがあるように、戦略にもストーリーとしての優劣があります。つまり、戦略ストーリーの「筋の良し悪し」です。第3章で詳しくお話しするように、戦略ストーリーの筋の良さとは、戦略のシンセシスを支える因果論理がしっかりしており、ストーリーとしての一貫性が高いということを意味しています。短絡的な因果論理だけで組み立てられた戦略は成功しません。成功するとしたら、よっぽど外的な条件が整っていたか、とにかく運が良かったかのどちらかです。

たとえば、「中国の競合企業が台頭してきて、価格競争が激しくなった。コストを落とさなくてはならない。自社生産をやめて、中国の組立専門の製造企業へのアウトソーシングに切り替えよう」、これは「筋の悪い」話の典型です。中国企業へのアウトソーシングに切り替えれば、自社でつくるよりも労働のコストが安くなります。この話に論理が全くないとはいえません。ですが、ストーリーがあまりにも短絡的です。その中国企業へのアウトソーシングが他社にとっても可能であるとすれば、自社生産と比べてコストが下がったとしても、競争相手に差をつけることにはなりません。自社生産を取りやめてしまえば、生産技術の蓄積が途絶えてしまいます。アウトソーシングを円滑に進めるために何らかの技術供与が必要になるかもしれません。独自の技術が流出し、長い目で見れば、これまで競争力を支えていた強みを喪失することになりかねません。

これはあくまでも仮想的な一例であって、中国企業への生産委託が一般的に「悪い戦略」だというわけではありません。因果論理が短絡的で、「筋の悪い」話になっていることが問題なのです。そもそも「話になっていない」といったほうがよいでしょう。

マブチモーターは一九五四年に日本国内の自社工場で操業を始めたのですが、一〇年後の一九六四年には早くも香港マブチを設立し、海外での現地生産に着手しています。一九六九年には台湾、八六年には中国の広東、八七年に大連、八九年にマレーシア、九六年にベトナムと海外生産拠点は東アジア一帯に広がりました。一九九〇年代に入ると日本国内での生産拠点は事実上閉鎖され、全量を海外生産しています。中国をはじめとするアジア諸国への直接投資による生産移転は、今でこそ当たり前になりましたが、マブチはその先駆けとなる企業でした。その後、二〇〇〇年代に入って多くの日本企業が中国での海外直接生産を始めるようになると、マブチは中国進出の先駆的な事例として注目を集めることとなりました。「先見の明」があったというわけです。

しかし、戦略ストーリーの筋の良さは、他の要素とのつながりの文脈でしか決まりません。マブチの先行的な中国での現地生産は、もちろん先見の明もあったでしょうが、それ以上に他の打ち手と因果論理できちんとつながっていたということが大切です。

マブチはブラシつき小型モーターという最も技術的に成熟した分野に特化し、さらに重要なこととして、「モーターの標準化」を戦略のカギとしていました。技術的に成熟した製品であれば、中国での労働集約的な生産ラインに適していますし、中国での安価な労働力の恩恵を享受しやすくなります。製品が標準化されていれば、多種多様なモデルをつくる必要がそもそもないので、熟練の程度が低い労働力に依存したとしても、深刻な問題にはなりません。同じものを長期間ひたすらつくり続けるので、熟練の形成も容易です。

マブチの成功を見た同業他社が、中国現地生産の戦略を「ベストプラクティス」として導入したとしても、周囲の打ち手とのつながりに欠けていれば、かえって筋の悪い話になってしまいます。ストーリーの断片を切り取ったスチール写真を見るだけでは映画が評価できないのと同じように、ストーリー全体を通して見ないことには、筋の良し悪しは判断できません。

マニーは、手術用の針やナイフに特化した企業です[15]。その分野で世界最高水準の品質を武器に、長期にわたって高い利益水準を維持しています。マニーも一九九〇年代後半に東アジアでの海外生産に乗り出した企業の一つです。しかし、マニーはステンレス線材の前処理を海外で行い、微細加工など独自技術が必要な工程はいったん日本国内の工場に戻し、最終加工と品質検査のためにもう一度海外工場に出すというやり方をしています。

立地の選択にしても、マニーは当時ブームだった中国ではなく、ベトナムを工場立地として選択しました。しかも、政府がインフラを整え、積極的に誘致していた工業団地の一角ではなく、周りに工場が一軒もないようなへんぴな場所に工場を建てています。

なぜこのような打ち手をとったのでしょうか。打ち手をつなぐストーリーに目を向けると、明快な因果論理が読み取れます。マニーの強みは品質にあるので、独自技術が必要な工程は日本に集約しています。その前後の前処理工程と最終加工、品質検査の工程は労働集約的なので、海外に出すメリットが大きくなります。

品質にとって最も重要なのが最終検査工程です。手術用針の特定種類だけでも年間に一億本以上生産されるのですが、ここで人間の目視による全品品質検査を行うという取組みがマニーの品質を支えています。この仕事はきわめて労働集約的になるので、人件費の安いベトナムでの生産は有効です。「ベトナム→日本→ベトナム」という工程の移動は、一見非効率に見えます。しかし、製品がきわめて軽くて小さいので、納期の短縮のために航空機で輸送してもコストが小さくて済みます。重たくてかさばるものであれば、こうはいきません。

ベトナムのへんぴな場所を選択したのにも論理があります。全品品質検査は作業者の熟練がカギになります。中国の労働市場は流動性が高く、作業者がなかなか定着しないこともあり、ベトナムのほうが適しています。それでも、いろいろな会社の工場が集まっている工業団地に出てしまうと、作業者が他の工場に転職してしまう可能性が高まります。そこでマニーは、周りに工場が一つもないような場所を長い時間をかけてゼロから切り拓き、その周囲に住む人々を採用するのです。採用した従業員は徹底的にトレーニングし、スキルを育成します。従業員は地元で仕事につけますし、周りに他の工場もないので転職するインセンティブを持ちません。必然的に定着率がきわめて高くなり、熟練が形成され、全品品質検査による世界最高の品質が相対的に低コストで維持できるという成り行きです。マニーの海外生産は、戦略ストーリーを構成する他の要素と強い因果論理でつながっています。つまり、戦略が筋の良いストーリーになっているのです。

◆「ストーリー」とは何ではないのか

「静止画を動画に」、ここにストーリーの戦略論の本領があります。従来の戦略論には「動画」の視点が希薄でした。戦略のあるべき姿が動画であるにもかかわらず、その論理を捉えるはずの戦略「論」はやたらと静止画的な話に偏向していたように思います。

以下では、従来の静止画的な戦略論を、「アクションリスト」「法則」「テンプレート」「ベストプラクティス」「シミュレーション」「ゲーム」の六つに分けて検討してみます。ストーリーの戦略論が「何ではないか」を明らかにすることによって、「何であるのか」をはっきりしておこうというのがここでのねらいです。

❶「アクションリスト」ではない

繰り返しますが、戦略の本質は「シンセシス」(綜合)にあります。経営の問題の多くは、大きな事象を構成要素に分解し、そのうえで一つひとつの要素を別個に吟味しようとするアナリシスの形をとりますが、戦略に限ってはシンセシスにその神髄があります。

ところが、現実には、肝心のシンセシスの側面がきれいさっぱり欠如している「戦略」が少なくありません。そこに一貫したストーリーが流れているかどうかは、情報量の多さとか分析の密度、正確さとは別ものです。ストーリーになっていない戦略であっても、いろいろな要素が盛り込まれているのが普通です。市場環境やトレンドはどうなっているのか。ターゲット・マーケットとしてどのセグメントをねらうか。どういう仕様の製品をどういうタイミングでリリースするか。プライシングはどうするか。どういうチャネルを使うか。どのようにプロモーションするか。どこを自社で行い、どこをアウトソーシングするのか。生産拠点はどこに置くのか。必要なポイントが広範かつ詳細に検討されています。何枚ものパワーポイントが出てきます。

しかし、そうした構成要素が全体としてどのように動き、その結果何が起こるのか、ストーリーのつながりと流れがさっぱりわかりません。話している当の会社の人も、その「戦略」が全体としてどのように動くのか、本当のところはよくわかっていない。これが「アクションリスト」の戦略です。

なぜそうなってしまうのでしょうか。通常のオペレーション業務のように、戦略をつくるという仕事を担当部門の「分業」で、「分析的」にやろうとする発想にそもそもの間違いがあると思います。トップは目標を打ち出すだけで、戦略をつくる作業を会社のさまざまな業務部門に投げてしまう。それを受けてそれぞれの業務部門が、目標を達成するためのアイテムを、自分の担当する分野の範囲でひねり出し、バラバラに上にあげる。それを受けて、「経営戦略部門」が見た目はきれいなプレゼンテーション資料に落とし込む、というプロセスです。これでは戦略をつくるという仕事が、アクションリストを長くしたり細かくする作業にすり替わってしまいます。本来は「動画」であるはずの戦略が無味乾燥な静止画の羅列になり、文字どおり「話にならない」のです。

2 「法則」ではない

戦略「論」が宿命的にやっかいなのは、法則の定立がほとんど不可能だということです[16]。にもかかわらず、一部の戦略論、特に「アカデミック」な戦略論には法則の定立をめざそうとするものが少なくありません。この数十年の正統派経営学の基本姿勢は、法則の定立を志向しています。これは経営の実在をコントロール可能なシステムであると想定し、大量観察を通じてそのシステムの挙動に規則性を見出し、そこから法則を導出しようという立場です。こうしたアプローチは、近年の統計学の発達や自然科学の成功にも影響されて、より「科学的」であるという印象を与えます。できるだけ多数の多様なシステムを観察することで、より一般化の程度が高い法則を導出し、その法則を実務家に伝授していくというプロセスが正統派経営学の標準となりました。

この種の「法則戦略論」への傾斜は、アカデミズムの自然な帰結ともいえます。「科学的」な実証研究は、大量サンプルを統計的な手法で分析した結果として、「他の条件が一定であれば（all other things being equal）、XであるほどYになる」という「厳密」で「一般性の高い」法則の定立をめざします。

私はこの種の法則戦略論の有用性を疑わしく思っています。なぜならば、第一に、そもそも戦略とは他社との違いを問題にしているからです。大量観察を通じて確認された規則性は、あくまでも平均的な傾向を示すものでしかありません。そこで提示された「法則」に従うということは、他社と同じ動きに乗るということであり、戦略にとっては自殺的といえます。第二に、「他の条件が一定であれば」といったとたんに、戦略の本質である「文脈依存性」や「シンセシス」が根こそぎ切り捨てられてしまいます。

厳密で一般性の高い知見が実務家にとって全く無意味だとは言うつもりはありません。経営者が自らの意図と文脈に引きつけて解釈すれば、自社の戦略を構想するときに有用な論理のパーツを提供することも多々あるはずです。しかし、戦略論の学術雑誌を熟読する経営者というのは、よっぽどのマニア以外には想像しにくいでしょう。

3 「テンプレート」ではない

そこで、こうしたアカデミックな戦略論からかなり独立した形で、「プラクティカルな戦略論」の流れが出てきます。実務家への影響力という意味では、こちらのタイプのほうが圧倒的に強いでしょう。しかし、正統派経営学の法則定立のくびきから解放されているにもかかわらず、プラクティカルな戦略論もまた「静止画」になりがちです。その理由は、こうした戦略論が実務家のニーズに「過剰に適応」するからです。

その典型が「テンプレート戦略論」です。因果論理のメカニズムを解明するよりも、実務家が「それ、使えますね！」とすぐに食いつくようなツールの開発に主眼を置くタイプの戦略論です。たとえば、実務家に影響力のあった戦略論に「ブルー・オーシャン戦略」があります。「バリュー・イノベーション」という概念をはじめ、有用な論理があちこちで展開されています。しかしその一方で、この本は実務家のニーズに過剰適応している面もあるように思います。せっかくの論理化の面白さよりも、本の中では「戦略キャンバス」「アクション・マトリックス」といったテンプレートが前面に打ち出されています。

ユーザーである実務家が戦略論を過剰に「実用」しようとする結果、論者には必ずしもそのつもりはないのに、いつのまにかテンプレート戦略論として定着するという成り行きも少なくありません。マイケル・ポーターさんの有名なフレームワークの一つに「バリューチェーン」があります。「チェーン」（連鎖）という名前がついているぐらいですから、本来は異なった活動の「つながり」を理解するためのものであるはずです。実際、本の中でポーターさんは異なる活動のシンセシスについて詳細な議論を展開しています。しかし、バリューチェーンのフレームワークはほとんどの場合、企業のさまざまな活動を分類・整理するだけのテンプレートとして使われているのが現実です。皮肉なことに、バリューチェーンがフレームワークとして普及するに従って、肝心の活動間のつながりの論理はますます軽視されるようになった感があります。

この手のテンプレートで最も広く使われているものは、おそらくSWOT分析でしょう。SWOTというのはStrengths（自社の強み）、Weaknesses（自社の弱み）、Opportunities（競争環境の機会）、Threats（競争環境の脅威）を整理して理解するためのフレームワークです。「自社の強みと弱み」と「外部の機会と脅威」との掛け算からなる四つのマス目を埋めれば、とるべき戦略が見えてくる、というのが建前です。マス目にそれぞれの要因やアイテムを列挙するのはそれほど難しくはありません。しかし、何を自社の強みないしは弱みと見るのか、何が脅威で何が機会なのか、こうしたことは実はきわめて高度な論理と判断を必要とするはずです[17]。

百歩譲って、そうした判断ができたとしましょう。SWOTは「自社」と「外部」の間にある因果論理を考える助けにはなるかもしれません。しかし、自社の「強み」と「弱み」の間にある因果論理については分析者の目をふさいでしまいます。戦略ストーリーの「キラーパス」（第5章）のところで詳しくお話しするように、ある部分での（多分に意図的な）「弱み」が、別の部分での「強み」をもたらしているということは、優れた戦略がしばしば含んでいる因果論理なのです。

考えてみれば、テンプレートの戦略論は戦略の本質にことごとく逆行しています。シンセシスであるはずの戦略立案が、テンプレートのマス目を埋めていくというアナリシスに変容します。戦略をその企業の文脈から無理やり引きはがし、構成要素の因果論理や相互作用を隠してしまいます。本来は動きのあるストーリーのはずの戦略は、かくして限りなく静止画へと後退していきます。

4 「ベストプラクティス」ではない

戦略論が過剰に「実用的」となったあげくに静止画化してしまうという皮肉は、「ベストプラクティス」についても当てはまります。ベストプラクティスの戦略論は成功事例の最も「目立つ」部分に注目し、そこから教訓を引き出そうとします。さまざまな業界や企業のベストプラクティスを知ることそれ自体は意味のあることです。しかし、ベストプラクティスを取り入れるだけの「戦略」が戦略の名に値しないのはいうまでもありません。これまた「違いをつくる」と「シンセシス」という競争戦略の二つの本質にまるで逆行するからです。

世の中で取りざたされているベストプラクティスに飛びつき、それをいち早く自社に導入する。論理的な思考が弱いというよりも、そもそも「思考の欠如」といったほうがいいかもしれません。沼上幹さんはこの種の論理的思考の欠如を「カテゴリー適応」というものの考え方の問題として指摘しています[18]。「A子さんはなぜ男性にもてるのか」という問いに対して、「A子さんが女性だから」と答えたとしたら、ほとんどすべての人は説明になっていないと思うでしょう。女性でも男性にもてない人はいるからです。確かに、男性にもてる人は女性が多い（男性にもてる男性というのもいるとは思いますが）。ただし、女性というカテゴリーを持ち出すだけで説明が終わったと考えるのは間違いです。この答え方では「なぜ」という問いに対する回答にはなりません。

カテゴリー適応の典型的な例として、沼上さんは次のような例を挙げて説明しています。「インテルは儲かっているのに、ノートPCが儲からないのはなぜか」という問いに対して、「ノートPCはアセンブリ（組立）業だから儲からないのだが、インテルはデバイス業だから儲かるのだ」と答える人は少なくありません。これは「アセンブリ」とか「デバイス」というカテゴリーに分類して説明しようとしているという意味で、カテゴリー適応であるといえます。確かにアセンブリ事業の利益率とデバイス事業の利益率を平均すれば後者のほうが高いかもしれませんが、そこには「なぜ」に答える論理はありません。

「アセンブリ＝儲からない」「デバイス＝儲かる」という話が理由の説明になっていないということは明白です。たとえば、いっときベストプラクティスとして喧伝された「スマイルカーブ」の理論（？）を考えてみましょう。「スマイルカーブ」というのはこういう話です。バリューチェーンにある川上から川下までの活動を眺めてみると、中間に位置するアセンブリ（スマイルマークの口の曲線の底の部分）は付加価値が出せないけれども、川上のデバイスや素材、川下のサービスやマーケティング（スマイルマークの口の曲線の両端の上がっている部分）は付加価値を出しやすい。だから水平分業が大切だ。アセンブリはアウトソーシングをして、デバイスかサービス（もしくはその両方）に集中するのがよい、というのです。

これはカテゴリー適応そのもので、論理が欠如していることは明らかです。アセンブリは儲からないからアウトソーシングに切り替えろ、というのですが、スマイルカーブの教えに忠実な企業からアウトソーシングを受けてバリバリ儲かっているアセンブリ専門企業もたくさんあるわけで（もちろん儲かっていないアセンブリ専門企業もそれに劣らずたくさんありますが）、この一点だけをとっても、スマイルカーブの教えは眉唾ものといえるでしょう。

「自前主義にこだわった垂直統合モデルはもう古い。これからは水平分業だ」というよく聞く話も、これとほとんど同じです。もちろん垂直統合を捨て、水平分業に移行することによって収益を確保している会社もたくさんあります。自前主義が利益の足を引っ張っている会社も少なくないでしょう。しかし、「だから水平分業だ」、これでは論理があまりに希薄です。論理で綴るストーリーになっていないのです。

いつの時代も「最新のベストプラクティス」は世の人々の話題になります。しかし、そのほとんどは流行にすぎません。一年か二年で忘れられてしまいます。「ベストプラクティス」が意味を持つのは、それがきちんとした因果論理で自社の戦略ストーリーに組み込まれたときだけです。しかし、皮肉なことに、ベストプラクティスというカテゴリー適応的な発想は、それ自体にストーリーの因果論理をないがしろにするという性格を持っているのです。流行のベストプラクティスに飛びつくだけでは、いつまで経っても独自のストーリーは出てきません。それどころか、藤本隆宏さんが言うように、他社のベストプラクティスを拾っては捨て、拾っては捨ての「賽の河原の石積み」になってしまいます。[19]

5 「シミュレーション」ではない

戦略ストーリーという言葉は、「シナリオ」とか「ロードマップ」と似たものに聞こえます。言葉のそもそもの意味としては、ほとんど同じといってもよいぐらい近いのですが、問題は、会社で「シナリオ・プランニング」とかいうと、単純なシミュレーションをやるだけになってしまうということです。つまり、ある条件を事前に仮定したうえで、GDPの成長率や為替レート、当該事業の市場規模、自社のシェア、売上高、そのときの期待投資収益率など、さまざまな数字を入れ込んで、条件が変わると期待投資収益率がどのように変化するのかを調べる、というような作業です。

シミュレーションは時間軸が入っていますから、その意味では動画の側面もあります。しかし、この種の数字を羅列しただけのシミュレーションが戦略ストーリーの名に値しないのはいうまでもありません。数字の背後にある因果論理がほとんど考慮されていないからです。それぞれの数字がなぜそのように連動するのか、これを特定するためには相当に深い論理的推論が必要となるはずですが、肝心の因果論理が、「GDPに比例して市場規模が大きくなるはずだ……」というような、あまりにも単純な仮定にすり替わってしまいます。これでは数字が条件の変化や時間とともに動いていくだけで、ストーリーにはなっていません。

一貫した戦略ストーリーが先にあり、さまざまな条件がそのストーリーにどのような影響を与えるのか、事後的にチェックするためには、この種のシミュレーションは有用かもしれません。しかしそれは戦略を立てた後のおまけというか、確認のような作業であって、戦略そのものではありえません。

6 「ゲーム」ではない

近年発達したゲーム理論は、複数の意思決定主体が合理的な基準に従って行動したときに生じる状況を、主として数理モデルを使って分析する手法です。その適応領域は経済学をはじめとして、社会学、政治学など広範にわたっています。戦略論もその例外ではありません。

ゲームの戦略論は、ゲームの全体構造を俯瞰する立場から、そこに参加するさまざまな企業や供給業者、顧客などが相互作用して生じる状況を考察しようとします。局所的な打ち手のみならず、ビジネスの全体構造の中で、各参加者（ゲームのプレイヤー）の相互作用がどのような意味を持ち、そこから何が生じるのかが捉えられるというところに、ゲーム戦略論の強みがあります[21]。ですから、ゲームの視点にはストーリーの戦略論と一脈通じるところがあります。

しかし、私が「ストーリー」という言葉にこだわる理由の一つには、そこに「ゲームではない」という意味を込めたいという意図があります。私が違和感を持つのは「ゲーム」という視点の基本的な前提です。ゲームの戦略論は、自社を取り巻く他社に働きかけながら、自社にとって都合の良い外的環境をつくり出すことをめざしています。ここに利益の源泉があるというのがゲームの戦略論の考え方です。

そのような「おいしい」状況をつくり出す手段として、ゲームの戦略論は企業の「戦略的行動」(strategic behavior) に注目します。たとえば、戦略的な低価格の設定や強気の投資によって、潜在的な参入業者や競合他社のやる気をそぐというような行動です。より一般的な言葉でいえば、「駆け引き」です。

しかし、「他社の合理的な反応を予測する」というゲーム戦略論の基本的な視座は、クールに過ぎると思います。ゲームの戦略論のように「合理的な駆け引き」にとらわれると、「シグナリング」や「スクリーニング」といった個別の戦略的行動にばかり目が向き、結果的にプレイヤーの合理的な行動をスナップショット的に捉えることに終始しがちです。

しかも、ゲーム理論的な戦略思考は、ゲームに参加しているプレイヤーがすべて基本的には合理的で、相互の行動がもたらす成り行きを完全に理解できている、と想定しています。しかし、何を合理的とするかは、それぞれの企業の主観的な判断に大きく影響されるはずです。プレイヤーが置かれている文脈が異なれば、「合理的な行動」の中身も変わってくるでしょう。ゲーム理論的なフレームワークは論理的思考を助けますが、それが現実の戦略構想の指針になるとは考えにくい、というのが私の意見です。

◆「ビジネスモデル」と「ストーリー」

話をストーリーの戦略論に戻しましょう。マブチモーターやマニーのように業界標準以上の長期利益をたたき出している企業をじっくり眺めていると、きちんとした因果論理で綴られた戦略ストーリーが浮かび上がってきます。それはまさにストーリーであって、法則やテンプレートやベストプラクティスで説明できるものではありません。

マイケル・デルさんは「ホームランでなく、ヒットをねらう。ビジネスは野球と同じで、できるだけ高い打率をめざすのがベストだ。なぜなら、永遠に続く大ヒット製品やテクノロジーなど存在しないからだ」と言っています[21]。画期的な新製品、まだ誰も参入していない新興市場、自社だけで占有可能な技術、こうした強力な点の一撃があれば成功できるかもしれません。この種の要素レベルの差別化は目立ちますし、わかりやすく、華々しい成功をもたらします。しかし、これだけグローバルに情報が行きわたった時代になると、そうした「必殺技」は探してもなかなか見つかりません。すぐに他社も同じようなことを仕掛けてきます。

サッカーでいえば、ロベルト・バッジョやアレッサンドロ・デル・ピエロのようにずば抜けた能力を持つファンタジスタがいれば、確かに得点は入りやすくなります。しかし、そうした有力選手という要素に依存した競争優位であれば、その選手が他チームに引き抜かれてしまえば失われてしまいます。

一方で、ブラジルチームに固有の流れるような攻撃パターンや、イタリアチームのお家芸、「カテナチオ（鍵をかける）」と呼ばれる鉄壁の守備の方法は、チーム全体の攻め方、守り方にかかわる強みです。仮にイタリアから数人の有力選手を引き抜いてきても、カテナチオは再現できないでしょう。どうしたらそういうことができるのか、因果関係が複雑でわかりにくいので、まねされにくく、優位が持続しやすいのです。

ストーリーとしての競争戦略の重要性は今に始まった話ではありません。マブチの戦略にしても歴史的な事例です。戦略論の世界でも、「ビジネスモデル」とか「戦略モデル」「アーキテクチャ」「ビジネスシステム」、さらにはそれを発展させた「ビジネス・エコシステム」という概念を使って、構成要素のつながりに注目する研究が蓄積されています。日本でも、加護野忠男さんや井上達彦さんらによるビジネスシステムについての先駆的な研究や、根来龍之さんらのビジネスモデルの研究、藤本隆宏さんや武石彰さんや青島矢一さんの製品アーキテクチャに注目した研究、小川進さんの流通の仕組みの研究などは、いずれも戦略の個別の構成要素を超えて、それらが相互につながったパターンの重要性に焦点を当てた優れた研究です[22]。

ストーリーとしての競争戦略という思考は、こうした研究と多くを共有しています。もっといえば、ここでいう「戦略ストーリー」を「ビジネスモデル」「ビジネスシステム」「アーキテクチャ」とそのまま読み替えてしまっても、たいして不都合はありません。現に、ジョアン・マグレッタさんは、二〇〇二年の有名な論文“Why Business Models Matter”の中で、「ビジネスモデルとは、なぜ事業が有効に動くのかを説明するストーリーである」と明言しています[23]。

企業の競争優位の源泉が戦略の構成要素のレベルから「システム」なり「仕組み」のレベルへとシフトしているという問題意識の点でも、私の話はこれらの研究と共通しています。「ストーリー」「モデル」「システム」「アーキテクチャ」、呼び名の違いは別にしても、こうした考え方はいずれも個々の要素ではもはや企業が持続的な競争優位を確立しにくくなっているという問題意識に立脚しています。加護野忠男さんは、「ビジネスシステムの静かな革命」という興味深い議論をしています。システムレベルの差別化は構成要素レベルの差別化と比べて、「静かな差別化」です。だからこそ、システムレベルの差別化はまねされにくく長持ちするという面があります。差別化の次数を要素からシステムへと繰り上げれば、新しい競争優位が獲得できるという論理です。

このように、ストーリーという視点は、「モデル」や「システム」の戦略論と多くを共有しています。にもかかわらず、ここで私が改めてストーリーという視点を強調するのには、五つの理由があります。

一つ目の理由は、ストーリーという視点の持っているダイナミックな意味合いです。ビジネスの設計思想としてのビジネスモデルや、その結果生成するビジネスシステムはどちらかというとビジネス全体のかたちに焦点を当てていたため、全体の流れや動きを捉えにくいというきらいがあります。アーキテクチャにしても、ビジネス全体のレベルに拡張して応用することはできますが、そもそも製品システムの安定的なありように注目した概念です。

ストーリーの戦略論とビジネスモデル（システム）の戦略論との違いは、ビジネスモデルが戦略の構成要素の空間的な配置形態に焦点を当てているのに対して、戦略ストーリーは打ち手の時間的展開に注目している、ということです。

「ビジネスモデルを図示してください」というと、ビジネスに含まれるさまざまなプレイヤーや機能部門の間のカネやモノや情報のやり取りの絵が出てくるのが普通です。これに対して、戦略ストーリーの絵は「こうすると、こうなる。そうなれば、これが可能になる……」という時間展開を含んだ因果論理になります。

ビジネスモデルとストーリーの対比をアマゾンの例で示してみましょう（図1・3）。図の左側はアマゾンの「ビジネスモデル」を図解したものです。中央にあるアマゾンのウェブサイトを中心に、さまざまなやり取りが展開されます。創業からしばらくの間、アマゾンは自ら商品を仕入れ、直接に顧客に商品を販売するという小売のビジネスに事業領域を限定していましたが、その後、外部の売り手（個人もしくは法人）が中古書籍などをアマゾンの顧客に販売できるようにし、そこで手数料をとる「場所貸し業」（アマゾン・マーケットプレイス）も始めています。この図にあるように、ビジネスモデルも「相互作用」に注目しているのではありますが、これらは「マーケティング情報」の提供とか「発注」「支払」「出荷配送」といった、あくまでも「取引活動」です。因果論理ではありません。

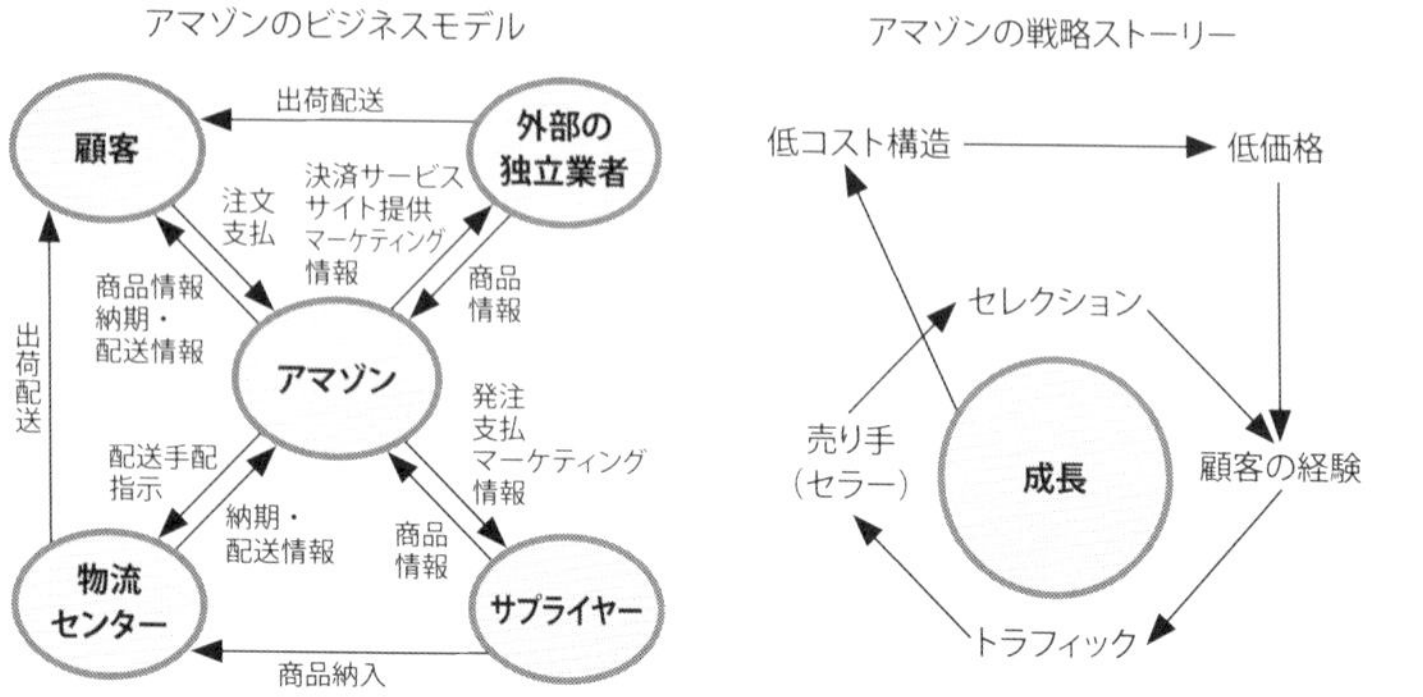

図1・3　ビジネスモデルと戦略ストーリー

右側にあるのは、創業者のジェフ・ベゾスさんがアマゾンの事業を構想しているときに、一番最初にレストランの紙ナプキンに描いたとされる戦略の「ストーリー」です[24]。これはごくシンプルな絵でありまして、この段階では、どの範囲まで取り扱う商品カテゴリーを増やすのかとか、在庫をどこまで自分たちで持つのかとか、アマゾンが力を入れていくことになった顧客の好みを理解したうえでの「レコメンデーション」による個別化されたマーケティングとか、そのための技術開発とか、そういう具体的な打ち手については言及していません。しかし、時間展開を視野に入れた因果論理になっていることははっきりと見て取れます。

それはこういうストーリーです。顧客にEコマースならでは、アマゾンならではのユニークな購買経験を提供する。そうするとトラフィックが増大する。人々がたくさん訪れるサイトになれば、多くの売り手（出版社やメーカーなどの取引先）を引きつける。そうするとセレクションが充実する。これが顧客の経験をさらに充実させ、トラフィックを上げる……という好循環の論理です。このストーリーが動くと、成長が実現されます。成長に伴って、規模の経済や範囲の経済を通じて低コスト構造が出来上がり、これが低価格を可能にするから、ますます顧客に対して魅力的な経験を提供できる。つまり、アマゾンの戦略ストーリーには好循環の論理が二重に組み込まれているわけです。

　個々の打ち手が組み合わさり、連動することによって生まれる戦略の流れや動きの側面については、踏み込んだ議論はあまりされてきませんでした。ビジネスモデルの概念は、確かに全体の「かたち」を捉えるものですが、構成要素の因果論理が巻き起こす「流れ」や「動き」の側面を捉えにくく、静止画的な戦略思考になりがちです。複数の打ち手がかみ合って連動する相互作用の論理、そこから生まれる「動画」としての側面により直接的に光を当てる必要があるというのが私の意見です。ここであえてストーリーという言葉を持ち出すのは、こうした戦略のダイナミックな本質を強調したいという意図があるからです[25]。

「ダイナミック」というのはあくまでも「動きが見える」ということで、「長期的なことを考える」ということを必ずしも意味するわけではありません。長期か短期かという分類軸は、ここで強調している動画か静止画かという軸とは別ものです。仮に、その戦略がそれほど遠い将来のことを考えていなかったとしても（現実に「遠い将来のこと」は不確実過ぎてそうそう決められないものです）、向こう三年から五年の戦略ストーリーが動画として見えるようなものであれば、それはダイナミックだということです。

◆「短い話」を長くする

ストーリーという視点を強調する二つ目の理由は、このところ特にその傾向が強まっていると思うのですが、現実の企業経営の中で、戦略ストーリーをじっくりと考え、語り合うことが希薄になっているのではないかという懸念です。

従来の戦略論には「動画」の視点が希薄でした。戦略のあるべき姿が動画であるにもかかわらず、その論理を捉えるはずの戦略「論」はやたらと静止画的な話に偏向していたように思います。しかも、戦略論の「静止画症候群」は、このところよりいっそう顕著になっているのではないか、というのが私の問題意識です。

素朴に考えれば、そもそもあらゆる戦略は面白い「お話」であるべきなのですが、これまでも強調してきたように、ストーリーということになると、what や when や how much だけでなく、why が話の中心になります。ところが、やっかいなことに、what や when に比べて、why に対する説明はどうしても話が長くなります。しかも、why の線は一本ではありません。複数の打ち手があれば、前後左右に一手を結びつける線は広がっていきます。特定の文脈に依存した因果論理のシンセシスである以上、戦略はワンフレーズでは語れません。ある程度「長い話」にならざるをえません。

ところが、それを論理化するはずの戦略論はやたらと「短い話」に終始しているのが現状です。その典型が、前にお話ししたようなテンプレート戦略論やベストプラクティス戦略論です。こうした短い話が横行するのも、もとをただせば戦略論のユーザーのニーズがあるからです。なぜユーザーは静止画的な短い話を好むのでしょうか。思いつくままに理由を挙げてみましょう。

第一に、とにかく忙しい。戦略ストーリーを突き詰めて考えるゆとりがない。そういう人にとっては、テンプレートやベストプラクティスがあれば、手っ取り早く「戦略をつくっている気分」になれます。

第二に、テンプレート戦略論やベストプラクティス戦略論の主たるユーザーは、実際のところ、経営者というよりも経営企画部門などの「戦略スタッフ」であることが多い。彼らの仕事は戦略構想そのものではなく、戦略を構想する人（経営者や事業部門長などのジェネラル・マネジャー）が必要とする情報の整理や分析です。そもそもシンセシスの任にない人々であれば、手っ取り早いアナリシスのためのテンプレートを好むのは自然な成り行きです。

第三に、「プロフェッショナル経営者」という幻想です。もちろん、真の意味での経営技量なりシンセシスに優れた経営者は存在します。しかし、ここでいうカギカッコつきの「プロフェッショナル経営者」というのは、戦略があたかも標準的なスキルセットであると誤解している人々のことを指しています。「経営者の戦略スタッフ化」といってもよいでしょう。こうした人々にとってテンプレートやベストプラクティスは過度に心地よく響きます。

第四に、コンサルタントによるマーケティングの影響があります。コンサルタントが戦略論を本や論文で供給するのは、それが往々にして本業のマーケティングにとって有効だからです。優れたコンサルタントであれば、テンプレートの価値はその使い方次第であるということをよくわかっているはずです。だからこそ、特定の文脈で問題解決をするという彼らの存在価値があるわけです[26]。しかし、文脈に依存した特殊解は、幅広く潜在する顧客へのセールス・ピッチにはなりにくい。かくしてコンサルタントによる戦略論は、「文脈に依存したシンセシス」という肝心要のところを（多分に意識的に）省略した、静止画のオンパレードになりがちです。

第五に、静止画的な短い話は、コミュニケーションが簡単だということがあります。ビジネスはある意味で「長い話」を嫌うものです。厳しい競争にさらされているほど、素早くわかりやすい「ソリューション」が求められるようになり、長い話を突き詰めて考え、話し合い、共有するゆとりがなくなります。

情報技術の進展は入手可能な情報の量を飛躍的に増大させました。しかし、ここで忘れてはならないのは、「情報（information）の豊かさは注意（attention）の貧困をもたらす」というトレードオフです。[27] 戦略ストーリーを支えている因果論理は、「情報」よりも「注意」の産物です。大量の情報が飛び交うほど、因果論理についての注意は希薄になります。逆にいえば、因果論理を捨象した「静止画」であるほど情報技術で扱いやすく、したがってコミュニケーションしやすく、また共有しやすくなります。「共有したつもりになりやすい」といったほうがいいでしょう。戦略を一枚のテンプレートにまとめてしまえば、メールに添付して一時に一〇〇人に送りつけることはできます。しかし、これでは情報を伝達しているだけで、戦略についての注意を喚起し、共有することはできません。

第六に、近年のマクロ環境の変化があります。グローバル化、投資家からの圧力の高まり、こうしたこのところのマクロな経営環境の変化は、とりわけ長い話を嫌がる傾向を加速させているように思います。グローバル化が進むと、言語や文化的な背景が違う社内外の利害関係者と意思を共有しなければなりません。そうした文脈で長い話を持ち出すのは、自然と気が引けるものです。

投資家は長い話を嫌がる生き物の最たるものです。投資家には静止画、もっといえば「数字」しか受けつけないという抜きがたい体質があります。こうした経営に対するプレッシャーは、それはそれで企業を鍛えるという健全な面があるのですが、ストーリーとして戦略を構想し、組織全体にそのストーリーを浸透させることが以前よりも難しくなっているといえそうです。その結果、因果関係や相互依存の論理がすっ飛ばされて、戦略が「静止画」化してしまいがちです。

こうしたいくつもの圧力は、戦略論を「短い話」へと押し込めてしまい、シンセシスとしての戦略構想がよって立つ因果論理から実務家の目をそらしがちです。「長い話」としての戦略論を取り戻す必要がある、そして、そこにこそストーリーの戦略論の役割と貢献があるというのが私の考えです。

◆数字よりも筋

戦略をストーリーとして語り、組織で共有するということは、戦略の実効性を大きく左右します。これがストーリーという視点にこだわる三つ目の理由です。戦略の実行を担う人々は、具体的な仕事としては特定の機能や部門を担当しています。しかし、戦略ストーリーはあくまでもシンセシスです。相互に独立した要素へと完全に分解することはできません。アナリシスでは割り切れないのです。自分の仕事がストーリーの中でどこを担当しており、他の人々の仕事とどのようにかみ合って、成果とどのようにつながっているのか、そうしたストーリー全体についての実感がなければ、戦略の実行にコミットできません。戦略ストーリーをつくる立場にいるリーダーだけでなく、ミドルマネジメント以下の多くの人々も、仕事に向かって突き動かされるような面白いストーリーを強く求めているはずです。

ストーリーの面白さは、戦略の実行にかかわる社内の人々を突き動かす最上のエンジンになります。数字で綴られた静止画の羅列に突き動かされる人がいるでしょうか。素晴らしい経営理念やビジョンや価値観を掲げる会社はたくさんあるのですが、具体的な戦略の段になって出てくるのが無味乾燥な静止画のリストであれば、せっかくのビジョンも「床の間の掛け軸」になってしまいます。

ストーリーをつくる前に、下ごしらえというか、基本的な材料は一通り揃えなければなりません。当然、現状を分析して、われわれは今どこにいるのかを知らなければなりませんし、到達すべき地点、あるべき姿としての目標を設定しなければなりません。競争環境とか市場環境、利用可能な経営資源とその制約条件もある程度までわかっていなくてはなりません。これはいわば現在地と目的地が示された白地図の上に「地図情報」を加える作業に相当します。

戦略ストーリーをつくるということは、このように現在地や目的地や地図情報を記した地図の上に、自分たちが進むべき道筋をつけるということです。到達すべき目的地を特定したり、地図情報を細かく書き込むことは、あくまでも下ごしらえであって、戦略ストーリーではありません。ストーリーという道筋を組織のすべての人々が共有し、道筋のついた地図をポケットに入れて、それを見ながら進んでいく。これが私の「戦略を実行する組織」のイメージです。

ストーリーとしての競争戦略の本質を理解するうえで含蓄に富む話があります。ある登山隊がピレネー山脈を登山中に雪崩に遭遇しました。隊員たちは一時的に意識を失ってしまいます。意識が戻ったときには、背負っていた基本的な装備が失われていました。一生懸命に自分のポケットの中に何が残っているか探してみたら、ろくなものがない。食料もチョコレートなどの非常食が少々。最悪なことにはコンパスもなくなっていた。その瞬間に、もうわれわれは生きて帰れない、どうやって山を下りるんだ、と隊員たちは暗澹たる気持ちになりました。

ところが、ある人のポケットの中から一枚の地図が出てきました。これを見ているうちに、だんだん元気が湧いてきました。尾根がこういうふうに走っていて、周囲の地形がこうなっているということは、どうもわれわれはこの辺にいるのではないか。今、太陽がこっちから出ている。ということは、こちらのほうが東ではないか。とすると、こう行けば下山できるのではないか……、と地図の上に道をつけるという作業を始めました。つまりストーリーを組み立て、それを共有したわけです。下山の過程ではさまざまな困難がありましたが、登山隊は地図の上につけた道筋を信じて、それを頼りに困難を一つひとつ乗り越え、奇跡的に下山することができました、めでたし、めでたし……という話です。

この話にはオチがあります。雪崩の情報は麓にも届いていました。この登山隊が遭難したと考えた麓の人々は救助隊を組織します。しかし、上空からの緊急捜索では見つかりません。連絡もとれません。状況から考えて生還は絶望的だと半ばあきらめていました。ところが、そこに登山隊が生きて戻ってきたのです。

驚いた救助隊の人は、登山隊のリーダーに「あの状況で、いったいどうやって戻ってこられたのですか？」と尋ねました。リーダーは一枚の地図を取り出して答えました。「この地図のおかげで助かりました」。救助隊員は笑って、言いました。「こんなときによくそんな冗談を言う余裕がありますね。これはアルプスの地図じゃないですか……」。驚いた登山隊のリーダーが自分たちが道筋をつけた地図を改めてよく見ると、それは実はピレネーではなくアルプスの地図だった、というのです。

これがこの話の一番重要なポイントで、ストーリーとしての競争戦略の一つの本質を物語っているのではないかと私は思います。つまり戦略ストーリーというのは、きわめて主体的な意志を問うものだということです。言い換えれば、戦略ストーリーは、前提条件を正確に入力すれば自動的に正解が出てくるような環境決定的なものではないということです。

環境決定論者には戦略ストーリーは必要ありません。ピレネー山脈の遭難の話にしても、ビジネスにしても、未来は不確実です。どんなに精緻に分析しても、結局のところ将来どうなるかは正確にはわかりません。どこかに一つ正しい戦略があるわけではないのです。地図の上に一本の道筋をつけたとしても、それ以外にもいろいろな道がありえます。戦略は「当たり外れ」の問題ではありません。少なくとも事前においては、そこにストーリーがあるかないかという有無の問題です。もしくは、その道筋のついた地図を手に進んでいく人々が、「信じているか、いないか」の問題です。将来はしょせん不確実だけれども、われわれはこの道筋で進んでいこうという明確な意志、これが戦略ストーリーです。ストーリーを語るということは、「こうしよう」という意志の表明にほかなりません。「こうなるだろう」という将来予測ではないのです。

意志表明としてのストーリーが組織の人々に共有されていることは、戦略の実行にとって決定的に重要な意味を持っています。なぜならば、ビジネスは総力戦だからです。武術研究家の甲野善紀さんは、優れた武術家の強さの正体は何かと問われて、「一対一で向きあっていても、実際は一対一の勝負ではなく、身体のあらゆる部分を動員することによって一対一〇〇の勝負に持ち込むこと」だと答えています[28]。

これは「多勢に無勢は敵わない」という、ある面、すごく単純な原理なんです。身体が大きくて力があるように見える人が部分を使って出す力を仮に七〇として、私の身体中の部分部分を全員協力態勢にして出す力が一〇〇なら、その相手には負けないということです。…（中略）…ウエイトトレーニングでは、重いものを持って「うー、重い、重い」と負荷をかけることで部分部分の筋肉を太らせるわけです。しかし、部分を強調すると、それぞれの部分はそれで強くなったとしても、「俺が、俺が」と言い始める。そして、その「俺が、俺が」という部分がたくさんできると、それらは協力しにくいんです。それぞれが勝手に自己主張するから全体としての相互互助システムにならない。

これは、要素の強みではなく、要素がつながって生まれる流れで勝負するという、まさにストーリーの発想です。ストーリーの共有は勝負を総力戦に持ち込むための条件として大切です。ストーリーを全員で共有していれば、自分の一挙手一投足が戦略の成否にどのようにかかわっているのか、一人ひとりが理解したうえで日々の仕事に取り組めます。戦略がどこか上のほうで漂っている「お題目」

でなく、「自分の問題」になります。自分が確かにストーリーの登場人物の一人であることがわかれば、その気になります。こうしてビジネスは総力戦になるのです。複数の会社で企業再建に成功した三枝匡さんはご自身の経験に基づいて次のように発言しています[29]。

鮮明な戦略ストーリーを描いてそれに現場の社員を巻き込むと、画期的な組織活性効果が生まれることがあるという手法に、私が経営現場で開眼したのは三〇代前半の経験です。…（中略）…私の場合、どこの会社に行ってもとにかく大切な第一ステップは、皆にわかってもらえる戦略ストーリーを組み立てることなんです。…（中略）…うまくいくときは、戦略を打ち出すと、見ていてみんなの表情がスッとまとまった感じがするわけです。部屋の空気が変わるんです。その感覚ですね。なんとなくそれぞれぶつくさ言っていたのが、みんなファーッと熱を帯びてきます。夜中まで仕事しようが徹夜しようが全然構わないみたいな状態になる。そういう変化の感覚は、リーダーの醍醐味みたいなものですね。

戦略の実行にとって大切なのは、数字よりも筋の良いストーリーです。過去を問題にしている場合であれば、数字には厳然たる事実としての迫力があります。しかし、未来のこととなると、数字はある前提を置いたうえでの予測にすぎません。戦略は常に未来にかかわっています。だから、戦略には数字よりも筋が求められるのです。

これまではあまり強調されることはありませんでしたが、ストーリーという戦略の本質を考えると、筋の良いストーリーをつくり、それを組織に浸透させ、戦略の実行にかかわる人々を鼓舞させる力は、リーダーシップの最重要な条件としてもっと注目されてしかるべきだというのが私の意見です。インセンティブ・システムなどさまざまな制度や施策も必要でしょうが、そんな細部に入り込む前に、人々を興奮させるようなストーリーを語り、見せてあげることが、戦略の実効性にとって何よりも大切だというのが私の見解です。

このところ会社のさまざまなことごとについての「見える化」が大切だ、という話が強調されています。オペレーションのレベルの話で、しかもそれが過去に起こったことのファクトについての話であれば、私も見える化に大いに賛成です。しかし、話がオペレーションよりも戦略レベルになると、見える化が本末転倒になってしまいます。

たとえばこういう話です。ある経営者が新興市場への投資を決断しようとしています。現時点でのオプションとしては中国とインドとロシアがあるのですが、時間と資源が限られているために、まずどこから攻めるか、優先順位の意思決定をしなければなりません。そこでその経営者は戦略企画部門のスタッフを呼んで指示します。「それぞれの市場への投資の期待収益率を出してくれ」。指示を受けた「戦略スタッフ」はリアル・オプションの手法を駆使しつつ、いろいろな前提や仮定を置いて期待収益率をはじき出します。で、社長に報告します。「期待収益率を計算しましたところ、中国は一五%、インドは一〇%、ロシアは五%でした！」。社長は決断します。「そうか、中国にしよう……」。

これは話を極端にしているのですが、実際のところ、戦略的な意思決定をするのに暗黙のうちにこの種のアプローチをとっている経営者は決して少なくありません。これでは見える化どころか「見え過ぎ化」です。因果論理についての深い思考は全くありません。もし本当に戦略がこんなものであれば、子どもでも経営者が務まります。

戦略構想は定義からして将来を問題にしています。起こったことを数字で体系的に見える化しても、その延長上には戦略は生まれません。あらゆる数字は過去のものだからです。日々事実を積み上げていくオペレーションにとっては見える化は武器になりますが、将来の戦略構想ではあまり役に立ちません。まだ誰も見たことがない、見えないものを見せてくれる。それが優れた戦略です。そのためにはストーリーを描くしかありません。戦略をストーリーとして構想し、それを組織の人々に浸透させ、共有するしかないのです。

見える化という思考様式は戦略にとっては役に立たないどころか、ものの考え方が戦略ストーリーの本質からどんどん逸脱してしまいます。戦略にとって大切なのは、「見える化」よりも「話せる化」です。戦略をストーリーとして物語る。ここにリーダーの本質的な役割があります。

◆日本企業こそストーリーを

ストーリーという視点を強調する四つ目の理由は、ストーリーという戦略思考がとりわけ日本企業にとって重要な意味を持っているということにあります。

第一に、日本企業は相当に成熟した経営環境に直面しています。経営環境が成熟するほど、個別の構成要素のレベルで競争優位を構築するのが困難になります。画期的な新製品、まだ誰も参入していない成長性の高い市場セグメントへの参入、この種の差別化は目立ちます。しかし、成熟した環境の下では、こうした派手な差別化の要素は探してもなかなか見つかりません。そこで、ストーリーという一つ上位のレベルに次数を繰り上げた差別化が求められるわけです。映画や演劇でいえば、登場する役者には大スターはいないけれども、それを組み合わせて動かす筋書きの面白さで勝負し、気づいてみたらロングランで成功を持続しているというのがストーリーの戦略論のめざす姿です。

第二に、これまでの日本企業が、ポジショニングよりも組織能力に基盤を置いた「体育会系戦略論」に傾斜してきたということがあります[30]。ポジショニングと組織能力という競争戦略の二つの主要視点については、次の章でお話ししますので、詳しくはそちらに譲ります。組織能力を重視する日本企業の体育会系戦略論は、「すりあわせ」が重要となる分野での製造業で特に顕著ですが、時間をかけた能力構築に競争力を求めるという基本的スタンスは小売業のようなサービス業でも広く認められます。

ポジショニングの戦略はそれがもたらす成果との因果関係がより明確なので、どちらかというと「短い話」で済む傾向にあります。ＧＥのジャック・ウェルチさんが一九八〇年代にとった戦略はその好例です。ウェルチさんは就任と同時に「ナンバーワン、ナンバー2の事業しかやらない」「参入障壁が低くて多数乱戦になる事業はやらない」「市場や技術の変化の激しい事業はやらない」といった切り口で、手がける事業領域を大胆に絞り込みました。これは徹頭徹尾ポジショニングの戦略です。ウェルチさんの戦略的意思決定は数年のうちに増収をもたらしました。

一方の能力重視の戦略は、ポジショニングに比べて、成果との因果の距離が遠くなります。藤本隆宏さんに言わせれば、「能力構築には少なくとも一〇年を要する」のです[31]。トヨタ生産方式は、カンバン方式、自働化によるラインでの問題解決、平準化生産といったさまざまな構成要素のシンセシスであり、能力に軸足を置いた優れた戦略ストーリーの典型例です。能力構築の積み重ねが結局のところトヨタの競争力の実体なのですが、それが能力に基盤を置いているために、個別の取組みと成果との因果関係は相対的に不明確にならざるをえません。

能力構築を重視する戦略は、欧米や他のアジア諸国の企業と比較した場合の日本企業の独自性です。今後も日本企業の競争力の源泉として重要であることは間違いありません。ただし、能力の戦略はポジショニングと比べて、時間的にも、因果論理という意味でも、「長い話」を必要とします。ポジショニングは意思決定できても、能力構築は意思決定だけではどうにもなりません。個別の要素がどのようにつながり、相互作用を起こして、成果につながるのかというストーリーが意識されていなければ、能力構築から競争優位を引き出すことはできません。ストーリーがないと、能力重視の経営は、「うまくやれ」「なんとかしろ」という単なる現場依存になりがちです。これでは単なる戦略不在になってしまいます。

第三に、日本企業の組織と人々のモチベーションのあり方です。欧米企業の組織には機能分化の論理が浸透しています。そこで働く人々のコミットメントも自分の機能専門性に向けられているのが普通です。ですから、「私はマーケティングをしています」というように、機能のくくりで違和感なく仕事を定義できます。その裏返しとして、「マーケティングの領域から外れる仕事には特段の思い入れはない」という意識もあります。

ハリウッドの映画制作の組織では、機能分化の論理が徹底的に浸透しています。監督、脚本、撮影、編集、出演（俳優）、特殊撮影、衣装、美術といった主だった機能だけでなく、俳優との出演料の交渉だけに特化した代理人、衣装や背景の色合いを決めることだけに特化したカラリスト、出演する側にしても自由度が高くさまざまなことに発言権がある主演級のスターから、特定のアクションを担当するスタントマン（これもアクションの種目別に細かく専門分野が分かれている）、声を出すことがないエキストラ（一言でも声が映画に出るような人は「俳優」という全く別のカテゴリーであり、出演料も格段に違ってくる）まで、機能分化が極端に進んでいます。

撮影にしてもカメラマンは「撮影すること」に特化しており、自分の撮った絵が最終的にどのような映像に仕上がるのかはわからないで仕事をするわけです。最終的な映像に仕上げるのは「編集」の仕事です。編集がその機能専門性を発揮できるように、撮影側では一つのシーンであってもありとあらゆる角度から数多くのテイクを撮っておくというやり方です。編集者は多くのテイクの中から良いと思うものを取捨選択し、映像をつくり上げます。

このような徹底した機能分化は、たとえばスティーブン・スピルバーグさんのような強力なリーダーを必要とします。まずスピルバーグさんが事前にきっちり全体の絵を描き、それをジグソーパズルのピースのように機能単位へと分割し、それぞれの機能担当者が個々のピースできっちりと仕事をし、出来上がったピースをスピルバーグさんに提出します。それを受けて、リーダーでありコンセプトの構想者であるスピルバーグさんがピースを組み合わせて映画へと再構成します。

これと比べて、日本企業の組織は提供する価値のありようを切り口に分化し、これが人々のコミットメントの基盤となるという色彩が強いというのが私の考えで、このことを「価値分化」といっています。[32]たとえば日本の会社では、機能としてはマーケティングを担当していても、「私はマーケティングのスペシャリストです」というよりも、「私はオーディオ製品をやっています。オーディオ屋です」というように、その組織が外部の顧客に提供する製品なりサービスで自分の仕事や組織での存在理由を定義する傾向が強いように思います。「マーケティング」が「機能」であれば、「オーディオ」という切り口は「価値」を問題にしています。

機能と価値の違いは次のように考えるとわかりやすいでしょう。機能のお客さんは組織です。ある人の「マーケティングの専門知識・技能」という機能は、その人が所属する組織に提供されるものです。その意味で、機能は組織に対するインプットです。これに対して、価値のお客さんはその人が所属する組織の内側にはいません。お客さんは文字どおり組織の外にいる顧客です。価値にコミットするということは、「こういうものをお客さんに提供したい」というアウトプットが仕事のよりどころになるということです。欧米では自分が組織に提供するインプット（機能）がそのまま仕事の定義になるのに対して、日本企業では組織が提供するアウトプット（価値）が人々のアイデンティティとなる傾向にある。これが分化という組織の編成原理に注目した対比の図式です。

ソニー中央研究所の所長だった菊池誠さんは、かつての日本のエレクトロニクス産業の成長過程を振り返って、次のような興味深いエピソードを紹介しています。[33]

ソニーの創始者、井深大さんは、トランジスタの話を聞いてすぐに、「それは自分にとってなんだろう？　わが社にとってなんだろう？」と考えている。そして、非常に早い時期に、もう、トランジスタ・ラジオをやってみよう、と心に決めている。…（中略）…一九五三年頃、井深さんはニューヨークに行った折に、ウェスタン・エレクトリック社のトップの人たちの昼食会に招かれている。そのとき、トップの誰かが、「この頃何をしようと考えていますか」と尋ねた。尋ねられた井深さんは即座に、「トランジスタでラジオをつくろうと思って」と、応じた。そのとき、周辺の何人もが、一緒になって一斉に大声で笑ったのである。それは夢見る少年の言葉に、大人が笑うという構図であった。…（中略）…実際、このギャップは米国での仕事の進め方を見ると、かなりよくわかる。トランジスタ誕生の後、米国では四つの研究プロジェクトが組まれて、がっちりと体制が固められた。その四つとは、

(1)トランジスタの中で電子がどんな働きをするのか。さらに半導体というものの物理学的な研究

(2)まだきわめて低いトランジスタの性能を、もっと改善するための研究

(3)トランジスタとつくり方、結晶やトランジスタ構造の細かいつくり方を改善するための研究

(4)トランジスタが広く使われることになると、真空管を扱いなれた技術者は戸惑うから、一度洗脳する必要がある。この再教育のやり方の研究

であった。これを見てもわかるように、米国では大局から方針を立て、その方針に合った計画をつくり、それを動かす、という方法を好む。街づくり一つ見ても、まず道路をつくり、主要

なシステム、たとえば電気、水などの供給、といったものの配分を検討する。このやり方がトランジスタの開発にもよく現れている。そういう米国の通念からすれば、まだ未熟なトランジスタを、いきなりコンスーマー商品に持ち込んで、ラジオづくりを考えるというのは夢にかける少年、のように見えたろう。…（中略）…このことは実はかなり基本的な、大切な問題なのである。良い、悪いで判断することができないような、社会の「持ち味」にかかわることなのだ。…（中略）…日本の総合的な技術力はかなり低かった。ところがトランジスタ・ラジオという目標が設定され、そこに活力が集中されたために、問題解決のための努力が実った。その特定の問題については、米国よりも先に答えを見つけてしまったのである。これこそ「触発」の典型的な例である。私が、「しょせん、（日本は）物まねだといわれるほど、話は単純ではない」といったのは、これなのである。

菊池さんがいう社会の「持ち味」の違いは、機能分化と価値分化の違いをよく示しています。アメリカはトランジスタの開発を機能分化したプロジェクトで進めました。それに対してソニーの井深さんは初めから自分の仕事を「トランジスタでラジオをつくろう」という顧客に提供する製品の価値から入っている。そして現実に、ソニーはトランジスタ・ラジオのイノベーションに成功しました。顧客がどのように使うのか、どのように喜ぶのかという観点から開発の基本的な方向づけがされていたことが、日本のエレクトロニクス産業が育った本質的な要因なのではないか、というのが菊池さんの考察です。

ソニーの事例は日本型の価値分化が良い出方をした例です。もちろん、価値分化の組織原理が悪い出方をすることも多々あります。たとえば、日本企業でよく見られる事業部間の壁による部分最適化や、特定の事業への情緒的な執着による集中と選択の甘さ、総花的な事業展開、古い話でいえば、旧日本陸軍と海軍の不毛の対立などなどです。組織の人々が提供する「価値」に対してコミットすると、こうした問題が起こりやすいのです。

いずれにせよ、ここで問題にしているのは、良し悪しではなく違いです。日本の会社では機能分化の組織編成原理が欧米と比較して希薄で、その代わり、意識的・無意識的に価値分化を志向する傾向がある、というのが私が言いたいことです（「欧米の会社」とか「日本の会社」というのはきわめて大雑把なくくりで、それぞれに大きなバリエーションがあるのはいうまでもありませんが）。

ファーストリテイリングは新興企業ということもあり、どこか外資系のように見えるかもしれません。しかし、柳井正さんが「日本の強みをユニクロの強みにする」という方針を打ち出しているように、組織のさまざまな人々の行動や意識を、機能部門の境界を越えて、顧客に対する価値提供（つまり店舗の現場）へと振り向けることに経営の軸足をはっきりと置いている会社です。

柳井さんはこうした考え方を「全員経営」と呼んでいます。ユニクロでは、「それはお客さまに何をもたらすのか」という基準が、商品、売場、サービスなど販売にかかわる活動はもちろん、経営計画や管理部門のあらゆる施策にも適用されています。機能ごとに決まった仕事を専門化した人々が分担するという仕事の仕方は明確に否定されています。顧客価値を強化するためには、自分の専門分野のことだけを考えればよいのではなく、部門を超えて現場の問題点を洗い出し、整理しながら解決策を見つけなければならない。それが現場で顧客のためになることであれば、執行役員であっても最後まで手を動かし、現場の実務の仕事をする必要がある、という考え方です。柳井さんは次のように指摘しています[34]。

中途採用でわが社に外資系から転職してきた人の中には、何か「自分は決めるだけの人」という階級に所属しているのではないかとさえ思える人がいる。…（中略）…そういう人は他部門からの意見も聞かない。仕事は、他部門との連携で行われることが多いのにもかかわらず、である。…（中略）…また、外資系の会社では人間関係がドライだ。自分は報酬をもらって、自分の信条とは関係なくその仕事をしている。あるいは、会社そのものへのロイヤリティーではなく、自分の専門職種へのこだわりがあって、いろんな外資系の会社を転々とする中で自己実現のためにたまたまその会社にいる、ということもあるだろう。日本の会社の場合には、会社に対してロイヤリティーを感じながら、自分の生活の中に仕事があって自己と会社が切っても切り離せない状態になるという人が多い。そういう意味からすると、わが社は後者に近いので、外資系の会社に勤めていた人がわが社に来たら、やはり外資系でなく日本の会社だと感じると思う。

少し前振りが長くなりましたが、私がここで言いたいことはこういうことです。欧米の会社が機能分化の論理で割り切れる組織であるのに対して、もし日本の会社が傾向として機能のインプットよりも価値のアウトプットに人々のアイデンティティがあるような組織になっているとしたら、戦略をつくる立場にあるリーダーのみならず、戦略ストーリーを組織の人々で広く共有することの必要性や効果が日本の会社ではずっと大きくなるはずです。

ストーリーとしての競争戦略が大切だという話は、組織の編成原理がどうであろうと変わりません。欧米でも日本でも、戦略はストーリーであるべきです。ただし、会社が機能分化という組織編成の原理に立脚していれば、ここでお話ししたハリウッドの映画づくりのように、戦略ストーリーのつくり手であるスピルバーグさんの頭の中にあればよいわけです。極論すれば、スピルバーグさんの頭の中だけにあればよい。リーダーの頭の中に戦略ストーリーがあれば、機能分化の論理で、それが機能のパーツに分解されます。それぞれのパーツを担当する機能専門家は、ストーリー全体のありようや他のパーツを担当する人々との関係にかかずらわなくても、機能ではっきりと定義された自分の仕事を遂行することができます。

その仕事に対する評価は、機能ごとに発達した労働市場での自分の価格に反映されます。柳井さんの言葉でいう「自分の専門職種へのこだわり」があれば、ストーリー全体とは無関係に自己実現が可能になりますし、モチベーションも喚起されます。

ところが、一人ひとりの仕事の定義が機能分化では割り切れず、会社がお客さんに提供するアウトプットの価値に人々の存在理由が求められているとしたらどうなるでしょうか。全体の目標が機能分化の論理に従って自分の担当する部門にブレイクダウンされ、そこで示されたターゲットの数字を達成し、その機能のスペシャリストとして評価されたとしても、いまひとつピンとこないのです。自分の仕事がストーリー全体の中でどこを担当しており（それは「マーケティング」のような文脈から独立して定義できるものではない）、他の人々の仕事とどのようにかみ合って、ストーリーの動きとどのようにつながり、そのストーリーの文脈でどのように自分の仕事が最終的なアウトプットに貢献しているのか。人々がアウトプットの価値にコミットメントを感じている組織では、その種の「全体についての実感」がなければ、モチベーションも湧きあがってこないでしょう。トップがストーリーを構想するだけでなく、そのストーリーが組織の人々で丸ごと共有されていることが重要な意味を持ってきます。

「数字よりも筋」「ストーリーで戦略の実行にかかわる人々を鼓舞する」という話は、日本企業により当てはまると思います。日本の会社こそ、戦略ストーリーを必要としていると私が考えるゆえんです。

◆戦略づくりの面白さ

ストーリーという視点が大切になる最後の理由は、いたって単純な話です。何よりも、ストーリーという視点は、戦略をつくる仕事を面白くします。戦略をストーリーとして考え、組み立てるということは、そもそも創造的で、楽しい仕事です。難しい目標設定を与えられ、眉間にしわを寄せた渋い顔で戦略を考え（させられ）ている人が多過ぎるように思います。単純に要因を列挙したり、テンプレートにしたがってひたすら分析したり、他社のベストプラクティスをベンチマークしたり、自分でも半信半疑の前提に従ったシミュレーションを繰り返す。戦略づくりがこうした仕事であれば、自然に面白がって取り組める人は、よっぽどのマニア以外、ほとんどいないと思います。しょせんビジネスなのです。戦争でもあるまいし、戦略は「嫌々考える」ものではありません。まずは自分で心底面白いと思えるべきです。自分で面白いと思える。思わず周囲の人々に話したくなる。戦略とは本来そういうものであるべきです。自分で面白いと思っていないのであれば、自分以外のさまざまな人々がかかわる組織で実現できるわけがありません。ましてや会社の外にいる顧客が喜ぶわけがありません。

面白いことでなければ、人はなかなか努力を投入できません。ついつい先送りになります。無理やり取り組もうとしても、面白くなければ長続きしませんし、結局のところ、たいした成果も期待できません。逆にいえば、面白いと思えることであれば、自然体で向き合えますし、取組みも長続きします。

戦略思考を習得するにはどうすればよいのか、ということをしばしば質問されるのですが、そういう人に限って、日常の思考の自然な延長には出てこない、しかつめらしい思考様式が戦略だと思い込んでいるものです。戦略ストーリーは文字どおり「お話」です。お話を聞いたり、読んだり、話したり、つくったりすることの面白さは、人間にとって本源的なものです。お話の面白さ、楽しさであれば子どもでもわかります。放っておいてもお話を聞きたがりますし、話したくなるものです。

優れた戦略思考を身につけるために最も大切なこと、それは戦略をつくるという仕事を面白いと思えるかどうかです。戦略づくりを面白いと思えれば、その時点で問題の半分は解決したも同然です。まずは面白さを知る。結局のところ、それが戦略思考を習得するための、最も効果的で効率的なアプローチだと思います。ストーリーという視点は、戦略をつくるという仕事が本来的に持っている面白さを取り戻そうとするものなのです。

これまで、この章では、きわめて実践的な性格を持つはずの「戦略」を論理で考えることがなぜ大切なのかから始まって、戦略ストーリーとは何か、何ではないか、なぜストーリーという戦略思考が大切なのかをお話ししてきました。

だとしたら、次に来るのは、優れた戦略ストーリーとはどういうものなのか、優れた戦略ストーリーの条件とは何か、ということになるのですが、これについては一つ置いた第3章以降でじっくりお話しします。「ストーリーとしての競争戦略」の詳細に入る前の準備として、次の章では、競争戦略というものの考え方が立脚している論理について押さえるべきところをお話ししておきたいと思います。よろしくおつきあいのほどをお願いいたします。

第2章　競争戦略の基本論理

◆競争戦略と全社戦略

この章では、競争戦略の論理と思考様式について、なるべくそのエッセンスに絞ってお話ししたいと思います。競争戦略を考えるうえで大切になるいくつかの前提から話を始めましょう。論点は、①競争戦略の対象範囲、②競争戦略の目的、③利益の源泉、の三つです。以下、この順にお話ししていきます。

まずは競争戦略の対象範囲です。戦略には異なる二つのレベルがあります。一つは競争戦略、もう一つは全社戦略です。ここでのポイントは、両者を区別して考えるということです。

競争戦略（competitive strategy）とは、特定の業界、つまり競争の土俵が決まっていて、ある企業の特定の事業がその競争の土俵で他社とどのように向き合うのかにかかわる戦略です。ここでの戦略思考の単位は企業全体ではなく、あくまでも特定の事業です。ですから、競争戦略は事業戦略（business strategy）ともいいます。メルセデス・ベンツとＢＭＷは高級乗用車という業界で競争しています。もう少し範囲を広げて自動車業界というくくりで見れば、メルセデスやＢＭＷはトヨタ、日産とも競合関係にあります。こういった特定の業界で競合他社に対していかに戦うかを決めるのが競争戦略です。

特定事業の競争戦略と別の次元にあるのが全社戦略（corporate strategy）です。多くの企業は複数の事業分野を持っています。われわれはどのような事業集合であるべきか。複数の事業のバランスをどのように構築して、全社的に最適な事業ポートフォリオにするか。そのために、どの事業に最も優先的に経営資源を振り向けるべきか。どのような分野に進出して、どのような分野から撤退するべきか。こうしたことを考えるのが全社戦略です。

「パナソニックとソニーは競争している」。この文章は別におかしく聞こえませんが、厳密にいえば間違っています。パナソニックとかソニーとかいうのは、会社の名前です。ところが、会社という全社レベルでは、競争の実体はありません。[1] 実際に顧客を向いた製品市場で競争しているのは、パナソニックとソニーではなく、たとえばパナソニックの液晶テレビ事業とソニーの液晶テレビ事業です。このように事業レベルに下りて、初めて競争戦略の問題が出てきます。パナソニックとソニーはいずれも多角化した企業として多くの事業分野を持っていますから、競争戦略とは別種の問題として、どのような事業のポートフォリオであるべきかという全社戦略を必要としています。

トヨタ自動車や日産自動車といった会社は、（厳密にいえば自動車以外の事業もあるのですが）基本的には事業構成のほとんどが自動車事業ですから、こうした専業企業の場合は、全社戦略と競争戦略は実質的に重なります。ただし、自動車以外の業界に進出しようとする場合は、自動車業界の競争戦略とは別に、全社戦略を考える必要が出てきます。

ＧＥは戦略的な経営に優れた会社として引き合いに出されることが多く、ＧＥの戦略についての本もたくさんあるのですが、そのほとんどはＧＥの競争戦略よりも全社戦略に注目しています。[2] たとえば、ジャック・ウェルチさんがCEOだった時代に有名になった「ナンバーワン、ナンバー2戦略」は、業界で一位か二位になれる事業分野に集中投資し、それ以外からは撤退するという話です。これは事業構成の組替えにかかわる戦略ですので、全社戦略に含まれます。

GEという会社全体を代表する経営者としてのウェルチさんにとっては、特定の事業への参入や撤退を意思決定し、個別の事業の成果を評価し、その事業に対する資源投入の水準を決めることが仕事になります。GEが展開している個別の事業の競争戦略は、CEOの直接の仕事ではありません。GE全体のCEOになる以前、ウェルチさんは一時期GEのプラスチック事業の責任者でした（GEプラスチックスの社長）。この当時のウェルチさんにとっては、全社戦略は自分の仕事の領域外でした。競争戦略をつくり、実行することが仕事だったわけです。

全社戦略と競争戦略は、もちろん相互に関係していますが、大きく性格が異なります。ウェルチさんの自伝でも、事業責任者だった頃とGE全体のCEOになってからとでは、同じ経営者としての仕事であっても、その中身に大きな違いがあったと振り返っています[3]。戦略を考えるときは、この戦略のレベルの違いを意識し、両者を混同しないことが大切です。この本では競争戦略の話をしています。全社戦略は対象外です。

このところ関心を集めているM&Aによる事業構成の組替えや企業再生といったトピックは全社戦略レベルの話です。コーポレート・ガバナンスやコーポレート・ファイナンスも、文字どおりコーポレート（全社）レベルの戦略にかかわっています。M&Aとかガバナンスとか、そういう方面に興味があるのに、タイトルの「戦略」という言葉に引きずられてこの本をお買い求めいただいた方もいらっしゃるかもしれませんが、そうしたトピックはこの本には出てきません（だからといって、ここで読むのをやめないでください。どうせ買ってしまったのですから、最後までおつきあいいただければ幸いです）。

◆勝ち負けの基準

競争戦略の二つ目の前提は、勝ち負けの基準です。競争というからには勝ち負けがあります。どの業界を取り上げてみても、そこには強い企業と弱い企業が混在しています。なぜ、強い企業は強く、弱い企業は弱いのでしょうか。競争戦略論という分野は、この問いに対して納得のいく説明、しかも場当たり的な説明ではなくて、統一的な視点に基づいた説明を与えることを目的としています。

この会社は強いとか、あの会社は弱いとか、イヤな言葉ですが「勝ち組」とか「負け組」とか、ふだん私たちはそういう言葉を自然に使っています。ところで、われわれは何を基準にそういっているのでしょうか。どういう状態が「勝ち」であり「成功」なのでしょうか。つまるところ、企業経営は何を最大化するべきなのかという問題です。一見すると当たり前のように見えますが、改めて考えてみると、なかなかに込み入った、そのために誤った理解を招きやすい問題です。

企業がめざすべきゴールとは、本当のところ何なのでしょうか。勝ち負けを判定する基準として大切そうなものをとりあえず七つばかり並べてみました。

①利益
②シェア
③成長
④顧客満足
⑤従業員満足
⑥社会貢献
⑦株価（企業価値）

皆さんはこのうちのどれが最も大切だと思いますか。人によっては「すべて大切だ」と答えるかもしれません。ここで挙げた七つはいずれも何らかの意味での「成功」の基準ですから、すべて大切だといってしまえばそのとおりなのですが、あえて優先順位をつけるとすれば、一番大切なのはこのうちのどれか、という質問です。

競争戦略の考え方では、答えは①の「利益」です。もう少し詳しくいうと、「長期にわたって持続可能な利益」です。戦略論ではＳＳＰ（Sustainable Superior Profit：持続可能な利益）といったりします。長期とは具体的に何年くらいかと聞かれると困ってしまうのですが、少なくとも四半期の単位の瞬間風速的な利益ではなく、五年、一〇年と持続可能な利益を追求するというのがまっとうなゴールの置きどころです。

当たり前といえば当たり前なのですが、大切なのはその論理です。それはいたってシンプルな話です。利益が持続的に生み出されていれば、他の大切なことはだいたいなんとかなる、もしくは利益を追求する過程ですでになんとかなっている。だから企業は利益の最大化をゴールとしてねらうべきだ。こういう論理です。

ですから、「利益の最大化が企業の究極のゴールだ」というのは、何も「ゼニ儲けがすべてだ！」という話ではありません。企業の利益としてのゼニ儲け以外にも、従業員や顧客、株主、社会すべてのステークホルダーに対して企業は貢献しなくてはなりません。逆説的に聞こえるかもしれませんが、だからこそ持続的な利益が何よりも大切なのです。

順番に見ていきましょう。②の「シェア」（市場占有率）と③の「成長」は、いずれも企業の規模にかかわる基準です。前者は相対的な規模、後者は規模の変化率を指しています。シェアや成長が大切なことはいうまでもありません。現実に競争をしている前線では、このシェアの極大化が、戦っている企業の人々が一番気になる指標かもしれません。「業界トップ」とか「二番手」というときには、シェアを問題にしているのが普通です。

しかし、シェアを大きくすることそれ自体はいたって簡単なことです。経営の難しそうな複雑な会社であっても、私にお任せいただければ、（私でさえ）さまざまな製品分野でたちどころにシェアを一〇ポイント上げることをお約束できます。

どうするかって？　まずは、価格をいきなり半額にします。生産能力さえあれば、出荷台数ベースではもちろん、金額ベースでも相当にシェアを大きくすることができるでしょう。つまり、シェアを大きくしようと思えば、極端に攻撃的な「低価格戦略」をとればいいだけのことです。

しかしこの「低価格戦略」の問題は、利益が出ないどころか、そのうちに会社がつぶれてしまうということです。シェアが大切なのは、それが一般には利益と高い相関関係を持っているからです。競争戦略についての古典的な研究で「PIMS研究」といわれているものがあります[4]。PIMS研究がもたらした一つの重要な発見事実は、「シェアと収益性には正の相関関係がある」というものでした。なぜそうなるのかという論理についてもPIMS研究はいろいろなことを教えてくれるのですが、それはさておき、利益を出すという目標を達成するための重要な手段の一つとなりうるという意味で（というか、この意味においてのみ）、シェアが大切になるのです。もちろん一時的に利益を犠牲にして、シェアを追求するという戦略はありえます。しかし、この場合でも、将来期待できる利益を得る手段としてのシェアの追求であることに変わりはありません。ゴールとして優先するのはあくまでも利益なのです。

次に、④の「顧客満足」。多くの企業が「顧客第一主義」を理念として掲げています。これはもちろん正しいことなのですが、顧客満足とは何でしょうか。「顧客満足の総量」を測る指標であれば、相当に正直な物差しが一つあります。それは利益です。

以前、アスクルのCEOの岩田彰一郎さんにお話をうかがう機会がありました。アスクルは今ではさまざまなオフィス用品・消耗品を提供する会社として、多くの人が知っている会社だと思います（アスクルの事例はストーリーとしての競争優位を考えるうえで大変示唆に富んでいるので、あとでまたゆっくりとお話しします）。当時のアスクルはまだまだ成長の初期段階にある企業でしたが、岩田さんは「利益こそが顧客満足の総量だ」と明言していました。つまり、顧客満足と利益とは実質的に同じものを指しているのであり、一枚のコインの両面だという考え方です。

私もある条件の下では、この意見に賛成です。それは「まともな競争がある状態であれば」（利益は顧客満足をかなり正確に反映している）という条件です。多少規制が緩和されているとはいえ、電力やガスといった業界は依然としてわりと独占に近い状況です。東京電力や大阪ガスが利益を出しているからといって、本当のところどうなのかは別にして、顧客が満足しているとはいえないでしょう。このような特殊な業界では、利益が顧客満足とコインの表裏の関係にあるわけでは必ずしもありません。しかし、普通に競争しているその他の多くの業界では、岩田さんの主張が成り立つと思います。

「顧客第一主義」を持論とするある経営者がこう言っていました。「顧客の喜ぶ顔が当社にとってはすべてです。ですから、思い切った値下げに踏み切りました。ご覧ください。顧客の皆さんは喜んでおります！　ニコニコしております！」。しかし、これは詭弁です。裏を返せば、値下げをしなければ誰も欲しくないような、ろくでもない商品なのかもしれません。

もちろん低価格が結果的に顧客満足をもたらすことは少なくありません。むしろ顧客満足を実現するための王道の一つといってもいいでしょう。しかし、この場合でも大切なのは低価格を無理なく可能にするだけのコスト競争力の裏づけがあるかということです。低価格に見合う低コストが実現されていなくては、顧客満足は維持できません。低コストの裏づけのない低価格はニセの顧客満足にすぎません。

「利益にねらいを定めれば、他のよいことも自然と達成できる（少なくとも、達成しやすくなる）」という論理は、⑤の「従業員満足」や、⑥の「社会貢献」についても、そのまま成り立ちます。従業員満足の要素としては、雇用を守る、給料を（できたらより多く）払う、というベーシックなところから始まって、面白い仕事ができる、やりがいがある、個人の成長に貢献する……、とさまざまなものがあるわけですが、こうして列挙していくと、雇用や給料はもちろん、多くの従業員満足の要素が利益と強い結びつきを持っていることがわかります。利益がしっかり出ている会社であれば、従業員に挑戦的な仕事を与える機会も増えるでしょう。個人の成長に配慮したさまざまな手立ても、懐に余裕がある企業のほうが積極的にできるはずです。

社会貢献や社会に対する責任、最近の言葉でいうとＣＳＲ（Corporate Social Responsibility）ですが、これにしても「衣食足りて礼節を知る」、反対の言い方をすれば「貧すれば鈍する」という傾向があります。そもそも企業にとって最もストレートな社会的貢献とは何でしょうか。いうまでもなく、法人所得税を支払い、社会的に再配分できる富を生み出すことです。税金を払っても、それを使う側が間違っている！　という嘆きは古今東西、尽きないのではありますが、それはそれとして、法人税の支払は企業にとって最も大きな社会に対する責任であることには変わりありません。富をつくることができるのは企業活動です。元手がなければ配分もできません。

雇用をつくる、これも企業の果たすべき社会的責任の本筋でしょう。持続可能な雇用を創出するためには、利益の出る事業を持っているということが大前提になります。

もっと直接的に、企業自らが社会に対する責任を果たすようなアクションをとることももちろん可能です。売った後の製品のリサイクルに責任を持つとか、ボランティア活動や文化的な活動をサポートするとか、できることはいろいろとあるでしょう。こうした活動を積極的に行っている企業も少なくありません。しかし、「CSRに優れた企業ランキング」とかその手の雑誌記事を見ればすぐにわかることですが、上位にいるのはほとんどがきちんと利益を出している会社です。これがNPO（非営利組織）であれば、迷わずに社会貢献めざして一直線でよいのですが、企業となると話が違ってきます。こうした活動は、あっさりいえば（少なくとも短期的には）企業にとっての追加的なコストとなります。たとえ社会貢献を強く意図していたとしても、利益が出ないカツカツの状況では、「背に腹は代えられない」という理屈に押し切られてしまうでしょう。そして、「株式会社」というのは、この「背に腹は代えられない」という理屈が強力に作用する制度なのです。

◆市場を向いた経営？

最後に⑦の「株価」。「企業価値の最大化こそが企業の究極のゴールだ」「（株式）市場を向いた経営が重要」という論調が一九九〇年代の終わり頃から日本でも目につくようになりました。

その象徴的な存在だったのが、当時のソフトバンクです。すでに歴史的な話の感もしますが、ソフトバンクは「時価総額極大化経営」を標榜し、一九九九年にソフトバンク本体を純粋持株会社としました。普通の持株会社は、ぶら下がっている事業会社から配当金などの形でキャッシュフローを吸い上げて利益を出すことを目的とします。しかし、この時期のソフトバンクはそういうことをせず、傘下の事業会社に営業利益の全額を自身に再投資させ、その代わりに各社に時価総額の極大化をミッションとして与えました。それぞれの会社が株式公開を果たし、株価が上がれば、ソフトバンクの保有する株式時価総額は拡大します。社債償還などに必要な資金も、保有株式の一部を売却してまかなえます。これが「時価総額極大化経営」の中身でした。

当時のインタビュー記事を見ると、ソフトバンク会長の孫正義さんは次のように発言しています。[5]

実際のところソフトバンクはそんなところ（会計上の利益）に興味はない。唯一最大の物差しは、株式時価総額で示される「企業価値」です。連結の売上高も興味ゼロ。連結の人数も興味ゼロ。連結の経常利益も興味ゼロ。われわれが唯一興味があるのは、それぞれの会社の時価総額だけです。もちろん株価はその会社の経営実態と離れ、バブル的に膨らむこともあるという見方もありますが、長期的に見れば株価だけが実態価値から遊離していくなどということはありません。

ソフトバンクはこの年にアメリカのＮＡＳＤ（全米証券業協会）と提携して、ナスダック・ジャパンの構想を発表しました。こうした新興企業向けの株式市場があれば、ソフトバンクが投資したベンチャーはすぐに株式公開し、時価総額の増大に邁進できるというわけです。この時期のソフトバンクは、まさに徹頭徹尾、骨の髄まで「市場を向いた経営」でした。

こうした企業に触発されて、また（当時の）新聞や雑誌が「市場を向いた経営」を煽り立てたこともあって、多くの日本企業が「市場を向いた」（少なくとも、市場を向く振りをした）わけですが、本当に時価総額極大化は、経営がねらうべきゴールになりうるのでしょうか。株価が上昇し、株主が満足するというのは、それ自体とても良いことで、企業の成果の重要な尺度の一つであるということはいうまでもありません。しかし、しばしば見過ごされているのですが、外部の投資家や評論家が企業の成功なり強さを測るときにどの物差しを使うかということと、その企業の内部の経営者自身が何を最大化しようとして経営するかということの間には、大きなギャップがあります。

この二つを混同してしまったのが「市場を向いた経営」という言葉です。企業の外にいる投資家や金融機関やマスコミがその企業の成果を測る場合であれば、自分の関心に応じた物差しを好きに選んで使えばよいのであって、株価はその一つでしょう。しかし、経営は株式市場を向くべきではありません。向くべき、ねらうべきなのはあくまでも持続的な利益です。なぜかといえば、ある程度のスパンを置いてみれば、結果的に高い株価をもたらすのは、持続的な利益以外の何物でもないからです。

大切なのは物事の起きる順番についての理解です。まずは業界標準以上の高い利益水準を達成する。利益を出し続ける。そうすれば投資家は評価するから、結果的に株価は上昇するだろう……。これがまっとうな「思考の順番」です。途中の利益を出すというステップをすっ飛ばして、時価総額極大化をねらっても無理があります。無理が通れば道理が引っ込みます。株価を上げる一番手っ取り早い手段は、おそらく証券取引法に違反する反則技を繰り出すというものでしょう。近年のさまざまな「企業犯罪」の根っこには、この種の市場を向き過ぎた経営がありました。

今となっては一段落した感もありますが、一九九〇年代後半から二〇〇〇年代にかけて高い株価を維持していた企業の代表例にマイクロソフトがあります。なぜマイクロソフトは高い株価を維持できていたのでしょうか。ビル・ゲイツさんやスティーブ・バルマーさんが株式市場や株主を向いた経営をしてきたからでしょうか。そうではありません。高い利益水準を達成し、それを持続してきたからです。高い株価は経営陣にとって、もちろん良いことでした。彼らの報酬もストックオプションで支払われてきました。確かにマイクロソフトは超高額な配当金など、株主を満足させるための「市場を向いた」こともいろいろとやりました。しかし、そうしたことが高い株価の基本的な理由ではありません。いうまでもないことですが、高い配当を支払えるのも、手元に十分なお金があったからです。なぜ手元にお金があったのか。利益を出し続けてきたからです。

大切なのは物事の起きる順番についての理解です。まずは業界標準以上の高い利益水準を達成する。利益を出し続ける。そうすれば投資家はやめてくれといっても高く評価するから、いずれ株価は上昇するだろう。さらにその結果として、われわれは大金持ちになるかもしれない……。これがゲイツさんの考えた「物事の順番」でした。経営として直接的にねらっているのはあくまでも長期利益です。途中の利益を出すというステップをすっ飛ばして、時価総額極大化をねらったわけではありません。マイクロソフトは好き嫌いの分かれる会社だと思いますが、それは別にして、ねらうべきゴールの設定という意味では、非常にオーソドックスな順番でものを考えた企業でしょう。

企業価値の増大は、結果として起こるべき「良い状態」なのであって、経営が本当に市場を向いてしまってはろくなことはありません。利那的な株主の期待形成（要するにご機嫌取り）にばかり注意が吸い取られてしまい、持続的な利益のための本来の経営努力がないがしろにされます。移り気な株主の意向に翻弄されて、戦略の軸足もふらついてしまいます。環境の追い風を受けて一時的に利益を出せることはあっても、長期利益は難しくなります。

プロ野球の楽天イーグルスの監督が試合前に選手を集めて、「さあ、今日も楽天の株価を上げるぞ！」と檄を飛ばしても、選手は困ってしまうでしょう。それに向かって直接的な努力をしようがないからです。ですから、当たり前の話ですが、監督は「今日は勝つぞ！」と檄を飛ばします。勝てるかどうかはやってみないとわからないのですが、少なくとも選手は「勝つ」というゴールに向かって自ら動くことができます。

ここでいう「勝ち」が企業にとっては利益なのです。楽天という会社の監督である三木谷浩史さんも、選手である社員にハッパをかけるときに「さあ、今日も株価を上げましょう！」などとは、よもや言わないでしょう。時価総額極大化を「ねらって」経営するというのは、自分で直接コントロールできないことをゴールに設定するということですから、論理的に考えれば、間違いなく間違っています。

◆事業家と投資家の違い

だからといって、私は時価総額極大化をダイレクトに「ねらって」いた一九九九年のソフトバンクや孫さんを批判するつもりはありません。時価総額極大化経営は、当時のソフトバンクに限っていえば、むしろ理屈からして正しいことだったと思います。先に引用したインタビューの続きで、孫さんはこう言っています[6]。

> われわれは、出資先をインターネット関連の企業に絞り、一つの会社に二〇から三〇%ぐらいまで出資する。経営に影響を与える程度は出資し、それでいて経営をコントロールしないのです。……(中略)……従来の財閥や企業グループでは、親会社がグループ企業の株式の五一%以上を持ち、グループ企業には全部同じブランドをつけ、同じような規則や社歌までつくり、さらに同じロゴマークまで採用した。これに対してソフトバンクは、意図的に株式の五一%以上は持たない。ブランドネームやロゴマークも統一しない。それぞれがバラバラに、勝手に成長していく。

これは何を言っているかというと、要するに孫さんはソフトバンクを、事業をする会社ではなく投資会社としてはっきりと位置づけていたのであり、自分を投資家として定義していたという話です。そうであれば、「時価総額極大化経営」はまことに自然な話です。投資会社を率いる投資家が利益よりも時価総額極大化を優先してねらうのは、今も昔も当たり前です。

ただし、「市場を向いた経営を!」というこの種の掛け声は、普通の(というか、かつてのソフトバンクや一部の特殊な金融機関を除いた)すべての事業会社にとっては、きわめて危険な考え方です。先に引用したように、当の孫さん自身が「長期的に見れば株価だけが実態価値から遊離していくなどということはありません」と言っています。ここでいう会社の「実態価値」が何かといえば、それは要するに持続可能な利益を出す力なのです。ソフトバンクにしても、その後、携帯電話などの通信インフラ事業へとポートフォリオを収斂させつつあります。事業会社としての性格を強めているわけで、一九九九年当時と違って、事業から生まれる利益に関心を持たざるをえないでしょう。株式の時価総額を極大化するといっても、株価を直接的に左右できるのは、企業ではなくて投資家です。その意味で、特に上場して不特定多数の株主がいる企業であれば、株価というのは本来的に人気投票の側面があります。企業自身が直接的にできることはあまりありません。せいぜい「市場を向く」ことぐらいで、何か具体的な、効き目のあるアクションをとれるわけではないのです。

逆説的な言い方ですが、企業価値を高めるためにも、経営は「市場を向い」てはいけないのです。株価だけでなく、さまざまなステークホルダーに貢献するために、向くべきゴールは持続可能な利益です。「どのステークホルダーを優先すべきか？　株主か、顧客か、従業員か、社会全体か？」というような議論は問題の立て方が間違っているというのが私の意見です。当然のことながら、経営はすべてを満足させる責任があります。そして、そのために経営がねらうべきゴールが持続可能な利益なのです。どういう順番でものを考えれば、一見利害が対立しているように見えるすべてのステークホルダーをも満足させることができるのか、そのストーリーが大切です。

大手アパレルメーカーのワールドは、二〇〇五年に経営陣による企業買収＝ＭＢＯ（Management Buyout）という形をとって株式を非公開に戻しました。ファッション・アパレル業界の優良企業であったワールドが、なぜ上場廃止に至ったのか。この直後に社長の寺井秀藏さんと議論をする機会がありました。寺井さんは、上場廃止に踏み切った理由として、次の二点を挙げました。

一つは経営する側と投資家との間の時間軸での志向性の違いです。目まぐるしく変化するファッション業界で安定した利益をあげる体制をつくるためには、新業態や店舗などの開発投資を続けていかなければなりません。しかも、事業領域が「ファッション」であるだけに、事前に成功確率を客観的な指標ではじき出すことは難しい。寺井さんのこれまでの経験では、将来の利益を見据えた思い切った投資をしようとしても、投資家の中には、短期的な利益のほうを求める声がずっと多く、思ったようなな手をスピーディーに打ちにくいと感じたことが少なくなかったそうです。実際に、過去を振り返ってみると、発表した当時は投資家が否定的だった案件の中に、その後のワールドの利益を支えているものが多かったといいます。

もう一つは、長期的な成長を見据えた投資を株主に納得させようとすると、かなりの量の内部情報を開示しなければならない。これに手間ひまがかかるばかりか、その情報が競合他社に漏れるリスクが出てくるという理由です。「長期的な利益を生み出すために経営がするべきことは何か、その一点を突き詰めて考えると、ワールドの場合、上場しているメリットよりも、そのコストとリスクのほうが大きい。自分は経営者として標準以上にきちんとIRに取り組んでいた。きちんと株主に向き合っていたからこそ、上場していることのコストとベネフィットの問題についてはっきりとした見通しを持つことができた」という寺井さんの言葉はとても印象的でした。

上場廃止という道をとったからといって、ワールドが株式会社であることをやめたのではありません。MBOの形をとってはいますが、その原資は銀行借入れです。つまり、ワールドの上場廃止は直接金融から間接金融へと資本政策をスイッチしたということです。この出来事は、経営の本質的なゴールが持続的な利益にあるということをよく示しています。ワールドに限らず、利益を目標として経営する以上、上場するかどうかは手段の選択にすぎず、「戦略的に」上場を廃止するということは、十分にありうるオプションなのです。

いうまでもなく、会計上の営業利益や経常利益の絶対額で企業のパフォーマンスを測るというのは乱暴に過ぎます。実際は、ＲＯＳ（売上高利益率）、ＲＯＡ（総資本利益率：税引後利益を総資産で割ったもの）、ＲＯＥ（株主資本利益率：税引後利益を総株主資本で割ったもの）、ＥＰＳ（一株当たり利益）、一株当たりキャッシュフロー、ＲＯＩＣ（投下資本収益率）といったさまざまな「比率」で利益を捉える必要があります。ただし、いずれの比率を使うにしても、分母が変わるだけの話で、おおもとはすべて利益です。分子にある利益がなくては話になりません。リストラその他のさまざまなテクニックで分母を小さくすれば、利益成長なしにこうした比率を良くすることもできなくはないのですが、それは本筋ではありません。

利益とはつまるところ、収入からコストを引いたものです。お客さんが支払ってくれる金額の水準とそれを得るのにかかる金額の差分です。子どもでも理解できる非常にシンプルな尺度です。だからこそ、ねらうべきゴールとして有効なのです。投資家や金融機関など、企業を外部から評価する立場は別にして、企業経営の立場に立てば、目標設定が客観的で包括的で精緻かどうかよりも、組織の中のさまざまな人々に浸透し、共有され、ねらうべきゴールとして軸がぶれないことのほうがずっと大切です。あまり複雑な指標で成果をこねくり回してしまうと、せっかくのシンプルであることの強みが損なわれ、何のために何をやっているのかがわからなくなり、会社が変な方向に走ることにもなりかねません。

インターネット・バブルの頃はＮＯＰＬＡＴ（Net Operating Profits Less Adjusted Taxes：みな

し税引後営業利益）やＥＢＩＴＤＡ（Earnings Before Interest, Taxes, Depreciation and Amortization：金利税金減価償却費差引前利益）といった複雑な指標が、特にアメリカでは注目を集めました。繰り返しますが、企業を外部から評価する投資家や彼らのために仕事をしているアナリストがどのような物差しを使おうと勝手です。しかし、企業がこのような複雑な指標を経営のゴールにしてしまった結果、経営者や働いている人々の努力の方向が、持続的な利益を出すという本筋からどんどん外れてしまったというケースは少なくありませんでした。

この背景には経営者の報酬システムの問題や、それによってゆがめられた経営のモラルハザードなどさまざまな問題があります。最近ではこの種の複雑な経営指標に対する懐疑の声が大きくなってきました。ＥＢＩＴＤＡはEarnings Before I Tricked the Dumb Auditor（もの言わぬ監査役をペテンにかける前の利益）の略だとか、むしろＥＰＩＴＤＡ（Earnings Post-Indictment, Trial, Denunciation and Arrest：起訴、裁判、告発、逮捕の後の利益）だとか、この種の冗談が言われるようになったのも、そのような成り行きです。

◆業界の競争構造

企業が一義的に追求するべきゴールが利益だとすれば、次に押さえておきたいのは、利益はどこから生まれるのかという「利益の源泉」についての理解です。戦略論の考え方からすると、企業が生み出す利益には、いくつかの源泉があります。

第一の利益の源泉が、「業界の競争構造」です。世の中にはそもそも利益を出しやすい業界と、利益を出しにくい業界がある。業界の利益ポテンシャルに影響を与える要因は何か。これが業界の競争構造という問題です。もし皆さんがこれからフリーハンドでゼロから事業を始めるという立場にあれば、業界の競争構造を理解することは、とりわけ重要な意味を持っています。利益が出やすい業界を注意深く選び、利益が出にくいような構造にある業界への参入を避ける、この戦略的選択がとても大切になります。

業界の競争構造という話は、引越しにたとえるとわかりやすいでしょう。暑い夏や寒い冬を過ごすのが嫌で、快適な生活をしたいと考えている老夫婦が引越しを検討しているとします。彼らがまず考えるのは、「どこに住むか」ということでしょう。東京や大阪は夏の暑さが厳しいですし、かといって北海道では冬がきつい。

いずれにせよ、自分たちの目的を達成するためにこの老夫婦が考えるべきことは、どの町に住むかということであって、どういう家を建てるかは二の次の問題です。もちろん冷暖房を完備した断熱材たっぷりの家を建てたほうが快適なわけですが、そもそも住むところが厳寒酷暑の地であれば意味がありません。ここでいう「どこに住むか」が競争する業界の選択という問題です。ハワイであればごく簡素な家でも快適に暮らせるでしょうし、北極に住むということになれば、要塞のような特殊な家を建てないことには快適どころか生命の危機に瀕してしまいます。

一橋大学の青島矢一さんと加藤俊彦さんは、このような考え方を面白いたとえを使って説明しています。プロ野球の松井秀喜選手はメジャーリーグで素晴らしい成功を収めました。名声や人気はもちろん、収入も大変な額にのぼるでしょう。なぜ松井選手は高額所得者になれたのでしょうか。多くの人は単純に「選手として優秀だから」と答えるでしょう。その優秀さの中身に立ち入って、「長打力がある」「勝負強い」「バッティングの技術がすごい」「謙虚で誠実な人柄が日本人らしくていい」と考える人もいるでしょう。

しかし、業界の競争構造を利益の源泉として重視する考え方からすれば、そうではないのです。「数多くのプロ・スポーツの中で、野球を選んだから」というのが答えです。そういっては身もふたもないように聞こえるのですが、これが「どこで戦うか」という発想です。バレーボールや卓球にもプロ選手はいますが、世界最高収入のプロ・バレーボール選手（皆さんは知っていますか？　たぶん知らないでしょう。私も知りません）であっても、年収はメジャーリーグの野球選手の平均年収にも及ばないでしょう。野球やサッカーはプロ・スポーツとして他の競技よりもそもそも利益を生み出しやすい構造にあるわけです。

ＧＥは世界を代表する高収益企業です。この背景には、参入すべき業界についての冷徹な判断があります。ＧＥが手がけている事業は、製造業について見れば、航空機エンジンやエネルギーなどのインフラストラクチャー事業、プラスチックやシリコンなどの産業財事業、医療用機器、バイオなどのヘルスケア事業と、いずれも何らかの理由で参入障壁が高く、競争業者がある程度限定されている分野に限られています。ヘルスケアも航空機エンジンも競合の数はせいぜい三社か四社です。そこで買収をテコにしながら徐々に寡占状態をつくっていくのがＧＥの戦略です。会長兼ＣＥＯのジェフ・イメルトさんは「私は三二社が競争する携帯電話や一五社が競合するノートＰＣのような世界は好きで方です。

はない」と言い切っています。[7] まさに「どうやって戦うか」よりも「どこで戦うか」を重視する考え

利益ポテンシャルという意味で、そもそも魅力的な競争構造にある業界とそうでもない業界があるということは直感的に誰もが理解できる話です。「儲かってますか？」と聞くと、「いやー、苦しいですね。もうヒイヒイ言ってますよ（苦笑）」という答えが決まって返ってくるものですが、続けて「ところで、直近の売上高営業利益率はどれぐらいですか？」と聞いてみると、出てくる実際の数字には大きなばらつきがあります。「ついに一五％を切ってしまいました。危機的な状況です……」と暗い顔をしている（しかし腹の底ではゆとりのある）人、この人は製薬業界の人です。「一〇％をめざしているのですが、なかなか苦しくてせいぜい五％止まりですね……。それでもひと頃よりだいぶ良くなってきました」、これは自動車業界の人です。「営業利益率はマイナスです。ついに赤字になってしまいました。もう本当に死にそうです……」、これはＰＣ業界の人の痛切な声です。競争というものは、主観的には常に厳しいものです。しかし、実際の営業利益率にはこのようなばらつきがあります。それぞれの業界の競争構造が違うので、客観的な気温と体感気温にはギャップがあるのが普通です。

競争戦略論の有名な分析枠組みの一つに、マイケル・ポーターさんが確立した「ファイブフォース」があります。[8] ファイブフォースについては聞いたことがある方も少なくないと思います。これはある業界の競争構造が儲かりやすいようになっているかどうかを分析し、理解するためのフレームワークです。ポーターさんご自身の本はもちろん、多くの競争戦略の教科書に必ず出てくる話なので、

ここでは内容の詳細には立ち入らず、その基本的な考え方だけを押さえておきたいと思います。

このフレームワークの前提はシンプルです。どんな業界でも、その業界の利益を奪おうとする圧力(force)がかかっています。これらの圧力が大きければその業界の潜在的な利益機会は小さくなり、逆に圧力がそれほどなければ潜在的な利益機会が大きくなります。圧力には次の五つの種類があります。

その第一の圧力が、「業界内部の対抗度」です。対抗度(rivalry)というのは聞き慣れない言葉ですが、その業界にすでに参入している既存企業の間の競争の激しさを意味しています。対抗度はさまざまな要因によって変わってきますが、たとえば、競争企業の数を考えてみましょう。一〇〇社がひしめき合っているような業界よりも、三社だけしか参入していない業界のほうが利益を出しやすいのが普通です。もし独占であれば対抗度はゼロになります。

市場の成長性も対抗度を左右します。急速に成長している業界では、市場全体が毎年大きくなっていくのですから、新たに開拓される更地をどの企業が獲得するかという競争になります。しかし、成長が止まってしまった業界では、どこかの企業が成長するということは、どこかが売上やシェアを減らすということになります。これは「朝起きたら、隣の家の塀が二メートル自分の敷地に踏み込んできた」という話なので、更地の取り合いよりも対抗度は高くなります。

対抗度が高い業界の典型例が航空業界です。今、東京からニューヨークに飛ぶとして、あなたは何を基準に航空会社を選びますか。機内サービスや出発・到着時刻など、多少のサービスの違いがあったとしても、結局は運賃の安い航空会社を選ぶ人が多いでしょう。つまりは価格競争です。価格という単一の軸で競争をせざるをえなければ、対抗度は非常に大きくなります。

「業界内部の対抗度」が、すでに参入している企業間で現実のものとなっている競争に注目しているのに対して、第二の圧力である「新規参入の脅威」は潜在的な競合関係を問題にしています。今その業界に参入している企業が平均的に見て高い利益水準を達成していれば、その業界に参入しようと考える企業もまた多いでしょう。しかし、参入するにはコストがかかります。このコストのことを参入障壁といいます。誰でも簡単に入っていけるような業界であれば、参入を阻止するために価格を低く設定する、といったことが必要になります。結果としてその業界の利益機会は小さくなってしまいます。

参入障壁が高い業界の例として、写真フィルム業界があります。写真フィルムの製造は大変な投資を必要としますし、販売チャネルを構築していくのも気が遠くなるほどの努力を要します。写真フィルムメーカーはかなりの利益を長年にわたってあげ続けていました。それでもなかなか参入業者が現れなかったのは、それだけ参入障壁が高いからです。

その一方で、現在の写真フィルム業界は、第三の圧力、「代替品の脅威」にさらされています。デジタルカメラの急速な台頭で、デジタルメディアとプリンタがあればフィルムを買わなくても済んでしまいます。このように、代替品とは「買い手にとって同じ機能やニーズを満たし、しかもそれを手に入れれば、もともとあった製品が必要なくなってしまうような製品」を意味しています。

競馬と競輪と競艇は、いずれもギャンブルですから、買い手から見た価値は「ドキドキハラハラしながら、あわよくばひと山当てる（という期待を持つこと。現実にはそんなうまい話はほとんどないのですが）」です。この意味で買い手にとって同じ機能やニーズを満たす関係にあります。しかし「競馬をやれば競輪はもういいや」とはいかないことに注意が必要です。競馬の負けを競輪で取り返し、それでもダメだったら競艇で勝負するという人は少なくありません。このような関係は代替ではなく「補完」といいます。

今、和文タイプライターを使っている人は、よっぽどの和文タイプ・マニア（？）を別にすれば、ほとんどいないでしょう。ワープロという代替品が登場し、これに取って代わられてしまったからです。また専用機としてのワープロを使っている人もごく少ないでしょう。ＰＣ（で動くワープロソフト）という代替品があるからです。代替品の脅威があれば、その脅威にさらされている業界の利益機会は小さくなります。代替品は、右の例にあるように、既存製品よりも高いコストパフォーマンスを持つのが普通です。その業界にとどまって競争しようとすれば、代替品よりも価格を引き下げて買い手を引きつけておかなければなりません。

第四と第五の圧力、「供給業者の交渉力」と「買い手の交渉力」は、製品やサービスの利益における競合関係に注目しています。業界と供給業者、買い手はいつも利益の綱引きをしているという考え方です。どんな業界でも投入資源（材料や生産機械や従業員や部品など）の供給業者を必要とします。ですから、業界と供給業者との間には日常的に取引関係があります。交渉力とは、この取引においてどちらがパワーを持つのかを意味しています。供給業者の交渉力が強ければ、それは業界にとって脅威になります。業界の利益が供給業者のほうに流れてしまうからです。交渉力とは、利益の綱引きにおける力の強さにほかなりません。

その業界と買い手との間にも取引がありますから、ここにも交渉力の問題が出てきます。買い手の交渉力が強い場合、その業界の利益機会は小さくなります。つまりファイブフォースの考え方では、「お客さまは神様」ではなく、交渉を通じて利益を取り合っている「敵」ということになります。交渉力の「弱いお客」が潜在的な利益をもたらす「良いお客」なのであって、「強いお客」は必ずしも良いお客ではありません。

こうして考えると、冠婚葬祭業界やパチンコ業界などは、買い手との綱引きの点で魅力的な構造にあるといえるでしょう。結婚式を挙げるということはそうそうないことですし、これから結婚しようという二人は頭の中がぼんやりしていることが多いので、それほど懐に余裕がない場合でも、結構結婚式場の言いなりになって結婚式のプログラムや食事、衣装、お花などさまざまな「高い買い物」をしがちです。葬儀業者とハードな価格交渉をしている遺族はあまり見かけません。パチンコに至っては、お店が「もうやめたらどうですか。そんなにお金を使わなくても……」と勧めたとしても、「いや、頼むからもう少しやらせてくれ！」というお客さんが少なくないでしょう。要するに交渉力は買い手よりも業界側が握っているわけです。

◆ハワイか北極か

業界の競争構造を五つの圧力という切り口で見てきました。もし五つの圧力すべてが小さければ、その業界は「五つ星業界」であり、そもそも利益を出しやすい構造にあるといえます。ハワイに住んでいるようなものです。その時点でかなり快適な生活が期待できます。反対にどの圧力も大きければ、相当に利益が出しにくい構造にある「ゼロ星業界」であり、住んでいる土地は北極ということになります。このフレームワークを使って、前に話に出た製薬業界とＰＣ業界を比較してみましょう。

ファイブフォースの考え方からすると、製薬業界は少なくともこれまでは、限りなく五つ星に近い業界です。多くの企業が参入しているように見えますが、製品の差別化がしやすいので、実際には企業は自分の強いところに特化して住み分けることができます。正面からの殴り合いはそれほどなく、業界の対抗度が低い水準に抑えられています。

供給業者は主として化学品の業界です。彼らは装置生産の業界であるため、恒常的に過剰供給力を持つ傾向にありますし、一般的な化学品であれば要件さえ満たしていればどこの製品を使っても大差ないので、交渉力は製薬業界のほうが握っています。

参入障壁もきわめて高い。製品やチャネルの開発に莫大な投資が必要となるだけでなく、厳しい規制があるために、投資をしてから、実際に製品が出てきて売上が発生するまでに、平均でも一〇年以上のタイムラグを余儀なくされます。この間、持ちこたえていくのはきついでしょう。開発段階、しかも新薬のベースとなるような特定の化合物の「発見」に特化するようなバイオベンチャーを別にすれば、大型の新規参入企業はまれです。

ＪＴ（日本たばこ産業）は数少ない新規参入企業の一つですが、製薬業界に参入した背後には、タバコ事業から毎日毎日上がってくる猛烈な日銭収入の存在があります。キャッシュリッチな企業だからこそ、大きな、しかも長い潜伏期間がある投資に耐えられるわけです。

考えてみれば、タバコ事業も五つ星産業です。市場は成熟から衰退段階にあるのかもしれませんが、参入は大変ですし、何より代替品がなかなかありません。禁煙パイプのような禁煙を補助する手段もないことはないのですが、代替する力はたいしたことありません。その結果として、買い手である喫煙者は交渉力ゼロです。タバコ業界のほうから「あなたの健康を損なうおそれがあるので吸い過ぎに注意しましょう」といってもらい（最近では、さらにストレートに「喫煙は、あなたにとって肺がんの原因の一つとなります」とまでパッケージに印刷してくださっています）、ご親切にも課税によるたび重なる値上げまでしていただいているのに、喜んでお金を払って吸い続けています。私自身が喫煙者なので、交渉力の弱さは身にしみて感じています。

医薬品の代替品は何でしょうか。東洋医学などは代替関係にあるかもしれません。しかしいざ病気になったとなれば、即効性のある医薬品に頼らざるをえません。スポーツクラブ業界は薬を必要としないような健康な体をつくるという価値を提供しようとしていますから、広い意味では製薬業界の代替品といえます。しかし、「さあ、血圧が上がってきましたよ！」という事態になってからスポーツクラブに行くとかえって危険なことになったりしますので、あくまでも弱い代替関係にとどまっているといえるでしょう。

買い手は誰でしょうか。一つには病院のお医者さんです。お医者さんは医薬品メーカーに対して優位にあって、製薬会社の担当者（ＭＲ）がやたらと頭を下げているというイメージです。しかし、薬価についての規制はどこの国でも多かれ少なかれあるので、お医者さんには肝心の価格交渉力がありません。しかも、お医者さんは買い手の一部ではありますが、より正確にいうと、どの薬を使うべきかを決める意思決定者です。エンドユーザーは患者さんですが、彼らには専門知識がありませんので、お医者さんの意思決定に従順です。そのとおりにしないとひどいことになるリスクがあります。製薬業界の買い手にはさらにもう一つのプレイヤー、「支払者」がいます。エンドユーザーは患者さんですが、実際に大半の費用を負担するのは政府（もしくは保険会社）です。

つまり、普通の業界とは違って、意思決定者と使用者と支払者、この三者が分かれているということが買い手の交渉力を小さくし、製薬業界を儲かりやすくしているわけです。もし自動車業界でも買い手の構造がこんなことになっていれば、自動車メーカーの利益率は今よりもずっと大きくなるでしょう。つまり、ユーザーとは別に、「あなたはこの車にしなさいよ」と決める、専門知識を持った第三者がいるわけです。そういわれたユーザーは、その専門家の意見に従わないととても悪いことになると信じていますので、「では、その車にしましょう……」。値段を聞いてみると、これがとても高価で、五〇〇万円もします。それでもユーザーは「構いません。その車を買います」。七割方は政府が払ってくれるからです。このように意思決定者と使用者と支払者がバラバラであれば、儲かるのも自然な成り行きです。しかも、車だったらなくても多少不便なだけですが、薬であれば、場合によっては死んでしまいます。無消費（non-consumption）という選択肢はありえません。以上をまとめると、製薬業界は五つの圧力すべての点で儲かりやすいような構造にある五つ星業界だといえます。

反対に、PC業界はゼロ星に近い業界です。PCは製品として標準化が進んでいます。基本ソフト（OS）はだいたいの場合マイクロソフトのウインドウズです。処理速度についても「インテル、入ってる」ですから大きな違いをつくれません。結果的に参入している企業間の対抗度は高くなります。

たいして違いがない製品同士での正面からの殴り合いになります。参入障壁は低く、市場で普通に取引されている部品を買ってくれば、容易にPCを組み立てることができます。

買い手である企業や消費者はPC業界に対して強い交渉力を持っています。この背景にも標準化の進行があります。かつてのようにNECやIBMや富士通といった企業がそれぞれに独自のOSを使っているような時代であれば、NECの98のユーザーはNECの世界に閉じ込められていました。なぜなら、他社のPCにスイッチすると、これまでのソフトやドキュメント資産がすぐには使えなくなってしまうからです。いちいちフォーマットを変換するにしても大変な手間がかかります。

このように製品やブランドをあるものから別のものへと切り替えるときに買い手に発生するコストをスイッチング・コストといいます。PCのように、製品が標準化されていれば買い手にとってのスイッチング・コストはぐっと小さくなります。このような場合、安いPCが出てくれば、買い手はすぐにそちらへとなびいてしまいます。企業にとっては買い手を自社製品につなぎ留めておくことが難しくなるので、結果的に買い手の交渉力が高まるのです。

PC業界の競争構造において最悪最強の圧力となってきたのは、なんといっても供給業者の交渉力です。さまざまな供給業者の中で、マウスやHDD（Hard Disk Drive）やキーボードといった部品の供給業者はさほど強い交渉力を持ちません。USBインターフェースにつながればどれでも動くわけですから、PC業界にとってのスイッチング・コストは低くて済みます。しかし、こうした部品はPCのコストの中で相対的に小さな割合しか占めません。大きいのはいうまでもなくOSとMPU（microprocessor）、企業でいえばマイクロソフトとインテルのウィンテル・コンビです。この二つの中核的な供給業者がＰＣ業界に対して高い交渉力を持ってきたことが、ＰＣ業界の利益機会を大きく圧迫してきました。

マイクロソフトやインテルは、他の競合製品に比べて差別化された独自の仕様を持っており、しかもその独自性の中核部分が知的所有権によって制度的に守られています。このような場合、マイクロソフトのＯＳの価格が高いからといって別の供給者にスイッチすることはできません。同様の製品を供給してくれる企業がないからです。こうなってくると価格や納期などの点で供給業者の言いなりにならざるをえない面が出てきます。供給業者に強い交渉力があるため、利益の綱引きの結果、ＰＣ業界の利益がウィンテルに流れてしまっていたわけです。

以上で説明したように、ファイブフォースは五つの側面からその業界が直面している脅威の大きさを分析し、業界の利益機会を検討するためのフレームワークです。この分析からは大きく分けて次の二つのことがわかるでしょう。

一つは、いうまでもなく、競争構造の分析によって町の住みやすさを知ることができるということ。繰り返し強調しますが、利益の第一の源泉は業界の競争構造です。幸いにして、皆さんの業界がファイブスターであれば、自然体で一所懸命やっていればまずまずの利益が期待できるでしょう。

もう一つは、戦略の必要性です。実は、第二の利益の源泉が「戦略」なのです。そもそもハワイに住んでいたら、極端な言い方をすれば、戦略は必要ありません。自然体で暮らしていればよい。しかしすべての企業が初めから住みやすい国に住んでいるわけではありません。多くの企業は、北極とまではいかなくても、星が一個か二個しかつかない業界での競争を強いられています。

業界の競争構造の話の冒頭で、私はわざと「もし皆さんがこれからフリーハンドでゼロから事業を始めるという立場にあれば」という条件を設定しました。しかし現実には、全く白紙状態から起業しようとするような人を別にして、フリーハンドで業界の選択をできる立場にある人はあまりいません。特定の業界にすでに住んでいるという人のほうがずっと多いでしょう。その業界の外から利益ポテンシャルを見極めようとするアナリストやコンサルタントや潜在的な新規参入者といったアウトサイダーにとっては、ファイブフォースはとても役に立つ考え方ですが、競争の当事者である業界のインサイダーにとっては、「今さらそんなこといわれても困るよ……」という面があるのです。

業界の競争構造は、かなりの程度まで個別企業の努力を超えた環境要因ですから、いきなり業界全体をファイブスターに持っていこうとしても無理があります。つまり、ほとんどの企業にとって、競争のフォース（圧力）は多かれ少なかれ受け入れなければいけない問題なのです。そこで、第二の利益の源泉である「戦略」が必要になるわけです。

たとえ現時点でハワイのようなファイブスターの業界に住んでいる企業であっても、中長期的な観点に立てば、戦略は無視できません。なぜかというと、ほとんどの業界において、星の数は時間とともに徐々に減っていくのが普通で、増えることはあまりないからです。

これには二つの理由があります。その一つはまたしても競争です。もしある業界がハワイであれば、そこは明らかに住みやすいのですから、多くの企業がぜひとも引っ越したいと考えるでしょう。いくらある時点での参入障壁が高くても、なんとかしてそれを乗り越えるか、かいくぐるかして、その業界で暮らしたいものだと考えるはずです。多くの企業にとって魅力的な業界であれば、時間とともに立て込んできて、だんだん住みにくくなってくるということが容易に推測できるでしょう。

もう一つは、マクロレベルの競争環境の変化です。グローバリゼーションや技術革新、規制緩和といった大きなトレンドは、ほとんどすべてが競争の圧力を強め、以前は光り輝いていた星を一つまた一つと消していく方向に作用します。つまり、マクロで見れば、やっかいなことに世の中は必ずといっていいほど利益が出にくいような方向へと進んでいくのです。

興味深い例題として、いくつかの業界を取り上げて、インターネットに代表されるITが、ファイブフォースのそれぞれの圧力にどのようなインパクトをいくつもたらしたかを考えてみてください。

小売業界の場合はどうでしょうか。インターネットによってＥコマース（電子商取引）が急速に普及しました。それまでの小売業と比べて、Ｅコマースは実際の店舗を持たなくても済むので、参入障壁は飛躍的に低くなりました。買い手である顧客は（「カカクコム」などの比較サイトを使うことにより）容易に商品を、特に価格に関して、これまでよりも格段に広い範囲で比較検討できるようになりました。サプライヤーは、インターネットの出現で、小売業者を通さずに直接消費者に商品を売る可能性を手に入れました。要するに供給業者や買い手の交渉力が増したということです。新規参入が容易になり、差別化が難しくなったため、業界内部の対抗度も上がります。このようにインターネットという新しい技術の登場は、結果的に業界の競争構造をより利益が出にくい方向へと駆動することとなりました。

インターネットが世の中に出てきた頃、全く新しいビジネスチャンスが拓ける、と多くの経営者が期待しました。もちろん、アマゾンや楽天のように、インターネットの技術革新がもたらすチャンスを現実につかんで、大きな利益を上げるのに成功した企業もあります。しかし、巨視的に見れば、インターネットの台頭で、かえって競争の圧力にさらされ、これまで享受できていた利益を失っている企業のほうがずっと多いのが実情です。インターネットが業界の競争構造に与えるインパクトを考えると、これはごく自然な成り行きです。グローバリゼーションにしても規制緩和にしても、マクロレベルの大きなトレンドは、ほとんどの場合、業界の競争構造を、利益が出にくいという意味で「悪化」させると考えておいていいでしょう。

インターネットという技術革新がもたらした機会を実際に利益に結びつけることができた企業にしても、それはインターネットが業界の競争構造をより魅力的にしてくれたからではありません。必ずしも住みやすくない業界において、どのようにして利益を出すのかという戦略に長けていたからです。

逆にいえば、第一の利益の源泉である業界の競争構造がそれほど魅力的でなくても、第二の利益の源泉である戦略で勝負できれば、持続的な利益を獲得しうるということです。北極であるPC業界にありながら、デルは長期利益を実現してきました。航空業界はそれに輪をかけたようなド北極ですが、それでもサウスウエスト航空はずっと利益を出し続けていました。スターバックスコーヒーがコーヒーショップ業界に参入した当時、アメリカのコーヒーショップ業界の状況は、客観的に見ればまるで魅力的ではありませんでした。アメリカ人のコーヒー離れは傾向として完全に定着しており、コーヒーの需要はじりじりと下がっていたため、撤退する企業が相次いでいました。そもそも当時のアメリカでは、温かい飲み物を飲まないという人が増えていたのです。にもかかわらず、あとの章で詳しくお話しするように、スターバックスはこの業界で大成功を収めました。デルやサウスウエストやスターバックスの利益はどこから来たのでしょうか。いずれも魅力的でない業界の住人でしたから、第一の源泉にはまるで期待できません。それぞれの企業の戦略が長期利益をもたらしたのです。

◆戦略でないもの

「競争戦略」というと小難しそうに聞こえるのですが、あっさりといってしまえば、「どうやって儲けるのか」という話です。もうちょっというと、競争がある中で、いかにして他社よりも優れた収益を持続的に達成するのか、その基本的な手立てを示すものが競争戦略です。前章でもお話ししたように、「戦略」というのはとても便利な言葉だけに、何でもかんでも戦略の中に入ってきてしまい、本当のところ、何が戦略なのかがわからなくなりがちです。ですから、ここでは戦略という言葉が意味する範囲を意識的に狭く絞って話をすることにします。そのために、戦略とは何かを考える前に、「戦略でないもの」とは何かを、まずははっきりさせておきましょう。

日本を代表する、ある大企業での事業戦略を検討するミーティングに招かれたとき、私は興味深い経験をしました。戦略を議論する場であるにもかかわらず、多くの人々がほとんど戦略を語らず、戦略でないものの話に終始したのです。

プレゼンテーションは一人三〇分程度だったのですが、多くの事業責任者が最初の一〇分から一五分を「どの辺をめざしていくか」という目標設定の話に費やしました。すでに強調したように、事業のゴールは究極的には長期利益なのですが、これ以外にもシェアとか成長とか資本効率とかさまざまな数字が出てきます。それらの数字を達成するためには、その事業全体を構成するいくつかの製品分野や市場分野ごとにどれだけの数字を出すべきなのか、部門ごとにブレイクダウンされた目標の説明がそれに続きます。さらには、そうした数字に日付が入り、この四半期にはこれだけ、次の四半期ではここまで、といった時間軸に沿った目標も明示されます。そうした数字に加えて、もっと定性的なビジョンやミッションについても語られます。

体系的な目標設定が不可欠なのはいうまでもありません。目標が設定されなければ、戦略もありえません。しかし、ここではっきりさせておきたいのは、目標の設定それ自体は戦略ではないということです。「二〇〇X年第2四半期までに営業利益率一〇％確保！　これがわれわれの戦略だ」というのは、要するに戦略ではなく目標を言っているわけです。

ところが、実際の仕事の局面では、目標をきちんと立てていると、あたかも戦略を立てているかのような気になってくるということがよくあります。つまり、「目標を設定する」という仕事が「戦略を立てる」という仕事とすり替わってしまいがちなのです。その結果、戦略がはっきりしないままで終わってしまうというパターンです。今思えば、バブル期にとんでもない拡大路線を突き進んだあげく玉砕してしまった企業には、戦略を突き詰めることなく目標が独り歩きしてしまったというケースが多くありました。

報告会でのプレゼンテーションに話を戻すと、目標の後に続くのは、決まって「どういう組織体制でいくのか」という話でした。たとえば、これまで製品別に組織されていた営業部門を顧客サービスを強化するために顧客のタイプ別に再編成する、ある製品分野を強化するため、それに対応した事業部長直属の独立したチームをつくり、そこに精鋭を集中的に投入する、といった話です。このような組織的な手立ては、戦略を実行するためには大切な要素です。しかし、戦略そのものではありません。この手の組織編成の話もまた戦略にすり替わりがちです。

驚くべきことに、その報告会では以上の目標と組織の話でプレゼンテーションが完結してしまうという発表が少なくありませんでした。これで終わってしまえば、リーダーの戦略の中身とは、要するに「行け！　思いっきりやってこい！　……以上！」ということです。目標はきちんと示されています。どこに向かっていくべきかは明確です。その目標に対して、どういう部隊編成で進んでいくのかも決められています。しかし、どこをどうやって進めばいいのか、目標地点にたどり着くまでの道筋が全くわかりません。目標を示して、隊列を整え、後は「行ってこい！　うまくやれ……」（これにときどき「骨は拾ってやる」というのが続くこともある）で終わってしまえば、経営とはなんとも楽な仕事です。

「そんなことなら誰でもできますよ。リーダーである皆さんは高い給料を取って何のために存在しているのですか」と挑発的な発言をしてみたところ、ある人がこう言いました。「『行ってこい！　うまくやれ……』だけに聞こえるかもしれないが、話はそんなに簡単じゃない。一言で部下を動かす迫力と統率力、そこが上司の腕の見せどころなんだよ……」。これはこれで一面の真理を含んではいるのですが、戦略がないことには変わりありません。

話がもっと分析的な方向に進んでいくプレゼンテーションも少なくありませんでした。この事業の総需要は今後五年間このように推移していくであろう、マーケット全体はこういうセグメントに分かれており、どこのセグメントが伸びて、どこが伸びないのか、といったような市場環境の分析です。わが社の主要な競合企業としてはX、Y、Zの三社があり、それぞれはこんな方向で進んできている、といった競合についての分析がそれに続きます。この種の環境の分析をどんなに精緻に積み重ねていっても、その延長上に自然と戦略が出てくるわけではありません。しかし、こうした分析をきちんとしていると、やはり戦略を立てている気分になってくるものです。これもまたすり替わりです。

◆バズワードの功罪

そのときどきで注目を集めている「先端的な言葉」を要所要所に散りばめて戦略を語るというパターンもよくあります。新聞やビジネス雑誌をにぎわせている「バズワード」(たとえば、メガコンペティション、ディスインターメディエーション、ロングテールなど)がポンポン出てくるというタイプのプレゼンテーションです。

余談になりますが、私はこの種の流行の経営コンセプト(?)がなぜ流行になるのかについて、わりと関心を持っています。企業人は「最新の情報」にとても貪欲です。いつ見てもすごいと思わされるのが、満員の通勤電車の中で日経新聞を縦に細く折りたたんで、そのハリセン(チャンバラトリオが使っていたようなやつ)のようになった新聞を、手馴れた技を駆使しつつ、最初から最後まで読みきってしまう熟達のビジネスパーソン。ただでさえ他の新聞に比べて厚いのに、ハリセン化するのは日経新聞であることが多いようです。「狭い面積で新聞を読みきる世界選手権」があったら選手層が一番厚いのは日本でしょう。

そこまでして読むということは、よっぽど価値があるということです。どの辺に価値があるのか。満員電車の「匠」の面々に聞いてみると、「勉強になるから」という答え。どのあたりが勉強になるのか、いかにもパワーエリート然とした商社マン三三歳に尋ねると「いや最近さ、メガコンペティションの時代でしょ、商社もＩＴの波の中でディスインターメディエーションだし、僕自身もドッグイヤーの中でマーケットバリューを高めるためにコンピテンシーをつくっていかなきゃならないし……」と、次から次へと「勉強の成果」が開陳されます。

メガコンペティション、ディスインターメディエーション、コンピテンシー、こういうのをひっくるめて「バズワード」といいます。すなわち「流行りの決まり文句」（だったら初めから「流行り言葉」とか日本語でいえばいいのに、ついつい「バズワード」とかいってしまう、この辺がバズワードなのですね）。バズワードの生い立ちには、大まかにいって次の五つがあります。

一番多いのが「ただの英訳」。この一〇年でいえば、バズワード界の東の正横綱はなんといっても「ＩＴ」でしょう。ＩＴ（Information Technology）＝情報技術。「情報技術」という言葉はその昔からあるのですが、「もう情報技術の時代じゃないでしょ。これからはＩＴだね」などと不思議なことを言う人もいます（いないか？）。英訳ものはＢ２Ｂ（企業間取引）やＣＳＲ（企業の社会的責任）といった略語になることが多いようです。

二番目が「形容詞もの」。これまでにある言葉や概念にそれを強める形容詞がついてバズワードになります。「ニュー・エコノミー」とか「メガ・コンペティション」がその例です。

三番目は、二番目と一部重複するのですが、「現象もの」です。新しいビジネスの現象を捉えた言葉がバズワード化することも多く、「フラット化」とかがその典型です。「ドッグイヤー」とかわかりやすい比喩になるとさらにバズ度が高くなります。

これとちょっと違うタイプとして、「方法もの」とでも呼ぶべきタイプがあります。新しいツールとかシステムとか制度を捉えたもので、「クラウド・コンピューティング」とか「ＥＶＡ」(Economic Value Added) とか「ストックオプション」とか「執行役員制」(これはなぜか英語ではないのですが) がこれにあたります。「ＥＲＰ」(Enterprise Resource Planning) とか「ＳＣＭ」(Supply Chain Management) のように三文字で多くの人に伝わるようになると、バズワード化もかなりのところまで進んだと判断してよいでしょう。

最後のタイプは「概念もの」です。これは方法ものよりももう少し抽象的な、普遍性の高い意味内容を持っています。「複雑系」とか「収穫逓増」とか (この辺になると、なにぶん抽象概念なので日本語が多くなってくる)、「コンピタンス」「コンピタンシー」「ケイパビリティー」(並べるとまるで三段活用) がこのタイプです。

バズワードがバズワードになるにはそれなりの理由があります。世の中の動きの本質を捉えていたり、重要な洞察を含んでいるはずです。本質的な意味やその背景にある論理なりインプリケーションを立ち止まって考えてみればバズワードにも意義があるのですが、残念ながらその意味合いを本当に理解している人が少ない。ですから、こういった不思議な会話になるのです。

「コアコンピタンスとは?」

「中核的な強みのことだよ」

「じゃあ、ニューエコノミーは？」

「そりゃあ、これまでとは全く違う経済の到来で……」

「メガコンペティションって何でしょう？」

「そりゃ、すっごい競争でしょ」

「ハイパーコンペティションは？」

「ものすごくすごい競争だよ。メガコンペティションの五割増しぐらいの……」

「それではお聞きしますが、規模の経済と収穫逓増の違いは？」

「うるさいな、もう。パシッ（日経ハリセンで私の頭をたたく音）」


これでは意味がありません。多くのバズワードは五年後にはほとんど見かけなくなります（バズワードは旬のもの）。

その背後にある論理なりインプリケーションを立ち止まって考えてみればバズワードにも意味があるのですが、残念ながらその言葉を口にしたとたんに思考停止に陥ってしまうことが少なくありません。前章でお話しした「カテゴリー適応」による思考の欠如はその典型的な成り行きです。巷に飛び交っているバズワードを使ってパワーポイントのスライドをつくっているうちに、なんとなく「戦略」をつくっている気分になってきます。しかし、それは本来の意味での戦略とはほど遠いものです。

最後に、「気合と根性」。その事業戦略報告会では、多くのプレゼンテーションがこうした言葉で締めくくられました。「目標を何としてでも達成するという不退転の決意で臨む」「さまざまな困難が予想されるが、意のあるところ必ず道は拓けると信じている」……。要するに気合と根性です。「最後はなんとかする。われわれの総力を有機的に結集すれば、必ずなんとかなる」という「念力」といったほうがいいような論理（？）が出てきます。

この本の冒頭でお話ししたように、気合と根性が大切だということはもちろん否定しません。会社にとって一番大切なことかもしれません。しかし、「大切にする」と「依存する」ではまるで違います。気合と根性に寄りかかったリーダーからは、戦略は出てきません。顧客は自社の言いなり、供給業者も頭を下げてくる、新規参入はありそうもない、といった「ハワイの住人」にとっては、戦略はそれほど必要ありません。戦略とは、ある意味では「北極の住人」の発想です。「最後はなんとかなる……」ではなく、むしろ「放っておいたら絶対になんともならない」というのが戦略的な思考です。

サッカーの例で考えましょう。監督の仕事は、いうまでもなく、チームを勝利に導く戦略を構想し、それをチームに浸透させることです。日本代表チームの監督が、選手に「どういう戦略でワールドカップに臨みますか？」と尋ねられている状況を想定してください。もし監督が、「日本代表チームの戦略、それは決勝トーナメントのベスト8進出だ。以上！」と言い切ったとしたら、選手は肩透かしを食わされた気持ちになるでしょう。目標にすぎないからです。

監督が「今度の代表メンバーはこの二三人でいく。先発メンバーはこの一一人で、それぞれをこういうポジションにつける。途中で、こういうタイミングで、こういうメンバーチェンジを考えている。これが日本の戦略だ」と言ったとします。変な感じがしますね。これは戦略ではなくて組織編成の話だからです。「今度の相手は韓国だ。彼らはこうやって攻めてくるだろう。グラウンドはホームだから、コンディションはこうなっていて、当日の湿度や温度はこうなっているだろう。それが日本の戦略だ」というのは、戦略ではなく、環境の分析です。「最近のサッカーの世界的な潮流はツートップだ」(ベストプラクティス)とか「代表チームはやる気満々だ。ますます気合を入れていきます!」(気合と根性)というのも、戦略というには明らかに違和感があります。

サッカーの例で考えれば自然な話なのですが、いずれも戦略ではないのです。ところが、現実のビジネスとなると、戦略を構想するといいながら、右で挙げたような「戦略でないもの」にばかり目が向けられて、その結果、戦略がよくわからなくなってしまうことは少なくありません。

◆「違い」をつくる

一見すると戦略のようで、その実「戦略でないもの」をここまで見てきました。だとしたら、戦略とは何でしょうか。前の章でも簡単に触れたように、競争戦略の第一の本質は「他社との違いをつくること」です。競争の中で業界平均水準以上の利益をあげることができるとしたら、それは競争他社との何らかの「違い」があるからです。

「競争がある中で、いかにして他社よりも優れた収益を達成し、それを持続させるか、その基本的な手立てを示すものが競争戦略です」と先ほど述べましたが、「競争がある中で」というところをわざわざ強調したのにはわけがあります。競争というのは、要するに「放っておいたら儲けが出ない状態」のことを意味しています。経済学を多少かじったことのある人ならば、「完全競争」という言葉を聞いたことがあるでしょう。理屈は経済学の教科書に譲りますが、もし経済学のいうような「完全な」競争になってしまえば、企業の儲け、すなわち余剰利潤はゼロになります。企業である以上、利益を出すことはさも当たり前のように思うかもしれません。しかし、競争というものの本来の性質を考えると、競争があるにもかかわらず利益が出ているというのは、実はとても不自然でもろい状態なのです。

このように考えると、一見お隣同士に見える経済学と経営学が、基本的なものの考え方において、実は正反対を向いているということがわかります。経済学者は完全競争の状態を基本的には「良い」ことであると考えます。なぜならば、この状態で世の中が最も「効率的」になるからです。「市場原理を徹底させろ」というような主張は経済学者の典型的なものの考え方です。独占禁止法といった法制度も、その根底には完全競争による効率を尊重する思考様式があります。

競争戦略は個々の企業の間にある差異にこだわります。経済学が想定する完全競争になってしまえば利益は出ない。だとすれば、利益を出すためには、経済学でいう完全競争の前提を壊せばいいわけです。それは「みんな同じ」という前提です。完全競争の世界では、個々のプレイヤーには「顔」がありません。しかし、プレイヤーの間に違いがあれば、完全競争にならないので、利益を生み出すチャンスが拓けます。これが競争戦略の一番根本にある考え方です。

「競争が厳しくて儲からない」という嘆きは、古今東西いつでも世の中に渦巻いているわけですが、それがむしろ自然な成り行きです。本書をお読みの方々の中には赤字に苦しんでいる方もいるでしょう。理屈からいえば、恥じる必要はありません。ぜひ堂々と「儲からないよ！」と主張してください。

（完全な）競争状態というものは、そもそも儲からないようにできているのです。競争がある中で、どうやって儲けるのか。これは、はなからやっかいな問題なのです。競争があるにもかかわらず儲かるという「不自然な状態」をなんとかつくり上げて維持しましょうというのが競争戦略に突きつけられた課題です。

どんなにきちんと目標を定め、隊列を整え、環境を分析し、気合を入れたところで、競合他社との違いがなければ、すぐに競争の荒波に呑み込まれてしまいます。言い換えれば、競争とは企業間の「違い」をなくす方向に働く圧力だといえます。競争がある状況では、放っておけば「違い」はどんどんなくなってきます。「違い」がなくなってしまえば、あとに残るのは（コスト優位の裏づけのない）単純な価格競争です。こうなってしまえば、利益は出ないのが理屈です。

幸いなことにファイブスター業界に住んでいて、自然体で経営していれば利益が出ます。しかし、おいしい業界はそうそうありません。あらゆる業界は少なくとも潜在的には必ず何らかの圧力に直面しています。「天国に行くための最良の方法は、地獄に行く道を熟知することである」というのは天才的な政治学者マキャベッリの言葉です。もし自社の業界があまり星のつかない業界であったとしたら、その業界の中で競合他社に対して「違い」を構築する必要があります。

◆「違い」には「違い」がある

ここで強調したいのは、他社との違いを考えるときに、二つの異なったタイプの違いがあるということです。話をわかりやすくするために、あなたの身近な人、家族の誰かかお友達を一人思い浮かべてください。あなたとその人の違いは何でしょうか。違いであれば何でもよいので、すぐに思いつくものから順に一〇個を挙げてみてください。

たとえば、身長とか、性別とか、年齢とか、髪型とか、体重とか、職業とか、趣味とか、血液型とか、さまざまな違いが見つかったと思います。さて、そうしたあなたとその人との違いを、何らかの切り口で二つのグループに分けてください。どういう分類を思いつきますでしょうか。

「変えられるもの」(たとえば、髪型)と「変えられないもの」(血液型)とか、「見ればわかるもの」(身長)と「見ただけではわからないもの」(趣味)とか、これまたいろいろな分類の切り口があると思います。

ここで注目する切り口は、「程度の違い」と「種類の違い」という分類です。程度の違いというのは、その違いを指し示す尺度なり物差しがあるというタイプの違いです。右に挙げた例でこのグループに入るのは、「身長」「年齢」「体重」です。「髪型」も「髪の長さ」と捉えれば、このグループに入ります。これらの違いに共通するのは、その背後に何らかの物差しがあるということです。英語の形容詞でいう比較級としての違いといってもよいでしょう。

二つ目のグループは、「種類の違い」です。このグループには、「性別」「職業」「趣味」が含まれます。種類の違いには、それを指し示す物差しがありません。性別でいえば「私はこの人よりも三〇%男性である」ということは普通ありません(ごくたまにはありますが)。「髪型」も髪の長さよりもスタイルとして捉えたならば、こちらに入るでしょう。

すでにお話ししたように、「違いをつくる」ということが競争戦略の本質なのですが、そこから先は「違いの中身」や「違いのつくり方」について、二つの異なるパラダイム（基本的なものの見方）があります。茶道の世界に表千家と裏千家があるように、競争戦略論にも二つの違った「流派」があるのです。「表千家」と「裏千家」とでは、ここで見た二種類の違いのどちらを重視するかが違ってきます。

結論を先取りすれば、この二種類の違いのうち、「種類の違い」を重視するのが表千家で、こうした考え方を「ポジショニング」といいます。一方の裏千家は、どちらかというと「程度の違い」に競争優位の源泉を求める考え方で、ここでカギとなるのが「組織能力」という概念です。詳しくはこれからお話ししていきますが、ここで押さえておきたいポイントは、この二つの基本的な戦略観では意図する違いのタイプが異なる、ということです。

表千家と裏千家との違いを説明するために、レストランの例を考えましょう。料理がとてもおいしいという評判で流行っているレストランがあるとします。なぜ評判が良いのでしょうか。その料理を考案したシェフのレシピが優れているのかもしれません。使っている素材や料理人たちの腕やチームワークが良いのかもしれません。シェフのレシピに注目するのがポジショニング（SP: Strategic Positioning）の戦略論です。これを、以下ではSPの戦略と呼びます。厨房の中に注目するのが組織能力（OC: Organizational Capability）に注目した戦略で、これをOCの戦略と呼びます。順に、それぞれの中身を見ていきましょう。

◆ポジショニング――シェフのレシピ

ポジショニングとは「位置取り」のことです。ＳＰの戦略論では、戦略とは企業を取り巻く競争環境の中で「他社と違うところに自社を位置づけること」です。もっと平たくいえば「他社と違ったことをする」、これがＳＰの戦略論の考える競争優位の源泉です。

かつての松井証券は小さな「株屋さん」でしたが、個人の株取引では大手企業をしのぐ存在になりました。松井証券が急成長したのは、証券業界の中で「他社と違ったことをした」からです。何をするべきか、事業を構成するさまざまな活動の戦略的選択がはっきりしていました。まず、従来の証券会社の「営業」から手を引き、インターネットの株式取引の仲介に特化しました。ターゲットは法人顧客や、たまに株を売買することもあるというごく普通の個人投資家ではなくて、頻繁に株の売買を繰り返す、知識がかなり豊かでやる気満々の個人投資家です。手数料が自由化された後の競争の激化を受けて、多くの証券会社が「コンサルティング」の名の下にきめ細かい情報提供を伴うサービスを強化しましたが、松井証券はその種の複雑な業務に手を出さず、売買仲介に集中しました。

このような松井道夫料理長の描いた「レシピ」に注目するのがＳＰの戦略論です。のんべんだらりとすべてをやろうとしても他社との違いはつくれません。何をやるかをはっきりさせて、違ったことをやろうというのがＳＰの発想です。「選択と集中」という言葉は、ＳＰを意味しているといってよいでしょう[9]。

ＰＣ業界のさまざまな会社の人々が集まっている場で、私は「競合他社との違いは？」という質問をしてみる機会がありました。これは、一九九〇年代の後半のことでしたので、今から見ると時代遅れの感もありますが、たとえば次のような話が出てきました。

・A社：「うちのPCのモニター画面を見てください。よそのと比べてずっときれいですし、視野角度も広い。ほら、他社のPCの画面を横のほうから見ると、絵が飛んでしまいます。しかし、うちのPCはこれぐらい横のほうから見ても、はっきり見えます。視野角度で一五度も広いのです」

・B社：「わが社の最軽量モデルを持ってみてください。軽いでしょう？　しかも、この薄さです。他社モデルと比べて〇〇グラム、〇〇ミリ違うのです」

・C社：「バッテリーの持続時間がカギになります。このグラフをご覧ください（と言ってOHPの棒グラフが登場）。さまざまな回路設計上の工夫をしてあるわが社のPCは、他社比二〇〜三〇％もバッテリーが長持ちします」

・D社：「皆さんハードの話ばかりしているようですが、差別化の焦点はソフトです。ご覧ください（と言ってC社のスライドをはねのけ、新しい棒グラフが登場）。これは家庭向けのPCにプレインストールしてあるアプリケーション・ソフトの種類です。わが社のPCが一番充実しています。買ったときからあれもできる、これもできるという便利さが他社との違いです」

この他にも、わが社はこう違うああ違うという話が次から次へと出てきました。しかし、こうした違いをアピールしていた企業の圧倒的多数は、その後ＰＣ事業ではほとんど利益を出すことができずに苦しむことになりました。

液晶モニターの視野角度が広い、プレインストールしてあるソフトの種類が多い、バッテリーの持続時間が長い、耐久性が高い、薄くて軽い、といった一連の違いは、ポジショニングという考え方からすれば、戦略ではありません。なぜならば、そうした違いは、身長や年齢や体重と同じように、いずれも程度の違いにすぎないからです。ＳＰの戦略論は、程度問題としての違いをＯＥ(Operational Effectiveness) と呼び、ＳＰとは明確に区別して考えています。戦略はＳＰの選択にかかっており、ＯＥの追求は戦略ではない、というのがポジショニングの考え方です。つまり、戦略とは doing different things であり、doing things better ではないという発想です。

なぜ、ポジショニングの戦略論はＳＰの違いを重視するのでしょうか。少なくとも三つの理由があります。第一に、ＯＥは賞味期間が短いということです。薄くて軽くてバッテリーが長持ちするＰＣは確かにベターではあります。競合他社もより薄く軽く長持ちするように自然と頑張るでしょう。この意味で程度問題としての違いをめぐる競争は、ＰＣ業界の業界最小最軽量競争のように「いたちごっこ」になりやすく、はっきりとした違いをつくれずに消耗するだけで終わってしまう危険性があります。

第二に、ＳＰがはっきりしていないと、企業はすべての要素をベターにしようと努力の方向を拡散してしまい、その結果、報われないことにお金を使ってしまうという問題です。「視野角度が他社よりも広い」ということそれ自体は、決して悪いことではありません。しかし視野角度を一度広げるには、それなりの開発コストがかかっているはずです。バッテリーの持続時間を一分増やす、インストールしてあるソフトを一本増やす、一ミリ薄くする、一グラム軽くする、こうしたことはいずれもコストを伴っています。そのコストが果たして報われるかどうか、それはSPに立ち戻ってみないとわからないのです。

うちのPCは視野角度が広い！　とおっしゃっていたA社の方に私は質問しました。「なるほど、確かに横からでもはっきりと見えますね。でも、ちょっとおうかがいしますが、実際に画面を横から見て、『きれいに見えてイイね！』と喜んで仕事をしているユーザーはいるのでしょうか」。その方は嫌な顔をしていましたが、SPの戦略論が問題にしているのはまさにそのことなのです。

仮にその会社が「わが社のPC事業は、何らかの都合でモニター画面を横から見てキーボードをたたかなくてはいけない状況にいるユーザーだけを相手にする。それ以外のユーザーは相手にしない」と考えていたらどうでしょうか。これは競合他社とはっきりと違うSPです。現実問題としては、こんなポジショニングでは超ニッチになってしまい（そもそもそんなセグメントは存在しないでしょう）、商売にはならないのですが、仮にそうしたSPを意図的に追求していたとしたら、視野角度が水平方向に一五度広いというOEは、それこそ「勝負あった！」というほど効き目のある武器になるでしょう。しかし、はっきりとしたSPなしに漫然と視野角度を広げたところで、本当に顧客の購買行動を左右するような違いになるとは限りません。企業としては差別化しているつもりでも、ほとんどの顧客は気にも留めていないというのが実態でしょう。これでは視野角度を広げるために投入した開発努力は報われません。

このことと関連して第三に、あるＯＥの物差しの上で右に行くのがベターなのか、それとも左に行くほうがベターなのか、ＳＰがはっきりしていなければそもそもこのこと自体がわからないという問題があります。ＰＣの例で考えても、「サービス対応がきめ細かい」とか「製品のラインアップが充実している」といったＯＥが本当にベターかどうかは、ポジショニングとの兼ね合いでしか決まりません。第二の理由として指摘した「ベターにするためのコスト」を考えあわせると、「充実している」製品ラインは、もしかしたらより悪いことなのかもしれないのです。

ＳＰの視点に立てば、先のエピソードに出てきたさまざまな「違い」のアピールは、ＯＥを列挙しているだけであって、実際は効果的な戦略になっていないということがわかると思います。明確なＳＰの違いが「なかった」ことが、多くの日本の総合エレクトロニクスメーカーのＰＣ事業の業績悪化の背景にあったといえるでしょう。そもそも「総合」という言葉自体がＳＰの欠如を露呈しているということになります。

◆ポーターの競争戦略論

ここで勘の良い人ならば、あることに気づくでしょう。「利益を出すためには、まずは儲かりやすい業界とそうでもない業界を見極めることが大切だ。もし、利益の極大化がビジネスのゴールであれば、ＰＣのような利益が出にくい業界で競争すること自体がそもそも間違っているのではないか……」という疑問です。

ＳＰの考え方からすれば、これは至極まっとうな疑問です。大きな広がりを持つ競争空間の中で自社をどこに位置づけるのか、というのがＳＰですから、経営者がまず考えなければならないのは、「そもそもどの業界に参入し競争するのか」という問いかけにほかなりません。利益が出やすいような構造にある業界で仕事をするに越したことはないのです。つまり、業界の競争構造を一つ目の利益の源泉とする考え方は、ＳＰの発想に基づくものです。

すでにお話ししたように、（もちろん実際には年収の極大化をねらったわけではないでしょうが）松井秀喜選手は野球という種目を選択しました。この競争すべき業界の選択が、そもそもポジショニングの第一歩だということになります。しかも、松井選手は日本のプロ野球からメジャーリーグへと競争の土俵を替えました。さらに、所属チームは人気と資金力のあるヤンキースを選択しました（現在は、ロサンゼルス・エンゼルスに所属）。ポジションは相対的に手薄だった外野手です。ＳＰの戦略論は、このように業界の選択から始まって、その中でどこに自分を位置づけるか、さらにその中で……、というように、階層的にポジショニングの選択を繰り返していくという考え方です。

そもそも表千家の戦略論の家元とでもいうべき人が、ファイブフォースの考案者であるマイケル・ポーターさんその人です。ポーターさんの戦略論はどこがすごかったのでしょうか。それは、それ以前の古典的な戦略論と比べてみればよくわかります。

ポーターさんによって表千家が確立される前の戦略論には、「ビジネスポリシー」というラベルがついていました。ビジネスポリシー時代の戦略論は、一言でいってしまえば、戦略策定に有用な手続きや技法の寄せ集めでした。代表的な例が前章でも触れたSWOTです。この他にも、製品／ミッション・マトリックスや多角化マトリックス、ディシジョン・ツリー、PPM、経験曲線といったさまざまなツールが開発され、戦略策定の手順が精緻化されていきました。この辺の話は、戦略論のクラシックである『戦略策定』という本に詳しいので、興味のある方は一読をお薦めします[10]。このようにごく初期の戦略論は、戦略を策定するために有用な技法を開発し、経営者の戦略的な意思決定のために役立つ手続きを明らかにするという性格のものでした。

ポーター戦略論も、ファイブフォースだけでなく、基本的な競争戦略の類型論や戦略グループといったさまざまなフレームワークを提示しています。しかし、以前の戦略論と決定的に違うのは、使われた概念や提案されたフレームワークのすべてが一つの論理、すなわち「ポジショニング」という考え方で貫かれているということです。ポーターさんは「他社と違ったユニークな存在であるということが利益へのカギだ。そしてユニークさとは企業のポジショニングの問題である」と断言します。ポーター戦略論は、個別の技法を超えて、一つの論理で一貫して組み立てられた思考体系です。

ポーターさんを家元とする表千家の戦略論にしても、全くのゼロから突然生まれたわけではなくて、そのベースには経済学の一分野である産業組織論があります。産業のあり方が企業の行動を規定し、その結果としてその産業の収益性が予想され、ひいてはその産業に所属する企業の収益性も予想できるという考え方です。経済学の一分野である産業組織論は、産業の余剰利益はそもそも社会に帰属すべきものであって、望ましい状況ではないという前提からスタートしていました（だから独占禁止法などによって、「魅力的な構造」が定着するのを規制しなければならない、という発想が出てくる）。

ＳＰの戦略論は、ある意味では産業組織論の発想を逆転させたものです。魅力的な構造を持った業界であれば、余剰利潤を得られるだろう、というわけです。

いずれにせよ、それまでの戦略論には、理解の体系の基盤となるような骨太の論理がありませんでした。戦略論に一貫した論理を初めて持ち込み、戦略を「論」として確立したということにポーター戦略論の最大の貢献があります。

逆説的な話ですが、業界の競争構造という考え方は、競争ではなく、むしろ「無競争」に注目しています。競争があるという前提で競争に勝つ、というよりも、正面から競争をしなくても済むような位置取りを見つけようという考え方です。平たくいえば「うまいこと儲かるところに身を置こう」という発想です。

しかし、仮にそういう業界が見つかったとしても、その業界が魅力的であるということの一つの重要な理由は参入障壁の高さにありますから、実際にその業界のプレイヤーとなって利益を獲得するのはそもそも困難であるのが普通です。どこかに儲かりやすいビジネスがあるはずだ、という業界の競争構造に注目する考え方が本来的にアウトサイダーの視点に立っているというのは、この意味です。一世を風靡したポーターさんの最初の著作『競争の戦略』[11]は、その本質からすれば「無競争の戦略」といったほうがよいのかもしれません。

◆トレードオフ

前章でも触れたマブチモーターは、「北極」といってもよいモーター業界で持続的に利益をあげていた、SPの戦略のお手本のような企業です。同社のシェアは一貫して五〇％以上、売上高経常利益率は一九七五年以来三〇年間、平均して二五％以上の高水準にありました。低価格の汎用部品メーカーとしては驚異的な高収益企業であるといえるでしょう[12]。

持続的な高収益のカギを握るのが、小型ブラシつきモーターに特化し、そこでモーターの標準化を進めるというマブチの戦略です。同社に独自のSPは、セットメーカーに合わせてさまざまだった小型モーターを、限られた種類のモーターへと標準化したことでした。ユーザーがマブチの標準モーターを買うようになると、さらに規模の経済がコストを下げ、マブチに価格競争力をもたらすという好循環が生まれました。

競争相手に対するマブチの競争優位は、結局のところ低コストや短納期、安定供給といった「程度の問題」ですから、表面的にはOEであるように見えます。しかし、重要なことは、そうした実現された競争優位の背後には、明確なSPの裏づけがあり、これらのSPがあってこそ、低コストや短納期が実現できているということです。

SPの戦略とは活動（activity）の選択、つまり「何をやり、何をやらないか」を決めるということです。マブチはある種類の小型モーターに特化し、それ以外のタイプのモーターには手を出していませんん。標準化にこだわるということは、カスタマイズした製品は手がけないということです。この例からわかるように、明確なポジショニングによる違いを構築するためには、「何をやるか」よりも、「何をやらないか」を決めることがずっと大切です。

なぜかというと、SPの戦略論を支えているのは「トレードオフ」、つまり「あちら立てればこちらが立たぬ」という論理だからです。標準化とカスタマイゼーションを同時に推し進めることはできません。投入できる資源には限りがあるので、同時にすべてのことをやるのは不可能です。資源が分散し、利益が相反します。裏を返せば、「何をやらないか」をはっきりさせれば、他社との違いを持続させることができるという論理です。

松井証券は野村證券のような法人向けのファイナンス業務は手がけていません。多くの証券会社が「顧客に対するきめ細かいコンサルティング」を差別化の路線として打ち出しましたが、松井証券はそうした活動を「やらない」と決めました。個人向けのネット取引に特化して、そこにすべての資源を投入したからこそ、優位を手に入れられたのだ、というのがSPの戦略論による説明です。もちろん大手の証券会社もインターネットの普及を受けてネット取引に乗り出しました。しかしその一方で、これまでの店舗や人による営業も継続しています。なぜかというと、厚い顧客ベースや顧客と営業担当者とのつながりを強みとする野村證券のような大手の証券会社は、より効率が良いネット取引が技術的に可能になったとしても、これまで構築してきた強みがあるだけに、いきなりすべてをネットに振り向けることができないからです。もっというと、下手にネット取引を強化しようとすると、これまでの強みを殺してしまうことになりかねません。これがトレードオフです。

別の言い方をすれば、「もっと頑張ろう」というのはSPの発想ではありません。すでにお話ししたように、PC業界の各社は、薄くしたり、軽くしたり、バッテリーの持続時間を長くしたりと確かにいろいろと「頑張って」はいます。しかし、どんなに頑張ったところで、同じ路線で他社も頑張っていれば、それはSPの違いにはなりえません。「北に行こう」と決めるのがSPです。「北に行こう」というのは、同時に「南には行かない」と決めているのに等しい。「男である」というのは「女ではない」ということです。

デルはトレードオフとしてのSPを突き詰めた戦略をとっています。デルといえば「ダイレクト・モデル」が有名です。その中身は、多くの方がご存じのように「コスト競争力」「受注生産」「直接販売」といった要素からなっています。しかし、こうしたことをより正確にいえば、「最先端の技術を追いかけず、コモディティになった製品分野しか手を出さない」「見込み生産をしない」「外部のチャネルを使わない」というように、デルは何をしないかをはっきりと決めているわけです。これがトレードオフを重視する思考様式です。先ほどお話しした他のPCメーカーが、薄いとか軽いとか速いとかのOEに終始していたのと対照的です。「どのような違いをつくっていますか」という問いかけに対して、デルのように「何をしないか」に注目した答えが次々と出てくるのであれば、SPの戦略が明確な会社であるといえるでしょう。

このようにSPとは、競争上必要となるトレードオフを行うことにほかなりません。逆にいえば、トレードオフが存在しないのであれば、何も選択する必要はなくなり、ポジショニングも必要なくなります。しかし、その場合にはどんなに良いアイディアでも、すぐさま競争相手に模倣されてしまうでしょう。だからこそ、「何をやらないか」という選択が大切になるのです。ポジショニングの戦略論の根底には、このシンプルな論理があります。

◆組織能力――厨房の中

ここまで、表千家にあたるSPの考え方を説明してきました。これに対して、裏千家にあたるのがOC（組織能力）です。SPが「他社と違ったことをする」のに対して、OCは「他社と違ったものを持つ」という考え方です。SPがシェフのレシピだとすれば、OCは厨房の中に注目する視点です。冷蔵庫の中にある素材とか料理人の腕前に違いの源泉を求めます。

SPの戦略論が企業を取り巻く外的な要因（その際たるものが業界の競争構造）を重視するのに対して、OCの戦略論は企業の内的な要因に競争優位の源泉を求めるという考え方です。SPの考え方を説明するときに松井選手の例を使いました。野球という種目を選択する、外野手という（文字どおりの）ポジションを選択する、同じプロ野球でも、日本ではなくアメリカのメジャーリーグを選択する、ヤンキースに所属する、といった「活動の選択」がSPだとすると、松井選手のバッティングセンス、スイングスピード、その背後にある動体視力や筋力、さらには精神的な成熟に注目するのがOCの戦略論です。

つまり、「競争に勝つためには独自の強みを持ちましょう」という考え方です。こういってしまえば当たり前のように聞こえるのですが、大切なのは、ここでいう「独自の強み」とは何なのかということです。

ＯＣの戦略論の起源は、経営資源という観点からその企業に固有の強みや弱みを考える資源ベースの企業観（RBV: Resource-Based View of a firm）という理論にあります。経営資源とは、企業に蓄積・保有されているヒト、モノ、カネ、情報、知識といった企業活動に必要な要素の総称です。しかし、すべての経営資源がＯＣとなるわけではありません。

ＯＣは無数にある企業の経営資源の中のごく一部を指す概念です。どこの会社にも事務所があるでしょうし、そこには鉛筆や電話やファクシミリやコピー機があります。金額の大きさは別にして預金残高もあるでしょうし、従業員もいます。このようなヒト、モノ、カネはいずれも企業活動に必要な経営資源ですが、競争優位の源泉としてのＯＣとはいえません。

さまざまな経営資源の中で、「組織特殊性」（firm-specificity）の条件を満たすものを、一般の経営資源と区別してＯＣといいます。組織特殊性とは、平たくいえば「他者が簡単にはまねできず（まねしようと思っても大きなコストがかかる）、市場でも容易には買えない」ということです。ＳＰがトレードオフを強調するのに対して、ＯＣのカギは「模倣の難しさ」にあります。

半導体業界では、数多くの機械や装置が「経営資源」として不可欠になります。その多くは半導体製造企業の外部にある製造装置メーカーが開発しています。半導体メーカーは製造装置メーカーの製品を購入して生産ラインを組むのが普通です。たとえば、半導体生産プロセスの中に「露光」という段階があります。これはステッパーとかアライナーと呼ばれる露光装置によって行われます。現在ほとんどの半導体メーカーで使われている露光装置は、外部の製造装置メーカーによって供給されています。お金さえ出せば買うことができます。この意味で、それがどんなにハイテクで価値のあるものであったとしても、それ自体はＯＣではありません。

コンビニエンスストアの販売・在庫管理システムについても同じことがいえます。一部のコンビニエンスストア・チェーンは、エレクトロニクスメーカーと協同で、他社に先駆けてＰＯＳなどのＩＴシステムを開発し、受発注管理に導入しました。このようなシステムは、初期の段階では他社よりも効率的なオペレーションを達成するうえで有効でした。しかし、現在ではそのようなＩＴシステムはどこのコンビニエンスストア・チェーンでも利用されるほど普及しているので、ＩＴシステムそのものはＯＣとはいえないでしょう。

今ここで、二つの企業が同じ製品を、同じ原材料と生産プロセスを使って、同じ顧客に、同じ流通チャネルで販売しているとします。この場合、企業間に違いがないので、両社は価格競争に陥り、十分な利益をあげられません。しかしあるとき一方の企業が、生産効率を飛躍的に高めるような生産システムの開発に成功したとします。ここで残りの一方の企業がとりうる選択肢には二つあります。一つは現状のやり方をそのまま維持するという道です。この場合、その企業の利益水準はますます悪化するでしょう。もう一つの道は、競争相手が開発した生産システムがなぜ効率を改善したかを理解し、それをまねするという選択肢です。もしその生産システムがあまりコストをかけずに簡単に模倣できるものであれば、競争は元の状態に戻ります。

ここで問題となるのは、そのような経営資源が他の企業にとって模倣可能なものであるかどうかです。もしその経営資源が短い期間に、低コストで他の企業に移転・模倣されてしまうものであれば、せっかくの競争優位もいずれ消滅してしまいます。こう考えると、お金があるという資金的資源そのものはOCとはいえないことがわかります。お金は最も移転可能性が高い経営資源だからです。資本市場や金融市場を通じて調達することができ、企業間での取引も容易です。

他社がそう簡単にはまねできない経営資源とは何でしょうか。組織に定着している「ルーティン」だというのが結論です。ルーティンとは、あっさりいえば「物事のやり方」(ways of doing things)です。さまざまな日常業務の背景にある、その会社に固有の「やり方」がOCの正体であることが多いのです。

◆セブン‐イレブンの「仮説検証型発注」

コンビニエンスストア業界を例に考えてみましょう。セブン‐イレブンは、他社と比べて一日一店舗当たりの平均販売金額が高く、競争優位にあるといえます。しかし、外から眺めている限りでは、セブン‐イレブンが他社と明らかに違うSPを持っているようには見えません。他のコンビニエンスストア・チェーンと比べて、立地にそれほどのユニークさがあるとは思えませんし、売っている商品にも一見してわかる違いはありません。店の大きさもあまり変わらないし、営業時間はどこも二四時間です。

ポジショニングの視点から見れば、ライバルのローソンのほうが、むしろSPを意識した戦略をとっているように見えます。「ナチュラルローソン」のように、ターゲットを若い女性に絞り、他のコンビニエンスストアにないような独自の品揃えを展開する新ブランドもありますし、M&Aによる新業態や新サービスの開拓にも積極的です。

セブン‐イレブンの戦略のカギは、ＳＰよりもＯＣにあります。セブン‐イレブンのＯＣのうち最も重要なものが、「仮説検証型発注」と呼ばれる、セブン‐イレブンが長い時間をかけて開拓していった「やり方」です。仮説検証型発注については、神戸大学の小川進さんが詳細に研究しています[13]。小川さんの研究成果に即して、セブン‐イレブンの仮説検証型発注というルーティンがどのような意味でＯＣになっているのかを見ていきましょう。

ウォルマートに代表されるアメリカの大規模小売チェーンでは、「自動発注システム」という考え方で発注業務が行われています。自動発注ではそれぞれの店舗に、本部からその店が発注すべき数量が示されます。店舗に供給される発注量は、本部側が過去の発注履歴や販売実績の情報を蓄積し、ある計算式に基づいてコンピュータでデータを処理することによって算出されます。ウォルマートはデータマイニングなどのＩＴを駆使して、本部が各店舗の在庫を管理し、最適な発注量が店舗ごとに自動的にはじき出せるようにすることをめざしてシステムを練り上げてきました。

自動発注というやり方には、さまざまなメリットがあります。定量的なデータの裏づけをもって、発注量を「科学的」に決めることができます。店舗側の発注担当者に高度なスキルを要求しなくとも、過去の発注履歴や実績からはじき出された「適切な」オペレーションが約束されます。パートタイマーによる労働力に大きく依存している小売チェーンで、こうしたメリットは特に大きくなるでしょう。

発注履歴や販売実績をデジタル情報として蓄積し、その情報を発注に活かすという点では、セブン‐イレブンの仮説検証型発注も自動発注と同じです。しかし、誰がデータを分析し、実際に発注量を決定するのかが異なります。コンビニエンスストアのＰＯＳなどのＩＴは、現在ではごく一般的なツールとして普及しています。しかし、ここで競争優位をもたらしているのは、ＩＴそのものではなく、それをどうやって使うのかという、セブン‐イレブンの「ルーティン」のほうです。

仮説検証型発注では、発注の意思決定は本部ではなく店舗の側にあります。店舗の発注担当者は、自ら立てた仮説に基づいて発注量を決定します。たとえば、セブン‐イレブンのある店長が、店舗近くの小学校で週末に運動会があるということを知ったとします。すると、その人は「ふだんよりもおにぎりが多く売れるのではないか」という「仮説」を立て、発注量を決めるのです。

本部のコンピュータが供給するのは、店舗の担当者の意思決定をサポートするための情報です。先の例でいえば、天気予報は運動会当日のおにぎりの発注量を決めるうえで重要な情報でしょう。店舗の担当者は、自分の経験に基づく直感や洞察と本部から提供されるデータを組み合わせて仮説を立て、発注量を決定し、その仮説が間違っていなかったかを販売データで確認します。さらにそこでの学習が次の発注に反映されます。仮説検証型発注がルーティンであるというのは、それがこうしたサイクルの日々の繰り返しであるという意味です。

仮説検証型発注には、自動発注にない、いくつかの強みがあります。第一に、実際にモノを売る店舗の担当者のコミットメントが高まるということです。自動発注では、発注量は本部が実質的に決定するので、店舗の担当者は商品需要に関心をなくし、何も考えなくなってしまいます。商品が売れ残っても、自分の発注ミスではなく、本部の責任だと考えるはずです。これを繰り返していけば、店舗が市場の変化に鈍感になってしまいます。第二に、発注担当者が自身の経験や勘を本部からくる客観的なデータと自由に組み合わせて仮説を立てられるということです。自動発注では、どのようなデータを使って発注量を算出するかがあらかじめ決められています。店舗の人間が気づいた市場の動きをすぐに発注に反映させられませんし、一人ひとりの経験や勘を活かすこともできません。第三に、運動会のおにぎりのように、本部では手に入らないローカルな「埋もれた情報」を活かした発注が可能になります。このような強みが、他社を上回るセブン‐イレブンの日販額を支えているのです。

仮説検証型発注を支えているもう一つのルーティンは、対面コミュニケーションによる情報のやり取りが本部と店舗の間で双方向的かつきわめて頻繁に行われているということです。店舗からは経験や勘、これまでに成功した仮説にかかわる情報が店舗指導を担当する「オペレーション・フィールド・カウンセラー」（OFC）を通じて本部に伝えられます。本部からもOFCを通じて、本部に集約されたさまざまな成功事例が店舗にフィードバックされます。さらにセブン‐イレブンでは、毎週一〇〇〇人を超えるOFCが全国各地から本部に集まり、商品・市場の動きについて情報交換するというルーティンが組み込まれています。

◆なぜ、まねできないのか

なぜ、このようなルーティンとしてのOCは模倣が難しいのでしょうか。相互に関連し合った三つの理由があります。第一の理由は、暗黙性です。「因果関係の不明確さ」といってもよいでしょう。あるルーティンがどのように作用して、それがなぜ高い経営成果をもたらすのかという因果関係は、

ＳＰと比べてはるかに不明確です。セブン‐イレブンの発注ルーティンが典型的にそうであるように、ＯＣの存在がごく日常的な「仕事の進め方」に埋め込まれているために、その実態は外部からは見えにくいのが普通です。ＰＯＳやグラフィック・オーダー・ターミナルといった発注業務で使われているＩＴはまねできても、得られる情報のどこに注目し、どのように使いこなすかという本質的なレベルまではなかなかまねできません。

第二の理由は、経路依存性（path dependency）です。組織ルーティンは企業の内部で長い時間をかけて、紆余曲折を経て形成されます。ですから、ＯＣのあり方は、その企業のそれまでのビジネスの経験や経路と切り離しては考えられません。これを経路依存性といいます。結果的に出来上がったルーティンを表面的に模倣し、導入することはできるかもしれません。しかし、そのルーティンが経路依存的であった場合、そこから全く同じ効果を引き出すためには、それが出来上がってきた歴史的なプロセスをもう一度たどらなければなりません。これは非常に困難です。

たとえば、ＯＦＣを全国から集めて、会議を毎週開くことは他社にもできるかもしれません。しかし、セブン‐イレブンのＯＦＣ会議は長い時間をかけて練り上げられたものであり、それと同等の効果を手に入れるには、やはり長い時間がかかるでしょう（ただし、右に紹介した小川さんの研究によると、他の大手コンビニエンスストアには、毎週現場の担当者が集まって議論するというようなルーティンはありません。本部に集まることがあっても、月に一回程度です。毎週一〇〇〇人以上の担当者を一カ所に集めるコストがはっきりしているのに対して、それと成果との因果関係がわかりにくいというのがその理由でしょう。これは先述した第一の理由です）。

第三の理由は、ＯＣそのものが時間とともに進化するということです。セブン－イレブンは、一九七八年から受発注のオンライン化を進めて、一九八二年にＰＯＳシステムを導入し、仮説検証型発注へと移行しています。その後、セブン－イレブンの業績は向上し、仮説検証型発注の有効性は競争他社も認めるところとなりました。ファミリーマートは一九八九年に、ローソンは一九九二年に、それぞれこれまでの自動発注的なやり方（ローソンでは「レコメンド発注」と呼ばれていた）から仮説検証型発注に移行しています。しかし、移行したからといってすぐにセブン－イレブンと同じ能力を手に入れられるかというと、そうではありません。そのときには、店舗の仮説を立てる能力や発注の精度、本部での成功事例の蓄積などにおいて、セブン－イレブンはさらに先を行ってしまっているからです。小川さんの研究によれば、セブン－イレブンでさえも、仮説検証型システムを海外に移転する際には、時間をかけて徐々に日本の水準に近づけざるをえないようです。

イトーヨーカ堂は、一九七三年にアメリカのサウスランドと提携してセブン－イレブンを日本に持ち込みました。サウスランドはその後経営不振に陥り、一九九一年にイトーヨーカ堂に買収されることになったのですが、この時点でのサウスランドの発注システムは、一九七三年時点でのそれと全く変わっていなかったそうです。つまり、サウスランドは「コンビニエンスストア」という新しい業態のＳＰでは先行したものの、ＯＣがなかったために競争優位を維持できなかったのです。逆にいうと、現在の日本でのコンビニエンスストア業界の競争を見れば、ＳＰの切り口だけでセブン－イレブンの競争優位を説明することは難しいでしょう。セブン－イレブンの戦略がＳＰよりもＯＣに軸足を置いているというのは、こうした意味です。

◆トヨタの製品開発能力

いうまでもなく、トヨタは業界標準以上の高い利益を持続している企業です。製造業でいえば世界最強企業の一つでしょう。しかし他社と違うSPを確立しているかというと、そうでもありません。さまざまな国や地域で自動車を売っていますし、高級車からスポーツカー、ミニヴァン、小型車までフルラインで製品を揃えています。ハイブリッド・システムに軸足を置いた「エコカー」への取組みを別にすれば、GMやフォードとそう変わりません。つまり、トヨタの「レシピ」は独自のものとはいえないのです。中国進出というような市場の「ポジショニング」ではむしろ他社に先行されている面もあります。しかし、トヨタの利益水準が他社を大きく上回るのは厳然とした事実です。なぜでしょうか。

セブン-イレブンと同じように、トヨタの場合も、その答えは「厨房の中」、OCにあります。たとえば、トヨタ生産方式（TPS: Toyota Production System）です。TPSを構成している要素としては、JIT（Just In Time）やそのためのサプライヤーとの関係づくり、カンバン方式、平準化生産、人偏のついた自働化による改善、「なぜ」を五回繰り返す問題解決などが広く知られています。これらはいずれもトヨタに定着している「物事のやり方」、つまりルーティンです。TPSはまさにOCの塊です。

「カンバン」や「ケイレツ」「カイゼン」といったTPSを構成している要素はもはや欧米でも有名で、ライバルによって研究し尽くされている感があります。しかし、それでも競争他社はトヨタと同等の強みを手に入れることができないでいます。それはトヨタのＯＣの実体が組織ルーティンに埋め込まれているため、他社は簡単にまねできず、かといってどこに行っても売っていないからです。トヨタ自身ですら、自社の強みを余すところなく明確に説明することはできないかもしれません。

トヨタに代表される日本の自動車メーカーは製品開発でも組織能力に基づく競争優位を持っています。東京大学の藤本隆宏さんと一橋大学の延岡健太郎さんの研究は、日本の自動車メーカーの製品開発の強みがＯＣに立脚していることを見事に描き出しています[14]。

製品開発のパフォーマンスを測る指標の一つに、開発のリードタイムがあります。リードタイムが短いほど開発コストを抑えられるのはもちろん、市場の変化に対応しやすくなります。この物差しで日米欧の自動車メーカーを比較すると、日本企業はヨーロッパ企業に対して一九八〇年代から一貫して優位を持続しています。アメリカ企業には一九九〇年代の前半に一時期追いつかれましたが、九〇年代後半以降は再び大きく引き離しています。

このような競争優位の背景には、いくつかのＯＣがあります。その一つは、日本企業の開発プロジェクト人員数が欧米企業と比較して圧倒的に少ない（三分の一から四分の一）ことです。これには日本の開発現場での「多能化」が関係しています。トヨタがその典型ですが、技術者の専門化の程度が低く、職務範囲が広くなっています。これは仕事のやり方に欧米と大きな違いがあることを示唆しています。

プロジェクトマネジャー（ＰＭ）のリーダーシップにもこの違いが表れています。トヨタは「重量級ＰＭ」と呼ばれる、ＰＭに強い権限を持たせる開発組織を持っています。これが開発の競争力に高い成果を与えていることは、藤本さんたちの研究もあって、一九九〇年代には欧米企業にも知られるようになりました。欧米企業は日本企業に学び、PMの権限を強めてきました。

しかし、同じ重量級PMといっても、欧米企業のPMは製品コンセプトの創造やマーケティングには十分な権限を持っていません。なぜかというと、欧米では分業が高度に進んでおり、コンセプトづくりやマーケティングはそれぞれの専門分野が担当するため、PMに権限を集中できないのです。公式組織としてはPMの権限を強化できても、欧米の「重量級PM」は肝心のコンセプト創造への関与が弱いため、トヨタと同じやり方は再現できていません。

フロントローディングとITツールについても同じことがいえます。トヨタがスピーディーに製品を開発できる一つの理由は、その初期段階から、部品間のかみ合わせの良さやつくりやすさを織り込みながら個々の部品が開発・設計されていることにあります。つまりできるだけ前工程で調整の質と量を増やすことが重要で、これを「フロントローディング」（前倒し）といいます。フロントローディングを進めるためには三次元CADのようなITツールが有効な面があります。実物の試作車がまだない段階での問題解決ができるからです。欧米企業はトヨタよりも三年以上早く三次元CADの導入を進めました。

ところが、一九九〇年代中盤以降、フロントローディングをさらに進化させることができたのはトヨタに代表される日本企業のほうでした。ツールである三次元CADを導入しているかどうかよりも、開発の早い段階から関連するすべての技術者が共同で問題解決に取り組む組織ルーティンができているかが重要だからです。分業志向が強い欧米企業は、三次元CADを下流における設計情報の完璧な受け流しに使おうとしました。そのため先端的なITを導入しても、それをリードタイムの短縮のためのOCに昇華させることができなかったのです。

藤本さんと延岡さんの研究は、トヨタや日本の自動車メーカーの競争優位がSPよりもOCに立脚しているということを物語っています。藤本さんの言葉を使えば、SPが「頭を使う本社発の戦略」であるとすれば、OCは「体を鍛える現場発の戦略」であり「体育会系の戦略」です。

◆回避か対抗か

ここまで、競争戦略の考え方を、戦略論の表千家であるポジショニング（SP）と裏千家の組織能力（OC）との二つの視点からお話ししてきました。いずれも、要するに違いをつくるという話なのですが、「違いには違いがある」というのが、ここで言いたかったことです。SPはユニークなシェフのレシピで違いをつくろうとします。それに対して、OCは厨房の中にある他社が簡単にはまねできない、素材であるとか包丁の切れ味で勝負しようという戦略です。

SPの戦略は、競争優位の源泉を企業を取り巻く外的なコンテクストに求めます。つまり、広い競争空間のどこかにうまく他社との違いをつくることができる「位置取り」があるはずで、それをはっきりさせようという発想です。つまり「アウトサイドイン」（外から内へ）の発想です。

一方のOCは、外的なコンテクストよりも、その企業の内部にあるコンテクストを重視します。自分たちの持っている武器をよく理解したうえで、それを簡単にまねができないOCに練り上げていけば、それが他社との違いになって、利益が出るだろうという考え方です。これは「インサイドアウト」（内から外へ）の発想です。

ＳＰの戦略の中身は、何をやって何をやらないかという意思決定です。すでにお話ししたように、この考え方に立てば、ＯＥ（他社よりもベター）は戦略にはなりえません。「何をやるか」よりも、「何をやらないか」のほうに戦略的な意思決定の本質があります。なぜかというと、「何をやらないか」の選択がトレードオフをつくるからです。トレードオフをつくれば、「あちら立てればこちらが立たぬ」になるので、他社に対する違いを持続することができます。

これに対して、ＯＣはむしろＳＰの持続性に懐疑的な立場をとります。いくらトレードオフをつくっても、そのＳＰが成功したら、他社もなんとかして同じ活動を選択してくるのではないか、という懸念です。ＯＣは違いとして、前に使った言葉でいえば、ＯＥを重視しているといえます。ＳＰかＯＥかという分類ではＯＥであっても、そのＯＥが他社にまねできないものであればそれはＯＣであり、利益の源泉となりうる、という考え方です。時間をかけてでも、容易にはまねできないルーティンを構築していくことが戦略の焦点となります。

このようにＳＰとＯＣを対比していくと、それぞれの考え方の根底にある基本思想の違いが浮かび上がってきます。ＳＰの戦略の本質を一言でいえば、「いかに競争圧力を回避するか」という思想です。放っておくと競争圧力をもろにかぶってしまいます。だからこそ独自の位置取りが必要になります。うまい位置取りをすれば、正面からの殴り合いをせずに済みます。この意味で、ＳＰの戦略論は「競争の戦略」というよりは、本質的には「無競争の戦略」なのです。

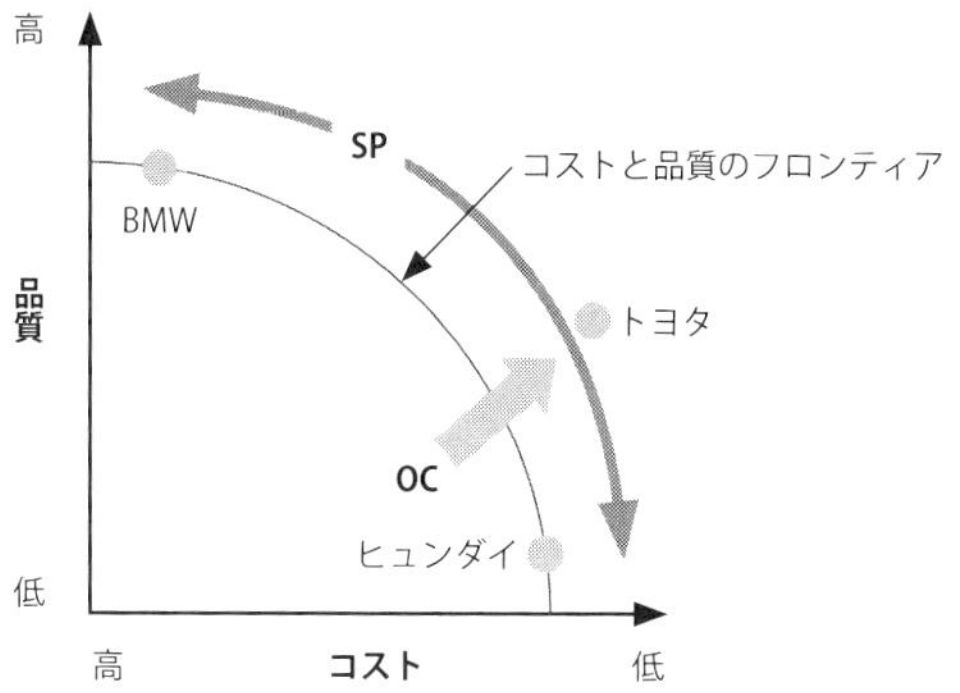

図2・1　SPとOCの競争優位

　OCは競争を回避するのではなく、むしろ「男には戦わなければいけないときがある」(女もそうですが）という構えで、競争圧力を受け入れ、それに対抗しようとする戦略です。殴り合いはしょせん避けられない、だから受けて立とう、その分他社がまねできないような強力なパンチに磨きをかけていこう、という話です。より「競争的」な競争戦略といってもよいでしょう。

　右で対比したSPとOCの違いは、それぞれが意図する競争優位のあり方を考えると、さらにはっきりしてきます。図2・1はコストと品質のフロンティアを示したものです。この図では品質を縦軸、コストを横軸で示していますが、右に行くほどコストが「下がり」ます。ですから原点から離れるほど、コストも品質も「良い」状況になるわけです。図の曲線は、ある時点でとりうるコストと品質の限界を示しています。図にあるように、顧客が認知する品質と低コストとはトレードオフの関係にあるのが普通です。

　SPとは、このフロンティア上のどこに自社を位置づけるのかという問題です。図2・1にあるように、BMWは、フロンティア上の左上に位置取りをする戦略です。これに対して、ヒュンダイは低コストを重視する右下に位置取りをしています。この仮想例では、どちらがより優れているということではありません。SPの考え方からすれば、位置取りが異なるということが大切なのです。異なった位置取りをすれば、BMWとヒュンダイは正面からの殴り合いを避けることができます。つまり、ベクトルの方向をはっきりと決めましょう、ベクトルの向きで他社との違いをつくりましょう、というのがSPの戦略です。

ベクトルの方向、つまりSPの視点からすれば、トヨタはどっちつかずに見えます。しかし、トヨタはこの業界で他社を大きく上回る収益性を実現しています。これはトヨタが既存のフロンティアを突き抜けているということを意味しています。何がこれを可能にしているのでしょうか。それは「トヨタ生産方式」に代表されるトヨタに独自のOCです。

図2・1からわかるように、SPがベクトルの向きを問題にしているのに対して、OCは原点からの距離、つまりベクトルの大きさを意味しています。他社にないOCを構築すれば、向きにかかわらず、原点からの距離が大きくなるという発想です。既存のフロンティア上にあるBMWとヒュンダイは、(この仮想的な例でいえば)OCの強さは同じです。トヨタは強力なOCを持っているためにこの二社に対しても競争優位にあります。このように、SPとOCでは、それぞれが実現しようとする競争優位のあり方が異なります。

◆SPとOCの位置関係

SPとOCの違いは、時間軸で捉えることもできます。SPは活動の選択についての意思決定ですが、それは経営資源と全く無関係に行われるわけではありません。当然のことながら、何らかの資源に対する投資や資源配分がそれに続くはずです。ですから、SPの戦略も経営資源を無視しているわけではないのです。しかし、SPの考え方には時間軸での広がりがありません。図2・2にあるように、活動の選択についての意思決定とは、すなわち資源配分についての決定であり、それは即座に何らかの資源の動員を引き起こします。これがSPの戦略論の背後にある考え方です。言い換えれば、お金があれば、意思決定は自動的に何らかの経営資源の獲得なり配分をもたらすという考え方です。

これに対してOCは、意思決定の時点ですぐ手に入るような経営資源は、競争相手に対して本当に効果があるパンチにはなりえない、だからじっくりと時間をかけても独自の組織ルーティンに落とし込み、それを練り上げていかなければならない、という考え方です。このようにOCの考え方には時間的な広がりがあります。図2・2にある点線の矢印は、単なる経営資源（の集合）が組織能力へと練成していくプロセスを表しています。OCの戦略論はここに焦点を合わせています。これに対して、SPの戦略論はどちらかというとスタティック（静的）な性格を持っているといえるでしょう。

このように考えると、SPとOCでは戦略形成におけるマネジメントの役割についても違った前提を持っていることがわかります。SPの戦略論では、マネジメントは意思決定者です。何をやり、何をやらないか、活動の選択に責任を持っています。「ビッグ・ディシジョンを下すCEO」というイ

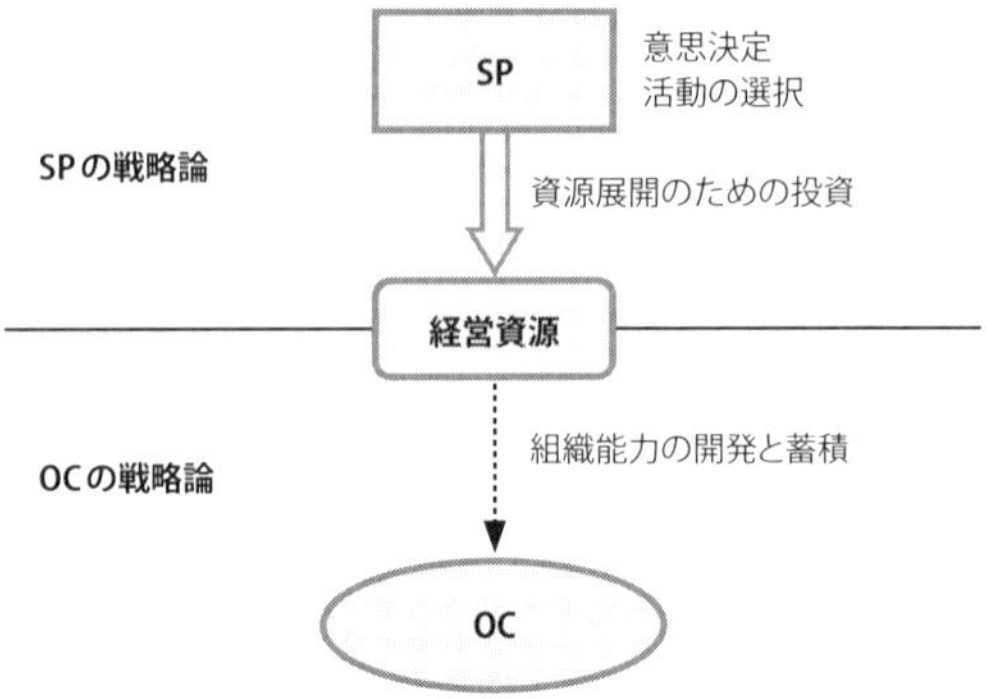

図2・2　SPとOCの関係

メージです。マネジメントの意思決定は、戦略のありようを直接的に左右します。この意味で、マネジメントは戦略なり競争優位に直接的に影響力を行使できる存在です。

一方のOCの戦略論では、マネジメントの競争優位に対する影響力はより間接的なものになります。OC構築プロセスは長い時間を必要とするのが普通です。ルーティンとしてのOCには創発的な面が多分にあります。裏を返せば、マネジメントが意思決定を通じて直接に操作できないからこそ、成果との因果関係が不明確になり、経路依存的になり、つまりは、まねしにくくなるのだというのがOCの論理です。

このように、SPとOCは異なったマネジメント観を背後に持っています。MBAプログラムで教えている私の経験では、MBAの学生はどちらかというと、SPの考え方を好む傾向にあります。将来、自分の意思決定で会社を動かしたいと思っているような人がMBAになるための勉強をしにくるわけで、そういう人たちにとって、OCよりもSPの戦略のほうがしっくりくるのは自然なことです。

この一〇年で最もよく読まれたビジネス書の一つにジェー

ムズ・コリンズさんの『ビジョナリー・カンパニー』とその続編があります。コリンズさんは次のような主張をしています[15]。

革命や、劇的な改革や、痛みを伴う大リストラに取り組む指導者は、ほぼ例外なく偉大な企業への飛躍を達成できない。偉大な企業への飛躍は、結果を見ればどれほど劇的なものであっても、一挙に達成されることはない。たった一つの決定的な行動もなければ、壮大な計画もなければ、起死回生の技術革新もなければ、一回限りの幸運もなければ、奇跡の瞬間もない。逆に、巨大で重い弾み車を一つの方向に回し続けるのに似ている。ひたすら回し続けていると、少しずつ勢いがついていき、やがて考えられないほど回転が速くなる。

このような考え方は、ここでの分類でいえば、SPよりもOCを持続的な競争優位の源泉として重視する立場です。経営トップによるSPのビッグ・ディシジョンは決して「偉大な会社」を約束しないとコリンズさんは繰り返し主張しています。OCは右の引用の中にある「弾み車」のようなものです。どの意思決定が企業の業績を左右したかは特定できません。日常で繰り返される一つひとつの小さな決定や行動が、積もり積もって弾み車の勢いとなる、という考え方です。しかも、傍から見ていて、どの意思決定が弾み車の勢いに貢献したのかがわからない（そもそもそういう問題の立て方に意味がない）のですから、どうしたら弾み車を勢いよく回せるのかはわかりません。つまり、すぐにはまねできないということになります。

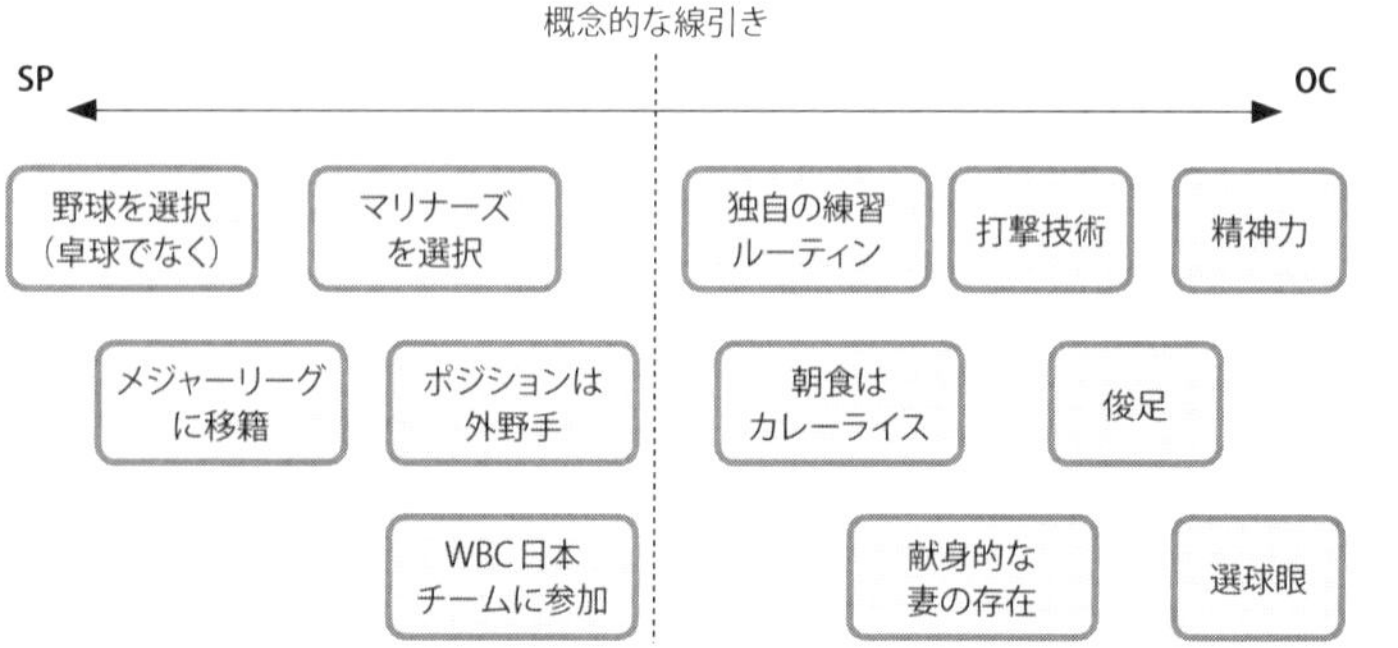

図2・3　イチロー選手の戦略の構成要素

SPとOCは対照的な戦略思考なのですが、この違いはあくまでも「思考としての違い」ですので、現実的には明確な線引きをすることはできません。つまり、ある会社の戦略を構成している要素を取り出して、これはSP、こっちはOC、などと簡単に区別することはできません。実際には、その要素が、SPとOCのどちらの論理で競争優位をもたらしているのか、相対的にしか判断できません。ですから、現実の戦略はSPとOCを両極とする次元のどこかに位置するわけです。この意味で、SPとOCの間には連続性があります。

これまでは松井選手の例を使いましたので、今度はイチロー選手でこのことを説明してみましょう。図2・3にはイチロー選手の成功をもたらした（であろう）戦略を、SPの論理を持つものからOCの論理を持つものまでリストアップしています。

まず、卓球やカーリングではなくて野球という種目を選んだということ。すでにお話ししたように、この「業界の選択」は、最もSP的な戦略の構成要素です。これはイチロー選手の意思決定の直接の産物です。さらに、守備位置として外野手を選んだということ、日本のプロ野球でなく、日本でしっかりとした実績を確立していたけれどもまだ十分に若いというあのタイミングでメジャーリーグに移ったということ、数ある球団の中でもシアトル・マリナーズを選んだということ、これも戦略的選択であるという意味でSP的な要素です。

第一回と第二回の「ワールド・ベースボール・クラシック」（WBC）で日本代表は連続優勝したわけですが、松井選手が参加を見送ったのに対して、イチロー選手は決然と参加、日本チームを引っ張り、その闘志むき出しの言動の数々もあって、日本のファンに「さすがイチロー、頼りになる男！」という強い印象を残しました。当初のブームが去った後で、どちらかというと松井選手の陰に埋もれがちだったイチロー人気は、WBCで急激に盛り返しました。これを「成功」とみなせば、WBCへの参加という意思決定は効果があったわけで、SPの戦略といえるかもしれません。

これに対して、内野手の間を抜く絶妙のバッティング技術、足の速さ、ずば抜けた選球眼、いうまでもなくこうした要素もイチロー選手の成功には欠かせないものです。これはむしろOCの論理に基づいた競争優位です。こうした身体能力だけではありません。独特のバッティングフォーム、間合いの取り方、日々の練習方法などは、他者にとってまねしにくいルーティンであり、したがってOC的な要素であるといえます。

さらにいえば、イチロー選手は朝ごはんに毎日カレーライスを食べるそうで、成果との因果関係は不明確ですが、これなどもOCの一つかもしれません。ということは、まさかレトルトのカレーではないでしょうから、イチロー選手の好みを理解して、毎朝特製のカレーライスをつくってくれる奥様がいるということです。そうした献身的な妻の存在もOCを構成する要素ということになります。この線で突き詰めていけば、野球への集中力を維持できるような穏やかな家庭での生活スタイル、そこでの良好な夫婦関係といったことも成功の重要な要因ということになり、これなどは「他社がまねできない、長い時間をかけて練り上げた独自のルーティン」の極みですから、最もOC的な要素といえるでしょう。

皆さんもご自分の会社の戦略の要素をリストアップしてみてください。それらは「戦略」である以上、何らかの「他社との違い」でなければなりません。一つひとつの項目を、ここでのイチロー選手の例にあるようなSPとOCの連続軸の上にマッピングしてみてください。SP的なものもあれば、OC的なものもあるはずです。

◆SP－OCマトリックス

現実の戦略はSPとOCとの組合せであるのが普通です。そもそも一方が他方よりも「正しい」とか「強力な」論理だということではありません。優れた経営にとってはどちらも必要です。ただし、ここで大切なことは、それぞれが競争優位をもたらす論理が異なるということです。だからこそSPとOCという「違いの違い」について理解し、意識して戦略を組み立てることが大切になります。異なる二つのレンズを装着したメガネをかけることによって、初めてきちんと焦点が定まり、競争優位の本質が見えるのです。

競争優位をSPとOCの組合せとして考えると、企業が強いとか弱いとかいうときに、図2・4の

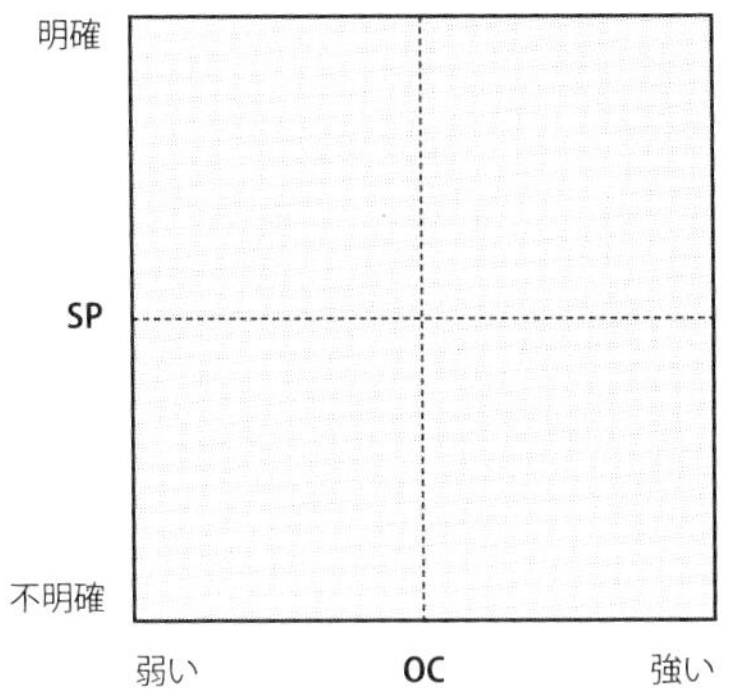

図2・4　SP－OCマトリックス

ようなマトリックスで考える必要があります。つまり、企業の強さ（もしくは弱さ）の中身には大別して四通りあるということです。いうまでもなく、右上が理想的な状況です。シェフのレシピもユニークだし、厨房の中も強いという企業です。左下は逆に何もない企業、単純に「弱い」企業です。左上は、レシピを見ると独自で魅力的だけれども、それを実際に料理する厨房の能力に欠けています。反対に右下は、レシピはぱっとしないが、冷蔵庫には優れた材料が詰まっており、料理人たちの腕も悪くないという企業です。

ＩＴ業界でいえば、ＩＢＭは右上のセルに入る企業といえそうです。伝統的に技術や人材の開発、企業文化など、ＩＢＭは厨房の中身の質が高い企業です。一時はダウンサイジングとオープン化の波に巻き込まれてＳＰが不明確になり、右下に移動した時期もありました。しかし、ルイス・ガースナーさんが新しいシェフとしてナビスコから乗り込んできて、「ソリューションを売る」という新しいレシピを書き上げました。当初は「ビスケット屋にＩＴがわかるのか」と疑問視されたガースナーさんのレシピですが、その後きちんと業績を取り戻したのは周知のとおりです。

スターCEOであったカーリー・フィオリーナさんがトップにいた頃のヒューレット・パッカード（HP）は、どちらかというとシェフのレシピ先行型（左上）だったといえるでしょう。一九九九年に社長兼CEOに就任して以来、フィオリーナさんはコンパックの買収（二〇〇二年）をはじめ、大企業向けの「アダプティブ・エンタープライズ戦略」や中小企業向けの「スマートオフィス戦略」「エンジョイ・モア」をキーワードにした消費者向け製品群の強化、顧客とのインターフェースを一カ所に集約する「オペレーション・ワンボイス戦略」など、新しいレシピを矢継ぎ早に繰り出しました。

ところが、フィオリーナさんのレシピはうまく機能せず、二〇〇五年についに解任されます。後任のマーク・ハードさんは、就任するとすぐに「デジタル、バーチャル、モバイル、パーソナル」といった言葉が散りばめられたフィオリーナ時代のレシピを引っ込め、プリンタなどの競争力のある既存製品を中心に、営業力の強化に軸足を置いた体育会系の戦略を打ち出しました。

ハードさんはNCRの営業マン出身で、「ハード（ウェア）は儲かるよ！」というおやじギャグが妙に似合う、たたき上げの経営者という印象があります。フィオリーナ時代のHPがSP志向であったのに対して、ハードさんはHPの戦略をよりOC志向に振ろうとしたと考えられます。図2・4でいえば、フィオリーナさんのHPは上方向に行こうとしていましたが、ハードさんのHPは右方向への移動をめざしたわけです。

フィオリーナ時代のHPとは対照的に、ソニーは右下に位置するといえそうです。ソニーの強みの一つは、小型軽量でスタイリッシュなコンシューマー・エレクトロニクス製品を開発する能力です。

ソニーの小型化能力は、個別製品の設計や開発を超えた、小型化のための独自の組織ルーティンにあります。たとえば、設計段階ではひとたびバッテリーをはじめとする部品の配置とスペースが決まると、これがある種の強制力を持って機能の決定やデバイスの開発を規定します。さまざまな無理難題を抱えながら、デバイスやソフトのレベルで起こる問題を解決し、特定のスペースの中に押し込んでいくというソニー独自の「やり方」にソニーの製品開発力の正体がありました。

しかし、ＳＰのほうではどうかというと、ソニーの製品開発は総花的な展開に傾きがちです。「何をやらないか」がはっきりしていないために、限られた経営資源が分散してしまい、思い切った投資のタイミングを外し、苦戦を強いられている事業分野も少なからずあります。ソニーはＯＣの冷蔵庫にはかなり優れた材料が詰まっているのに、ＳＰのレシピはいまひとつはっきりしないというタイプの企業でしょう。

◆ＳＰとＯＣのミックス——時間軸を入れて考える

時間軸を入れて考えてみましょう。多くの企業は、設立当初はＳＰの戦略に競争優位を求めます。できたばかりの頃は、ＯＣの蓄積が薄いのが普通だからです。ＳＰ－ＯＣマトリックスの上にマッピングすれば、設立の初期の段階では独自のレシピで頭角を現し（図２・４の左上）、その後徐々に時間をかけて組織能力を構築していく（右方向に移動）というルートが一般的です。ＩＴ企業の例でいえば、デルがその典型です。デルはシェフであるマイケル・デルさんの独自のレシピで急成長しました。その後、現在のデルはデル・モデルをきちんと動かすためのOCを強化することに注力しました。

SPとOCとの対比のところでお話ししたように、SPは企業の外的なコンテクストに競争優位を求める戦略思考ですから、競争環境がもたらす機会（opportunity）をいち早くものにすることに最大の関心があります。近年に出現した「機会」のうち最大のものは、なんといってもインターネットでしょう。インターネットが普及し始めた頃に設立されたドットコム企業、ネットベンチャーの多くがSPに戦略の軸足を置いたのは自然な成り行きです。

初期の典型的な成功例がイーベイです。イーベイの成功の理由は、急速に普及するインターネットの機会を捉え、他社に先行してC2C（個人間取引）のオークションに位置取りを定めたということにあります。C2Cのインターネット取引のマーケットメイカーという位置取りは、ひとたびうまく回りだすと強力にネットワーク外部性が働きます。強力なSPを固めてしまうと、極端にいえば、SPだけでかなりの長期にわたって食べていけるわけです。

日本では同様のおいしいポジションをヤフー・オークションが先に握ってしまったので、アメリカでは大成功したイーベイも、日本ではすぐに撤退してしまいました。この辺にもイーベイの戦略がSP志向だということが表れています。日本でのヤフーは、その後も持続的にC2Cオークション事業のリーダー企業の地位を維持しています。

このようなネットワーク外部性が強力に働く世界を別にすれば、初期はうまく機会を捉えたSPで勝負できても、業界が成熟するにしたがって、レシピの独自性を維持することが難しくなるのが普通です。そこでOCの役割が大きくなってきます。競争優位はSPとOCの組合せなのですが、業界が成熟するにつれてOCの占める部分が大きくなっていくのが一般的です。ですから、ネット業界のような新しい業界で成功している企業にはSPに戦略の軸足を置くものが多く、一方で自動車産業のように成熟した業界ではOCに軸足を置く企業が優位に立つ傾向にあります。トヨタは後者の典型的な例です。

◆SPとOCのテンション

話をSP－OCマトリックスに戻します。理屈からすれば右上のセルに位置する企業が最も強いのですが、現実の企業の競争戦略は、SP志向かOC志向のどちらかに偏る傾向にあります。SPとOCは、その発想が対照的なだけに、どちらかが優勢になると一方は劣勢になるという綱引きのような関係にあります。つまり、SPとOCの間にはテンション（対立関係）があるのが実際のところです。

「コストと品質のフロンティア」のところで説明したように、SPの戦略はある種のトレードオフを前提として、ベクトルの方向で違いをつくろうとします。これは本質的には「無理をしない」という発想で、正面からの殴り合いを回避し、無競争の状態になるべく近づこうという考え方です。これに対してOCは、トヨタの例で説明したように、時間をかけてでも独自能力を構築し、これをテコに既存のトレードオフを突破しようとします。つまり、「無理をすれば道理（トレードオフ）が引っ込む」という発想です。ですから、どちらかの論理で競争優位を追求することが、他方の論理を弱めることになります。

このことはトップマネジメントの経営スタイルの違いを考えるとわかりやすいでしょう。SP志向の経営者は、自らの大胆ではっきりとした戦略的選択で競争優位を獲得したいと考えます。白黒をはっきりさせるエッジが利いたタイプ、プロのディシジョン・メイカーといったイメージです。こうした経営者はどちらかというとせっかちで、自分の戦略的選択についての意思決定が、なるべく早く企業の業績に反映されるのを好みます。逆にいえば、それが競争優位にどのようにつながるのか、はっきりとした因果関係がその時点ではわからないようなアクションは積極的にはとらないでしょう。

これとは反対に、OC志向の経営者は「じっくりと体を鍛えておけば、それが後々になって効いてくる」という体育会系の考え方の持ち主です。筋力トレーニングと同じで、強めの負荷をかけてトレーニングをしていたほうが、だんだんとそれまでは持ち上がらなかったような重たいものでも持ち上げられるようになります。「無理をしていれば、そのうちに無理が無理でなくなる」というわけで、積極的に無理を受け入れるという発想です。

このような体育会系の経営者にとっては、意思決定によってトレードオフをはっきりさせるということは、その意思決定の時点で将来のOCを鍛える可能性を殺してしまうことになりかねません。資源に限りがあるからこそ、「何をやらないか」をはっきりさせなければいけないというのがSPの発想なのですが、「(今はできなくても)鍛えているうちにできるようになる」というのがOC志向の経営者です。こういう人であれば「何をやらないか」を事前にはっきりさせようとは思わないでしょう。

アパレル業界の例でいえば、アメリカのギャップがSPの戦略を重視しているのに対して、日本のワールドはOCの戦略を志向しているといえそうです。ギャップは定番のカジュアルな製品に絞り、主として海外での大量生産でコストを下げ、大規模店舗で売っていくというはっきりとしたSPが成長を牽引してきました。

一方のワールドには、ギャップほどはっきりとしたSPは見当たりません。直営店を持つSPA（製造小売）事業だけでなく伝統的な卸事業（たとえば「コルディア」）もあれば、デパートで一ブランド一ショップで展開しているブランド（「アンタイトル」や「インディヴィ」）もあれば、郊外のショッピングセンターでファミリー向けに実用的なアパレルを提供するブランド（「ハッシュアッシュ」や「サンカンシオン」）もあります。さまざまなチャネル、世代、性別、テイストに対応して、ワールドは実に一〇〇以上のブランドを展開しています。

ワールドの戦略の軸足は、OCにあります。これまで分断されがちだった生産、企画開発、小売などの機能をつなぎ、在庫ロスや機会ロスを最小化しつつ、変化の激しい顧客のニーズにスピーディーに反応していくための独自のルーティンがワールドのOCです。このルーティンをプラットフォームとして横展開することによって、さまざまなターゲットに対応した数多くのブランドを手がけながらも、一定の効率が確保できています。OCを構築し、進化させることによって、効果と効率のトレードオフを突き抜けようというのがワールドの基本的な構えであるといえます。

日本における二大小売企業のイオンとイトーヨーカ堂を見ても、イオンの戦略がどちらかというとSPに立脚しているのに対して、イトーヨーカ堂はOCを志向した戦略であるといえます。二〇〇三年を例にとると、イオンは二三店舗を新規出店し、一方で二〇店舗を閉店しています。新規出店では、生活に密着した食品を扱うスーパーに焦点を絞って、食品特化型の店舗の割合が大きくなっています。

このようなイオンの動きには、立地や取り扱う商品の点で、よりSPをはっきりさせていこうという意図がうかがえます。

一方のイトーヨーカ堂の新規出店は五店舗にとどまり、閉鎖したのは一店舗だけでした。新規出店は、いずれも食品から衣料品や住宅関連商品を幅広く扱う総合スーパーでした。外から見てわかりやすいSPはありませんが、イトーヨーカ堂の売場面積当たり売上高はスーパーの中で最高の水準にありました。個別のアイテムごとに売れ筋を詳細に追いかけ、売れ筋を切らさず、死に筋を殺していくためのさまざまなOCが、他社よりも優れたニーズへの対応力や在庫のコントロール力をもたらしているからです。

このように企業の戦略はSPとOCのどちらかに傾くことが少なくありません。両者の間に簡単には同時極大化ができないというテンションがあるからです。

◆フォードとマツダ

私が教えているMBAプログラムには「フィールド・スタディー」という科目があります。学生がパートナー企業に入り込んで、その企業から与えられた課題を解決する提案をしていくというコンサルティングの実習がその中身です。二〇〇一年のことですが、その年のフィールド・スタディーにマツダのプロジェクトがありました。当時社長であったマーク・フィールズさんに聞いた話は、とても印象的でした。

当時のマツダは業績悪化に苦しんでおり、フィールズさんは株式を保有しているフォードがマツダに送り込んだ社長でした。外国人経営者のフィールズさんは、就任時まだ三〇歳代だったこともあって、メディアでも注目されていました。マツダのテコ入れにフォードからやってきた進駐軍の指揮官というのが、当時のフィールズさんの一般的なイメージだったのですが、「マツダはとてもいい会社だ。ふたを開けてみると、自分が事前に想像していたよりもはるかに強い会社だ」と彼は強調していました。ものづくりの力はもちろん、技術力や開発力といった基礎体力の点では、マツダには十分に力があり、むしろフォードよりも優れている、フォードがマツダに学ぶべき点が多い、というのです。ところがそれに続けて、フィールズさんは「なぜこれほど強い会社が、かつてあそこまでひどい失敗をしてきたのかが不思議だ」とも言いました。

「失敗」というのは、たとえばバブル時代のマツダの「五チャンネル戦略」です。これは販売チャネルを、商用車、小型車、高級車と幅広く扱う「マツダ店」、RX－7やMS－9などの高級車を扱う「アンフィニ店」、ヨーロッパのイメージを持たせた「ユーノス店」、小型車・軽自動車を中心に扱う「オートザム店」、フォードブランド車を扱う「オートラマ店」に分けて並行展開するというものでした。当時のトヨタの五チャンネル体制（「トヨタ店」「トヨペット店」「カローラ店」「オート店」「ビスタ店」）に対抗したものです。当初はマツダ店以外の店舗で扱う車種にはマツダのロゴを入れず、ほぼ独立ブランド（現在のトヨタとレクサスのような関係）とされていました。

五つのチャンネルすべてに違った味つけをした新車モデルを与えていくという五チャンネル戦略は、やがてほころびを見せていきます。実際、末期には全店で取り扱われる車種が発売され、それらには

「マツダ」のブランドがつけられました。状況が改善されない中で、五チャンネルは整理縮小され、オートラマ店はフォードの直営店になりました。

これは明確なSPなしに、成り行き任せに総花的展開をしてしまうという例の典型です。限られている経営資源（それはトヨタよりもずっと少ない）をすべての方向にばら撒いてしまえば、「五兎を追うものは一兎をも得ず」という結果になるのは自然な成り行きです。この頃のマツダは、競争優位を構築するための思考があまりにOCに偏っており、フィールズさんがいうように、フォードと比べてOCは優れていたかもしれないが、あまりにSPが希薄だったことが深刻な業績悪化をもたらしたといえます。

フィールズさんの出身であるフォードは、当時は戦略家で知られたジャック・ナッサーさんをCEOに擁し、SPの方向にバイアスが強くかかった戦略をとっていました。つまり、シェフのレシピとしてのSPはいろいろと繰り出しているけれども、いざ厨房に入ってみると、OCはぱっとしないというタイプです。

フォードは伝統的に本社が現場を牽引していくというSPに偏った会社です。伝説的な秀才といわれたロバート・マクナマラさんのように、本社の経営のプロが優れたレシピを書くことによって成長してきました。ナッサーさんもまたその例に漏れず、相対的に利益を出しやすいピックアップ・トラックやSUV（Sport Utility Vehicle）に軸足を置き、その一方で本社の金融サービス部門が利益を稼ぎ出すという体制をとっていました。

フォードの戦略が本社のSPに偏っていることを示唆する興味深いエピソードがあります。フォードは二〇〇二年にパラジウムを中心としたレアメタル（希少金属）の在庫で一〇億ドルの評価損を出し、ウォール街を仰天させました。自動車メーカーは排ガスの浄化システムに使用するレアメタルを購入しています。排ガス規制に伴う需要の増大とロシアからの供給が予測できないことを危惧して、パラジウムの価格は上昇傾向にありました。燃費の悪いSUVを大量に生産していたフォードは、本社調達部門の主導で長期的な供給契約を締結し、パラジウムの備蓄購入を開始しました。これが大量の在庫を積み上げる結果になりました。

ところがその後パラジウムの需要は減少し、これが市場価格を低下させたため、高い値段で大量に在庫を持っていたフォードは評価損を計上せざるをえなくなりました。なぜ需要が減ったのでしょうか。それは日本の自動車メーカーを中心に、価格の高騰が危ぶまれたレアメタルの使用量を減らすような技術開発が進んだからです。たとえば、ホンダではパラジウムなどのレアメタルの使用量を七〇％も削減できるような排ガス浄化システムが開発されました。トヨタでも、別のレアメタルで代替したり、材料開発で使用量を減らすという努力が続けられました。

フォードも努力をしなかったわけではありません。ミシガン州ディアボーンにある研究所は触媒コンバータで使われるレアメタルの寿命を延ばす研究に取り組んでいました。しかし、研究所の開発チームと調達部門の間の連携は全くとられていませんでした。本社調達部門の主導でパラジウムの在庫の積み増しに突っ走った背後には、こうした「やり方」があったのです。

要するに、日本企業が現場のOCでレアメタルの問題を克服しようとしたのに対して、フォードは本社の調達部門スタッフの特定の「戦略的意思決定」（長期契約でパラジウムを備蓄購入する）で問題を解決しようとしたわけで、ＳＰにあまりにも偏っていたという話です。

マツダの経営を任されていたフィールズさんは、こうしたフォードのバイアスと、逆にＳＰをはっきりさせずにＯＣへと流れてしまうマツダのバイアスに気づいていました。「フォードは頑張りが利かないのが問題だ。しかし、マツダは何でも頑張ればなんとかなると思っている。マツダは何を頑張らなくてもいいかをはっきりしなければいけないし、フォードはマツダの頑張りに学ばなくてはいけない。フォードのいい部分とマツダのいい部分を組み合わせ、それぞれの悪いところをつぶしていく、これが自分の挑戦だ」というのが当時のフィールズさんの認識でした。マツダとフォードの戦略に見られるコントラストは、ＳＰとＯＣの間にテンションがあることを如実に物語っています。

◆日本企業のＯＣバイアスと復活パターン

これは大雑把な傾向としての話ではありますが、欧米企業がＳＰの戦略を志向するのに対して、マツダがそうであったように、日本企業はＯＣの戦略に偏る傾向があるといえそうです。自動車業界のフォード対マツダ、ファッション業界のギャップ対ワールド、小売業界のカルフール対イトーヨーカ堂、ＩＴ業界のＨＰ対日立、コンシューマー・エレクトロニクス業界のフィリップス対ソニー、こうしたペアで考えてみると、多くの業界で日本企業にはＯＣバイアスがかかっているようです。

オランダのエレクトロニクスの名門企業であるフィリップスは、ＩＴバブル崩壊のあおりを受けて、二〇〇二年には存亡の危機に直面していました。しかし、四年足らずで一〇％近い利益率へ業績を回復しました。このV字回復はＣＥＯのジェラルド・クライスターリーさんの明確なＳＰの戦略によるものでした。規模でいえば、フィリップスの本業はＡＶ事業でした。ソニーと共同で規格を開発したＣＤやＤＶＤはもちろん、テレビでも世界トップクラスのシェアを持っています。ところが、クライスターリーさんのフィリップスは二〇〇二年にＡＶ事業の世界九カ所の工場をアメリカのＥＭＳ（電子機器の受託製造サービス）企業のジェイビルサーキットに売却し、ＡＶの生産を自社の活動から外すことにしました。

ＡＶ製品で使われる半導体などのデバイスについても、「持たない経営」へと急速にシフトしました。半導体部門を独立させてフィリップス自身は少数株主になりました。テレビに使うパネルでも、小型液晶パネルからは撤退しました。韓国のＬＧ電子との大型液晶パネルのジョイントベンチャー、ＬＧフィリップスの株式持分も四〇％から三〇％に減らしています。半導体事業の業績は決して悪くなかったのですが、収益の変動が激しく、設備や研究開発への投資がかさむことから、自分で事業を所有するのではなく、良い半導体があれば外部から買えばいい、という戦略へ転換しました。

「消費者は薄型テレビを欲しがるのであって、技術が自前かどうかは気にしない。商品のデザイン、ブランド、販売力が優れていれば勝負できる」というのが、クライスターリーさんのレシピの根底にある考え方です。営業やマーケティングでは、ウォルマートやベストバイ、カルフールといったメインストリームの小売業者に集中しました。また、他社に先駆けて、成長率が高い発展途上国の市場に重点を置いたマーケティングを展開しました。

フィリップスの業績回復はＳＰの論理を徹底的に追求することによって実現したといえるでしょう。

これに対して、ソニーや日立、シャープといった日本の大手AV企業のSPはあまり明確とはいえません。ただし、これは優劣の問題では必ずしもなく、「違いのつくり方の違い」であることに注意が必要です。デバイスの技術開発や生産を「やらないこと」に決め、対象を絞ったマーケティングと大手小売の営業に集中するというフィリップスのレシピは、確かにSPのメリハリは利いているのですが、変化していく競争環境の中で、持続的に利益をもたらすかどうかはわかりません。ある意味では「小手先」のマーケティングだけで、長期的にブランド力を維持できるかどうか、「持たない経営」はリスクも抱えています。ここで言いたいことは、フィリップスと日本企業との対比に典型的に表れているように、欧米企業がSPを志向しているのに対して、日本企業はOCへと傾斜しがちであるということです。

日本企業にOCバイアスがあるのはなぜでしょうか。さまざまな理由が考えられます。OCの発想には「我慢して鍛えていれば、(今はそうでなくても)そのうちきっといいことがある」という面がありますから、これが日本人の性格や日本の文化的気質に向いているということもあるでしょう。OCのカギであるルーティンの「模倣の難しさ」は、経路依存性のところでも出てきたように、長期にわたる累積がものをいいます。だとすると、長期雇用や年功制といったこれまでの制度がOCバイアスの一因になっていそうです。経営者のタイプや育ち方も関係がありそうです。これまでの日本企業の経営トップには、本社の役員会議室でのビッグ・ディシジョンというよりも、長期的な視野に立ったOCの筋トレを好む、地味なたたき上げ型の人々が目につきます。

バブル崩壊後のしばらくの間、多くの日本企業は競争力の喪失と業績悪化に苦しみました。「失われた一〇年」です。しかし、この間に国際的な競争力を高めた日本企業も少なくありません。こうした企業には、「失われなかった一〇年」の間に、SP－OCマトリックスの右下から上に上昇したパターンが多いようです。つまり、もともと優れた厨房があったところに、明確なレシピを導入したというパターンです。

その最たる例が日産でしょう。カルロス・ゴーンCEOの描いたレシピが効いたのはもちろんですが、一方で「日産には底力があった」ということがよくいわれます。この「底力」に相当するのがOCです。いかにゴーン・シェフであっても、もし日産がSP－OCマトリックスの左下の会社であればV字回復は難しかったかもしれません[16]。花王やキヤノンにしても、もともとOCの蓄積に厚い企業が、失われた一〇年の間に粛々とレシピを整えていった結果だといえそうです。日産ほど派手ではありませんが、マツダもひと頃よりもSPがはっきりしてきて、もともとあったOCの強さが息を吹き返したというパターンに当てはまります。この意味では、「フォードの良い部分とマツダの良い部分を組み合わせる」というフィールズさんの意図は、のちにある程度まで実現されたといえるでしょう。

これに対して、アメリカの優良企業は、当初はシェフの優れたレシピで成功し（SP－OCマトリックスの左上）、SPを固めてから徐々にOCに磨きをかけて右方向に移動していくというパターンが多いようです。ビル・ゲイツさんのマイクロソフト、マイケル・デルさんのデル、サム・ウォルトンさんのウォルマート、こうしたアメリカ企業はいずれも創業者が構想した明確なSPで台頭した後に、時間をかけてOCを強化していった例でしょう。アメリカ企業ではありませんが、サムスンも結果的に右上に位置する優良企業の一つです。サムスンもまた日本のライバル企業では見られないような思い切りのいいＳＰが先行し、その後徐々にＯＣの軸でも強くなっていった例です。

数多くのＭ＆Ａで成長している日本電産は、ゴーンさんが日産でやったことを永守重信総料理長が何回も繰り返しているようなものです。日本電産はその時点では必ずしも業績が良くない企業を買収します（なぜならば、もともとピカピカの企業であれば高くつく）。ただし、それは往々にして図の右下、つまりかなり良い厨房にあるのに、レシピがはっきりしないため低迷している企業です。左下の企業ではありません。「技術も人材もあるが、経営の問題で業績不振に陥っている企業は立て直しやすい」というのが永守さんの考え方です。そうした被買収企業に永守料理長が独自のはっきりしたレシピを導入していくことによって、急速に業績を好転させ、グループ全体の増収増益につなげています。ＳＰとＯＣのうまい組合せを意識した戦略です。

ＳＰ先行型の左上に位置する企業が右に移動するのと、ＯＣ先行型の企業が右上に上がるのと、果たしてどちらの実現可能性が高いのでしょうか。もちろんケース・バイ・ケースなのですが、一般論としていえば、レシピ先行型の企業が優れた厨房を手に入れるよりも、厨房のＯＣ先行型の企業がレシピを獲得するほうが短期間に成果が出やすいといえそうです。レシピは動きだせば早いのですが、厨房を強化するにはどうしても時間がかかります。この意味で、右下に位置する企業には大きなポテンシャルがあります。日本にこの種の企業がたくさんあるとすれば、日産やキヤノンや日本電産のパターンで、ＳＰをはっきりさせることによって競争力を回復する可能性があります。

しかし、ＳＰ先行型の企業には一つの大きな強みがあります。それは、業績が悪くなるときに、はっきりと、しかも早く悪くなれるということです。この種の企業は、シェフのレシピが空振りしてしまえば、それっきりです。OCで持ちこたえることができません。みるみるうちに業績が悪化します。これは必ずしも悪いことではありません。経営陣や社員が今そこにある危機をはっきりと認識できるため、揺り戻しがかかりやすいのです。前にお話ししたHPはその例です。こういうときは往々にしてシェフが交代することになります。新しいシェフが乗り込んできて、レシピを書き換えます。

これに対してOC先行型の企業では、厨房が徐々にダメになっていく、という怖さがあります。冷蔵庫の中身がだんだんと、時間をかけて腐っていく。マネジメントや社員もはっきりとした危機感を持ちにくい。そのあげく、気づいたときには何もない左下に陥ってしまう危険があります。カネボウの破綻の事例に見られるように、日本のかつての優良企業の破綻の背後にはこうしたメカニズムがありそうです。

◆競争優位の源泉

この章では競争戦略の基本論理についてお話ししてきました。ここまでの話の骨格部分だけを抜き出したのが、図2・5です。戦略とは利益、しかも瞬間風速的に出る利益ではなくて、持続的な利益を生み出すための基本方策です。企業の利益水準は、業界の競争構造によって左右されます。これが第一の利益の源泉です。ただし、ここでは業界の競争構造を戦略の外にある変数として考えています（どこの業界で競争するかという、そもそもの意思決定をSPと考えれば、それは戦略に入りますが、どちらかというと競争戦略というよりも、全社戦略の問題です）。業界の競争構造がそもそも利益の

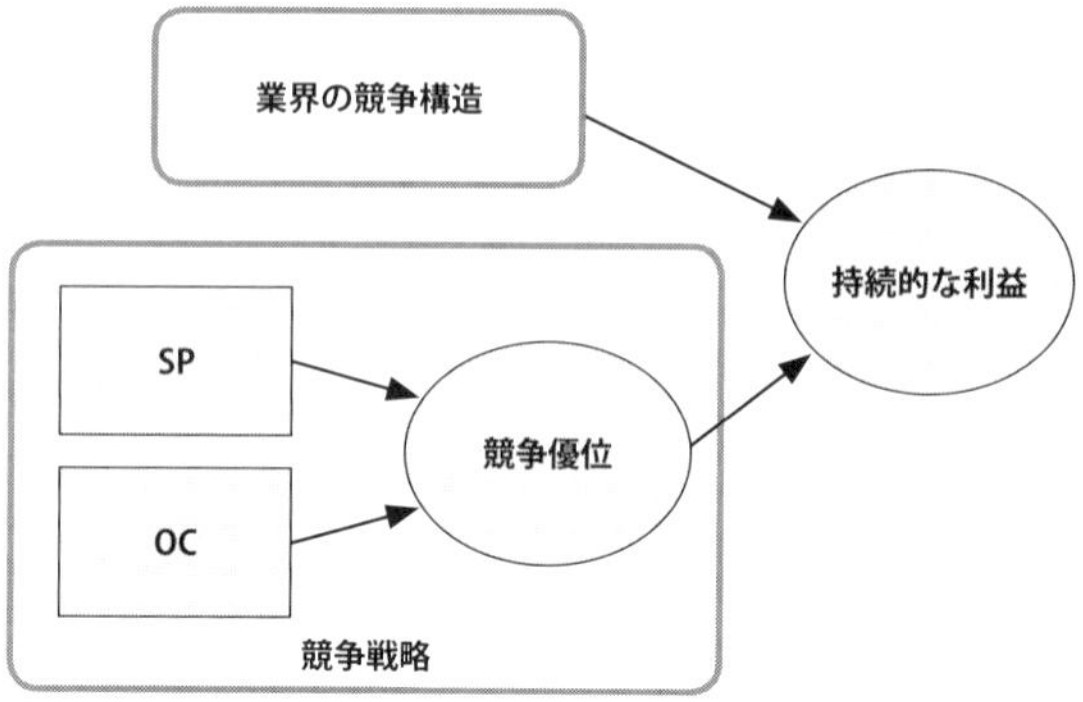

図2・5　競争優位の源泉

出やすいような魅力的なものであれば、念入りな戦略はそれほど必要なくなります。

その業界で競争している他社に対して違いをつくる。これが戦略の本質でした。厳しい競争構造に置かれた業界であっても、戦略で競争優位を構築できれば、持続的な利益を手に入れられます。「違いのつくり方」にSPとOCという二つの違った思考がありました。競争優位という山に登るには、SPとOCという二つのルートがあるわけです。SPとOCそれぞれの競争優位に対する構えを理解すること、これが思考の基盤です。

SPが明確でOCも強い、これが最強の状態です（さらに欲をいえば、魅力的な競争構造にある業界にいればさらによい）。ただし現実にはSPとOCの間にはテンションがあり、企業の戦略思考はどちらかに偏るのが普通です。このテンションにどうやって対処するかが、企業経営に突きつけられた本質的な挑戦課題となります。

以上が、この章でお話ししたかったことのエッセンスです。戦略を構成する要素は競合他社とのさまざまな違いです。S

Ｐに基づく違いもあれば、ＯＣに基づく違いもあります。こうしたいくつもの違いを因果論理で結びつけ、そこに流れと動きをつくっていくのがストーリーの戦略論です。次章では、いよいよこの本の主題である「ストーリーとしての競争戦略」という考え方についてお話ししたいと思います。

◆「三枚のお札」

「三枚のお札《ふだ》」という昔話をご存じでしょうか。私は子どもの頃この話が大好きでした。自分の娘が小さいときにもよく読み聞かせたものです。時代や地域によってさまざまなバリエーションがあるそうですが、だいたいこういうお話です。

あるお寺の小僧が和尚さまの言うことをちっとも聞かないので、怒った和尚さまは三枚のお札を持たせてお寺を追い出してしまう。小僧は仕方なく山へ行き、出会ったおばあさんの家に泊まる。おばあさんが山姥だということに気づいた小僧は、逃げ出そうとしてお手洗いへ行きたいと言うと、腰に縄をつけられてしまう。小僧はお手洗いの柱に縄を結えつけて、急いで逃げる。山姥はすごい形相で追いかけてくるが、和尚さまにもらったお札を一枚投げると、つるつる滑る氷の山が出てくる。ところが山姥は氷の山をなんとか乗り越えてくる。二枚目のお札を投げると、川が出てくる。すると山姥は水を全部飲み干して追いかけてくる。最後に三枚目のお札で火を出すが、山姥は飲み込んだ水を吐き出して火を消してしまう。もう少しで山姥に捕まるというところで小僧は命からがらお寺に逃げ戻り、和尚さまに助けを求める。すると、和尚さまは山姥と化け比べを始める。最後は豆に化けた山姥を和尚さまが食べてしまい、救われた小僧は心を入れ替えて良い子になりましたとさ、めでたし、めでたし……。

競争戦略とは、この昔話でいう三枚のお札のようなものです。競争とは「すごい形相で追いかけてくる」山姥にほかなりません。追いつかれてしまえば、利益が出なくなります。そこで一枚目のお札が出てくるわけですが、これが業界の競争構造です。もしこのお札の効き目が強力であれば（つまり、ファイブフォースでいう「魅力的な業界」に住むことができたならば）、めでたし、めでたしということで、一件落着です。ところが、そうはうまくいかないのが現実です。ファイブスターの業界はそうそうありませんし、そもそも参入障壁が高いということが「魅力的な業界」の条件の一つになっていますので、入れてもらうのは簡単ではありません。

今、幸運にも魅力的な業界の住人であったとします。しかし、氷の山が時間とともに溶けて小さくなってしまうように、「星」の数は時間の経過とともに減少するのが自然な成り行きです。かつてはハワイのように住みやすい（利益が出やすい）業界であったのに、気がついてみると宮崎になっているということになります。椰子の木が生えているのは同じですが、冬は結構寒いものです。ハワイと同じ生活スタイルでは風邪を引いてしまいます。規制緩和やグローバル化、デジタル化、情報化といったマクロレベルのトレンドは、ことごとく星の数を減らす方向に作用します。経済学の理屈からして、世の中が「合理的」になっていくほど、完全競争、すなわちゼロ星の世界に近くなっていきます。

ここで出てくるのが二枚目のお札、「戦略」です。戦略のお札にはＳＰ（戦略的ポジショニング）

とOC（組織能力）の二枚があります。どちらを先に切るかは業界や企業によりますが、まずはSPのお札を切るとしましょう。他社と違うSPに位置取りすれば競争の圧力をまともにかぶらないで済むので、利益を確保でき、めでたし、めでたしです。

ところが、話はここで終わりません。SPで一時的に成功できたとしても、そのうちにまた山姥（競合他社）が追いかけてきます。やっかいなのは、そこで選択したSPが結果的に成功すればするほど、山姥もそれだけ一生懸命に追いかけてくるということです。SPには先行者優位やトレードオフといった模倣を防止する論理（川）が組み込まれているのですが、山姥はなんとか追いつこうとするでしょう。

SPで決着がつかなければ、三枚目のお札としてOCが出てきます。前章でお話ししたように、SPの違いがシェフのレシピであれば、OCの違いは、厨房に立つ料理人の腕や使用する包丁の切れ味といった企業の内部に蓄積された能力です。優れたシェフが「意思決定」をしたところで、即座にOCが手に入るわけではありません。OCは定義からして模倣が難しいルーティンなので、他社がその能力を手に入れるためには、能力構築に向けた日々の筋トレが必要になります。山姥としても乗り越えるのには時間がかかるでしょう。しかし、他社も同じような筋トレを始めたら、時間はかかりますが、いずれはかなりの程度まで追いつかれてしまうかもしれません。

◆ストーリーは「四枚目のお札」

ここまで山姥が迫ってきたら、どうすればよいのでしょうか。そこで出てくるのが、四枚目のお札としての「ストーリー」です。今日の企業を取り巻く競争環境を考えると、特定のＳＰやＯＣの違いだけでは持続的な利益を創出しにくくなっています。持続的な競争優位の切り札は戦略ストーリーにあります。

第1章のサッカーのメタファーを使って、ストーリーとしての競争戦略という視点を改めて説明しておきましょう。図３・1をご覧ください。戦略のゴールは業界の標準以上の利益を持続的にあげること（SSP: Sustainable Superior Profit）にあります。これがサッカーでいう「得点」に相当します。得点の多いチームが「勝ち」となるというのが、競争の基本的なありようです。

個別チームの思惑とは別に、サッカーという種目は特定の競争構造を持っています（サッカーの場合はルールで競争構造が定義されています）。前章でお話ししたように、競争構造のありようは点の入り方に影響を与えます。サッカーはなかなか点が入りにくく、一〇点差をつけて勝つということはほとんどありません。ただし、こうした競争構造に置かれているのは競合チームも同じことです。得点の絶対的な大きさではなく、その業界での競合他社よりも多い得点を獲得するというのがＳＳＰの発想です。

ここで戦略の中身とは、ＳＳＰというゴールに向けて繰り出されるさまざまな「パス」を意味しています。戦略の構成要素は業界で競争している他社との違いです。パスにはＳＰとＯＣの二種類があ

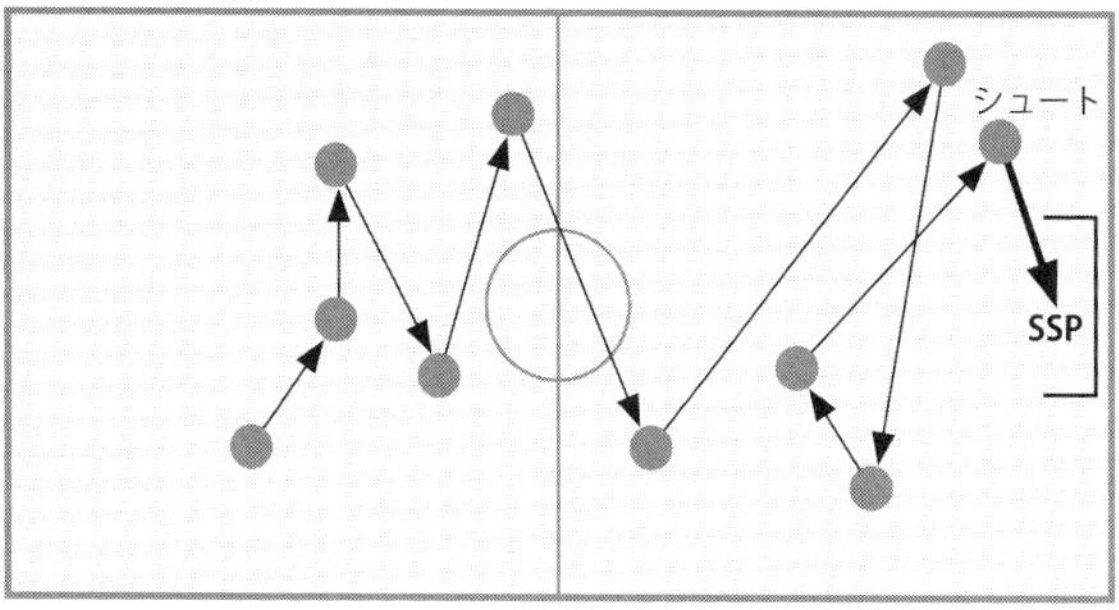

図3・1　サッカーのメタファー

ります。いずれにせよ、戦略とは、ゴールに向けてさまざまなパスを繰り出し、敵よりも多い得点をあげるためのものです。

ストーリーとしての競争戦略という視点は、そうしたパスがどのように組み合わさり、SSPのゴールへのシュートに至るのか、というパスの「つながり」に注目します。個別のSPやOCだけでは「静止画」にすぎません。「静止画」をつなげてゴールに至るパスの流れや動きを「動画」として構想する。これが、戦略をストーリーとして組み立てるということです。

ストーリーは、業界の競争構造、ポジショニング、組織能力に続く第四の利益の源泉です。同じサッカーをするにしても、他社と違うパス回しの流れを確立すれば、競争優位を獲得できるというわけです。ここで競争優位の正体は、個別の構成要素よりも、パスのつながりのほうにあります。ですから、猛烈に足が速かったり、誰もまねができないようなドリブルの個人技を持つような「ファンタジスタ」揃いである必要はありません。一人ひとりの選手がスーパースターでなくとも、ユニークなパス回しで勝負しようというのがストーリーの発想です。

デイリーファッションの小売専門店を運営するしまむらは、後ほどまた触れるように、独自のストーリーで差別化し、ストーリーを競争の武器として長期利益を達成してきた会社です。元社長の藤原秀次郎さんはしまむらの強みについて次のように語っています[1]。

仕組みを構築してしまえば、外部から推測することが難しく、まねしにくい。形だけ似たものをつくるならすぐできる。でも仕組みに立ち入って聞く人はあまりいない。実は質問できないところにポイントがある。全体の仕組みをセットで構築すれば、一部だけ他社がまねしても、まとまりとしての全体が実現できず、良い結果に結びつかない。

冒頭で紹介した「三枚のお札」のストーリーが面白いのは、登場人物(小僧や和尚さまや山姥)のキャラクターが強烈だからでも、登場する道具(氷の山や川や火)が特別だからでもありません。ストーリーを構成する要素は、昔話でおなじみのごくありふれたものばかりです。「三枚のお札」が長く語り継がれた「名作」なのは、こうした登場人物や道具立てのつながりが面白いからです。文字どおり「ストーリー」が優れているのです。

◆シュートの軸足を決める――ストーリーの競争優位

ここまでは主にスポーツにたとえて話を進めてきました。実際にビジネスの文脈で、ストーリーとしての競争戦略を組み立てるというのは、どういうことでしょうか。ストーリーを組み立てるときに、

・**競争優位（Competitive Advantage）**
ストーリーの「結」……利益創出の最終的な論理

・**コンセプト（Concept）**
ストーリーの「起」……本質的な顧客価値の定義

・**構成要素（Components）**
ストーリーの「承」……競合他社との「違い」
SP（戦略的ポジショニング）もしくはOC（組織能力）

・**クリティカル・コア（Critical Core）**
ストーリーの「転」……独自性と一貫性の源泉となる中核的な構成要素

・**一貫性（Consistency）**
ストーリーの評価基準……構成要素をつなぐ因果論理

表3・1　戦略ストーリーの5C

柱となるのは表3・1にある五つです。それぞれCから始まるので、これを「戦略ストーリーの5C」と呼ぶことにします。二つ目のコンセプトと四つ目のクリティカル・コアについては、第4章と第5章でそれぞれ詳しく論じることにして、この章ではそれ以外の三つのCについて順にお話ししていきましょう。

ストーリーとしての競争戦略は、ここまでお話ししてきたように流れを持った動画です。しかし、いきなり複雑な動画を始めから終わりまでその細部までいちどきに構想できるというものでもありません。思考の順番、つまり「終わりから考える」ことが大切です。

どんな戦略ストーリーでも、エンディングは決まっています。それは「持続的な利益創出」というハッピーエンドです。紙芝居にたとえれば、最後に出てくる一枚は「……ということで長期利益が出ましたとさ、めでたし、めでたし……」です。エンディングは決まっているので、終わりから逆回しに考えたほうが、一貫したストーリーを組み立てやすいのです。

問題になるのは、「めでたし、めでたし……」の直前の場面、つまり「利益が創出される最終的な論理」です。これはサッカーでいえば「シュート」、お話の起承転結でいえば「結」に当たります。ストーリーを構想する人は、要するになぜ点が入るのか、まずシュートのイメージを固めなくてはなりません。利益創出の最終論理というと、何やら大げさに聞こえるのですが、話はいたってシンプルですのでご安心ください。

ＷＴＰ－Ｃ＝Ｐ

これが最も根本的な利益（Ｐ）の定義です。この式にあるＷＴＰというのは、Willingness To Pay、すなわち顧客が支払いたいと思う水準を意味しています。顧客が何らかの価値を認めるから収入が発生するわけで、その大きさはＷＴＰによって決まります。当然ＷＴＰを獲得するためには何らかのコスト（Ｃ）がかかります。煎じ詰めれば、利益は「ＷＴＰからそれにかかるコストを引いたもの」です。

このように利益を定義すると、利益創出の最終的な理屈は、競合よりも顧客が価値を認める製品やサービスを提供できるか、あるいは競合よりも低いコストで提供できるかのいずれかとなります。つまり、ゴール直前のシュートには、大別して「ＷＴＰシュート」もしくは「コストシュート」の二つがあるということです。これを図式的に表現したのが図３・２です。左にあるのが、その業界で競争している企業の平均的な姿です。一定のＷＴＰが発生し、それに対してコストがかかっています。この差が利益です。戦略のゴールは業界の標準以上の利益をあげることですから、二本の矢印のギャップをいかに大きくするかというのが、ここでの基本的な問題となります。

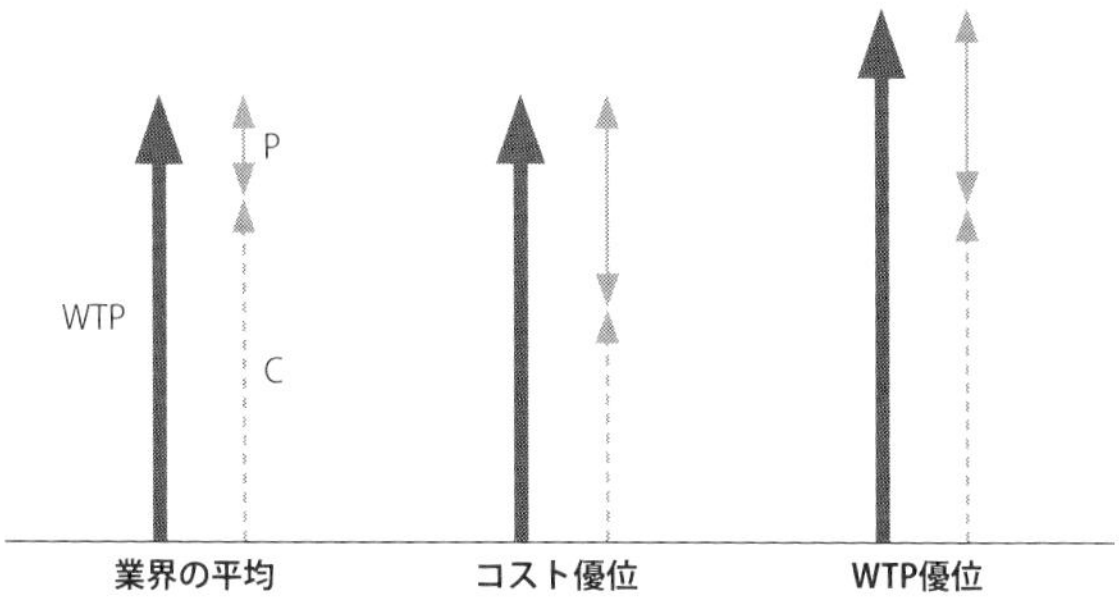

図3・2　競争優位

ありうるシュートの一つは、コストに軸足を置いたものです（図の中央）。他社と比べてＷＴＰが高いわけではありません。せいぜい競争価格でしか売れないのですが、何らかの理由でそれにかかるコストを競合他社よりも小さくすれば、利益が出る、という考え方です。一方、コストの点では他社と同等かそれ以上にかかってしまうけれども、何らかの理由で顧客がより多く（もしくはより頻繁に）支払いたくなる状態をつくる、というのがＷＴＰに軸足を置くシュート（図の右）です。

厳密にいえば、「低価格戦略」という言葉はありえません。それは「高コスト戦略」という言葉が非常に奇妙に聞こえるのと同じ理由です。戦略ストーリーのゴールは長期利益にありますので、シュートは「なぜ儲かるのか」に対する答えになっていなければなりません。「低価格」と「高コスト」はいずれもＷＴＰとコストのギャップを圧迫し、利益を小さくする方向に働きます。これでは儲からなくなる理屈になってしまいます。

シュートになりうるのは、「低価格」ではなく、あくまでも「低コスト」のほうです。低コストの裏づけがあれば、状況によっては攻撃的な低価格を仕掛けることもできるでしょう。しかし、低コストであったとしても必ずしも低価格にする必要はありません。シュートの軸足を決めるときには、価格とコストを分けて考えるのが基本です。たとえば市場でのプレゼンスを短期間で高めるとか、規模の経済や経験効果をねらって一気に生産量を増やすというような意図で、低コストの達成に先行して「戦略的」に低価格に踏み切ることはもちろんありえます。しかし、その場合は先行的な低価格という打ち手が他の打ち手とどのように連動して最終的に利益創出のシュートにつながるのか、そのストーリーがきちんと描かれていることが条件になります。

基本的には競争優位の最終的な中身はこのどちらかなのですが、もう一つ、「そもそも競争があるから利益をあげにくいのであって、競争がなければそれに越したことはない」という第三のシュートがあります。相手チームがいて、そこに競争があるからなかなか点が入らない、だとしたら、そもそも競争がなければ、相手に邪魔されずにＰＫをやるようなものだから、ほぼ確実に点が入るのではないか、というのが第三のシュートの基本的な発想です。これは要するに「独占」による無競争状態をつくるということです。ただし、自然に市場全体を独占することは普通はできません。どうするかというと、業界全体を相手にせずに、競争の土俵を自ら特定のセグメントや領域に狭く絞り、その範囲に限定して事業を行うことによって、事実上競争がないような状態をつくる、すなわちニッチに特化するというのが第三のシュートの中身になります。

シュートの軸足問題を自動車業界に当てはめて考えてみましょう。コストに軸足を置いている企業の代表選手はトヨタ自動車です。トヨタの利益創出の最終論理は、「さまざまな無駄をなくしてコストを他社よりも低くすれば、（たとえ競争価格で売ったとしても）利益が出る」というものです。これがストーリー全体の最後のシュートの部分です。このシュートに向けて、トヨタはさまざまなパス（他社との違い）を繰り出します。カンバン方式に基づくＪＩＴ（ジャスト・イン・タイム）の部品調達、生産ラインでの「自働化」による問題解決、平準化生産……。このような、今では有名になったトヨタの打ち手は、それまでのアメリカの自動車業界で支配的だった「フォードシステム」とことごとく違っていたわけですが、それと同時に、そうした打ち手がすべて「無駄をなくしてコストを下げる」というシュートにつながっています。今日「トヨタ生産方式」（ＴＰＳ）として広く知られているものは、こうしたさまざまなパスがコストシュートに向かってつながったストーリー全体のことを意味しています。

ＷＴＰに軸足を置いている企業としては、メルセデス・ベンツ、ＢＭＷ、アウディといった名前が挙がります。こうした企業はシュートの軸足をＷＴＰに定め、それに向かってさまざまなパスを繰り出し、つなげています。トヨタと違ったストーリーで、利益という得点をたたき出そうとしているわけです。

ニッチシュートの自動車メーカーはどこでしょうか。ニッチをねらい、無競争状態をつくり出す。これがどういうことかは、顧客の立場に立って考えてみるとわかりやすいでしょう。無競争とは、その顧客がアタマの中に他の選択肢を持っていないということにほかなりません。フェラーリやロールス・ロイスがこれに当てはまるでしょう。フェラーリを買うような人は（私は買ったことがないので推測ですが）、初めからフェラーリしか考えていないのであって、他の車は端から考えていません。ＢＭＷも高価な車ですが、ＢＭＷを買うような人は「ＢＭＷにしようかな、メルセデスにしようかな、レクサスもイイね……」と他の車もアタマの中で選択肢として持っています。これでは「競争している」ので、「ニッチで無競争」にはなりません。

だとすると、フェラーリにとって一番大切なことは何でしょうか。ニッチ企業が利益を獲得できる論理は無競争にしかありません。無競争状態を維持することが戦略のカギになります。そのために何ができるかといえば、要するに「売れるだけ売らない」ということです。売れそうになっても、我慢して売らない。積極的に注文を断る。絶対に成長をめざさない。これができて初めてニッチシュートが成り立ちます。

フェラーリは年間わずか数千台を製造して販売しています。「年間に数千台の需要しかないマーケットに、わざわざわれわれが高いオーバーヘッドを抱えてまで参入する意味はないね。放置しておくにやぶさかでない……」という合理的な判断が他社の側にあるからこそ、フェラーリは無競争を維持できるのです。仮にフェラーリのあるモデルが大ヒットして、世界中で何万台も売り、シェアを拡大し、成長を実現したとしましょう。たぶん、BMWあたりがスーパーカーのセグメントに参入する（少なくとも参入を検討する）でしょう。そうなってしまえば、フェラーリの伝説や名声はブランドとして残るでしょうが、生産能力、開発力、ディーラーのネットワーク、アフターサービスといった実質的な競争の武器では大人と子どもの勝負です。フェラーリは相当に苦戦するでしょう。

奥山清行さんは、かつてイタリアのピニンファリーナのデザイン総責任者として、フェラーリのスーパープレミアムカー「フェラーリ・エンツォ」をデザインした人です。奥山さんから面白い話を聞きました。フェラーリには需要よりも一台少ない数をつくるという絶対の社訓があるそうです。エンツォのときも、当初の計画段階で絶対確実な需要を四〇〇台と見込み、それから一を引いた三九九台が生産の上限とされました。

もちろんこれはきわめて控え目な予測に基づく数字で、実際の購入希望者は三〇〇〇人にのぼりました。三〇〇〇人の購入希望者は、まず一〇％の手付金を支払わなければなりません。エンツォは「普通のフェラーリ」よりもさらに特殊なスーパーカーで、日本円に換算して八〇〇〇万円近くという新車価格がつけられました。フェラーリはこのお金を銀行に入れたうえで、これまでのフェラーリの使用経験とか、フェラーリクラブに入っているかとか、さまざまな条件をもとに時間をかけて実際に販売する顧客を三九九人選びます。こうして選ばれた幸運な人々が、ようやくフェラーリ・エンツォを手にすることができたわけです。

これはエンツォというごく特殊な「スーパー・スーパーカー」の例ではありますが、フェラーリの経営は、ごく小規模の生産でビジネスを成り立たせるためのさまざまな工夫が凝らされています。社員規模でいえば三〇〇〇人程度の会社ですが、その内訳はF1レース関連に六〇〇人、開発が四〇〇人、あとは生産部門の従業員です。フェラーリにはそもそもデザイン部門がありません。デザインは奥山さんのいたピニンファリーナのようなデザイン会社に外注します。エンジニアリングにしても、フリーのエンジニアを社外から結集し、特定の課題に対応したプロジェクトを走らせ、仕事が終わるとチームを解散するというような柔軟なやり方がとられています。

フェラーリというと豪勢にコストをかけて開発・生産をするようなイメージですが、実際の総コストを見ると、一モデルの開発費は大手の企業よりもはるかに低い水準に抑えられています。それもこれも、販売する台数を限定し、「売らない」ということがニッチをシュートとした経営の根幹にあるからです。

ストーリーを構想する第一歩としてシュートの軸足を定めなければならないのは、①WTP、②コスト、③ニッチ特化による無競争、の三つのシュートの間にトレードオフの関係があるからです。もちろん①と②を同時に実現できればそれに越したことはないのですが、WTPシュートにつながるパスとコスト低下につながるパスとの間には、あちら立てればこちらが立たぬの関係があるのが普通です。①および②と③のシュートの間にもトレードオフがあります。「成長を実現しつつ、無競争で利益を出す」というのには無理があります。フェラーリの例にあるように、成長に対するストイックな姿勢が、無競争のニッチを維持する前提条件だからです。

「すき間市場をねらう」というような言い方で、ニッチの戦略は多くの会社でしばしば議論に上ります。しかし、多くの場合は「ニッチに特化する」といった次の瞬間に、「年間二〇％成長をめざす」というように、筋が通らないというか、論理がねじれた話になりがちです。本当にニッチに焦点を定めて無競争による利益を追求するのであれば、成長はめざしてはいけないことだからです。成長し、ある程度の規模の市場になれば、競争相手が利益機会を求めて参入してくるはずですから、ニッチがニッチでなくなってしまいます。そうなれば、そもそもの利益創出の最終的な論理も崩れてしまいます。ストーリーの最後にくるシュートは、あくまでも「なぜ儲かるのか」という論理にこだわるものでなくてはなりません。最後のところでの利益創出の論理が甘くなると、ストーリー全体が台無しになってしまいます。

ＷＴＰシュートの企業にとっても、もちろんコストが低いことは大切です。コストシュートの会社であっても、ＷＴＰを無視してよいわけではありません。ポルシェは極端にＷＴＰですし、インドのタタ・モーターズはあからさまにコストに軸足を置いています。ポルシェと比べると、ＢＭＷはＷＴＰといってもややコスト寄りですし、トヨタはタタと比べればＷＴＰを重視しています。比較の問題としては、このようにＷＴＰとコストのバランスをとっていくというシュートもありえます。何らかのバランスを意図する企業のほうがむしろ普通でしょう。トヨタのシュートはややコスト寄りのところで、結果的にコストとＷＴＰとの程よいバランスをとっているといえます。

シュートの「軸足を定める」というのは、この二つがバッティングしたときにどちらをとるかをはっきりさせておくということです。トヨタであれば、コストとＷＴＰがバッティングしたときは基本的にコストの要請を優先させるでしょうし、ＢＭＷであればＷＴＰを優先させるでしょう。シュートの軸足がはっきりしていないと、どのようなパスを出し、どうつなげていくべきか、戦略のストーリーを組み立てにくくなってしまいます。リーダーがいきなり「ＷＴＰを上げて、同時にコストを下げる！　さあ、頑張れ！」と言ってしまうと、具体的なパス回しが構想しにくくなります。あげくの果てに「うまくやれ……」という無戦略状態に陥りかねません。

繰り返し強調しますが、戦略ストーリーは終わりから組み立てていくべきものです。起承転結の「結」をまずはっきりイメージすることが先決です。シュートの軸足の選択は、ストーリーの基本的な性格を決め、ストーリーを構成するあらゆる要素に影響を及ぼすという意味で、重要な分かれ道になります。人間でいえば血液型のようなものです。Ａ型とＢ型を混ぜればＡＢ型になるというよううな気軽な話ではありません。血液が固まって死んでしまいます。

トヨタにしても、WTPをシュートにするブランドとしてレクサスを立ち上げたときは、シュートの軸足がぶれないように、わざわざ従来のトヨタと違ったストーリーを別立てで用意するという大変な投資をしています。最終的に意図する競争優位の変更は、このようにストーリーの全面的な書き換えを必要とするのが普通です。シュートのありようはその手前にあるあらゆるパスを規定します。だからこそ、ストーリーは終わりから発想するべきなのです。

◆パスを出す――ストーリーの構成要素

シュートの軸足が定まったら、いよいよシュートに向けたパスを繰り出すことになります。一つひとつのパスは他社との「違い」であり、これが戦略ストーリーの構成要素になります。これまでもたびたび触れてきたマブチモーターの事例を使って、説明していきましょう[2]。すでに見てきたように、マブチはコストにシュートの軸足を置き、それにつながるさまざまなパスを繰り出しています。主要なものを四つリストアップしてみましょう。

・ブラシつき小型モーターに特化
・製品の標準化
・中国をはじめとするアジアでの海外直接生産

・一極集中の営業体制による直接販売

これらのパスがそれぞれコストダウンにつながる論理を持っています。大量生産をすれば「規模の経済」という論理で単位当たりの生産コストが下がります。そのためにはいろいろなものをつくっていては量が稼げないので、ブラシつき小型モーターに特化しています。ブラシつき小型モーターは数あるモーターの製品分野の中でも、最も技術的に成熟したコモディティなので、低コストで競争するのに適しています。

製品分野を絞るだけでなく、マブチはどの顧客に対しても同様のスペックの小型モーターを提供するという「標準化」を進めました。マブチの手がける小型モーターは当初は玩具に使われていました。この頃の小型モーターは、セット（最終製品）メーカーからの特定仕様の注文を受け、それに合わせて生産されていました。セットメーカーは自社の製品の差別化を行おうとしますから、それに内蔵するモーターも少しずつサイズや特性を変えなければなりませんでした。この時代の小型モーターは典型的な多品種少量生産の製品でした。これに対してマブチは、限られた種類の標準モーターへと製品の間口を狭め、受注生産だったモーターを計画に基づく見込み生産へと転換させました。これによって少品種大量生産によるコストダウンが可能になりました。

中国やアジア諸国で直接生産をすれば、直接労務費が安いために、コストを下げることができます。営業拠点を一極に集中させ、少ない人数で全世界に直販すれば、営業にかかわるコストを減らすことができます。二〇〇〇年の時点で、マブチの営業担当者は海外を含めて八〇人程度しかいませんでし

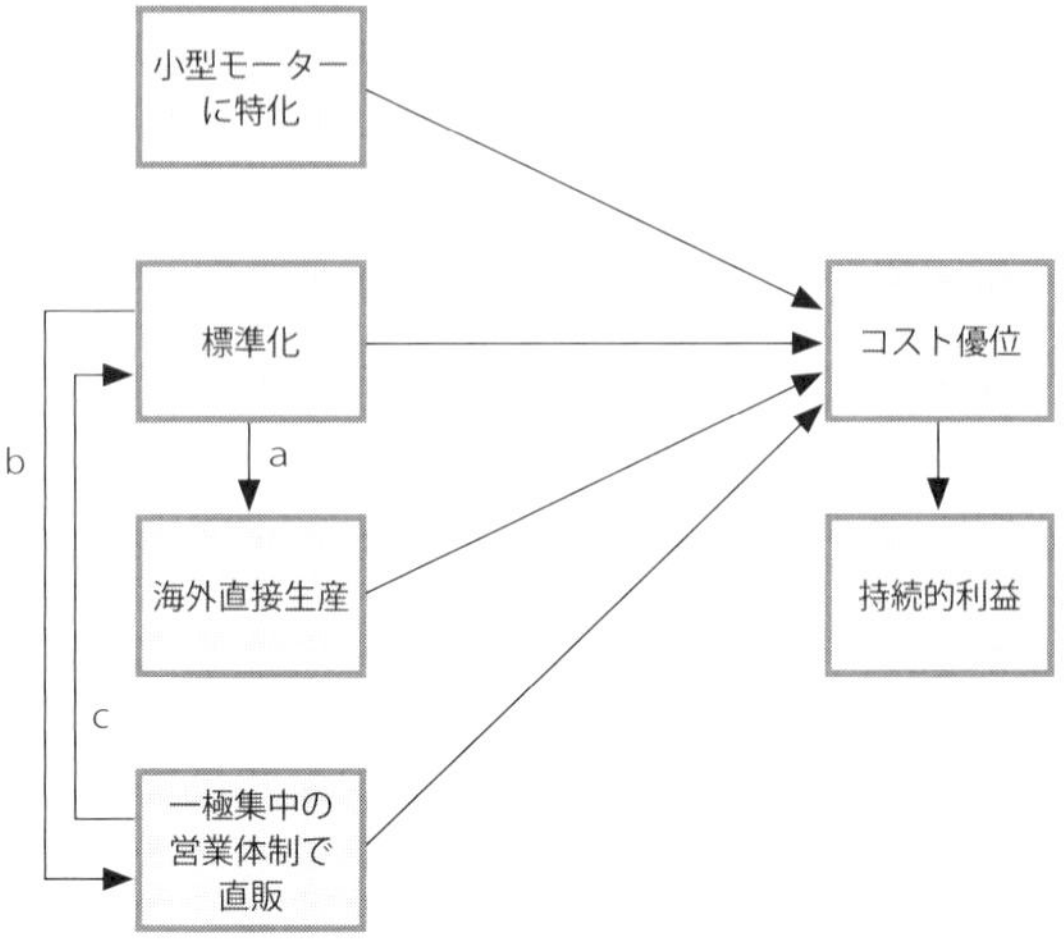

図3・3　構成要素のつながり

た。国内の営業拠点も千葉県の松戸本社に置かれているだけで、支店や営業所はありませんでした。このように、四つのパスは低コストというシュートに向けた「縦パス」になっています（図3・3）。

一方で、これらのパスの間には横のつながりの論理も組み込まれています。標準化を他の構成要素とつなぐパスを見てみましょう。

モーターを標準化すれば、同じものを繰り返しつくればよいので、中国での低廉な非熟練労働力を使いやすくなります（図3・3のaのパス）。マブチは一九六四年には早くも海外での直接生産を始めています。もしさまざまなモーターを受注生産で組み立てていれば、早い段階での海外生産は困難だったでしょう。

一極集中型直販体制は、それ自体間接費を薄くすることによってコストダウンに貢献するのですが、それ以上に重要なのは、モーターが標準化されているため、受注生産型のモーターと比べて、そもそも大人数の営業部隊が必要なくなるという横方向の因果経路があるということです（図3・3のb）。顧客が欲しいと思う真に魅力あるモーターであれば、売込み活動をしなくても売れるはずだという考え方です。

逆向きの因果論理もあります。マブチの営業の果たすべき役割は、モーターを売ることではなく、市場が求めているモーターを開発部門にフィードバックすることにあります。ある用途のモーターを開発する場合、その製品のメーカーが一〇社あるとすれば、まず営業がそれらを回って情報を収集する。代表的なメーカーとは、そこの技術部門の開発担当者と会って、モーターに求める最も重要な機能や仕様は何かを知る。この情報を受けて開発すべきモーターのスペックを設定し、こういうスペックの標準モーターを開発すれば一〇社のうち七〜八社はカバーでき、そのときの売上とシェアの見込みはこうなる……、という標準化に向けたマーケティングをするのが営業の役割です。標準化に成功すれば、事後的な売込みの必要がなくなるので、営業が標準化に向けたマーケティングに集中でき、ここで蓄積されたノウハウやネットワークが、さらに効率的で効果的なモーターの標準化を可能にするという好循環です（図3・3のc）。

このように、戦略ストーリーはさまざまなパスの縦横のつながりでできています。

◆パスをつなげる――ストーリーの一貫性

ストーリーとは、二つ以上の構成要素のつながりです。「パスのつながり」こそがストーリーとしての競争戦略の分析単位になります。個別のパスの良し悪しは、それ自体では評価できません。そのパスの有効性は、他のパスとのつながりの文脈でしか決まらないからです。静止画と動画の分かれ目がパスのつながりです。個々のパスは「静止画」にすぎません。パスが縦横につながり、シュートまで持っていけたとき、戦略は静止画から動画のストーリーになります。

ストーリーが優れているということは、パスが縦横にきちんとした因果論理でつながっているということを意味しています。戦略ストーリーの評価基準はストーリーの一貫性（consistency）です。一貫性の次元として、次の三つが考えられます。

・ストーリーの強さ（robustness）
・ストーリーの太さ（scope）
・ストーリーの長さ（expandability）

つまり、強くて太くて長い話が「良いストーリー」というわけです。それぞれについて順に説明していきましょう。

1 ストーリーの強さ

今、話を単純にして、XとYという二つの構成要素の間のつながりを考えます。ここでつながりとは、XがYを可能にする（促進する）という因果論理を意味しています。たとえば「量産すればコストが下がる」という因果関係は、規模の経済という論理に基づいています。

ストーリーが「強い」ということは、ⅩがＹをもたらす可能性の高さ、つまり因果関係の蓋然性が高いということです。「量産すればコストが下がる」という因果関係は、「テレビＣＭをやればＷＴＰが上がる」という因果関係よりも、一般的にいってより確からしく、したがって、より「強い」ストーリーだといえるでしょう。もちろん本当にそうなるかどうかは、やってみなければわからないのがビジネスの常なのですが、論理的な蓋然性でいえば、前者のほうが強そうです。

マブチモーターの事例に話を戻しましょう。低コストというシュートをもたらすのは「大量生産」というパスです。ここまでならごく単純な規模の経済ですから、誰でも思いつきます。問題は、どうすれば大量生産が可能になるかということです。大量生産ができなければ、このストーリーは成り立ちません。そこで、マブチは「標準化」というパスを打ち出しました。標準化を実現すれば、それまでの多品種少量生産の時代に比べて、一つのモデルを生産する量は確実に大きくなりますから、ここでコストダウンに向けたストーリーはより強さを増します。

ところが、どのようにモーターの標準化に持ち込むかという問題がまだ残っています。マブチが大きく成長したのは、一九七〇年代にラジカセなどの音響機器向けモーターに参入し、そこで標準化を通じてコストを大きく引き下げ、トップシェアを固めたことにありました。ところが、音響機器業界は競争が激しく、差別化にしのぎを削るセットメーカーは、当初は自社の仕様要求に合わせたモーターしか受け入れませんでした。

しかも、当時のマブチは「玩具に使われるモーターのメーカー」としか見られていませんでした。

ソニー、日立、東芝といったセットメーカーにしてみれば、いったん製品に組み込んだ後で故障や不具合が出てしまえば、自社の事業にとって致命傷になります。新規参入のマブチには、音響機器業界での知識やセットメーカーへの納入実績がほとんどありませんでした。標準化が大量生産を可能にするとしても、このような状況では、標準化に持ち込むことは容易ではありません。

そこで、マブチは標準化を実現するために二つのパスを繰り出しました。一つは、業界トップでない、二番手、三番手のセットメーカーを当初のターゲット顧客にするというものです。標準化は大量生産によるコストダウンのためのパスですから、素朴に考えれば業界トップの大口顧客をターゲットにしたほうがよさそうです。しかし、トップ企業はマブチのような新規参入業者との取引に消極的です。そこでマブチはまずシャープにアプローチしました。しかも、当初はシャープの開発部門の要求する仕様を受け入れたモーターを納入しています。その後で標準モーターに切り替えるという二段階作戦です。二段階作戦をとれば、初めに特殊仕様のモーターをより高い価格で買っているだけに、標準モーターにコストメリットがあり、小さな設計のこだわりにはそれほどの意味がないことを顧客に実感させることができます。

ところが、こうした業界中位のセットメーカーとの取引だけでは、肝心の生産量の確保が思うようになりません。そこでマブチが繰り出したもう一つのパスは、サブ・アセンブラーへの販売です。当時のラジカセ業界には、テープレコーダーの回転機構部分を組み立てて、セットメーカーに納入する、「メカニズムメーカー」と呼ばれる一群がありました。当時最大のメカニズムメーカーはタナシン電機でした。タナシンはマブチにとってラジカセ向け標準モーターの初めての大口顧客となりました。

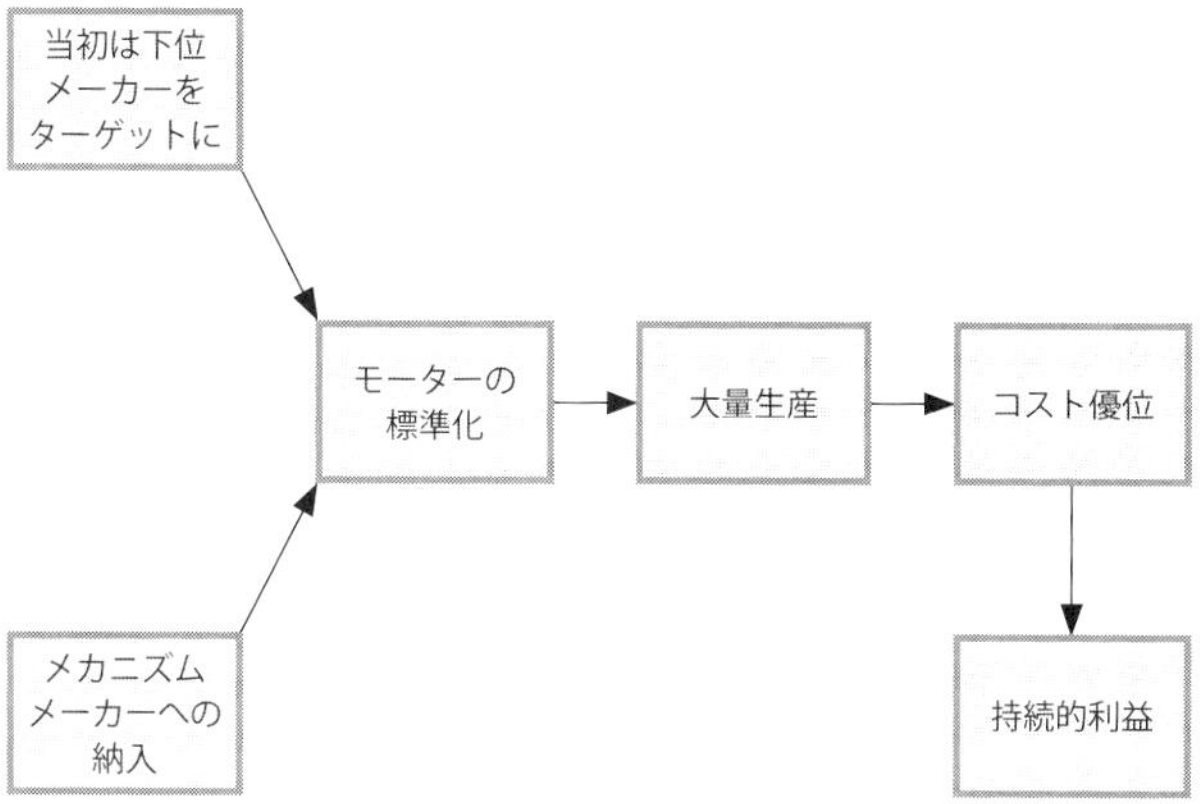

図3・4　ストーリーの「強さ」

メカニズムメーカーへの販売は、標準化のストーリーを「強く」するものでした。タナシンはさまざまなセットメーカーにメカニズムを納入している独立系サプライヤーであり、メーカーごとの特殊仕様にはそもそもこだわりがありませんでした。むしろ、タナシンにとっても、メーカーごとの特殊仕様は悩みの種で、モーターそのもののコストと、製造ラインのオペレーションコストを改善するという意味で、モーターの標準化は渡りに船だったのです。マブチにとっても、ラジカセ業界での経験が豊かなタナシンとの関係は、回転数などの標準モーターのスペックを決定するうえで重要な情報の窓口になりました。

タナシンへの標準モーターの販売で大量生産を実現し、規模の経済を獲得したマブチは、その後、低価格を武器に、ソニーや東芝などの上位メーカーにも標準モーターを納入するようになりました。こうしてラジカセ向けモーターにおいて、マブチは標準モーターで圧倒的なシェアを持つに至りました。その背後には、図3・4にある

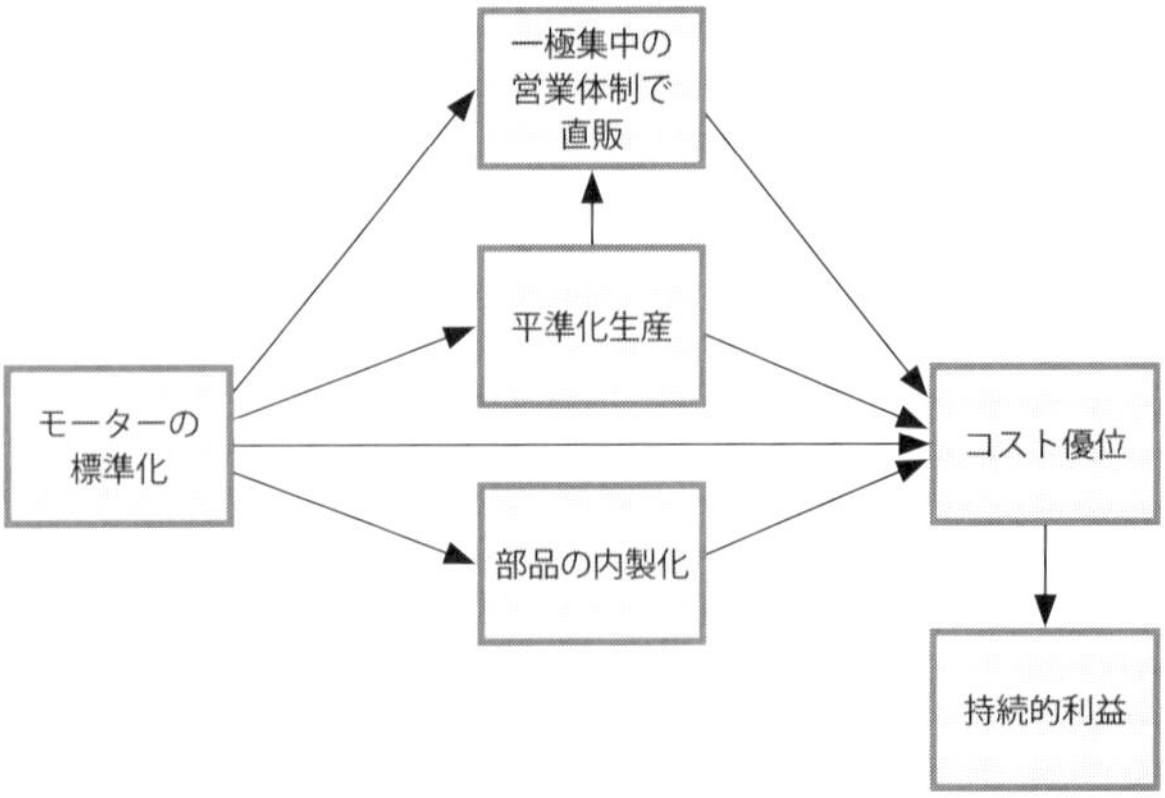

図3・5　ストーリーの「太さ」

ようなコストシュートに向けた一連のパスのつながりがありました。小型モーター業界では、多くの企業が大量生産によるコストシュートを意図するのですが、マブチのストーリーで重要なポイントは、大量生産につながる強いパスとして標準化という手をとったということと、その背後にさらにストーリーを強くするパスのつながりがあったということです。

2 ストーリーの太さ

優れた戦略の二つ目の条件は、ストーリーの太さです。「太さ」とは、構成要素間のつながりの数の多さを指しています。一石で何鳥にもなるパスがあれば、その分ストーリーは太くなります。

マブチモーターの「標準化」は、コストシュートに向けた「強い」パスであると同時に、つながりを持つ要素の範囲がやたらと「太い」パスでもあります（図3・5）。すでに見たように、標準化は「一極集中の営業体制で全世界に直接販売」ともつながり、相互に強化し合う関係にあります。

これ以外にも、標準化は海外直接生産ともつながりを持っています。直接労務費が安い国でアセンブリをすることは、いうまでもなく低コストをもたらします。しかし、さまざまなセットメーカーからの特殊仕様を受け入れていたならば、海外での円滑な生産は困難になるでしょう。限られた種類の標準化されたモーターを繰り返し大量に組み立てるという仕事であれば、それだけ未熟練労働者を活用しやすくなります。

標準化は「平準化生産」ともつながっています。ごく初期の頃は、マブチも玩具や家電製品向けにセットメーカーごとの特別仕様のモーターを供給していました。当時のマブチは大きな需要の波に直面していました。たとえば、春頃から生産がだんだん忙しくなってきて、夏にピークを迎え、一〇月にはどんと注文が減る。半年間忙しい思いをして、半年間は暇になるということを毎年繰り返していました。特にヒットした商品ともなると、いっぺんに今までの三倍や五倍というオーダーが来る。残業をしても休日出勤をしても間に合わない。その反面、ヒットが終わってしまうと、一気にラインの稼働率が下がる。せっかく仕事に慣れてきて、生産性が上がってきたところで、作業者を解雇しなければなりませんでした。こうした経験から、当時のマブチは平準化生産の必要性を強く感じていました。

モーターの標準化は、平準化生産を可能にするパスでもあります。モーターのスペックを標準化しておけば、計画的に一年を通じて同じ量を計画的につくり続けることができます。その時期にすべてが売れなくても、標準モーターであれば在庫販売が利くからです。仕事に慣れた作業者を使い続けることもできます。生産性が向上し、不良率も下がります。何よりも、設備効率が飛躍的に高まります。

標準モーターを平準化生産にかけ、一定期間の在庫を持って販売するというやり方は、すでに見た「わずかな人数の一極集中的な営業体制」という販売のパスともつながっています。こうした営業体制でも仕事が回るのは、注文に応じて在庫から製品を供給できるからです。

標準化は「部品の内製化」ともつながっています。標準化以前のマブチは、設計は自社でやるにしても、部品は極力外部から調達していました。これは前述した当時の需要の大きな変動に対処するためにも必要でした。ところが、標準化によって計画的な大量生産ができるようになると、部品も内製することができます。これによって部品のコストも飛躍的に低下し、モーター自体のコスト競争力も向上しました。

このように、「標準化」はシュートに向けた縦パスの「つながりの強さ」をもたらしただけでなく、ストーリーを構成する他のさまざまな要素とも横につながっていることがわかります（図3・5参照）。「標準化」はそれを取り巻くパスと同時に複数のつながりを持っており、しかもそれらのパスがいずれも「大量生産によるコストダウン」というシュートと因果論理で結ばれています。「太さ」の点でも、マブチの戦略ストーリーは秀逸だったといえるでしょう。

3 ストーリーの長さ

ストーリーの長さとは、時間軸でのストーリーの拡張性なり発展性が高いということを意味しています。反対に、パスの間に強いつながりがあっても、将来に向けた拡張性がなければ、それは「短い話」で終わってしまいます。

ここでいう話の長さというのは、ある戦略を説明するときに要する物理的な時間の長さを意味しているのではありません。「くどくど説明しなければいけないような戦略は成功しない」[3]というのはそのとおりです。論理があいまいで、説明にダラダラと時間がかかってしまうという意味での「長い話」が良くないのはいうまでもありません。論理がきちんと突き詰められていれば、話はシンプルになります。その意味での「短い話」はむしろ歓迎です。

ここでいう短い話とは、ストーリーを構成する因果論理のステップが少ないということを意味しています。逆に、長い話とは、因果論理が前へ前へとつながっていき、ストーリーに拡張性や発展性があるということです。「それで、どうなるの?」という問いに対して、次々と答えが繰り出される、これが話の「長さ」です。

パスの間にある種の好循環を生み出す論理が組み込まれているほど、ストーリーは「長く」なります。マブチのケースでいえば、標準化と大量生産によるコストダウンとの間には、典型的な好循環の論理が読み取れます。標準化により量産を実現し、規模の経済を通じてコストを落とすことができれば、特殊仕様から標準モーターにスイッチする企業がますます増えます。マブチが音響機器業界でモーターの標準化を進めたときのように、いずれは業界トップのメーカーも標準モーターを使うようになります。マブチの標準モーターが業界に広く受け入れられれば、ますます販売量が拡大し、同じモデルの大量生産による規模の経済が実現できます。

標準モーターが業界で定着すると、今度は単なる価格以上のメリットが生まれます。それは不確実性への対応です。セットメーカーは、モーターを発注するうえで一定のリードタイムを見込んでおかなければなりません。あるモデルがどれだけ売れるか、それに合わせてどれだけ生産するか、こうした意思決定は当然予測に基づいています。予想以上に大ヒットした場合でも、標準モーターであればマブチ側で在庫を持っておくことができますから、需要に柔軟に対応して、短納期で大量に供給できます。予測に反してそのモデルが売れず、セットメーカーの側でモーターの在庫を抱えてしまったとしても、標準モーターであれば複数のモデルで共用できるので、在庫のリスクは小さくなります。

モーターの標準化は、顧客であるセットメーカーにも柔軟性をもたらしたといえます。このような使い勝手の良さに味をしめたセットメーカーは、将来にわたっても標準モーターを前提に製品を設計するようになります。ますます規模の経済によるコストダウンが可能になるという成り行きです。

玩具向けモーターで市場を支配したマブチは、同様のストーリーを異なる市場に横展開していきました。家電製品への用途市場の拡大が初期の例です。マブチは、それまで家電製品で使われていたより高価格のモーターを低価格の標準化されたブラシつきモーターへと次々に代替してきました。ヘアドライヤー向けモーターとして始まった「RSシリーズ」が、あとにシェーバーへと広がっていったのがその典型例です。

ヘアドライヤー用のRSシリーズモーターの取引を通じてマブチを高く評価した内外の有力メーカーは、のちにシェーバー用モーターもマブチに注文するようになります。その一つがドイツのブラウンでした。ブラウンはシェーバー業界で最も強力なブランドを確立していました。その「世界最高の性能」の要素の一つが、シェーバーで採用しているドイツの国内メーカー製のコアレスモーターでし

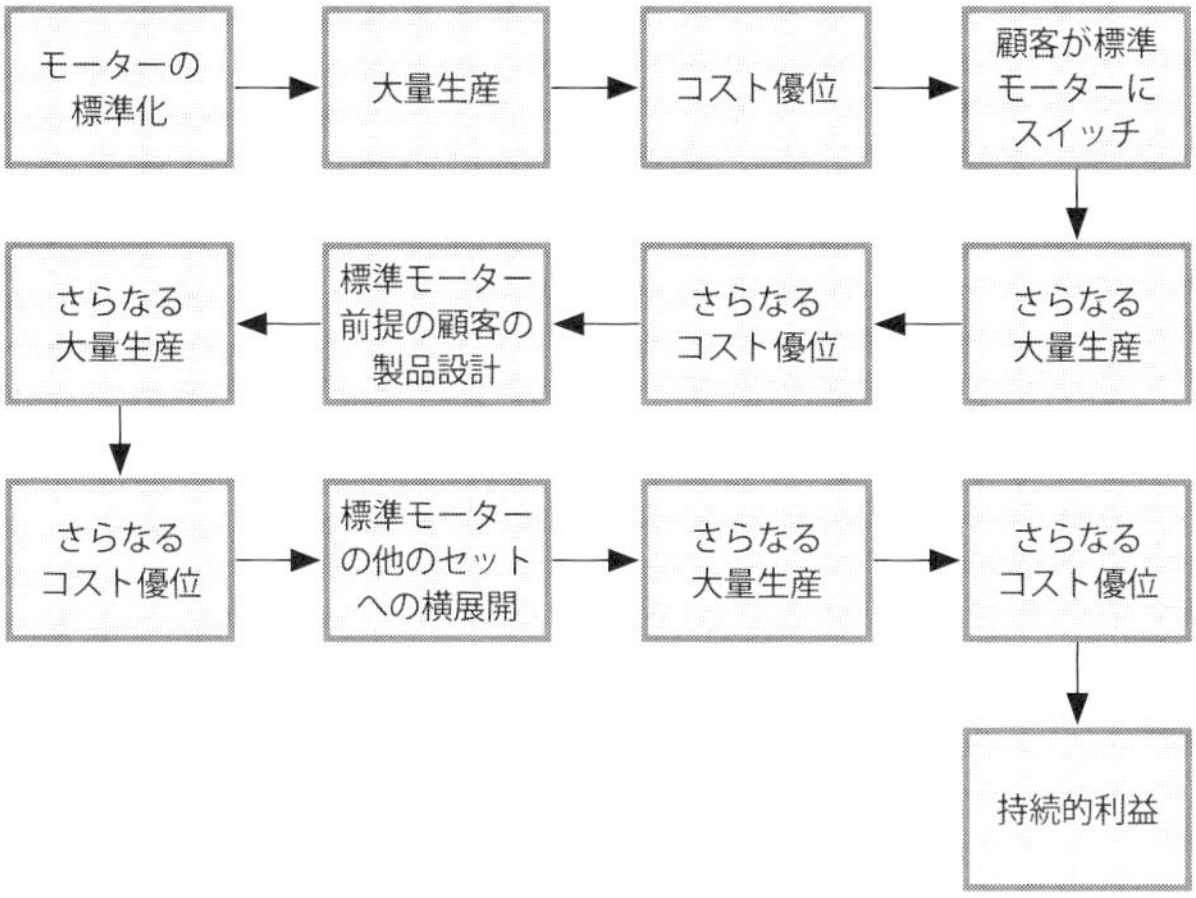

図3・6　ストーリーの「長さ」

た。しかし、コアレスモーターはマブチが手がけるブラシつきモーターと比べてはるかに価格が高く、一四〇〇円前後の単価でした。シェーバー業界の競争が激しくなる中で、コストダウンの必要性に直面したブラウンは、マブチにコアレスモーターの生産を求めました。

しかし、マブチはコアレスモーターの生産を断りました。技術的にコアレスモーターをつくることは可能でしたが、コアレス向けの新規の生産設備投資は、標準化による低価格の実現と安定供給という戦略に合致しなかったからです。マブチモーターは、従来のブラシつきモーターでコアレス並みの性能が出れば問題ないのではないか、とブラウンに持ちかけました。すると、ブラウンは一〇〇〇円ぐらいの価格を要求してきたそうです。

マブチは既存のＲＦモーターを改良し、コアレスよりも小さく、応答性が高いモーターの開発に成功します。試作品を受けたブラウンはテストを繰り返した結果、マブチの製品に満足したのですが、それ以上に驚いたのは、要求水準の一〇〇〇円に対して、マブチが一〇〇円台の価格を提示してきたことでした。「初めは特別あつらえの高価なモーターを使うメーカーも、やがて市場がこなれてきて競争が激しくなると、必ずモーターはマブチ、ということになる」、これが当時の社長の馬淵隆一さんの構想したストーリーでした。

マブチは、家電製品、音響機器に始まり、精密機器、コンピュータ周辺機器、デジタルカメラなどのデジタル家電、自動車部品業界といった新しい応用先に段階的に参入し、新しい市場に同じストーリーを持ち込むことによって持続的な成長を実現しました。いずれの市場でも、ここでお話ししたような標準化のもたらす好循環の論理がマブチにコスト競争力をもたらしました。このようなマブチの「長いストーリー」をまとめたのが、図3・6です。

標準化を中核にしたマブチの戦略ストーリーは、「強さ」と「太さ」に加えて、「長さ」の点でも優れていたわけです。強くて太くて長いストーリーを構想したことが、日本の小さな町工場にすぎなかったマブチを世界的な企業へと発展させる原動力となったのです。

◆筋の良さ

ストーリーの流れをつくる因果論理の「強さ」「太さ」「長さ」の三つを基準にして、筋の良い戦略ストーリーと筋の悪いストーリーの「パス回し」のイメージを対比したのが、図3・7です。いずれのストーリーも最終的なゴールは長期利益で、八つのパス（打ち手）でストーリーができているので

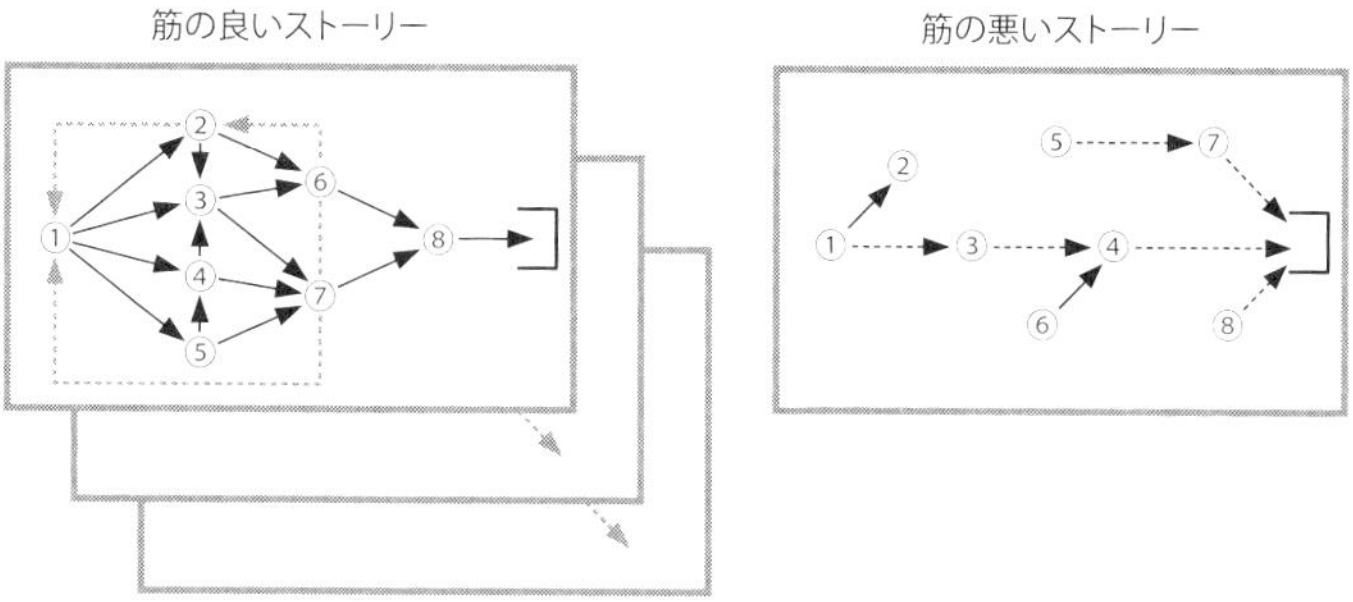

図3・7　ストーリーの「筋の良さ」

すが、そのつながりに大きな違いがあります。

図の左にある「筋の良いストーリー」では、一つひとつのパスが明確な因果論理でつながっています（太い実線の矢印）。これはストーリーの「強さ」を意味しています。ゴールへと向かうパスだけではなく、②から③、④から③の矢印にあるように横方向にも打ち手を強化し合う因果論理が組み込まれています。この図の一番左にあるパス①はそれに続く②から⑤の四つを同時に可能にしており、ストーリーを「太く」しています。さまざまなパスが最終的には一つの競争優位へと向かい、ゴールに刺さる強力な⑧のシュートとなっています。

一方で、図の右側の「筋の悪いストーリー」では、①から③、③から④、④からゴールというように一応パスのつながりが意図されているのですが、つながりの因果論理が弱く、「こうなったらいいな……」という甘い期待でストーリーができています（点線の矢印）。部分的に見ればところどころできちんとつながるパスもあるのですが（①から②、⑥から④の実線の矢印）、ストーリーを構成する他の打ち手とつながっていないため、ストーリー全体から浮いてしまっています。

シュートは意図されているのですが、なぜそのようなシュートが可能になるのか、シュートの手前にある打ち手とのつながりの論理が詰められていません。しかも、シュートが一つの強力な競争優位に収斂せず、④と⑦と⑧の打ち手がそれぞれバラバラにゴールをねらっています。そのようなシュートがなぜ利益をもたらすのかについての因果論理も希薄です。⑧などは他の要素と全くつながりを持たない、「思いつきでやってみただけ」といった打ち手です。要するに、全体として「弱く」「細い」ストーリーになっています。

デパートやガソリンスタンドなどの小売業界では、一九九〇年代の後半以来、クレジット機能つきの「会員カード」を積極的に発行してきました。この種の打ち手の意図は「顧客の囲い込み」にあるとされていました。カードから得た情報（たとえば、ある売場で買い物をした客が次にどの売場で何を買ったかという「買い回り情報」）を詳細に分析し、ダイレクトメールや品揃え、売場の改革に反映させようというもくろみです[4]。

しかし、顧客の購買履歴などの情報を分析して実際にダイレクトメールや売場づくりに活かしているデパートはごく少数です。なぜならば、そのような作業をするには大変な手間ひまがかかるからです。従来からあるＰＯＳ情報を分析し、品揃えについての仮説と検証を繰り返すだけで精一杯で、顧客の個別化された買い回り情報まで手を着ける余裕がないのが現状です。

ガソリンスタンドにしても、顧客情報はほとんど利用されないまま放置されていることが少なくありません。タイヤやエンジンオイル、バッテリーなどの車周りの製品をその顧客がいつ購入したのかを把握して、交換時期が来たらダイレクトメールや店頭での勧誘によって次の購入につなげようというのが当初のねらいでした。
しかし、ガソリンスタンドの商品の購入サイクルはどちらかというと長いものばかりです。たとえば、エンジンオイルは年に一度交換すれば十分です。少し考えてみればすぐわかることですが、顧客がたった一回、車を買ったディーラーや他の自動車用品店でオイル交換してしまえば、それだけで購買期間が二年開くことになります。しかも、ガソリンスタンドで売っている商品は種類が少なく、自動車用品専門店と比べて十分な買い回り情報を得ることができません。そもそも小売店としては専門店のほうが圧倒的に競争力を持っているので、ガソリンスタンドで自動車用品を買う人は限られています。

その一方で、会員カードを乱発すれば、与信審査や債権回収を行うために多くの人手を抱えなければなりません。人件費は膨らみます。カード会員になる消費者の最大の目当ては割引です。ほとんどの会員カードには割引特典がついており、ただでさえマージンが薄い小売業で、カードを使われるほど販売費や一般管理費が増大します。「顧客の囲い込み」とか「ワン・トゥー・ワン・マーケティング」というと何やら良いことが起きるように聞こえます。しかし、そうした意図と強い因果論理でつながったストーリーがなければ、会員カードの発行は自らコストをかけて利益を圧迫しているようなものです。小売業の会員カードの乱発は、図の右側にある「弱くて細いストーリー」になってしまっているといえるでしょう。

これに対して、ベネッセコーポレーションの「進研ゼミ」に代表される通信教育事業は、強くて太い因果論理で支えられた筋の良いストーリーの典型です[5]。ベネッセ（Benesse）とはラテン語の「良い」(bene)と「生きる」(esse)を組み合わせた造語です。この社名にあるように、人々が「よく生きる」ことを支援する企業になるというのがベネッセのビジョンになっています。

人々の「よく生きる」を支援する最も有効な手段は、人と人との関係性をつくり、関係性の束としてのコミュニティを醸成することにある。これがベネッセのさまざまな事業に共通の基本スタンスです。会長の福武總一郎さんはこのような考え方を「継続ビジネス」という言葉で表現し、長い時間をかけて培われる顧客との関係性がもたらす付加価値にこそベネッセの競争優位と長期利益の源泉があるとしています。福武さんは次のように言っています。

ベネッセを中心としたコミュニティ。世界で最もファン、シンパの多い会社をつくりたいというのが私の夢だ。企業が大きくなるということに関していうと、サービスをお客さまに提供して満足の対価をいただく。われわれの場合にはその満足をスポットでなく、ずっと顧客との関係性の中でいただき続けることができるような仕組みをつくろうとしている。

双方向のコミュニケーションでコミュニティをつくり、コミュニティが継続的につくり上げる人間的な価値を長期利益に転化する。こうした進研ゼミの戦略ストーリーを強いものにしているのが「赤ペン先生」による添削指導です。赤ペン先生はベネッセの社員ではなく、添削枚数に応じて報酬を受け取ります。比較的学歴が高い、三〇代から四〇代の主婦というのが赤ペン先生の平均的な姿です。子どもや教育に興味があって、かつて教師であった人も少なくありません。赤ペン先生の多くは、生活のためにお金を稼ぎたいというよりも、結婚・出産後も社会との接点を維持しながら自分の能力を活かしたいと思っている人々です。

赤ペン先生は会員との関係性を重視したコミュニケーションを担っています。単に答案の添削を行うだけではなく、会員から送られてきた「おたより」に応えたり、誕生日カードを送ったりと、さまざまな形でのコミュニケーションを行っています。添削も単に○×をつけるだけでなく、コメントやイラストを組み合わせることによって人間味あふれるやり取りが意識されています。

双方向のコミュニケーションを可能にするような「顔の見える」サービスは、それを支える優れた人材を必要とします。同時に個別化がもたらすコストを負担しなければなりません。赤ペン先生の活用は、相対的な低コストと高質の個別化サービスの維持を同時に可能にしています。なぜならば、赤ペン先生という打ち手は一種の「社会的遊休資産」の活用だからです。

赤ペン先生はそもそも高学歴で子どもに対する高い教育能力を持つ人材です。これらの人々の能力は、赤ペン先生がなければ社会的に埋もれてしまいます。赤ペン先生の活用は、こうした社会的に埋もれがちな潜在能力を活性化するということにほかなりません。赤ペン先生は高い報酬よりも子どもとのコミュニケーションで自己の内的達成感を感じる人々ですから、ベネッセにしてみれば差別化の中核要素である双方向コミュニケーションの能力を相対的に安価なコストで安定的に獲得できるというわけです。赤ペン先生はベネッセが意図する競争優位と強い因果論理でつながっています。

さらにベネッセは、赤ペン先生をネットワーク化することによって、ストーリーを太くしています。小学講座と中学講座の赤ペン先生は地域ごとのグループ制をとっています[6]。一つのグループは一人のグループリーダーと二〇人程度の赤ペン先生で構成され、リーダーも赤ペン先生の一人として添削を行います。集められた答案はリーダーの家に郵送されます。グループ内の赤ペン先生は、週二回リーダーの家に答案を取りに行き、添削の終わった答案と交換することになっています。赤ペン先生のグループを支援し、規律づけするのがベネッセの「赤ペンサービスセンター」の役割です。センターに所属するベネッセの社員は、一人で平均して一二グループを担当します。

赤ペン先生のネットワーク化は同時に複数の効果を実現する打ち手であり、この意味でストーリーを太くしています。一つの効果は、赤ペン先生の仕事をするうえでの相互学習の促進です。リーダーが赤ペン先生の仕事の相談に乗る、グループ内で赤ペン先生同士がお互いの添削内容を検討し合う、こうしたことによって個別化サービスの質の草の根的な向上が期待できます。

もう一つの効果として、赤ペン先生のグループが気の合う仲間が集う場になる二次的な機能があります。同じグループに所属する赤ペン先生は頻繁にフェイス・トゥー・フェイスのやり取りを持つことになります。自分の子どもについて相談し合ったり、一緒に買い物に行くといったように、仕事を離れた交流が自然と醸成されます。このことが赤ペン先生の定着率を高め、スキルの習熟を促進し、質の高い会員サービスをさらに強化するという成り行きです。このように、赤ペン先生を中心として、さまざまな構成要素が因果論理でつながっているというストーリーの太さが、ベネッセの通信教育事業の競争優位を確かなものにしているのです。

因果論理の太さは、筋の良いストーリーにとって必須の条件です。戦略はシンセシスですから、出来上がったストーリーの全体像は、マブチの事例からもわかるように、わりと複雑なものになります。

だからこそ、「モーターの標準化」や「赤ペン先生のネットワーク」のように、全体をシンプルな論理でまとめ上げる「太い打ち手」が必要になるのです。さまざまな因果論理を束ねる中核的な打ち手があれば、全体としての話の流れがシンプルになり、ストーリーがぐっと締まります。戦略ストーリーがシンプルになると、実行にかかわる人々への浸透力も強くなります。三枝匡さんは次のように語っています[7]。

(優れた戦略は) シンプルなストーリーです。本当に状況がシンプルだったら、それをシンプルに語るのは簡単でしょうが、現実は複雑です。でも複雑な状況について、どうやってそれをシンプル化するか。……そういう状況でも経営リーダーがそこにいる人々にシンプルなストーリーを提示できるかどうか。人を束ねるということはそれに尽きると思います。

図3・7に戻りましょう。これまでお話ししてきたストーリーの「強さ」と「太さ」に加えて、「長さ」も筋の良いストーリーの重要な条件です。長さの基準で筋の良いストーリーには往々にして「好循環」と「繰り返し」という二つの論理のいずれか、もしくは両方が組み込まれています。

図の左側の筋の良いストーリーには、②→①、⑦→①、⑥→②という三つのフィードバックの因果論理が含まれています (点線の矢印)。これは、①をやるほど②や⑥や⑦が起こり、そのことがさらに①を強化するという因果論理を意味しています。これが「好循環」の論理です。マブチの例でいえば、モーターの標準化がコストを下げ、標準モーターを使うユーザーが増える。するとますますマブチの設定した標準モーターが業界に受け入れられ、ユーザーは標準モーターを前提に製品を設計するようになる。すると、ますます大量生産が可能になり、コストがさらに下がる。これは好循環がストーリーを長くしている典型例です。

「繰り返し」が利くというのも、ストーリーを長くする手口です。図3・7の筋の良いストーリーのモデルでは、一番前面にあるストーリーの背後にいくつかのレイヤーが重なっています。これはオリジナルの戦略ストーリーが「プラットフォーム」となり、同種のストーリーを別の製品や市場でも繰り返し適用できるということを意味しています。好循環がストーリーの時間的な発展性であるとすると、繰り返しは空間的な拡張性とかかわっています。マブチの例でいえば、標準化戦略をまずは玩具向けモーターで成功させ、この成功したストーリーのプラットフォームをさまざまな用途向けに横展開しています。ストーリーの繰り返しによってマブチは持続的に成長しているといえます。

先にお話ししたマニーのストーリーにも、「好循環」と「繰り返し」の論理が織り込まれています。マニーの製品のユーザーである医師の技術レベルは、日本が世界で最も優れているそうです。ここにマニーは注目し、日本国内では医師への直接のデータ提供、論文作成支援、試作品の提供、新製品の共同開発を行っています。一口に「世界最高品質」といいますが、手術用針の場合、「切れ味」や「しなやかさ」といった医師の手先の感覚に基づく微妙な要素を含んでいます。ユーザーとのやり取りがさらに「高品質」の製品開発を可能にし、これがさらに技術レベルの高いユーザーを引きつけ、品質改善を行動するという好循環が生まれました。

また、マニーは手術用針で成功した戦略ストーリーがそのまま効果を発揮する市場を慎重に選んで、水平方向に事業領域を拡張してきました。眼科手術用ナイフ、歯科治療用ドリルなどです。こうした分野でも同じストーリーの繰り返しが長期利益に結実しています。

ストーリーの長さの源泉である「好循環」と「繰り返し」はそれぞれ独立しているわけではありません。この二つを相互に強化する関係をつくることによって、さらに長く、筋の良いストーリーをつくることができます。マブチが用途市場で横展開することによって、標準化から発生する規模の経済をさらに強化しているというのはその例です。

ベネッセは高校生と中学生に限られていた通信教育事業を一九八〇年代に小学生や幼児向けに横展開していきました。進研ゼミ小学講座（現在の「チャレンジ」）は一九八〇年に始まり、一九八八年には「しまじろう」のキャラクターで知られる幼児講座「こどもちゃれんじ」を開講しています。幼児講座は進研ゼミの中でも最も高い成長率を示し、一九九七年には会員数で最も大きな講座にまで発展しました。

ベネッセは通信教育事業のために大規模なロジスティクス・センターを自社で構築しています。そこでは一人ひとりの顧客データがバーコードで管理されており、顧客別に必要な教材を自動的に組み合わせて梱包し配送できるようになっています。進研ゼミは低学年へと横展開してきましたが、この物流システムに乗る限りは横展開の追加的コストを小さくすることができます。逆にいえば、横展開で同じストーリーを繰り返すほど物流にかかる平均単価が低下するという範囲の経済のダイナミズムが組み込まれています。

ベネッセの通信教育事業における好循環と繰り返しの相互強化的な関係は、長年にわたって蓄積された顧客情報データベースでも発揮されています。幼児講座という低年齢から会員をフォローし、その会員自身や兄弟姉妹、家族についての情報を継続的に蓄積できるため、顧客の成長に合わせてより高学年の講座へと効率的・効果的に誘導することができます。新しい顧客会員を獲得するのに必要なマーケティングコストは競争他社と比べてはるかに低く抑えられています。

ベネッセは通信教育事業の外へも進出しています。その一つが「たまひよ」と呼ばれる、妊婦や乳幼児を持つ母親向けの雑誌『たまごクラブ』『ひよこクラブ』です。これらの雑誌は従来の出版事業と異なり、購読者の母親の間でコミュニティを形成することに重点を置いています。「たまひよ」には専用のウェブサイトがあり、さまざまな意見交換が行われ、購読者間の横のつながりによって出産や育児に関する問題解決が可能になっています。ここで蓄積される顧客情報が「こどもちゃれんじ」などの通信教育事業にとって有用なのはいうまでもありません。「継続型ビジネス」という発想に基づいたベネッセの戦略は、因果論理の強さと太さに加えて長さの点でも、拡張性の高い秀逸なストーリーになっているといえるでしょう。

◆戦略ストーリーの古典的名作——サウスウエスト航空の事例

サウスウエスト航空は、その優れた競争戦略で有名な企業です。これまでも数多くの競争戦略の教科書が、理論やフレームワークを説明するために事例として同社を取り上げてきましたし、その戦略や経営の中身を詳細に紹介する優れた本もいくつか出ています。[8]

サウスウエストが優れた競争戦略の事例として頻繁に取り上げられるのは、もちろん同社の持続的な好業績があるのですが、それ以上に興味深いのは、航空業界で競争しているということです。すでに見たように、利益の最初の源泉は業界の競争構造そのものの魅力です。ところが、航空業界は魅力的どころか、最低最悪の「北極」です。フォーチュン500の業界別の平均営業利益率のランキングを見ても、航空業界はワーストグループの常連です。二〇〇〇年以降の航空業界の平均営業利益率はしばしばマイナスになっています。北極どころか、酸素すらほとんどない「火星」のような業界です。

このような航空業界にあって、サウスウエストは一貫して高い利益水準を維持しています。つまり、サウスウエストの利益は「戦略」がもたらしているのです。サウスウエストの戦略は、SPとOC、いずれについても競合他社との「違い」を念入りにつくっているという意味できわめてよくできたものなのですが、ここではパスのつながりという視点から、この古典的名作とでもいうべき戦略ストーリーの中身を再検討してみましょう。

まずはシュートの軸足から。サウスウエストは利益創出の最終的な論理をコスト優位に定めています。サービスの差別化でWTPを上げにくい航空業界では、コストにシュートの軸足を置くのはごく自然な発想です。サウスウエストは、このシュートに向けて、短距離国内便に特化、機内食を出さない、座席指定をしない、機体をボーイング737に限定する、といったSPのパス、生産性を高めるためのさまざまな組織的仕組みといったOCのパスを繰り出し、他社との違いをつくっています。

以下では話をわかりやすくするために、ストーリーの一番の本筋、すなわち「ハブ・アンド・スポーク（拠点大都市経由）方式を使わず、より小さな二次空港をつなぐ」という部分に注目して、サウ

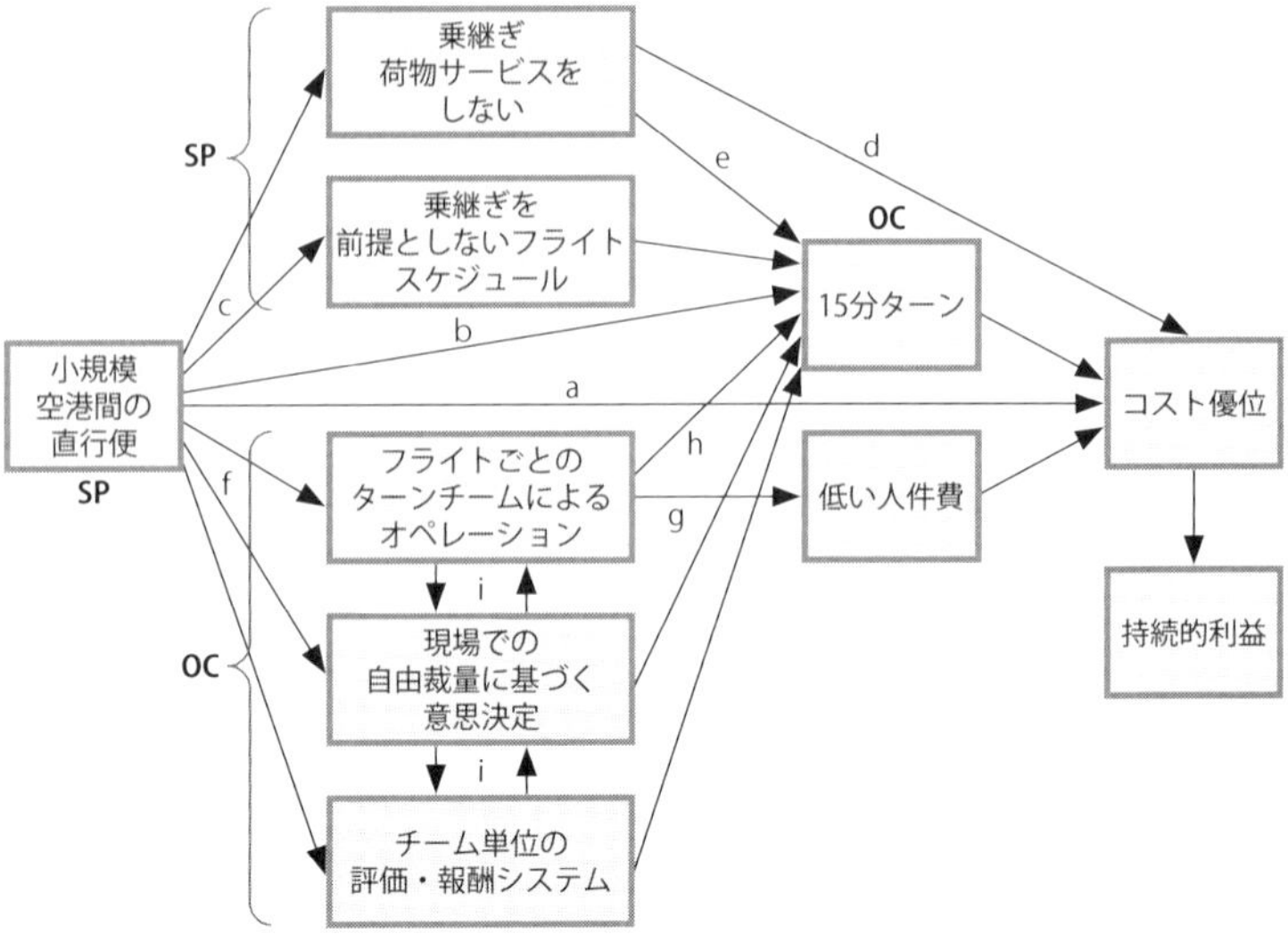

図3・8　サウスウエスト航空の戦略ストーリー

スウエストの戦略ストーリーを解読してみましょう。二次空港を直行便でつなぐ（ハブ・アンド・スポーク方式を使わない）というパスを起点に、低コストのシュートに至る戦略ストーリーを図式的に表したものが図3・8です。この戦略が「強い」「太い」「長い」という優れたストーリーの三条件をことごとく満たしているというのが、ここでお話ししたいことのポイントです。

競合他社の多くはハブ・アンド・スポーク方式で運航路線を組んでいます。ハブ・アンド・スポーク方式では、各地から飛び立った飛行機を同じ時間にハブ空港に到着させるため、乗客は最低限の乗換えでさまざまな目的地に到達できます。国内便を運航する側からすれば、ハブ・アンド・スポーク方式を使えば、ハブ空港に各地から集まる乗客を自動的に乗せることができますし、目的地に行くためにまずはハブ空港まで移動する顧客を乗せることができるので、各フライトの搭乗率を高め、コストを安くすることができます。

ところが、サウスウエストはハブ・アンド・スポーク方式に基づく運航は行わず、出発地と目的地の二点間を単純につなぐ「ポイント・トゥー・ポイント路線」に特化しています。大都市のハブ空港は使わず、小都市のあまり混雑しない空港や、大都市の場合でも相対的に小さな「二次空港」に乗り入れます。これは活動の選択、つまり競合他社とのSPの違いです。このパスは、それ自体がシュートである低コストとつながっています（図3・8のaの線）。空港のゲート使用料や着陸経費がハブ空港の半分から三分の一で済むからです。

それ以上に重要なのは、このパスが「一五分ターン」というパスにつながっているということです（図のb）。サウスウエストの目標ターン時間はわずか一五分で、これは競合他社の平均の半分から三分の一という短さです。「ターン時間」とは、空港に着いた航空機が、ゲートに到着し、乗客が降り、機内の清掃と燃料補給、荷物の積み下ろしと積み込み、機体の検査が行われ、乗客が乗って、再度飛び立つまでの待ち時間を意味しています。ターン時間（の短さ）は、航空業界でのコスト低減に重要な意味を持つ指標です。ターン時間が短いほど、設備や人や機体の稼働率が上がり、単位当たりのコストは下がります。一五分でターンできるというサウスウエストの特徴は、活動の選択というよりも能力の問題であり、競合他社とのOCの違いです。

ハブ空港を使わなければ、ゲートへのタキシング所要時間、ゲート空きを待つ回数や時間、乗客が乗った後の離陸順番の待ち時間が減るため、ターン時間を短縮できます。二次空港を利用するという打ち手にしても、それが直接的にコストにもたらす効果（安い空港使用料）よりも、「一五分ターン」というパスにつなげることによって低コストを実現するという、間接的な効果のほうがはるかに大きいといえます。

「小規模空港間の直行便」はさらに他のＳＰのパスともつながっています（図のｃ）。ハブ・アンド・スポーク方式に基づく運航から独立しているので、乗継ぎを前提としないフライトスケジュールが組めます。ハブ・アンド・スポーク方式であれば、前の便が遅れた場合には乗継ぎ客を待っていなければならないのですが、サウスウエストにはその必要はありません。この因果経路でもターン時間が短くなり、コストが下がります。

多くの航空会社は、乗客が乗り継ぐ場合には預かり荷物はいちいち乗換え地点で受け取らなくても、最終目的地までスルーで運ぶという荷物転送のサービスを提供していますが、サウスウエストではそういうことはしません。オペレーションがその分軽くなりますから、この時点でコストは下がるのですが（図のｄ）、それ以上に大きいのは、このＳＰのパスがまたしても一五分ターンにつながり、この経路で低コストに貢献しているという論理です（図のｅ）。

一方で「小規模空港間の直行便」は、ＯＣのパスともつながっています（図のｆ）。サウスウエストのお家芸である一五分ターンを可能にしている重要な要因の一つに、「ターンチームによるオペレーション」という独自の仕事のやり方があります。ターンチームとは、地上クルー、客室乗務員、パイロット、整備要員といったさまざまな機能部門を横断して編成されたオペレーションの単位となる組織で、路線ごとに配備されています。ほとんどの航空会社は、異なる機能部門に所属する人々の役割を明確に分業させ、職務ごとに「しなければならないこと」と「しなくてもいいこと」を定義しています。ところがターンチームで動くサウスウエストでは、仕事の文脈の中で、より柔軟な分業関係が発達しています。たとえば、客室乗務員やパイロットが荷物を処理する、荷物取扱いの担当者が機体の状況に注意する、といった機能の境界を超えた「多能工化」です。つまり、サウスウエストでは手の空いている人が臨機応変に助け合いながらターンチーム全員でオペレーションに取り組むわけです。

このパスはコストに対してどのようなインパクトを持つのでしょうか。一つの因果経路は、人件費の削減を通じたコストダウンです（図のg）。分業を柔軟にすれば、それぞれの仕事ごとに専門化した従業員を抱えるよりも、頭数が少なくて済みます。したがってオペレーションに必要な総人件費は下がります[9]。現にサウスウエストの一機体当たりの従業員数は、ユナイテッド航空などの大規模な会社と比べて半分程度になっています。

もう一つの、より重要な低コストにつながる因果経路は、このパスがまたしてもターン時間を短くするということです（図のh）。機能の境界を超えて全員が一丸となって取り組むので、ターン時間が短くなります。機能横断的なチームでは、さまざまな仕事にあたる人々の間のコミュニケーションも広く深くなるので、調整にかかわる時間の無駄もなくなります。

さらにターンチーム・オペレーションは、現場での裁量に基づいて必要な判断を下せるというサウスウエストの分権的な組織のあり方や、ターンチーム単位での業績評価・報酬システムという他のOCのパスともつながっています（図のi）。これらのパスも、やはりターン時間の短縮を通じた低コストに貢献しています。たとえば、乗客が乗り間違えた場合、ゲートに引き返すべきかどうかといった判断も、パイロットに委ねられています。こうした現場での自己裁量に基づく判断が、例外的事態が起きたときの素早い対応を可能にします。

ターンチームは評価・報酬のシステムとも連動しています。ターンチームのメンバーは、ターン時間で評価され、その成果がサラリーやボーナスにも反映されます。したがって、これは一種の成果主義的なシステムなのですが、個人ベースではなく、あくまでもチームベースの成果主義だということに注意が必要です。こうした評価・報酬のシステムがあれば、メンバーはますます助け合い、円滑にコミュニケーションをとりながら、ターン時間の短縮に取り組むでしょう。その結果、稼働率が上がり、低コストが期待できます。

こうして見ていくと、これら三つのOCにかかわるパスの間には、お互いに強化し合うような関係があることがわかります（図のｉ）。パイロットが着陸の後でさっさと引き揚げずに、進んで荷物の積み下ろしを手伝うのは、そのほうがターン時間を短縮するというチームの目標が達成され、自分の評価や報酬にもポジティブな影響があるからです。現場での臨機応変な判断ができるのは、ターンチームでお互いがさまざまな仕事を経験しているため、個人が判断に必要な幅広い情報を持っているからです。逆に、ターンチームを導入しても、自由裁量に基づく判断や意思決定の権限が移譲されていなければ、その力を十分に発揮して、ターン時間短縮のために必要となるアクションをとれなくなってしまいます。

ここでの重要なポイントは、一連のOCのパスが生きるのも、その手前に「小規模空港間の直行便」というパスがあるからだということです（図のf）。ターンチームが十全に機能するためには、運航路線が他の路線から独立しているということが決定的に重要になります。たとえば、小規模空港間の直行便だけであれば、何らかの理由で遅延が起きたとしても、影響はその特定の路線の後続便にしか及びません。ところがハブ・アンド・スポーク方式では、一つの便が遅れると、ハブにつながっている路線全体が乱れます。遅れた便の乗客の乗継ぎを確保するために、他の便を待たせるか、もしくは次の便まで乗客を待たせるか、はたまた別の便へと誘導するか、選択しなければなりません。この種の意思決定は、特定の路線についてのみ責任を負っているターンチームの「現場での判断」と比べてはるかに複雑になります。中央集権的な意思決定システムや、例外を事前に細かく取り決めておくマニュアルがどうしても必要になります。

チームベースの評価・報酬システムがうまくいくのも、チームが責任を持つ路線が他の路線の影響を受けずに済むからです。乗継ぎ客の便に遅延が出れば、評価基準であるターン時間は必然的に延びてしまいます。しかし、これはその路線のチームのメンバーの努力では解決できない問題です。そうした自分たちでコントロールできない要因で評価や報酬が左右されてしまっては、ターン時間と連動させた評価システムはとうてい受け入れられないでしょう。

以上で解読してきたように、サウスウエストがコスト優位に向けて繰り出しているパスは、さまざまな因果論理でがっちりとつながっています。「強さ」「太さ」「長さ」という三つの切り口でサウスウエストの戦略ストーリーを評価してみましょう。

まずサウスウエストのパスは、一つひとつがきわめて強い論理でつながっているといえます。ハブ空港を使わずに二次空港に特化すれば、離着陸当たりの空港使用料は確実に低減します。二次空港をポイント・トゥー・ポイントでつなげば、ターン時間は確かに短くなり、回転率は確かに増大し、これは確かに低コストに貢献するのです。「プロモーションに投資をすればブランド力が上がる」というような、「そうなったらいいな……」という漠然とした期待に寄りかかったパスは一つもありません。パスのつながりの背景にある論理が明快であり、きっちりと詰められています。論理的な蓋然性を持って一連のパスがつながっています。

これまでサウスウエストの戦略を「小規模空港間の直行便」から始まるストーリーのメインラインに限ってお話ししてきましたが、それ以外の打ち手もシュートであるコスト優位と強い因果論理でつながっています。たとえば、サウスウエストは機内食を廃止しました。乗客へのサービスを飲み物と小袋のスナックだけにすることによって、機内食の調達コストを省いています。

また、サウスウエストは運航する機体をボーイング737の一機種に絞りました。すべて同じ機種にすることによって、メンテナンスに必要となる機材のコスト、部品の在庫管理コスト（複数の機種を揃えていると、それに対応した多種多様な部品を常時ストックしておかなくてはならない）、パイロットやメカニックのトレーニングコストも抑えられます。

こうした直接のコスト削減効果だけではありません。機内食を廃止すれば食事の積み込みや積み下ろしの作業もなくなるため、ターン時間を短縮できます。機体を一機種にすればターン・オペレーションも常に同じやり方に標準化できるため、ターンチームの習熟を促進させ、ターン時間を短くして稼働率を上げ、コストを下げることができます。つまり、機内食の廃止や機体の標準化は二重の因果経路でコスト優位に貢献しているわけです。

また、サウスウエストはファーストクラスやビジネスクラスをなくし、すべて同じサービスのシングルクラスにして、オペレーションを簡素化しています。座席についてさらに興味深いのは、座席指定を廃止したことです。指定を廃止することによって、予約や発券のオペレーションが軽くなり（サウスウエストではチェックインのときに乗客は再利用可能なプラスチックのボーディングパスを受け取るだけ）、コストが下がることはいうまでもありません。

それ以上に大きいのは、座席指定の廃止がターン時間の短縮にもたらす効果です。指定がなければ、乗客が乗り込む時間が短くなります。座席指定の一つの問題は、窓側の乗客が乗り込む前に、通路側の乗客が席に着いてしまうことがよくあるということです。先に通路側の席がふさがってしまうと、窓側席の乗客が乗り込むのに余計な時間がかかります。指定がなければ、乗客は窓側から座るのが普通なので、その分乗り込みにかかる時間が短縮され、つまりはターン時間が短縮されるということです。

さらに、指定がないと乗客が早めに搭乗口に集まるようになります。「25－A席」というように座席が指定してあると、いくら「搭乗口には出発時刻の一〇分前までにはお越しください」と注意を喚起しても、ギリギリに来る乗客がしばしばいるものです。ところがあらかじめ座席が指定されていなければ、搭乗口に来た順に乗り込むことになるので、早く来た人が好きな席（だいたいの場合は、早く降りることができる前部の席）を選べます。出発の遅れが少なくなり、ターン時間が短くなり、回転率が向上してコストが低下するという成り行きです。このようにサウスウエストの繰り出したパスは、意図する競争優位である低コストとことごとく強力な因果経路でつながっているのです。

それと同時に、サウスウエストのストーリーには太さがあります。「小規模空港間の直行便」はさまざまなSPとOCのパスにつながっており、一石で五鳥にも六鳥にもなるパスです。しかもそこから生まれるさまざまなパスが、いずれもコスト優位というシュートにつながっています。このことがますますストーリー全体を強くしています。

さらに、サウスウエストの戦略は、将来へと延びていく長いストーリーを持っています。このストーリーが拡張性や発展性に優れている理由としては、次の二つが指摘できます。第一に、図3・8にもあるように、「小規模空港間の直行便」というパスが、SPだけで閉じずに、さまざまなOCのパスにつながっているという点です。

一つひとつのSPは、活動の選択にかかわる意思決定（何をやり、何をやらないか）ですので、それ自体ではスタティックな性格を持っています。これに対してOCには時間とともに進化していくというダイナミックな側面があります。「小規模空港間の直行便」特化はあくまでも「決めごと」ですので、意思決定してしまえばそれで終わりです。しかし、そこから出てくるターンチーム・オペレーションや現場での自由裁量に基づく臨機応変な判断、それらが結果的にもたらす短いターン時間は、いずれもOCに深く根差しており、このストーリーが日々動いていく中で、さらに強化されていきます。ストーリーの中でSPとOCが密接につながっていることが、継続的な低コストの深耕を可能にしています。

第二に、「小規模空港間の直行便」であれば路線相互の独立性を確保できるため、一つの路線での成功のストーリーを、徐々に他の路線へも展開していきやすいということがあります。まずは少数の路線に限定してこのストーリーを動かし、それを段階的に他の路線にも持ち込むことによって、勝ちパターンを繰り返すことができます。つまり「小さく産んで、大きく育て」やすいストーリーになっているのです。いきなりハブ・アンド・スポーク方式を整備しようとすれば、短期間である程度のオペレーションの規模は確保できたとしても、ストーリーの続編を次から次へと繰り出すのは容易ではありません。サウスウエストの戦略ストーリーは、いうなれば「水戸黄門」や「男はつらいよ」のようなものです。成功するパターンを固めてしまえば、あとは（進出できる路線が飽和状態になるまでは）別の路線で同じパターンを繰り返せるというわけです。

サウスウエストの戦略ストーリーは、強く、太く、長いお話の典型です。戦略ストーリーのクラシックとして語り継がれているだけのことはあります。サウスウエストが厳しい業界構造にもかかわらず持続的に利益を実現している背景には、このような「世紀の名作」といってもよいストーリーがあったのです。

◆ストーリー化──戦略構築のプロセス

そこに一貫したストーリーがあるかどうか、これが優れた戦略の条件だという話をすると、実務家の方々、特に成功した経営者の方々からは決まってある疑問が返ってきます。それはこういう反応です。

「ストーリーとしての競争戦略というのはあくまでも後知恵だ。後から見ると、あたかもよくできたストーリーが初めからあったように見えるけれども、実際はその場その場の状況に対応してさまざまな打ち手を繰り出していたというのが経営の現実だ。最初からストーリーがあったわけではない」。

そのとおりです。ビジネスの場合、脚本もキャスティングも大道具も小道具もすべてが完全に準備されてから幕が上がるわけではありません。ビジネスはやってみなければわからないことが多過ぎます。ごく粗い脚本で、暫定的なキャスティングで、舞台装置の準備もそこそこに、まずはやってみよう……というスタンスで戦略が実行に移されるというのがむしろ普通でしょう。初めからストーリーが出来上がっているわけではありませんし、その必要もありません。

しかし、それでも戦略はストーリーだというのが私の見解です。

事例に戻って考えてみましょう。マブチモーターにしてもサウスウエスト航空にしても、ここで解読したようなストーリーが経営者の頭の中で細部まで事前に完璧に描かれていて、そのうえで戦略の実行に踏み切ったわけではありません。マブチの例でいえば、標準化を核としたストーリーは当時の主要顧客であった玩具業界の季節によって大きく変動する需要に四苦八苦する中で生まれたものです。その時点では海外現地生産や少人数による一極体制の営業、部品の内製化といったその後戦略ストーリーを支えることになった主要な打ち手は明確には意識されていませんでした。

音響製品向けの電子ガバナーモーターへの参入は、先にお話ししたように、モーターの標準化というマブチの戦略ストーリーの確立にとって決定的に重要でしたが、そこで決め手となったメカニズムメーカーというターゲットの設定も、後発企業として音響製品向けのモーター市場に食い込むことが簡単でない中で、試行錯誤の繰り返しの結果なんとかひねり出された打ち手でした。

サウスウエスト航空にしても、事業を開始した当初の戦略は混沌を極めていました[10]。サウスウエスト航空は一九六七年にテキサスに設立されています。この時点ではアメリカの民間旅客航空業界の規制緩和はまだなされていませんでした。アメリカの民間航空委員会によって新規参入には大きな規制がかけられていました。新規参入企業が最初から州を横断する便を運航させることは、連邦の規制によって不可能でした。サウスウエストは一九六七年に州内の運航便の事業申請をテキサス州に提出していますが、短距離便に特化するという戦略は、当時の規制からして、新規参入業者としてはそれしか手がなかったわけです。

サウスウエストの事業申請に対して既存の大手航空会社は猛反発し、参入が認可された翌日には複数の航空会社が認可の取消しをテキサス州裁判所に訴えます。結果的にサウスウエストは最初の裁判で負け、その後の裁判も予想に反して長引きました。サウスウエストが最初の便を飛ばすことができたのは申請から実に八年以上が経過した一九七六年のことでした。長引く裁判によって資本は減り、四機用意していたボーイング７３７も一機売却しなければならない羽目に陥ります。

サウスウエストは当初からダラスのラブフィールド空港をベースにする予定でしたが、サウスウエストが就航できないでいた一九七四年に大規模国際ハブ空港のダラス・フォートワース空港が新設されています。これは最新の設備を用意した当時全米で最大の敷地面積の空港でした。既存の大手航空会社はラブフィールド空港から撤退し、フォートワース空港に移りました。ラブフィールド空港は閑散としてしまいました。しかし、サウスウエストはラブフィールド空港にとどまりました。

その一つの理由は、短距離直行便に特化するサウスウエストにとっては、市街地に近いラブフィールド空港のほうが顧客の利便性が高くなるという期待にありました。しかし、それ以上に現実的な理由として、小さなラブフィールド空港と比べて、大型国際空港のフォートワース空港は空港使用料が格段に高かったので、サウスウエストとしてはラブフィールド空港にとどまらざるをえないという事情もありました。しかし、このことが後にハブ・アンド・スポーク方式に走る大手航空会社の「合理的」な戦略の間隙を突くサウスウエストの戦略ストーリーをもたらすことになったのです。

マブチとサウスウエストにはいくつかの共通点があります。第一に、先にお話ししたように、いずれも秀逸でユニークな戦略ストーリーで成功した企業です。第二に、しかし、ここで見たようにいずれも初期の段階から完成されたストーリーを持っていたわけではありませんでした。第三に、戦略ストーリーをつくる大きなきっかけとなった打ち手に、フリーハンドでの合理的な選択の結果というよりも、当時の状況からして「仕方がなかった」「そうせざるをえなかった」という面がありました。「災い転じて福となす」とか「怪我の功名」といってもよいでしょう。最初から完璧なストーリーの全体像を準備万端整えて、それを忠実に実行した結果成功したのでないということは明らかです。私の話を聞いた多くの経営者が、「最初からストーリーがあったわけではない……」と疑念を呈するゆえんです。

この種の疑念に対する私の答えは、「半分は正しいけれども、半分は間違っている」というものです。最初からストーリーの全体が細部まで出来上がっていたかというと、確かにそんなものはない。しかし、そうだとしても優れた経営者はごく初期の段階からストーリーの原型をつくっている。そし

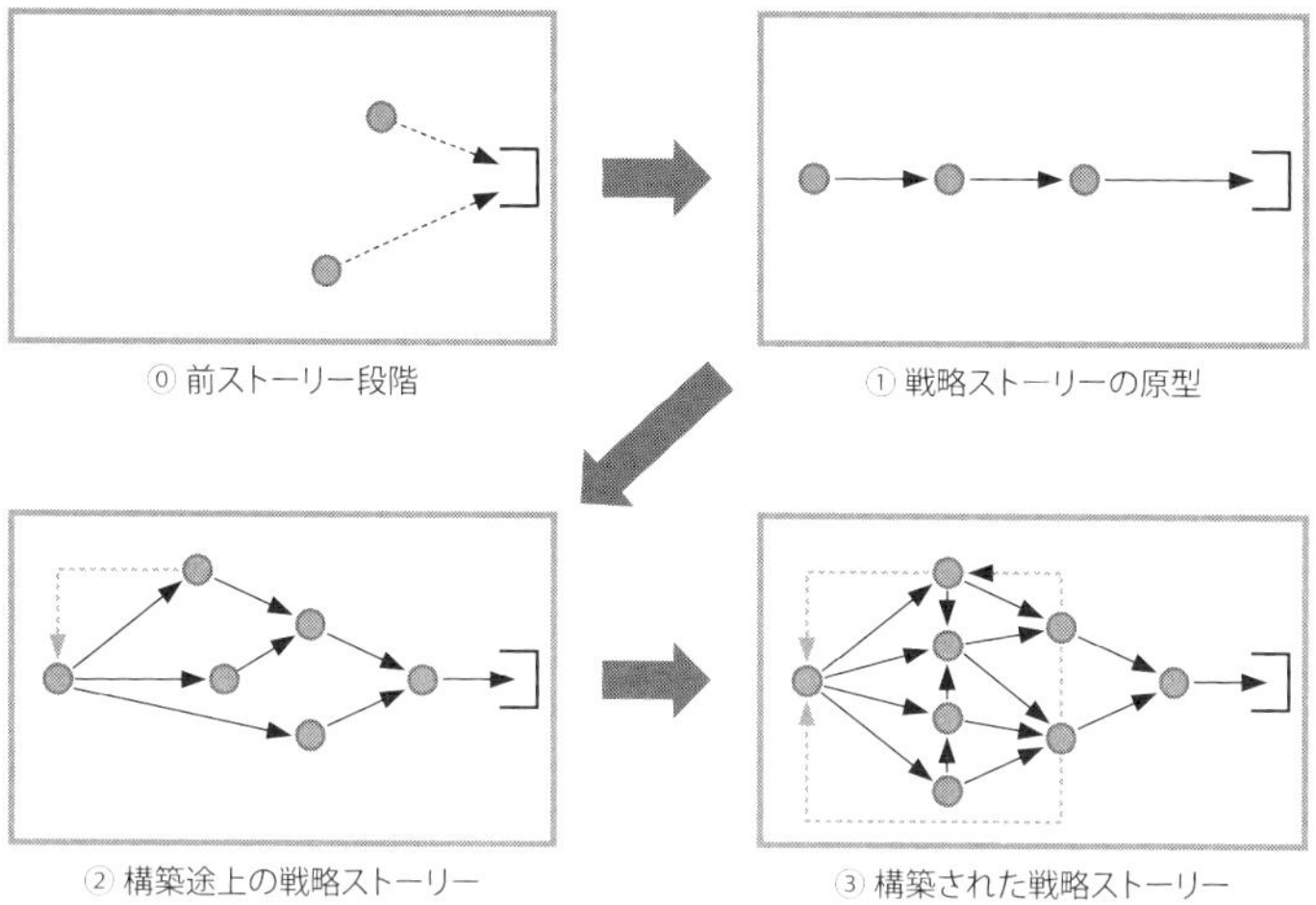

図3・9　戦略構築のプロセス

て、個別の打ち手がストーリーにフィットするのか、ストーリーの文脈でどのような意味を持つのかを突き詰めて、新しい打ち手を繰り出したり、これまでの打ち手を修正している。つまり、初めから完成されたストーリーがあったわけではないけれども、個別の構成要素をバラバラに扱わずに、ストーリーとして仕立てていこうという意識と意図が戦略構築のプロセスに一貫して流れています。ストーリーそのものはなくても、戦略の「ストーリー化」という思考様式は初めからあった、というわけです。

　図3・9をご覧ください。これは戦略ストーリーの構築プロセスを図式的に示したものです。右下にある③が結果的に構築された戦略ストーリーです。これはすでにお見せした「筋の良いストーリー」(図3・7)と同じものを使っています。

　この章で読解したマブチやサウスウエストの戦略ストーリーは、この段階の「出来上がった」ものを対象にしていました。しかし、こうしたストーリーで成功した企業であっても、ごく初期の段階では①のようなごく単純なストーリーの原型があるだけです。③のような完成されたストーリーが初めから出来上がっているわけではありません。

場合によっては図の⓪のような、ストーリーの原型すらなく、ただの思いつきや成り行きでとりあえず利益が出そうなことに手を出してみたという、「前ストーリー段階」からビジネスが始まることも少なくないでしょう。標準化戦略を意識する前のマブチはこの段階にあったのかもしれません。いずれにせよ、⓪はもちろん、後から振り返ってみれば①と③の間には大きな開きがあります。

ビジネスを実行する過程で企業はさまざまな機会や脅威に直面します。そのうちのいくつかは、戦略ストーリーの構築や進化にとっての重要なインプットなり契機になります。マブチの例でいえば、モーターの標準化という発想はストーリーの原型を確立するうえで決定的に重要なインプットでした。

こうした機会や脅威との相互作用を経て、戦略ストーリーは徐々に練り上げられていきます。構築途上の②の段階では、①の戦略ストーリーの原型と比べていくつかの新しい要素が取り込まれていきます。ここで大切なことは、マブチの標準化やサウスウエストの二次空港の利用にしてもそうなのですが、ストーリーを進化させるインプットは周到な事前の計画やそれに基づく合理的な選択の結果として表れるわけでは必ずしもありません。戦略には不確実性がつきものです。偶然に生じたハプニング的な事象も戦略に大きな影響を与えます。企業がなぜそのアクションをとったのか、その時点での直接的な理由を聞いてみると、実は偶然の成り行きだったり、たまたまぶち当たったチャンスだったり、資源の不足を克服するための苦肉の策だったりするのがむしろ普通です。

しかし、たとえそうした偶然のチャンスや自然な成り行きや当座の打ち手がストーリー構築の契機となったとしても、マブチモーターの馬渕さんやサウスウエスト航空のケレハーさんは、そうした個別の要素の持つ可能性や意味をストーリーの文脈で考え、それらを素材に使いながら一連の流れを持ったストーリーに仕立てようという思考様式を一貫して持っていたはずです。そうでなければ、そのときそのときで現れる機会や脅威に場当たり的に「反射」するだけで、いつまで経ってもストーリーは生まれません。また、あるときにストーリーの原型を手に入れたとしても、その後次々に現れては消える機会にやみくもに手を出したり、脅威に直面したときにその場しのぎの打ち手に終始するだけでは、ストーリーは練成できません。遅かれ早かれストーリーの一貫性が破壊され、長期利益は獲得できなくなります。

優れた戦略家は、機会や脅威を受けてある特定のアクションをとるときに、それがストーリー全体の文脈でどのような意味を持つのか、それを取り巻く他の構成要素とどのように連動し、競争優位の構築や維持にとってどのようなインパクトを持っているのかを深く考えます。ストーリーという視点がもたらす洞察を基準にして、新しい要素を取り込み、その一方でこれまで手がけていた打ち手を排除する、こうした微調整の繰り返しで戦略ストーリーは徐々に練り上げられていくものです。

第1章のビジネスモデルと戦略ストーリーの違いを説明するところでアマゾンの例をお話ししました。ご面倒でもページをめくって図1・3をご覧ください（四二ページ）。図の右にあるのが創業者のジェフ・ベゾスさんが描いたストーリーの原型（図3・9の①に相当するもの）です。ベゾスさんはごく早い段階でこのストーリーを構想しています。

しかし、これはあくまでもストーリーの原型なので、その後のアマゾンの戦略ストーリーで重要な役割を果たすことになったいくつかの重要な要素が抜け落ちています。たとえば「アマゾン・マーケットプレイス」のような場所貸し業の要素や、顧客の決済にかかわるさまざまなサービスを提供する「帳合業」の要素はまだ入っていません。

さらに興味深いことに、ベゾスさんが構想したストーリーの原型には「自社在庫」というアマゾンの戦略ストーリーにとって決定的に重要となった要素（これについては、後ほど第5章で詳しくお話しします）が入っていません。なぜならば、彼がこのストーリーの原型をつくった時点では、アマゾンは他のEコマース新興企業と同じように「在庫を持たないオンライン書店」という戦略をとっていたからです。しかし、ストーリーの原型が意図していたアマゾン独自の総合的なカスタマーサービスによる「顧客の経験」を実現するためには、自社で在庫を持って配送を行う必要があるというのがその後のベゾスさんの判断でした。アマゾンは自社在庫へと大きく路線を転換し、倉庫や流通センター、効率的な配送を支える情報技術やインフラシステムへの積極的な投資に乗り出すことになります。この辺のいきさつをジャスパー・チャンさんは次のように語っています[11]。

創業当初と比べて、アマゾンの戦略は変わっているともいえるし、全く変わっていないともいえる。無在庫から自前の流通センターへの転換、書籍だけのセレクションからさまざまな商品分野への拡張、外部の独立したセラーへのサイトの提供、こうしたいくつかの大きな変化に注目すれば、戦略はずいぶん変わったといえる。しかし、ジェフ・ベゾスの理念やビジネスのあり方についての基本図式（著者注：図1・3の右側にあるストーリーの図）は変わっていない。いくつかの新しい要素が付け加えられたけれども、ビジネスを駆動するロジックは創業以来一貫している。その証拠に、社内では今でもベゾスの描いたオリジナルな絵、これを全くそのままの形で使っている。われわれのやっていること、やろうとしていることのすべてがこの一枚の絵に集約されている。

戦略ストーリーは、特定時点で完結する意思決定やデザインの問題ではありません。むしろ日々の経営の仕事の中で遭遇するさまざまな事象をストーリーの視点から考え、ストーリーに取り込み、ストーリーへと仕立てていく。この「ストーリー化」のプロセスに経営者なり戦略家の仕事の本領があります。それは⓪や①の初期の段階でもいえることです。さらにいえば、たとえ③のような戦略ストーリーが構築された段階に到達したとしても、ストーリー化のプロセスがそこで終わるわけではありません。さまざまな機会や脅威のインプットを受けて、ストーリーはその後も進化していくべきものです。私が「初めからストーリーが出来上がっているわけではない（またその必要もない）が、それでも戦略はストーリーだ」と言うのは、このことを意味しているのです。

◆交互効果

戦略の構成要素をつなげる因果論理という観点から、この章では優れた戦略ストーリーの条件とは何かについてお話ししてきました。「静止画」を「動画」にする。個別の打ち手ではなく、その結果として表れるストーリー全体の「面白さ」で勝負する。これがストーリーとしての競争戦略の思考です。持続的な競争優位の神髄はストーリー全体の一貫性にあります。

競争戦略における一貫性の重要さは、これまでも多くの論者が指摘してきたことです。それ自体は特に目新しいことではありません。SPの競争戦略論の本家・元祖・家元であるマイケル・ポーターさんも、活動システム（activity system）という考え方を提示し、多くの活動の間にあるフィットが競争優位の基本であると強調しています。それはこういう論理です。ライバルが一つのSPを模倣し、対抗できる可能性は、たいていの場合一〇〇％よりも小さい。そうであれば、システム全体に対抗する可能性は、〇・九×〇・九＝〇・八一、〇・九×〇・九×〇・九＝〇・七二九というように急速に現実味をなくしていく、というわけです[12]。

ストーリーという切り口から見れば、一貫した戦略ストーリーから生まれる競争優位は、構成要素の交互効果（interaction effect）に立脚しているため、その持続性はポーターさんの説明よりもずっと強力になります。ストーリーを構成する要素の間に因果論理のつながりがあるので、バラバラに見たときの各要素への対抗可能性が〇・九であっても、全体を掛け合わせた数字は、〇・九の単純な乗数よりもずっと小さくなるでしょう。

たとえばサウスウエスト航空の効率的なオペレーションに対抗するために、同じような部門横断的なターンチームを組織し、ターン時間に連動した評価システムを導入したとします。しかし、すでにお話ししたように、これはハブ・アンド・スポーク方式を使わないことによる路線の独立性とつながって初めて有効に機能するわけで、ハブ・アンド・スポーク方式でターンチームを使ってしまうと、結果として手に入るオペレーションの力は、かえってマイナスになってしまうかもしれません。もっと単純な話でいえば、機体をボーイング７３７に標準化する、機内食を出さない、預入れ荷物の乗継ぎをしない、こうしたことは間違いなく低コストに貢献しますが、もしサウスウエストが短距離国内線に路線を限定せず長距離国際線も手がけていたら、こうした低コストのための打ち手は明らかにマイナスに作用するでしょう。これが交互効果です。

「ダイレクト・モデル」で知られるデルは、販売や配送だけでなく、サービスの面でも顧客とダイレクトにつながっていることを重視していました。たとえば、ＰＣに不具合を感じた顧客がサポートセンターに電話したときにすぐにつながる確率が、ある時期のデルは他社よりもはるかに高く、こうしたサービスの迅速さが一つの差別化要因としてデルの成長を牽引しました。これにしても、もちろんデルがカスタマーサポートに資源をきちんと投入したということもあるのですが、それ以上に、打ち手のつながりがもたらすストーリーの交互効果がものをいっています。

デルは一九九四年に小売業者チャネル経由の販売から撤退し、直販チャネルに一本化しました。当時の小売業者によるＰＣ販売は年率二〇％というペースで成長していたので、競合他社はいっそう小売市場に力を入れようとしていました。小売市場からの撤退を機に、小口の個人顧客でなく、大口の法人顧客をターゲットとするというデルの戦略はよりいっそう鮮明になりました[13]。

顧客の多くが大口の法人顧客であるということと、デルの迅速なカスタマーサポートとの間には興味深い因果論理があります[14]。大きな会社でデルのＰＣを使っている人が、ＰＣにちょっとしたトラブルを抱えたらどうするでしょうか。デルのサポートセンターに電話をする前に、まずは同じフロアで働いているPCに詳しそうな人に相談するでしょう。多くの場合はちょっとした操作やPCの再起動で解決できる問題です。そこで解決がつかなければ、話はその会社でPCを管理しているシステム部門に行きます。そこにはPCに詳しい人が大勢いるでしょうから、ここでほとんどの問題は解決されるはずです。さらにどうしても解決がつかなければ、ようやくデルに連絡が行きます。電話がすぐにつながるのはもちろん、デルは大口の法人顧客に対しては担当者を割り当てていますから、迅速な解決が期待できます。

これが小売チャネルを通じて不特定多数の個人顧客にPCをばらまくように販売している会社だったらどうなるでしょうか。当時の個人ユーザーの多くはPC初心者です。PCを使用している途中で、不慣れのためにしょっちゅうトラブルに行き当たるでしょう。そうした人々が「気軽に」サポートセンターに電話してきたとしたら、大変なことになります。カスタマーサポートが対応できる以上の連絡が押し寄せ、すぐにパンクしてしまいます。電話がなかなかつながらないのも自然な成り行きです。

要するに、小売市場も相手にしていた競争他社と比べて、カスタマーサポートに来るサービス要請の頻度そのものを、デルはそもそも格段に低く抑えることができていたわけです。「ターゲット顧客の絞り込み」との交互効果があって初めてデルの「迅速なサービス」が可能になったというのがここでのポイントです。このように、ストーリーの戦略論とは、個別の打ち手でいきなり勝負するのではなく、因果論理でつながった打ち手の「合わせ技」を重視する戦略思考です。

◆競争優位の神髄

一つひとつは小さい話かもしれませんが、数多くの因果論理が着実に積み重なって戦略ストーリーの一貫性が出来上がっています。ストーリーの一貫性の正体は、「何を」「いつ」「どのように」やるのかということよりも、「なぜ」打ち手が縦横につながるのかという論理にあります。要するに、論理が大切だということです。静止画を動画にするのは論理です。ストーリーの一貫性の正体も論理にあります。論理のないところにストーリーはつくれません。

論理というと何やら難しそうですが、サウスウエストにしてもマブチにしてもデルにしても、パスをつなげている論理は、いわれてみれば当たり前のことばかりです。普通の知的な能力があれば、誰でも容易に理解できます。ビジネスはしょせん人間が人間に対してやっていることです。アインシュタインの相対性理論のような、(当時からしてみれば)突拍子もないような論理をひねり出す必要はありません。

サウスウエストの創業者であるハーブ・ケレハーさんや、デルのマイケル・デルさん、マブチモーターの馬渕隆一さんは、実に優れたストーリーテラーでした。しかし、考えてみれば、彼らにしても当たり前の理屈を当たり前に突き詰めただけなのです。ケレハーさんやデルさんや馬渕さんが論理の超人だったわけではありません。だいたいそんな人ならば、独自の思考世界に埋没してしまい、かえってビジネスで成功できそうにありません。

「論理が大切」、そんなことは誰もがわかっていることです。にもかかわらず、なぜ多くの企業の

「戦略」が論理不在の、無味乾燥な静止画の羅列で終わってしまうのでしょうか。一つには、構成要素（個別のSPやOC）が目に見えるのに対して、それをつなぐ論理は目に見えない、ということがあるでしょう。しかしそれ以上に、個別のアクションやプラクティスが「目に見え過ぎる」ようになっていることが大きいと思います。

世の中で流通する情報の量は以前と比べて飛躍的に増大しています。新聞や雑誌などのメディアは、他社の動向や成功事例を毎日、洪水のように吐き出しています。コンサルタントに聞けば、彼らはその業界の「ベストプラクティス」を、それこそ手に取るように知悉していますから、いろいろなことを教えてくれるでしょう。しかし、第1章で強調したように、そうしたアプローチは要素のつながりについての論理を覆い隠してしまいます。

「ベストプラクティスに学べ！」という思考（？）様式には、そもそも「違い」をつくるはずの戦略を阻害し、同質的な競争へと企業をドライブしていくという面があります。しかし、問題はそれ以上に深刻です。安易なベストプラクティスの導入が戦略ストーリーの基盤となる論理を殺し、その結果として戦略ストーリーの一貫性を破壊しかねないからです。コメディーで観客を爆笑させる喜劇俳優を、彼が客を呼べる大スターだからといって、悲劇の主役に起用したらどうなるでしょうか。彼が持ち前の芸風を発揮するほど、せっかくのストーリーがぶち壊しです。

アルバックは真空技術を使って、液晶や太陽電池などの先端分野の製造装置を開発し製造する企業です。生産性向上のためには会議の数を減らし、時間を短くしたほうがよいというのが常識ですが、アルバックは数多くの会議を、しかも時間をかけて「ダラダラやる」ことにこだわっています。独自の技術開発に事業の軸足を置いてきただけに、かつてのアルバックは技術者が自由闊達に最先端の技術を追求する会社で、技術者一人ひとりがカスタマイズした製品を取引先の要望に応じてつくり込むというやり方がとられていました。しかし、薄型テレビや太陽電池など巨額投資が必要なハイテク業界では、汎用的な製品に戦略的に投資をして、同じ装置を大量に売ることが大切になります。

その一方で、用途市場の変化が激しく、基盤となる技術にしても不確実性が高いので、どの領域に集中するかはトップダウンでは決められません。そこでアルバックは技術者の行き過ぎた個人主義を抑制し、現場の技術者全員を巻き込んだ徹底した議論を通じて合意形成をするために、「ダラダラ会議」を頻繁に開くというスタイルを意識的にとっています。無分別な事業拡大を防ぎつつも新規事業のための技術の種を常に撒き続けるというアルバックの意図からすれば、ダラダラ会議が有効なわけです。

また、アルバックでは技術者を評価する際には、成果主義も否定されています。ハイテク分野の技術開発はハイリスク・ハイリターンであり、成功するかどうかは運にも大きく左右されます。成果だけで評価するのはフェアでなく、個人にすべてのリスクを負わせてしまったらかえって技術の種をつぶすことになりかねない、という考え方です。アルバックの中村久三会長は次のように言っています[15]。

他社が実践している立派な経営手法はたくさんある。しかし、それにしても自分で考え、独自の経営を編み出したから強くなったのであって、それをまねしても会社として成長しない。だから私たちも自分で考えることにした。

アパレル業界では、ギャップ、H&M、ザラ、ユニクロ（ファーストリテイリング）のように、製造から小売までを一貫してコントロールする「製造小売」（SPA）と呼ばれるやり方が支配的になっています。その中でデイリーファッション（日常生活のための衣料品）の専門店を運営するしまむらは、SPAのやり方をとらず、商品をアパレルメーカーから仕入れる伝統的な小売業に特化しています。その一方で、しまむらは当初から、仕入れた商品を店舗で売り切るという完全買取制を実施しています。商品の衣料品の小売業としては格段に低い粗利益率でありながら、大手量販店の中でも最高水準の営業利益を長期にわたって維持してきました。

物流は規模の経済を発揮できる専門企業にアウトソーシングするのが常識になっています。ところが、しまむらは自前で独自の物流システムを構築しています。しまむらはわずか六店舗の時代から独自の設計思想による物流システムの構築を始め、グループで一五〇〇店以上となった二〇〇九年現在では、七カ所の物流センターを稼働して、全国的な自社物流網を構築しています。製造を自社でコントロールするというSPAの方向に機能を統合するケースは多いのですが、小売に徹しつつも、物流機能を自前で丸抱えする企業は珍しいといえます。

なぜ、しまむらは物流を自前でやっているのでしょうか。商品の完全買取で売り切るためには、方法は基本的には二つしかありません。一つは価格の引き下げです。しかし、流行や気候の変動で売上が大きく影響を受けるアパレル業界にあって、しまむらの商品価格変更率は業界平均の半分以下という低い水準に抑えられています。

もう一つの方法は、売れない店から売れる店に商品を移すことによる平準化です。しまむらはこの第二の方法で商品を売り切るために、自前の物流システムをフルに活用しています。たとえば、トラックが一台につき毎夜五店舗を回ります。店に商品を届ける代わりに、その店で売れない商品を引き取って、そのトラックに載せて戻ります。全国の物流センターを経由して、その商品が売れている店に即座に届ける、というやり方です。しまむらは全国で自在に商品を移動させているのですが、宅配便の四分の一以下という低コストを実現しています。

トラックを夜中に走らせるのは、一つには昼間の渋滞を避けるためですが、もう一つの理由は翌朝に従業員が一斉に作業を始められるようにするためです。昼間にトラックを走らせると、店の人はいつ到着するのかがわからないため、無駄な時間を過ごすことになります。朝一斉に仕事を始められれば、夕方の一定時刻までにパート職員の仕事も一斉に終わります。高い地位に就いた優秀なパートタイムの主婦がしまむらの店舗のオペレーションを支えているのですが、そうした人々を採用して定着させるためには、時間がはっきりと決まっていることが大切になります。しまむらの社長を長く務めた藤原秀次郎さん（現取締役相談役）は次のように言っています[16]。

つまり、私たちは社内に宅配便と同じシステムを持っているんです。このシステムによって、同じ物流センターが管轄している店には翌日に商品が届く。別の物流センターを経由する場合も二日後には着きます。たとえば青森県の店で売れない商品を二日後に鹿児島県内の売れている店に送る、ということもありえます。…（中略）…合理化を追求するためには自前のほうがいいんです。…（中略）…外部に委託すると自分たちの思うように改良できないんですね。

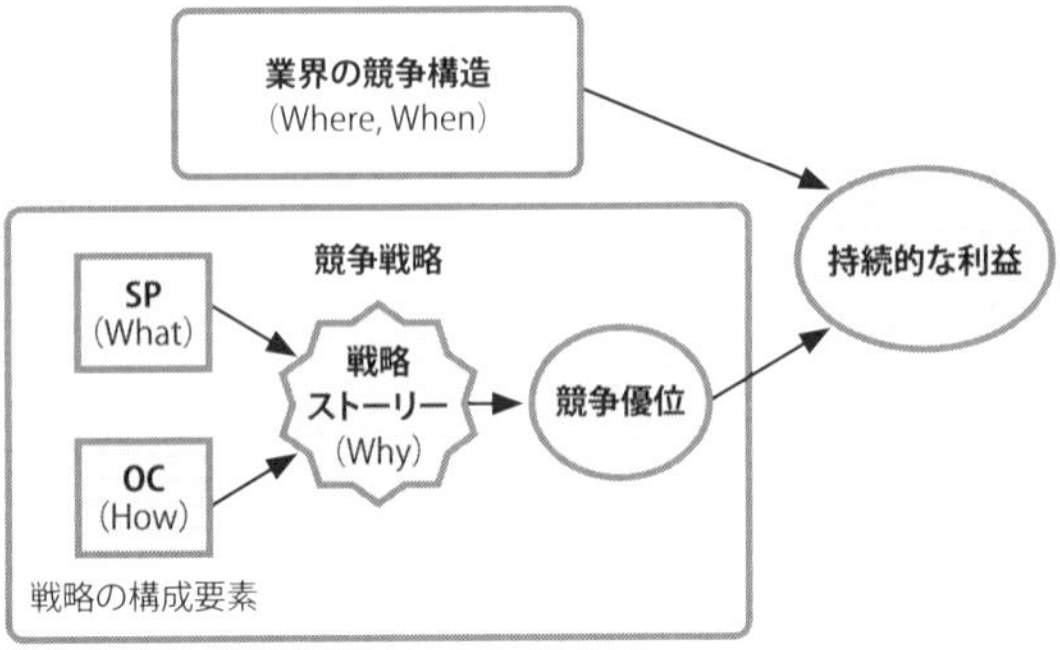

図3・10　戦略ストーリーの位置づけ

アルバックやしまむらは、個別の打ち手を見ると、時代や業界の常識に反するようなことをしています。しかし、ある打ち手がうまくいくかどうか、良いか悪いかは、ストーリー全体の文脈でしか評価できません。当たり前の論理を当たり前に突き詰めるためには、よその会社の動向や世間の耳目を集めるベストプラクティスに惑わされてはなりません。競争優位の正体がストーリー全体の一貫性、筋の良さにある以上、時間をかけてでも独自のストーリーを追求する姿勢が大切です。他社の戦略を分析する場合でも、人目を引く派手な打ち手に飛びつくのではなく、それを取り巻く構成要素とのつながりの論理をじっくりと追いかけなくては、その戦略の本筋はわかりません。

前章の終わりで、競争優位の源泉についての大まかな図（図2・5）をお見せしました。この図の上に本章でのストーリーとしての競争戦略という視点を重ねたものが図3・10です。持続的な利益とそのための競争優位に向けて、企業はさまざまな違いをつくろうとします。これが戦略の構成要素となります。戦略の構成要素には、SPを意図した打ち手もあれば、OCに根差したものもあるでしょう。

個別の構成要素を首尾一貫した因果論理で結びつけ、競争優位へとまとめ上げる。これが戦略ストーリーの役割です。図3・10でいえば、戦略ストーリーはSPやOCの構成要素と競争優位との間に介在するものとして位置づけられます。第1章でもお話ししたように、「違いをつくって、つなげる」という二つの戦略の本質のうち、ストーリーとしての競争戦略は後者に軸足を置いています。

戦略はwhat、how、where、when、whyといったさまざまな問いかけに答えなくてはなりません。前章でもお話ししたように、この図では業界の競争構造をひとまず競争戦略の外部にある変数として扱っていますが、どの業界で競争するかという土俵の選択は、文字どおりwhereを問題にしています。いつその業界に参入するかというタイミングの選択も重要な問題ですので、これも入れて考えれば、業界の競争構造はwhereとwhenに焦点を当てています。

SPは「何をするか」「何をしないか」という活動の選択にかかわる打ち手ですから、ここではwhatが主要な問題となります。典型的にはSPは「自社で内製するのか外部から調達するのか」というようなトレードオフの選択ですから、whichに対する答えといってもよいでしょう。一方のOCは自社にユニークな「やり方」から生まれる違いですから、戦略のhowを問題にしています。

これに対して、戦略ストーリーではwhyが一義的な問題となります。SPやOCの一つひとつの違いがなぜ相互につながり、全体としてなぜ競争優位と長期利益をもたらすのか。戦略ストーリーとはそうした因果論理の束にほかなりません。

この章は、戦略ストーリーの五Cのうちの三つ（競争優位、構成要素、一貫性）についてのお話でした。ストーリーの起承転結でいえば、競争優位は「結」、構成要素は「承」にそれぞれ当たります。

残りの二つのC、コンセプトとクリティカル・コアについては触れていません。コンセプトはストーリーの「起」、クリティカル・コアは「転」に相当します。お寿司のトロ、ショートケーキのイチゴ、石焼ビビンバのおこげ、なんといってもよいのですが、実はこの残りの二つがストーリーづくりの一番「おいしい」ところなのです。私は、ショートケーキのイチゴは後に残しておくタイプであります。コンセプトとクリティカル・コアについては、この後の二つの章でそれぞれじっくりとお話しすることにしましょう。

第4章　始まりはコンセプト

◆起承転結の「起」

戦略ストーリーの支柱となるのが、前章でお話しした五つのCです。長期利益というゴールに向かって最終的に放つシュートが「競争優位」（competitive advantage）です。ストーリーはそれに向けてさまざまな他社との違い（components）を因果論理でつなげたものです。ストーリーの「筋の良さ」とは因果論理の「一貫性」（consistency）を指しています。この章では、残りの二つのCのうち、コンセプト（concept）についてお話ししたいと思います。

一貫性の高いストーリーを構想するためには、終わりから逆回しに考えることが大切だということはすでにお話ししました。つまり、意図する競争優位のあり方を先に決めるということです。シュートの軸足をWTP（Willingness To Pay：顧客が支払いたいと思う水準）の増大に置くのか、コスト・リーダーシップをねらうのか、はたまたニッチでの無競争をもくろむのか、ここがはっきりしていないと、それに向けたパスの出しようがありません。

サッカーにたとえると、シュートと並ぶ「ツートップ」の片割れがコンセプトです。個別具体的なパス（構成要素）を繰り出す前に、コンセプトを固めておく必要があります。戦略ストーリーはこのツートップから始まります。

コンセプトとは、その製品（サービス）の「本質的な顧客価値の定義」を意味しています。本質的な顧客価値を定義するとは、「本当のところ、誰に何を売っているのか」という問いに答えることです。競争優位はこちらが儲けるための内側の理屈です。顧客価値という外側の理屈が成り立たなければ、シュートは打てません。競争優位とコンセプトのツートップはあくまでもセットで考える必要があります。

ストーリーの起承転結の「起」に当たるのがコンセプトです。紙芝居でいえば、「はじまり、はじまり……」のところで出てくるタイトルに相当します。「結」が最終的に構築される競争優位ということになります。筋の良い戦略ストーリーを構築するためには、その起点として本質的な顧客価値を独自の視点でえぐり出すようなコンセプトが不可欠です。コンセプトが本質的な価値を捉えていなければ、話は始まりません。「起」がきちんとしていなければ、「承転結」にどんなに工夫を凝らしても、筋の良い話にはなりません。

リコーは一九七〇年代から長期低落傾向にあった業績を、一九九〇年代に入ってV字回復させることに成功しました。この経緯について、京都産業大学の藤原雅俊さんは面白い分析をしています[一]。リコーの業績回復を担った主役はデジタル複写機でした。しかし、ここで大切なのは、リコーの戦略ストーリーの起点が、「画像処理のデジタル化」という独自のコンセプトにあり、デジタル複写機という製品はそのストーリーの産物にすぎないということです。複写機やファクシミリといった製品が個別に顧客価値をもたらしているのではなく、さまざまなリコーの製品が画像処理という共通の役割を果たすことによって顧客価値を生み出している。これが当時の浜田広社長の発想でした。「文書」や

「情報」ではなく「画像」の処理という視点は、ＩＰＳ（Image Processing System）というコンセプトへと昇華されました。

このコンセプトが、各事業でそれまでバラバラに製品開発にあたっていた技術者を喚起する力を持ちました。「要するにわれわれはＩＰＳの会社である」というコンセプトを得たリコーは、未知の領域だったソフトウェア技術の研究開発に果敢な先行投資を続けました。その結果として花開いたのが、高収益をもたらしたデジタル複写機だったというわけです。

リコーの例にあるように、コンセプトは最終的には短い言葉として表現されます。それは、一言でいってそのビジネスが本当のところ何であり、何ではないのかを凝縮して表出する言葉です。ＩＰＳのコンセプトは、リコーのビジネスの正体がもはや複写機ではなく、「画像の処理」であることを浮き彫りにしました。これに対して、「ドキュメント・カンパニー」を名乗った富士ゼロックスは、どちらかというと「文書の処理」を顧客価値として解釈していました。「文書の処理」となると、デジタル化に本腰は入れにくくなります。画像を処理しようとするからこそ、顧客はアナログの技術的制約を痛感し、デジタル化を求めるのです。コンセプトを「言葉遊び」と軽く見てはいけません。コンセプトは広告の惹句ではないのです。「画像」と「文書」、わずか二文字の違いですが、ゼロックスはデジタル化でリコーの後塵を拝することになりました。

コンセプトはストーリーの起点であると同時に、顧客への提供価値という終点でもあります。コンセプトがきちんと詰められていれば、ストーリー全体がシンプルになり、全体を貫く柱が明確になり、それにかかわる人々が共有しやすくなります。ＩＰＳのコンセプトが打ち出されていなければ、リコーの戦略ストーリーは生まれなかったでしょう。困難なデジタル化技術の開発を支えた技術者は奮起しなかったでしょうし、長期にわたる莫大な先行投資にも踏み切れなかったはずです。また、さまざまな事業や部門や人々の活動を統合するのも困難だったでしょう。

◆本当のところ、誰に何を売っているのか

競争優位のシュートの決定に比べて、コンセプトの定義ははるかに難しい問題です。なぜならば、それは「見たまま」ではないからです。誰に何を売っているのか。見たままであれば、答えは自明です。しかし、「本当のところ、何を売っているのか」というのがポイントです。ＰＣの会社は見たままでいえばＰＣを売っているわけですが、本当のところ、売っているものはＰＣではありません。お客さんにしても、本当のところをいえば、ＰＣそのものを欲しいという人はほとんどいないのです。まぁ、マニアは別です。「この手触りがたまらないんだよね……」と言いながら、ＰＣを抱いて寝ている人もいるかもしれません。

そういう特殊な人は別にして、本当のところ顧客が何にお金を払っているかというと、ＰＣを使うことによって得られる何かなのです。「本当に売っているもの」を考えれば、同じＰＣメーカーであっても、デルとＨＰではコンセプトは異なります。アップルはもっと違うでしょう。「何を売っているかって？　見ればわかるでしょ、ＰＣだよ……」という見たままの答えであれば、その時点で面白いストーリーはつくりようがありません。ひたすら「ＰＣ」のコストパフォーマンスの改善に向けた

消耗戦を続けることになります。

コンセプトは顧客に対する提供価値の本質を一言で凝縮的に表現した言葉です。それを耳にすると、われわれは本当のところ誰に何を売っているのか、どのような顧客がなぜどういうふうに喜ぶのか、要するにわれわれは何のために事業をしているのか、こうしたイメージが鮮明に浮かび上がってくる言葉でなくてはなりません。リコーの「IPS」や「画像処理のデジタル化」は、まさにそのような言葉でした。「コピー機」を売ろうとしたわけではありませんでした。「見たまま」の商品やサービスという切り口ではコンセプトの定義にはなりません。

このことは、前章でお話ししたベネッセの通信教育事業にも当てはまります。「コミュニティを大切にした継続型ビジネス」というベネッセの発想は、人を軸に戦略ストーリーを組み立てるということを意味しています。継続性を突き詰めると、「モノ」や「機能」を軸にしたビジネスの組立てから、「人」を軸にしたストーリーへと転換することは必然でした。一九九〇年代のベネッセの事業は、書籍出版などの単品の切り売りから、継続性を基盤とした事業へと傾斜を深めました。

そのきっかけとなったのが通信教育事業の方向転換です。ベネッセの通信教育事業は、前身の福武書店の時代の収益源だった「進研模試」の延長に生まれたものです。当初の進研ゼミの顧客価値は「教材」といったモノや「添削指導」という機能で定義されていました。ところが進研ゼミの立ち上がりは失敗続きで、計画どおりに会員数は伸びませんでした。

それが大きく飛躍することになるのは、会員とその家族を含めた顧客との双方向コミュニケーションの重要性を認識したときでした。赤ペン先生の添削指導も会員とのコミュニケーションを志向したものに徐々に変わり、会員向けの教材だけでなく、『中学生のお母さん』といった雑誌も届けられるようになりました。つまりモノや答え合わせの機能を売るのではなく、添削を会員や家族とのコミュニケーションを促進するツールとして定義したわけです。当時の社長であった福武哲彦さんは次のように振り返っています[2]。

現在やっている「進研ゼミ」というのは、昭和三〇（一九五五）年の会社設立の翌年からやったのですが、何回やっても失敗の連続でした。…（中略）…昭和四三（一九六八）年、五回目でやっと子どもとの触れ合いの大切さに気づいた。そのとき私はこう思った。とにかく売り切りはよくない。これは一方通行、ワンウェイだ。心の交流がなくてはダメだ。…（中略）…確かに添削はするが、添削はほんの一部でコミュニケーションが中心です。

教材や参考書や学習塾など、効果的な学習のためのツールは他にもたくさんあります。しかし、子どもにとっては「勉強することに興味を持つ」というそもそもの入口のところに高いハードルがあります。会員である子どもが入口のハードルを克服し、親のサポートも得ながら、「勉強に習慣的に取り組む」「学習成果に達成感を感じる」というところまで持っていくというトータルのプロセスをコミュニケーションによって支援する。このような独自のコンセプトが次第に世の中に浸透していったことが、進研ゼミの持続的な成長をもたらしたのです。

一九九〇年に一号店をオープンしたブックオフコーポレーションは、当初は「中古本のコンビニエンスストア」をコンセプトとして、中古書店チェーンを全国展開し、急速に成長しました[3]。ブックオフは初期の段階から、中古品ビジネスにおける成功のカギは、商品を買ってもらうことよりも売りに来てもらうことだと認識していました。そこでブックオフはテレビなどのマスメディアを利用し、覚えやすいメロディーとともに「本を売るならブックオフ」のメッセージを繰り返し流しました。

買取を強化するために、ブックオフは三つの手を打ちました。第一に、顧客が最寄りのブックオフに本を持ち込みやすくするために、平均的な店舗では少なくとも二〇台分の駐車スペースを用意しました。第二に、顧客は自宅まで中古本を取りに来るように依頼することもできました。第三に、送料無料でブックオフに本を送ることができる「宅本便」サービスも提供しました。

その後、ブックオフはこのような買取を重視する考え方をさらに推し進め、コンセプトの軸足をはっきりと販売よりも買取に移し、「捨てない人のブックオフ」という言葉をミッションとして掲げています。事業コンセプトも「中古本のコンビニエンスストア」から「捨てない人のためのインフラ」へと再定義されました。つまり、中古書店ではなく、買取を含めたリユースのインフラを提供する会社になるという考え方です。

ブックオフは「誰に」価値を提供しようとしているのでしょうか。中古品を安く便利に買おうとする人ではありません。いらないモノを捨てたくない人、「買って使って捨てる」というライフスタイルを格好悪いと思っている人、生活を切り詰めたり我慢するのではなく「欲しいとき」「いらなくなったときに」賢い選択をすれば生活や心が豊かになるということを知っている人、こうした人々こそが価値提供の対象であると定義されました。事実、ブックオフに本を売りに来る顧客を調査してみると、換金そのものが目的の人よりも、自分が使ったものを捨てたくないという動機の人のほうが圧倒的に多いということがわかりました。

従来のビジネスの領域を超えたユニークなストーリーをつくるためには、その起点に普遍的で大きなコンセプトがあるかどうかが決定的に重要です。消費者が購入した本は、従来は古紙回収業者によってトイレットペーパーと引換えに回収されていました。しかし、回収される本の量が古紙再生の需要を超え、古紙の価格が急落してしまうと、古紙回収業者は商売にならないので一般の家庭を以前のようには回らなくなります。人々は本や雑誌をゴミと一緒に捨てることが多くなりました。

「捨てない人のためのインフラ」というブックオフのコンセプトには、単なる中古品の小売業ではなく、これまでのゴミ回収やリサイクルといった公的な事業がうまくカバーできなかった社会的な役割を果たしていく会社になるという大きな構想が込められています。ブックオフが本当のところ売っているのは、中古の本やCDといったモノではありません。電車やバスの交通機関のように、生活の中でいつもそこにあり、「捨てない人」にとってなくなると困るようなインフラを提供する。モノが過剰な社会が必要とするインフラを構築することによって、「捨てない人」のライフサイクルを豊かにすることに提供価値の本質が置かれています。

このコンセプトに沿って、ブックオフは本やCDだけでなく、子ども用品、洋服、スポーツ用品、雑貨、台所用品、アクセサリーなど、インフラとしてあらゆるモノを扱う「ブックオフ中古劇場」という新しい業態で、売場面積一五〇〇坪前後の大型店舗の出店を進めています。家庭にあるモノを一切合切集めて車に乗って、家族で売りに来る。ついでにお母さんは雑貨や洋服を見て、お父さんは中古のゴルフクラブを見つける、といったように長い時間楽しめるような場を提供するという発想です。中古劇場は地域の顧客に浸透するに従ってじりじりと売上を伸ばし、一店舗で一億円以上の経常利益を出す店も増えています。

◆「どのように」よりも「誰に、何を」

リクルートのメディア事業「ホットペッパー」は、独自の切り口で構想したコンセプトが起点となってきわめて筋の良いストーリーに結実した例です。この事業をリードした平尾勇司さん（当時、ホットペッパー事業部長）は、ストーリーテラーとして只者ではないというか、つくづく感心させられる戦略家です。平尾さんが中心になって描いたホットペッパーの戦略ストーリーは大変に面白いので、また後ほど触れますが、ここではそのコンセプトの部分を見てみましょう[4]。

リクルートが平尾さんを事業部長につけてホットペッパー事業を始めたのは二〇〇一年のことでした。その後四年という短期間のうちに、ホットペッパーは三〇〇億円の売上と一〇〇億円の営業利益をあげるリクルートの基幹事業の一つに成長しています。『ホットペッパー』は全国の主要な県庁所在地に当たる都市のほとんどで展開している生活情報誌です。二〇〇八年にはその数は五〇版にまでなっていますから、皆さんの中にも手にとってご覧になったことがある方が少なくないと思います。

「狭域情報誌」、これがホットペッパー事業のコンセプトです。コンテンツの領域や地域を切り口とした生活情報誌はたくさんありました。ところが、ホットペッパー事業の独自性は、情報のソースと情報提供の対象を「生活圏」というきわめて狭い範囲に絞ったことにありました。「生活圏」という切り口で捉えれば、「関東」とか「東京」などというマーケットはそもそも存在しない。これが平尾さんの確信でした。実際に人々が生活し、消費行動をとっているのは、東京でいえば、銀座、上野、新宿、渋谷といったように細かく分かれた生活圏です。人々が「働いて」「住んで」「食べて」「遊ぶ」行動を日常的、継続的に起こす範囲、これが生活圏の定義です。一つひとつの生活圏は半径二キロから五キロのごく狭いエリアです。その中で人々は日常のほとんどの行動をとっており、消費の八割をその生活圏の中で行っている、というのが平尾さんの洞察でした。日常的な生活や行動に必要な情報を、その人々の生活圏に限定して提供するメディアがホットペッパーです。

ホットペッパーは無料で配布される雑誌ですから、事業としての売上は広告を掲載するクライアント（たとえばその生活圏にある飲食店）からの広告料収入となります。広告媒体としてクライアントにとって独自の価値を提供しなければなりません。その一方で、雑誌を手に取る消費者にとって魅力がなければ広告としての効果もありません。つまり、メディア事業である以上、広告主と読者（消費者）をともに喜ばせ、さらに両者を現実の消費によって結びつけることが必須になります。

人々の消費のほとんどが生活圏の範囲で起こることを考えると、東京とか大阪というセグメンテーションではマーケットの本質が見えなくなってしまいます。大都市ならまだしも、地方都市となると相対的に規模が小さく、あまりにも非効率に見えるため、切り捨てられてしまいます。生活圏で日々起こっている消費は、本当は存在するのですが、狭域情報誌というコンセプトがなければ見えなくなってしまうのです。

広告主と読者の両方を狭い生活圏に限定して考えるという狭域情報誌のコンセプトは、生活情報メディアとしての価値を飛躍的に高めることになります。消費の八割が生活圏の中で行われるわけですから、ユーザーにしてみれば生活圏の情報こそ日常生活の中で本当に必要とする情報となります。実際の消費行動と無関係な情報が多過ぎると、ユーザー自身が情報のスクリーニングに無意味な手間をかけなければならなくなります。掲載されている情報量が多くなるほど、かえってメディアとしての価値は低下するでしょう。

一方の広告主にとってはどうでしょうか。たとえば、インターネットで自分の商売の広告を打つことはできます。インターネットであれば多数の多様な消費者に情報を届けることができます。しかし、彼らの商売はごく限られた生活圏の人々を対象にしていますから、その範囲で生活している人々に情報が届かなければ、広告効果を約束しません。自分たちが商売をしている生活圏から遠く離れてしまえば、具体的な消費に結びつかないからです。どんなに情報が広くたくさんの人に行きわたったとしても、実際に自分のお店や会社の売上にならなければ、広告としての意味はありません。生活圏という狭域に特化することによって、ホットペッパーは広告主と読者の双方のリアルで実際的なニーズを真正面から受け止め、両者を結びつけることに成功したのです。

ここでお話ししたいくつかのコンセプトの例は、いずれも「本当のところ誰に何を売るのか」という問いに対する答えを突き詰めて生まれたものです。ベネッセの進研ゼミは「子どもを含めた家族のコミュニティ」に「学習を促進するコミュニケーション」を提供しています。ブックオフは「捨てない人」に「リユース生活のインフラ」を提供しようとします。ホットペッパーは「生活圏内の事業者と消費者」に限定して、「生活情報の提供による消費のマッチング」を提供するものです。このように、優れたコンセプトを構想するためには、常に「誰に」と「何を」の組合せを考えることが大切です。「誰に」と「何を」を表裏一体で考えることによって「なぜ」が初めて姿を現すからです。

「なぜ」は、戦略ストーリーにとって一番大切な問いかけです。ストーリーを動かす原動力は因果論理にあります。「誰に」だけ、「何を」だけでは静止画になってしまい、肝心の「なぜ」についての思考が甘くなりがちです。「なぜ」についての因果論理は「動き」の中にしかありません。動画でなければ因果論理を考えることができないのです。「誰に」と「何を」をペアで考えれば、コンセプトが動画になります。顧客がその商品なりサービスを認知し、反応し、購入を決断し、使用し、価値を認め、継続的に利用し、利用経験を蓄積し、さらに満足を大きくしていく、こうした一連の動きが見えてきます。そうした動きのあるイメージを思い浮かべ、実際にそのような動きが生まれるかを突き詰めることによって、なぜその顧客がその商品なりサービスに食いつくのか、なぜお金を払うのか、なぜ喜ぶのか、なぜ喜びが持続するのか、いくつもの「なぜ」が見えてきます。

コンセプトを動画で構想するというと、多くの人が「どのように」という方法論に傾きがちです。しかし、コンセプトから「誰に」と「何を」が抜け落ちて、「どのように」ばかりが前面に出てくると、コンセプト不全に陥るのが常です。これは戦略ストーリーが失敗作となる典型的な成り行きです。たとえば、「顧客の囲い込み」とか「サービスの個別化」「顧客の組織化による継続的課金」、こうしたよくあるアイディアはいずれも「どのように」を問題にしています。それ自体は悪いことではないのですが、この種の方法論が先行したコンセプトは、結局のところ顧客への提供価値よりも自分たちがどのように儲けるのかという手前勝手な妄想に終始してしまうことが少なくありません。

顧客を組織化して囲い込むにしても、それに先行して「誰に」と「何を」を突き詰めなければコンセプトは動画にならないのです。そこまでの価値を認める顧客は誰か、なぜ彼らを囲い込めるのか、なぜ彼らが継続的にお金を払うのか、サービスを個別化することによって顧客に提供できる独自の価値とは具体的に何か。コンセプトはこうした一連の「なぜ」に対する答えを含んでいなければなりません。「なぜ」が希薄なコンセプトでは、リアリティのあるストーリーは切り拓けないのです。

数値目標の設定はストーリーを実際に動かすうえで必須の作業工程ではありますが、「数字」だけではコンセプトにはなりえません。数字それ自体は「誰に」「何を」「なぜ」に全く言及していないからです。コンセプトはあくまでも会社の外にいる顧客に提供する本質的な価値の定義です。会社の中で自分たちが達成すべき目標の設定ではありません。いうまでもなく、数値目標を設定したからといって自動的に価値を生み出せるわけではありません。独自の本質的な価値を提供できた結果として、数字が出てくるのです。前にも強調しましたが、「数字よりも筋」です。優れたコンセプトが筋の良いストーリーを駆動していけば、数字は後からついてきます。この順番が逆転してしまえば本末転倒です。数字も実現できません。

ホットペッパーの話に戻りますが、その前身には『サンロクマル』という雑誌がありました。従来のリクルートは住宅、結婚、就職、進学、旅行と領域ごとに情報誌を出し、それぞれを事業としていました。これに対して地域を軸に情報を整理して提供しようとしたのがサンロクマル事業でした。平尾さんがホットペッパー事業をスタートさせた時点で、『サンロクマル』は創刊から七年経っても黒字化できず、三六億円の累積赤字を抱えて迷走していました。サンロクマル事業の失敗について平尾さんは次のように語っています。[5] コンセプトとは、以下の平尾さんの言葉にある「目的」に相当するものです。

『サンロクマル』には売上の目標はあった。でも事業の目的がなかった。売上を達成する(広告の)件数が設定されると、その件数をただただ追っかけていた。なぜその件数が経営的に必要なのか? なぜその件数が読者に必要なのか? その件数を満たしたとき、読者はどんな行動を起こし、お店ではどんなことが起こり、街では何が起こるのか? これらのイメージが構成メンバーに語り伝えられていなかったのだ。実現したい世界観が明らかにされていなかったわけだ。それは言葉として、映像として、事業の構成メンバー全員のまぶたに焼きつけられていなければならないはずだった。目標があって目的がない。それは作業であって仕事ではない。

◆「明日来る」の価値

アスクルは、小規模オフィス向けにあらゆるオフィス消耗品を通信販売で提供する企業として大きな成功を収めました。アスクルの強みが、オフィスの消耗品のほとんどすべてが手に入るという利便性と、「明日来る」という翌日配送を約束したサービスにあるということはよく知られています。これだけなら、要するに「品揃え」と「スピード」という話です。これらはもちろんアスクルの顧客価値の重要な要素ではあります。しかし、こうした無機質な言葉だけではアスクルの顧客価値の本質は捉えきれません。

アスクルは、ターゲット顧客を従業員三〇人以下の小規模事業所に絞り込みました。特に一〇人以下のごく小さなオフィスがアスクルの中核的なターゲットです。従業員が三〇人以下の事業所は、オフィス用品の大手メーカーの系列にあるベンダーが手を出さないセグメントとして放置されていました。逆にいえば、大規模事業所であれば、出入りの業者に一声かければ、いつでもフルサービスを受けることができるので、「欲しいときに欲しいものを」というアスクルのサービスはすでに充足されていたといえます。

こうした小規模事業所で、どういう人が、どういう文脈で、どういう思いで、どのようにオフィス消耗品を買っているのかをよくよく突き詰めたあげくに出てきたのが、「明日来る」なのです。こうした事業所で実際に消耗品の補充や購入をするのは、典型的なイメージでいえば、パートで事務を任されているスタッフです。仮に久美子さんとしておきましょう。

その事業所には久美子さん以外に五人しかいません。久美子さんはこまごまとした経理事務を一手に任されて、パートといっても忙しい毎日です。周りの人たちは、文具や消耗品が切れると、久美子さんに買い物を頼みます。頼まれると、久美子さんはつっかけ（というのはあまりにも古い表現なので、サンダルというべきか。最近ならばクロックスあたりか）を履いて、カーディガン（これも古いかな）を羽織って、近所の文具店に買出しに行きます。久美子さんの勤めるオフィスは雑居ビルの四階にあり、エレベーターもついていません。階段の上り下りはおっくうです。でも仕事なので、頼まれれば久美子さんはペンやクリップを買いに出かけます。

ペンやクリップだったら軽いのでまだよいのです。ところが、この日はコピー用紙を頼まれてしまいました。一番近い文具店でも歩いて五分はかかります。帰りの階段が思いやられます。しかも、買い物に出るときはいつもそうなのですが、「ちょっと買い物に行ってきます」と言うと、「あっ、ついでにシャープペンの替え芯も買ってきて」とか「付箋紙もそろそろ切れそうだから、頼むよ」とか、出る直前になって追加の注文をする人が必ずいるのです。そんなに覚えきれないので、またデスクに戻ってメモしなくてはなりません。

消耗品を大量にまとめ買いしておけばいちいち買い物に出る必要もないのですが、久美子さんのオフィスのスペースは狭いので、かさばるものをストックしておくのは気が引けます。かくして、忙しい経理の仕事を中断した久美子さんは、メモを片手に今日も文具店に行くのでありました。こういうときに限って、帰る途中で雨が降ってきたりします。

久美子さんにとって、オフィス消耗品を買うとはこういう仕事です。文具店は「どうしても必要なときに、仕方なく行くところ」でした。アスクルのコンセプトは、久美子さんのような小規模事業所の消耗品の補充の最前線にいる人々の状況や気持ちや行動を見据え、彼らが絶対に喜ぶだろうという価値を構想したものです。ファクシミリでペン一本から小口注文できれば、忙しい仕事を中断して買い物に出る必要がありません。出がけに慌ただしく追加注文を受けて、メモを取り直す必要もありません。しかも次の日には届くのですから、事前に買い物の計画を立てておく必要もありません。消耗品をストックしておくスペースもいりません。重たいコピー用紙の入った袋を提げて階段を上らなくてもよいのです。久美子さんは喜んでアスクルを使い始めるでしょう。

久美子さんの経理の仕事が中断されないので、これは事業所の他の人々にとってもありがたいことです。それに、実は久美子さんの周囲の人々はとてもいい人たちで、こまごまとした買い物を久美子さんに頼むのを内心ではわりと心苦しく思っていたのです。久美子さんがアスクルを使いだしてから、これまでとは違って気兼ねなく消耗品の補充を頼むことができるようになりました。アスクルは確かに価格でも競争力があるのですが、顧客にとっては単純な価格の安さ以上に、こうした価値のほうが大きかったのです。

本質的な顧客価値を突き詰めるとは、「誰が、なぜ喜ぶのか」をリアルにイメージするということです。それは書き直したメモを片手に買い物に出かけるときの久美子さんの憂鬱や、帰ってきて袋を提げて階段を上る苦労、買い物を久美子さんに頼む周囲の人々の心情、こうしたレベルで顧客の問題をリアルにイメージできるかどうかにかかっています。

戦略ストーリーが動画である以上、その起点にある顧客価値も動画で構想されなくてはなりません。その言葉を聞いたときに、ターゲット顧客を主人公にした動画のシーンが見えてくるようなコンセプトでなければ、ストーリーの発火点にはならないのです。一般的なニーズとして「品揃え」や「スピード」を思いつくのは簡単です。現に多くのサービスの企業が提供価値として掲げています。それだけであれば、アスクルはごくありきたりの「オフィスサプライの通販業者」で終わっていたことでしょう。

◆デパートとコンビニ

私が子どもの頃、一九六〇年代の小売業の王様はなんといってもデパートでした。ところが近年のデパート業界は一貫して長期低落傾向にあります。これを書いている時点で、デパートの売上がついにコンビニエンスストアに追い抜かれたというニュースを耳にしました。なぜ、デパートは凋落したのでしょうか。デパートのコンセプトを考えてみましょう。見たままでいえば、デパートが売っているものは文字どおり「百貨」です。しかし、黄金時代のデパートが本当のところ売っていたのは「家族で半日楽しめる行楽地」だったというのが私の見解です。

一九六〇年代の日本では、週休二日制はまだ定着していませんでした。フルに使える休日は日曜日だけです。旅行に出かけるのは容易ではありませんでした。車を持っている人も少なく、移動範囲は限られていました。せっかくの休日、家族四人で半日ぐらい一定のコストで遊べ、しかも公共交通機関で手軽に行ける行楽地としては、デパート以上に強力なものはなかったのではないでしょうか。

お母さんは（買わないまでも）洋服を見て回り、お父さんはゴルフクラブをチェックし、子どもたちはちょっとした玩具を買ってもらって、屋上の遊技場で遊んで、家族全員で食事もできる。帰りがけに地下の食品売場でおいしいお菓子でも買って帰れば、わりと幸せな気分になれたものです。私は子どもの頃にこうした「行楽地としてのデパート」を楽しんでいたクチで、一〇円玉を何枚かもらって、買ってもらった玩具を横に置き、屋上のゲームコーナーのスマートボールをしていると、言いようのない多幸感に包まれたものです。

ところが、今はどうでしょう。行楽地としては、そのものずばりのテーマパークがあちこちにあります。車もありますから、いろいろなところに出かけられます。外食の機会も増えました。週休二日制で休日も増えました。ちょっとした旅行に出かけることもできます。家にいても、ＤＶＤありゲームありで、エンターテインメントには事欠きません。要するに、デパートはかつての行楽地の最右翼としての価値を徐々に失っていったのです。このことが衰退の最大の理由であると私は思います。

デパートが衰退していく裏で、大きく成長した小売業態がコンビニです。コンビニのコンセプトは何でしょうか。置いてある商品それ自体は、どこでも買えるものがほとんどですから、売っているモノに顧客価値があるわけではありません。要するに、文字どおりの「コンビニエンス」なのですが、その中身が問題です。ごく初期の頃は「時間」が利便性の正体だったかもしれません。夜遅い時間にちょっと欲しいものがある。もうスーパーは閉まっている。そうだ、コンビニがある。「開いててよかった！」という話です。でも、それだけでは時間限定の代替サービスとしてのニッチにとどまります。とても現在のコンビニ産業の規模には成長できなかったはずです。

ずいぶん前の話ですが、私のゼミの学生がコンビニの本質的な顧客価値を実際にアルバイトをしながら探っていくという調査研究をしたことがありました。コンビニは「自分の部屋の延長」であり、このことがコンビニにユニークな消費を起こさせているというのが彼らの結論です。つまりヘビーユーザーにとってのコンビニは、「お店」というより、飲み物や食べ物がぎっしり詰まった冷蔵庫もあれば（しかも、それはいつも誰かが手を入れておいていてくれる）、最新の雑誌が満載の本棚もある「自分の部屋」だというわけです。スーパーであれば、人々はまず冷蔵庫の中身を確認し、買うべきもののリストを（紙に書かないまでも頭の中に）持ってスーパーに出かけます。こうした需要に応えるスーパーの顧客価値は、当然のことながら「良いものをより安く」になります。

ところがコンビニでは、消費空間としての意味合いが相当に違ってきます。自分の部屋の延長だとすれば、はっきりとした需要がなくても習慣的に足が向きます。買い物リストを持ってコンビニに行く人はあまりいません。ちょっとした需要がその場で生じて購買につながります。だから品揃えや価格で不利であってもモノが売れる、というわけです。

公共料金や携帯電話料金を払いに行くというのはわりとイヤなことなので、ついつい引き延ばしてしまいがちです。ところがコンビニはそうした料金の支払場所としても成功しています。これはコンビニが自分の部屋の延長であることと密接に関連していると思います。習慣的に立ち寄るわけですから、その流れで抵抗感なく払いに行けるのです。「開いててよかった！」は切羽詰まった顧客に対する価値ですが、今のコンビニはその対極にある消費を捉えているといってもよいでしょう。そうした消費の一つひとつは少額でも、積もり積もれば馬鹿にできないほど大きくなります。ここにコンビニが巨大産業になった一つの理由がある、というのが学生諸君の洞察でした。

◆Eコマースは「自動販売機」？

一九九〇年代後半にインターネットが爆発的に普及し始めると、Eコマースが一挙に注目を集め、さまざまな企業が参入しました。当時、雨後の筍のように現れた「ドットコム企業」の多くは、伝統的な小売業態に対するEコマースの優位を、次のような顧客価値に求めていました。いわく、Eコマースは閉店しない。一日二四時間、週七日、一年三六五日開店しておける。いわく、ネットにつながっている世界中の人々を相手にできる。いわく、品揃えを無限に広げられる。いわく、探し回らなくても、検索一発で自分の欲しい商品にたどり着ける。いわく、お店が顧客の自宅にあるので、欲しいと思ったときにすぐに買える。いわく、オペレーションのあらゆるコストが下がるので、低価格で提供できる。

要するに「自動販売機」というコンセプトです。品揃えがきわめて豊富な「自動販売機」を世界中の顧客の家の中にあまねく置くことができる、という発想です。しかし、こうした発想でEコマースに参入した企業のほとんどは、あえなく挫折し、撤退の憂き目を見ました。

こうした安直なコンセプトをごく初期の段階から否定し、ユニークなコンセプトで独自の戦略ストーリーを構想した数少ない企業の一つがアマゾン・ドット・コムです。創業経営者のジェフ・ベゾスさんは創業当初から「他社と決定的に異なるのは、アマゾンのビジネスの中核がモノを売るのではないということだ。われわれのビジネスの本質は人々の購買決断を助けることにある」と断言しています。[6] このコンセプトを受けて、アマゾンは、レビューやレコメンデーションといった顧客の購買決断を助けるためのソフトウェアの開発に膨大な投資を続けました。顧客の行動パターンの分析技術やそれに基づいて個別化されたレコメンデーションを送る技術は着実に改良されていき、顧客が本やCDを見つけるのを助けるだけでなく、本やCDのほうが読者を発見するのも助ける、という双方向的な関係が生まれました。

アマゾンはその後「アマゾン・マーケットプレイス」として、中古書籍販売業者などの外部の企業がアマゾンのウェブサイトでアマゾンに来た顧客に対して商品を販売するというサービスを始めました。これによって手数料という新しい収入源を手に入れたわけですが、一方でアマゾンは新品の書籍や商品の小売業ですから、本業に対する負の影響が懸念されました。新品の書籍を相対的に安価な中古本と並べて売ってしまえば、価格競争力のない新品の売上が落ち込むだろう。これが社内外の人々に共通した考え方でした。外部の業者による中古書籍の販売を受け入れるにしても、たとえば新刊書と同じページに並べるのではなく、別のページに表示するといった工夫が必要だという意見が根強くありました。

ところがアマゾンは大方の予想に反して、新品と中古品を完全に横に並べる形で「アマゾン・マーケットプレイス」の開始に踏み切りました。これにしても意思決定の基盤となったのは「モノを売るのではなく、人々の購買の意思決定を助けるサービスを提供する」というアマゾンのコンセプトでした。ベゾスさんは次のように説明しています[7]。

新品と中古品を横に並べて比較できるようにするというのは、顧客にとっては良いことだ。選択肢を与え、顧客自らが選択できるようにする。それで顧客が混乱したり困ることはない。われわれの手持ちのデータでも、アマゾンで中古本を購入した顧客は、以前と比べて新品の本もより多く買ってくれるようになっている。まだ読んだことがない著者の新刊書に二五ドルも払うのをためらう人は多いだろう。中古を売れば、顧客が実験し、試行する機会を与えることができる。顧客の購買の意思決定を助けることができ、結果的にアマゾンに対するロイヤリティーも向上するはずだ。

「それが本当にネットでなければできないことでなければ、やらない」というのがベゾスさんの起業時点での基本方針だったそうです。考えてみれば、本やCDを売ることそれ自体はこれまでの小売がやってきたことですし、品揃えの拡張にしても、「メガストア」がやっていたようにある程度までは従来の店舗でもできることです。しかし、顧客の購買やブラウズのパターンを見て、個別化されたレコメンデーションで購買決断を助けるということは「ネットでなければできないこと」です。顧客ごとにウェブページを丸ごとカスタマイズする、つまり店そのものを顧客の好みに合わせて変えてしまうというアマゾンのやり方は、膨大な投資と長い時間をかけて開発した独自技術の集大成です。現実の店舗ではこうはいきません。お客さんが変わるたびに店中を走り回って棚や商品の位置を変えるわけにはいかないからです。ここにアマゾンが見出したEコマースの可能性がありました。アマゾンの戦略ストーリーの起点には、ユニークな顧客価値を捉えたコンセプトがあったのです。

楽天の創業経営者の三木谷浩史さんも、独自のコンセプトにこだわった経営者の一人です。よく知られているように、楽天は自ら商品販売を手がけるアマゾンとは異なり、インターネット上のショッピングモール「楽天市場」を運営しています。楽天市場は今でこそ日本最大のEコマースモールですが、参入時期で他社に先行したわけではありませんでした。楽天市場が一九九七年に始まったときには、すでにニフティやソネットといった大手のプロバイダがEコマースのモール事業で先行していました。しかも、こうした企業は本業のインターネット接続事業で多くの顧客ベースを持っています。一見して、楽天は明らかに不利な立場にありました。

楽天市場がまだあまり知られていない一九九九年のことです。楽天の戦略ストーリーについて三木谷さんとゆっくり議論をする機会があったのですが、「ほとんどのEコマースは、ネットをお手軽な自動販売機だと思っている。われわれは徹底的にその逆を行く」と強調していたのが印象的でした。三木谷さんの語る楽天のコンセプトは「エンターテインメントとしてのショッピング」というものでした。なぜモノが売れないのか。それは、日本のように消費が成熟した市場では、買い手にとって不足しているものはほとんどないからだ。では、どうしたらEコマースで顧客を引きつけられるのか。日本の伝統的な商店街の手口にその答えがある、というのが三木谷さんの洞察でした。当時の三木谷さんの発言です[8]。

ウェブ上に商品を出して売ることがEコマースではない。インターネットは自動販売機ではない。もうあまり買いたいものがない豊かな時代の顧客に、エンターテインメントとしてのショッピングの楽しさを提供することが重要で、出店者には、何を売るか、ではなく、どうやったら売れるかに集中してもらう。インターネットというデジタル媒体は、エンターテインメントとしてのショッピングの新しい可能性を開くから意味があるのであって、単にスピードや効率を上げるためにあるのではない。われわれの提供している価値そのものはきわめてアナログなものだ。

日本の伝統的な商店街はローカルな市場を相手にしています。顧客の多くは顔見知りで、家族構成とか好みとかいろいろなことを理解し、長年の人間関係と信頼に基づいて商売をしています。いつもの店にお客さんが買い物に行けば、あいさつがありますし、ちょっとした雑談をすることもあります。場合によっては長々と立ち話をすることもあるでしょう。かつての商店街ではこうしたリレーションの濃さが顧客の購買をつかんでいました。

もともと日本人は購買の意思決定が文脈依存的で、モノを買うときにリレーションを重視しがちです。成熟した消費社会では、購買の文脈依存性はますます増大するはずです。この種の人間的でアナログな消費を、インターネットというデジタルなプラットフォームで実現する。ここに楽天市場のコンセプトがあるというのです。先行する他社のEコマースのショッピングモールが集客に苦戦する中で、楽天市場が急速に成長した背景には、このような独自のコンセプトがありました。

楽天は創業当初から、顧客と出店者、さらには顧客間の濃密なコミュニケーションに注力していました。「濃密な」コミュニケーションとは、製品やサービスのスペックや価格といった形式的な情報のやり取りではなく、顧客の関心や好み、さらにはその購買とは直接に結びつかない雑談的なコミュニケーションを意味しています。

そのための仕組みとして、楽天は出店者の在庫管理、顧客とのコミュニケーション、マーケティング分析などのツールを内部で開発しました。すべての店に「店長の部屋」や「掲示板」「店長への質問」といった顧客とのコミュニケーションのツールを組み込むことを義務づけました。「ECコンサルタント」と呼ぶ専属のアドバイザー制度や、「楽天大学」という出店者向けのトレーニング・プログラムを実施し、出店者とのフェイス・トゥー・フェイスでのやり取りを重視しました。

こうした初期の取組みの典型的な成功例が、楽天市場に出店していた「信州伊那谷のたまごやさん」です。文字どおり卵を売っている店なのですが、鶏卵のような日用的な食材は、ほとんどの人がスーパーで普通に買っているため、Eコマースには特に乗せにくい商品だと考えられていました。ところが、この店の店主は、楽天が意図するように、ウェブを通じて顧客と徹底的にアナログなコミュニケーションをとっていました。たとえば「ひよこの成長日記」です。農園のひよこを手塩にかけて育て、卵を産ませるプロセスを、どのような餌を与えているかまで詳細に紹介します。従業員の働く様子や商品への思い入れがよくわかります。

主力商品の「放し飼いたまご」は三〇個で二〇〇〇円以上と、スーパーで売っている普通の卵よりもはるかに高い価格です。にもかかわらず、この店が大きな売上高をあげることができたのは、卵の味や食の問題に強い関心を持つ顧客とのアナログなコミュニケーションを繰り返し、商品の独自の価値を深いレベルで理解させることに成功したからです。顧客の心をつかむリレーションがファンとリピーターを増やし、さらに口コミで新規顧客を増やすという好循環が生まれました。そのうちに購買者同士のコミュニケーションが自然発生的に始まりました。

こうしたアナログなコミュニケーションを維持することによって、顧客の好みや要望を知るだけでなく、店そのものを「コミュニティ」にしていることがこの店舗の成功の背景にありました。楽天の意図するやり方が卵という予想もしなかった商品で大成功したことで、三木谷さんは楽天市場のコンセプトの正しさを確信したといいます。

ご存じのように、その後の楽天は買収によって金融サービスや旅行サービスへと事業領域を拡張し、今では文字どおり、日本におけるEコマースの総合的なポータルサイトになっています。広くて厚い顧客ベースを確立できれば、Eコマースのポータルとして、さまざまなサービスをそこに乗せることができます。

ただし、この種の最終形の「静止画」は誰でも思いつくことです。実際に「Eコマースのポータル」というビジョンを掲げて参入した企業は数多くありました。しかし、問題はそこに至るまでの道筋です。顧客ベースを構築できなければ、ポータルのビジョンは絵に描いたモチにすぎません。楽天が凡百の企業と違ったのは、Eコマースについてのユニークなコンセプトがあり、これが筋の通った戦略ストーリーを切り拓いたということです。現在の楽天市場での取引の多くは、必ずしも右でお話ししたアナログでリレーション志向の購買ではないかもしれません。顧客ベースを確立してしまえば、強力なネットワーク外部性も期待できますし、さまざまな事業へと水平的に拡張していけます。しかし、これは出来上がった楽天市場を静止画的に見ているだけの話です。そこに至るまでの「動画」がきちんと描かれていたという点で、楽天は他社と決定的に違っていたのです。

◆すべてはコンセプトから

筋の良いストーリーに独自のコンセプトは欠かせません。戦略ストーリーにおけるコンセプトの重要性はいくら強調してもし過ぎることがありません。どうしたら優れたコンセプトを構想できるのでしょうか。これにしても法則や必勝法、飛び道具のようなものはもとよりないのですが、コンセプトを考えるときに大切にしておいたほうがよい論理であれば、いくつかお話しすることができます。以下では、コンセプトづくりにとって大切なことを三つに集約して指摘したいと思います。

第一は、これまでの話と重なりますが、すべてはコンセプトから始まる、ということです。幸いにして、コンセプトづくりにはたいして投資は必要ありません。使うのは自分の頭だけです。サンクコスト（埋没費用）もほとんどありません。思いついたアイディアがうまく転がっていかなくても、また考え直せばいいだけです。

反対に、コンセプトをないがしろにしたままストーリーづくりに取りかかってしまうと、失敗は高くつきます。勝ち目のない事業に進出したり、誰も欲しくないような製品を開発したり、工場や従業員などの固定投資をドブに捨てるといった、取り返しのつかないことになりかねません。コンセプトの構想はある意味で「安上がり」な仕事ですが、逆にいえば、どんなに投資をしても、アタマを使わなければ筋の良いコンセプトは生まれません。急ぐ必要はありません。コンセプトの構想にじっくりと時間をかけるべきです。本質的な顧客価値を捉えていると確信できるコンセプトが固まるまでは、ストーリーの細部を考えても意味がありません。コンセプトがしっかりしていないストーリーはしょせん砂上の楼閣です。

裏を返せば、「これだ！」というコンセプトが固まれば、ストーリーづくりの半分は終わったも同然だということです。夏目漱石の『夢十夜』に運慶の話が出てきます。運慶が無遠慮に鑿《のみ》を振るって仁王を彫っているのを見て、主人公は「よくああ無造作に鑿を使って、思うような眉や鼻ができるものだな」と不思議に思います。しかし運慶はいちいち眉や鼻を鑿でつくっているのではなく、そのとおりの眉や鼻が木の中に埋まっているのを鑿と槌の力で掘り出しているのでした。まるで土の中から石を掘り出すようなものだから間違うはずもないわけです。

優れたコンセプトは仁王が初めから埋まっている木材のようなものです。コンセプトが本質的な顧客価値を捉えていれば、ストーリーの主要な構成要素がそこから自然と姿を現すはずです。

前章でお話しした古典的名作、サウスウエスト航空の戦略ストーリーにしても、CEOのハーブ・ケレハーさんがストーリーをいきなり丸ごと全部思いついたというのではありません。サウスウエストのストーリーにしても、独自のコンセプトから徐々に語り起こされたものです。「空飛ぶバス」、これがサウスウエストのコンセプトであり、すべての起点でした。つまり、それまで陸上の交通機関（車やバス）で移動していた人々を、飛行機に乗せて空を飛ばそうという発想です。ノースウエスト航空やユナイテッド航空と競争するのではなく、バスや車との選択で、サウスウエストを選んでもらおうというのがケレハーさんの競争に対する基本的な構えでした。日本であれば、「空飛ぶ新幹線」というところでしょう。

要するに、サウスウエストは客観的には航空会社ですが、本当のところは航空会社ではないということです。だとすれば、「他の競争相手とどう違うのか」に対する答えは明白です。「はい、われわれは航空会社ではありません」、これがケレハーさんの回答です。戦略の本質の一つは他社との違いをつくることでした。「われわれは航空会社ではありません」というのは、究極の「違い」といえるでしょう。このように、ユニークなコンセプトの定義は、戦略ストーリーの出だしから、他社との「違い」を約束するものなのです。

航空業界が業界として魅力的でない一つの理由は、参入障壁の低さにあります。航空機を仕入れて人を雇えば、とりあえずは創業することができます。かつては政府による規制が参入障壁でしたが、アメリカの航空業界では一九七八年から規制緩和が始まり、新規参入や運賃などが大幅に自由化されました。サウスウエストのみならず、新規参入が相次ぎ、一九七八年から一〇年間でおよそ二〇〇社が民間航空業界に参入し、一七〇社が撤退しました。この業界の競争の激しさを物語る数字です。

日本でも遅れて規制緩和が始まり、スカイマークや北海道国際航空（エアドゥ）などの参入がありました。こうした会社は後発独立系の新規参入業者ですので、一見してサウスウエストと似ているようにも見えますが、その実は似て非なるものです。

もしサウスウエストが日本にあったらどうするでしょうか。国土が広大なアメリカとはそのまま比較はできませんが、一つの思考実験として考えてみてください。日本にあれば、コンセプトは「空飛ぶ新幹線」ですから、従来の全日空や日本航空などが重視していた路線には手を出さないはずです。人々が新幹線で動くような距離、たとえば東京―大阪のような路線がサウスウエストのコンセプトに合致します。

ただし、東京―大阪路線では新幹線が「強過ぎる」ので、そういう区間を意識的に避けて、たとえば東京―山形とか、大阪―小松といった、電車で動くにはちょっと不便を感じる路線に特化してポイント・トゥー・ポイントの運航をするでしょう（もちろん、これでは日本では事業として成り立たないとは思いますが）。要するに、「われわれは航空会社ではありません」というスタンスに忠実に路線を選ぶはずです。

しかし、日本で新規参入したスカイマークやエアドゥは、それぞれ東京─福岡、東京─札幌といった路線に主軸を置いています。これらはそれまでも航空会社が最も力を入れていた路線でした。参入すれば正面からの叩き合いになります。体力に勝る大手企業と正面切って喧嘩をしてしまえば、苦しい戦いを強いられます。スカイマークやエアドゥはこれまでのところ利益を継続できずに苦しんでいますが、それはある意味で自然な成り行きです。他社との明確な違いを定義するコンセプトがなければ、ユニークな戦略ストーリーは生まれません。独自のストーリーがなければ、航空業界のように利益ポテンシャルに恵まれない業界では長期利益が出るほうが不思議です。

スターバックスにしても、「スターバックスはコーヒーショップですね？」に対して、ハワード・シュルツさんは「いいえ、本当のところわれわれが売っているのはコーヒーではありません」と答えるでしょう。もともとはシアトルの小さなコーヒー小売会社だったスターバックスは、一九八七年にシュルツさんがＣＥＯに就任してから急成長を始めます。それ以前のスターバックスは本格的なコーヒー豆の小売業者にすぎませんでした。この時点では、スターバックスのコンセプトはストレートに「本物志向のコーヒーを提供する」ことにあったかもしれません。

しかし、シュルツさんが構想したコンセプトは「第三の場所」（third place）というものでした。職場でも家庭でもないという意味での「第三」です。彼はこのように当時を振り返っています[9]。

私のもともとのアイディアは、待たずに済むスタンド式のカウンターを備えたテイクアウトの店を出すことだった。……スーパーに行く途中の住民がちょっと寄って、カフェイン抜きコーヒーを半ポンドばかり買ってくれるだろうと予想していたのだが、そうではなかった。みんな、店に漂う雰囲気と仲間意識にひかれてやってくるのだった。

一九八〇年代に入って、アメリカは価値観の断片化が進んだ結果、過剰なハイテンション社会になりました。職場では競争のプレッシャーが強く、家庭でもいろいろな問題があります。そうした人々は、職場とも家庭とも異なる「第三の場所」を欲しているのではないか、というのがシュルツさんの洞察でした。ドイツのビアガーデンやイギリスのパブ、フランスやイタリアのカフェのように、ヨーロッパには「人々が安心して集える避難場所」(a safe harbor for people to go)が確立していますが、アメリカにはそうした場所は希薄でした。つまり、コーヒーを売るのではなく、くつろいだ雰囲気の中でテンションを下げるという経験なり文化を売るというのがスターバックスのコンセプトで、コーヒーそのものはそうした経験を提供する手段であるという考え方です。

スターバックスの意図する最終的な競争優位はWTPの増大です。「第三の場所」を提供することができれば、単にコーヒーを飲ませるよりも単価を高くすることができます。しかも、第三の場所は南の島のリゾートに行ってリラックスするという非日常ではありません。あくまでも日常的な経験ですから、顧客は習慣的に第三の場所に来るようになります。事実、一九九〇年代後半には、スターバックスの顧客は平均して週に一八回来店するようになっていました。「高品質でおいしいコーヒーの提供」という見たままのコンセプトであれば、スターバックスはいまだにシアトルのローカルなコーヒー豆小売業者のままだったかもしれません。

◆扇の要

戦略のもう一つの本質である因果論理のシンセシスという意味でも、コンセプトは重要な役割を担っています。サウスウエストは低コストの競争優位に向けて、「小規模二次空港の直行便に特化する」（ハブ空港を使わない）、「乗継ぎを前提としないフライトスケジュール」といった打ち手を繰り出しました。この他にも、サウスウエストの戦略ストーリーは「短距離国内便特化」「機内食を出さない」「座席指定をしない」「代理店経由の発券を押さえ、自社発券する」「機体を一機種（ボーイング737）に絞る」といった一連の構成要素で成り立っています。前章でお話ししたように、こうした構成要素はそれぞれコスト優位と明確な因果論理でつながっているのですが、それと同時に、これらの打ち手がすべて「空飛ぶバス」というコンセプトの自然な帰結であることに注意が必要です。

航空サービスではなく、本当のところ「バス」を飛ばしているのですから、ハブ空港ではなく、二次空港の「バス停」でいいわけです。バスで移動する顧客は二地点間を往復移動する人がほとんどですから、乗継ぎを前提としないフライトスケジュールになります。バスで移動するような距離に限定して路線を組むので、必然的に短距離特化となります。バスは一車種で、食事を出さず、座席指定をしないのが当たり前です。バスであれば、代理店経由よりも直接の自社発券、場合によっては乗る直前にバス停に来てチケットを買うというのは普通のことです。

　価格が安いことはもちろん重要です。サウスウエストはきわめてアグレッシブな価格設定で参入しました。サウスウエストのコンセプトからすれば、これも自然な成り行きです。そもそも航空会社と競争しているわけではないので、ノースウエストやユナイテッドより多少安くても意味はありません。バスと競争できる価格でなければなりません。その結果として、サウスウエストの運賃は、驚くほど安く設定されたのです。

　サウスウエストのコンセプトが意図している顧客ターゲットは、慌ただしいスケジュールでバタバタと移動するビジネス客です。行楽旅行ではないのですから、彼らは短い移動の間の食事は欲しがらないでしょうし、事前に予定をしっかり組んで代理店に予約をするというチケットの買い方はかえって不便でしょう。しかし、時間に正確に、しかも頻繁に飛んでいるということは決定的に重要です。日本の新幹線が典型ですが、頻繁に飛んでいれば、突発的な出張でも、「一番早い便に乗っていく」という柔軟なスケジュールが組めます。日帰り出張であれば、仕事が終わり次第、空港に戻って、間に合う時間で一番早く飛ぶ便に乗って帰れます。

　このように、「空飛ぶバス」という言葉を具体的なレベルへとブレイクダウンした結果、前述した一連の打ち手が出てきたわけです。つまり、「空飛ぶバス」というコンセプトは「仁王の埋まっている木」なのです。すべてがコンセプトという同じ根っこから出てきているので、打ち手の間の因果論理の一貫性が確保されます（図4・1）。コンセプトを固めずに、コスト優位につながるような構成要素をバラバラに思いつき、それを後からつなげていくというやり方では、これほどの因果論理の一

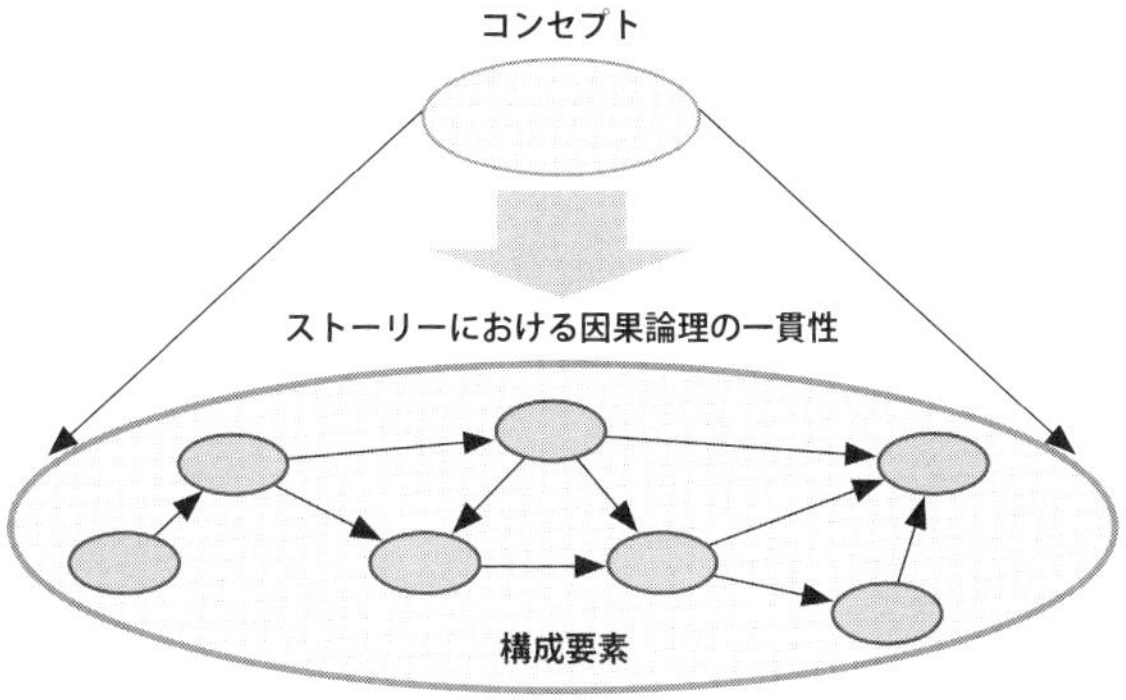

図4・1　ストーリーの起点としてのコンセプト

貫性はとうてい実現できなかったはずです。

戦略の本質が因果論理のシンセシスにあるからこそ、コンセプトが大切になります。戦略ストーリーのシンセシスの基盤となるという意味で、コンセプトは「扇の要」の役割を担っています。ストーリーの起点がしっかりしていれば、そこから出てくる構成要素には初めから骨太の因果論理が備わっているものです。「ユニークなコンセプトが固まれば、ストーリーづくりの半分は終わったも同然」というのは、このことを指しています。

「すべてはコンセプトから」ということは、裏を返せば、「すべてはコンセプトのために」ということでもあります。ストーリーに含まれるあらゆる構成要素が、コンセプトの実現に向かっていなければなりません。そうでなければシンセシスの一貫性が崩れてしまいます。筋の良いストーリーをつくるためには、コンセプトと因果論理でつながらない構成要素は意識的に切り捨てるという姿勢が大切になります。

ベネッセコーポレーションは前身の福武書店の時代に、学習参考書だけでなく、出版文化に貢献するようなさまざまな書籍の出版に乗り出し、総合出版企業をめざした時期がありました[10]。たとえば、一九八一年には文芸誌『海燕』を創刊し、吉本ばなな、島田雅彦などの作家を発掘し、世に送り出しました。しかし、前章でお話ししたように、社名をベネッセに変更した後は、進研ゼミをはじめとするさまざまな事業を包括するコンセプトとして「人を軸にしたコミュニティの継続的提供」を打ち出すに至りました。書籍出版は単品の売り切りであり、人よりも「モノ」を志向したビジネスでした。

そこでベネッセは一九九〇年代に入ってから、全集や文庫、単行本などの一般書籍事業、絵本や児童文学などの児童書籍事業、書店販売を対象とした学習参考書の事業からの撤退を決断しています。『海燕』も一九九六年には休刊となりました。その代わりに創刊されたのが『たまごクラブ』や『ひよこクラブ』といったコミュニティ形成の中核となるような雑誌でした。このようにコンセプトとつなげるには無理がある要素を排除することによって、ベネッセは戦略ストーリーの一貫性を高めました。

アマゾンもまた、やることなすことがいちいちコンセプトに忠実な企業です。アマゾンのコンセプトは、モノを売るのではなく、「人々の購買決断を助ける」ことにありました。このコンセプトに基づいて、アマゾンはその顧客が過去に同じものを買ったかどうかを知らせるサービスを始めました。それ以前に買った商品をもう一度買おうとした場合、「あなたはこの商品を一年前に買いました。それでも、もう一度買いますか」というメッセージを表示するというものです。このサービスを提供すると短期的には売上を失います。しかし、コンセプトが人々の購買決断を助けることにあるのだとすれば、当然のサービスです。こうした取組みを重ねることによって、アマゾンの意図するコンセプトが口コミを通じて顧客に正しく深く浸透し、長期的には売上増をもたらしました。

アスクルの戦略ストーリーでも、「すべてはコンセプトのために」という原則が貫かれています。一九九三年にサービスを開始したアスクルは、そもそも文具メーカーであるプラスの通販事業部として設立されました。ですからごく初期の段階ではプラス製品のみを扱っていました。しかし、さまざまな消耗品をストックするスペースもない小規模事業所で、頻繁に発生する小口の買い物にわずらわされている「久美子さん」を救済する、ここにアスクルのコンセプトがあります。もし久美子さんのオフィスがプラス以外のメーカーのファイルを使い慣れているのであれば、プラスの商品を押しつけるのは迷惑な話です。アスクルは一九九五年から、プラス以外のブランドの製品の取扱いに踏み切りました。その二年後には調達先は一〇〇社以上になり、プラス製品の取扱比率は二五％まで下がることになりました。

こうしてアスクルは現在のようにワン・ストップ・ショッピングを提供するチャネルになりました。ただし、これは単に品揃えを拡張した結果ではありません。一般的にいって品揃えが広いほうが顧客は喜ぶでしょう。しかし、アスクルのストーリーからすれば、顧客全般が大切なのではなくて、あくまでも喜ばせるべきは「久美子さん」なのです。「久美子さん」の問題を解決するために何が必要なのか、アスクルはこの基準で取扱商品を選定し、文具以外のアイテムを増やしていきました。

たとえば、トイレットペーパーやペットボトルの飲料水です。久美子さんは雑居ビルの階段を四階まで上らなければなりません。こうしたかさばるアイテム、重たいアイテムを買いに出るのは、とてもイヤなことです。文具だけでなく、トイレットペーパーやペットボトルの飲料水が「明日来る」ことになれば、それは久美子さんにとって大きな問題解決になります。文具が「明日来る」よりも、さらに大きな価値を感じるはずです。こうしてアスクルのストーリーは、着実にターゲット顧客である小規模の事業所に受け入れられていったのです。

◆誰に嫌われるか

コンセプトは、顧客の喜ぶ姿が映画のシーンのように浮かび上がってくるような言葉でなくてはなりません。そのためには、そもそも誰を喜ばせるか、価値を提供するターゲットをはっきりさせる必要があります。前述したアスクル、サウスウエスト、スターバックスといった企業のコンセプトは、いずれもターゲット顧客を明確に定義したからこそ出てきたものです。ここまでなら、戦略やマーケティングの教科書で繰り返し指摘されていることとです。しかし、ストーリーの起爆剤となるようなユニークなコンセプトを構想するためには、もう一歩踏み込むことが大切です。

「誰に嫌われるか」をはっきりさせる、これがコンセプトの構想にとって大切なことの二つ目です。ターゲットを明確にするということは、同時にターゲットでない顧客をはっきりさせるということでもあります。ターゲット顧客から徹頭徹尾喜ばれるということは、ターゲットから外れる顧客にはっきりと嫌われるということです。人間でも同じです。誰かに非常に愛されている人は、誰かから嫌われているものです。誰からも好かれている人というのは、本当のところは誰からも好かれていないのかもしれません。誰に嫌われるかを意図する。これが筋の良いコンセプトを描くための最も効果的な入口であるというのが私の考えです。

わかりやすい例が、アメリカで始まった小型フィットネスクラブのフランチャイズチェーン、「カーブス」です。これを書いている時点でカーブスは世界に一万店舗を展開し、会員数は四三〇万人、ギネスブックでも「世界最速展開・最大のフランチャイズチェーン」として認定されています。日本には二〇〇五年に進出し、すでに七五〇店を展開しています。カーブスのコンセプトは「気軽なフィットネス」で、従来のフィットネスクラブとは異なり、これまで習慣的に運動することのなかった主婦などの女性をターゲット顧客にしています。

カーブスの追求する「気軽さ」は、コスト（月額会費は大型フィットネスクラブの半額程度）、立地（店舗がたくさんあるのでご近所感覚で頻繁に通える）、時間（三〇分で美容と健康に必要な運動プログラムを無理なく消化できる）の「安・近・短」ということもあるのですが、それ以上に「人の目を気にしなくてもよい」ということが気軽さの中身として重視されています。創業者のゲイリー・ヘブンさんは「カーブスからは三つのMを排除した」と言っています。[11] 一つは鏡（mirror）、一つは化粧（make-up）、もう一つは男性（men）です。

カーブスは女性専用のフィットネスクラブで、男性は会員にはなれません。誰かの目を気にして化粧をしてから足を運んだり、鏡越しに運動に汗を流す自分自身の姿を見せつけられることなく、あくまでも気軽に、美容と健康に必要な運動を自分のペースでできる場所。これがカーブスの「女性専用」の論理です。これは男性に「嫌われる」というよりも、初めから完全に排除してしまうという話なのですが、男性がいないからこそ、女性にとっては気兼ねする必要がない、本当の意味での気軽な場所になります。トレーナーもすべて女性です。

単純に人口といった静止画で捉えれば、男性を排除することによって潜在顧客は半減してしまいます。しかし、男性を排除するからこそ、これまで男性の目が気になってフィットネスクラブに通うのを躊躇していた女性が来てくれるわけで、ここに急成長の最大の理由がありました。

今では珍しくないことかもしれませんが、スターバックスの店内は当初から禁煙です。コーヒーの香りの中でゆっくりとリラックスするという「第三の場所」というコンセプトからすれば、喫煙者はストーリーを破壊する邪魔者にほかなりません（たとえば私。でも、強がりを言うわけではありませんが、私の「第三の場所」はジムですから、スターバックスに嫌われてもいいのです）。完全禁煙にして、喫煙者から積極的に嫌われて、初めて「第三の場所」が実現できる、というわけです。

スターバックスは忙しい人たちにも嫌われようとしています。ドトールと比較するとわかりやすいでしょう。都市部にあるドトールのお客さんの多くは、仕事の途中の営業マンとか、やたらと忙しい人々です。本当に忙しければコーヒーを飲んでいる場合ではないのですが、アポイントメントの時刻までの一五分といった、ちょっとした空き時間にドトールに行く人が多いでしょう。ドトールでコーヒーを飲む人の在店時間は平均的にいって一〇分以下です。携帯でメールをチェックしながら、手帳を開いて今日の段取りを確認し、タバコを吸いつつ（このご時世だと二本ぐらいは吸っておきたいところ）、コーヒーを飲んで、「さて、行くか……」、ここまででせいぜい一〇分です。

プレミアムコーヒーの味や香り、インテリアやソファ、ＢＧＭ、店舗を構成するこうした要素は顧客のリラックス経験のために重要な要素です。しかし、「第三の場所」の実現にとって最も重要なのは、いうまでもなく、そこでコーヒーを飲んでいるお客さんが醸し出す雰囲気です。スターバックスのコンセプトからすれば、席に着いたお客さんには、コーヒーを飲みながら、読書をしたり、お友達とおしゃべりをしたりして、できれば三〇分ぐらいはゆっくりと過ごしてもらいたいところです。ドトールのように忙しいお客さんがせわしなくコーヒーを飲み、出たり入ったりワサワサしてしまったら、「第三の場所」はぶち壊しです。いくら「第三の場所」をコンセプトとして掲げたとしても、嘘になってしまいます。

そこで、スターバックスはお客さんの注文を受けた後で、ゆっくり時間をかけてコーヒーを淹れます。つまり、お客さんを少しの間待たせるわけです。入口に近いキャッシャーで注文をすると、エスプレッソマシーンでコーヒーを淹れる人、最後にミルクなどを入れる人と、何人かの手を渡って、二、三分ほどかけて、お店のもう少し奥まったところでコーヒーが出されます。

じっくり手をかけておいしく淹れるということもあるのでしょうが、それ以上に「待たせる」ということ自体が「第三の場所」を維持するために重要な意味を持っています。「あそこは少し待つよ……」という認識がお客さんの間に行きわたれば、忙しい人は、（無意識のうちに）スターバックスよりもドトールへと足を向けるでしょう。その結果、スターバックスにいるのは、時間にゆとりがあり、スターバックスが意図するような過ごし方をしてくれる人々ばかりになります。要するに、「第三の場所」を維持するために、スターバックスは忙しい人々にあえて嫌われようとしているわけです。

全員に愛される必要はない。この覚悟がコンセプトを考えるうえでの大原則です。誰に嫌われるべきかをはっきりさせると、その時点で確実に一部の顧客を失うことになります。しかし、全員に愛されなくてもかまわないということ、これが実はビジネスの特権なのです。行政による公的なサービスであれば、そうはいきません。全員に等しく愛されなければなりません。これが政府のつらいところです。

それに対して、ビジネスであれば「誰に嫌われたいか」をこちら側で定義できます。誰からも愛されようと思うと、ストーリーに無理が生じて、筋の良い因果論理が損なわれ、一貫性が失われます。それを聞いたとたんに「えっ？　そんなの僕はイヤだね……」と言いそうな人々がはっきりと思い浮かぶような言葉のほうが、コンセプトとしてはむしろ筋が良いといえます（もちろん、全員が嫌いそうなコンセプトは論外ですが）。そもそも、本当に全員からこのうえなく愛されてしまうと、独占禁止法に抵触してしまいます。これは半ば冗談ですが、コンセプトの構想にとって八方美人は禁物だということです。

八方美人に陥らず、誰かにきちんと嫌われるためには、あからさまに肯定的な形容詞をなるべく使わずにコンセプトを表現することが大切です。顧客価値を定義するというと、どうしても「最高の品質」とか「顧客満足の追求」とか、それ自体で肯定的な意味合いを持つ形容詞を使いたくなります。しかし、そういってしまうと、誰に嫌われるかがはっきりしなくなります。「最高の品質」はそれ自体であからさまに「良いこと」なので、よっぽどのひねくれ者でない限り、誰にとっても好ましいことでしょう。ということは、本当のところ誰が喜ぶかがぼやけてしまうということです。

しかも、肯定的な形容詞でコンセプトを片づけてしまうと、そのとたんに思考停止に陥りがちです。結果的に品質が最高になったり、サービスがきめ細かくなったりするのは、もちろん良いことです。

しかし、ストーリーを語り起こす起点にいきなり肯定的な形容詞が出てきてしまうと、それに続くストーリーが「よし、頑張ろう……」という短い話で終わってしまいます。サウスウエストの「空飛ぶバス」にしてもスターバックスの「第三の場所」にしても、肯定的な形容詞はどこにも見当たりません。だからこそ、面白いストーリーの発火点となったのです。コンセプトはできるだけ価値中立的な言葉で表現するべきです。

◆人間の本性を見つめる

筋の良いコンセプトを構想するために大切なことの三つ目、たぶんこれが最も大切なことだと思うのですが、それは「コンセプトは人間の本性を捉えるものでなくてはならない」ということです。なんとなくよく耳ざわりの良い「良いこと」を羅列するだけでは、ユニークなコンセプトにはなりません。人間の本性とは、要するに、人はなぜ喜び、楽しみ、面白がり、嫌がり、悲しみ、怒るのか、何を欲し、何を避け、何を必要とし、何を必要としないのか、ということです。

アスクルの「久美子さんの救済」とかスターバックスの「第三の場所」、これらは人間の本性を捉えたコンセプトの好例です。短い言葉の背後に、人間の本性についての洞察が込められています。このように、コンセプトは「水も滴る」というか、「切れば血が出る」というか、そういう生身の人間の気持ちや動きを捉えるものでなくてはなりません。

人間の本性、それは文字どおり「本性」であるだけに、そう簡単には変わらないものです。もちろんビジネスを取り巻く市場環境や技術、好不況といった基礎条件は常に変化しています。新しい市場(今だったらインドやロシアや中国あたり)が急成長したり、新しい技術が生まれます。しかし、このような「今そこにある機会」を捉えることに終始し、肝心の人間の本性を置き去りにしてしまっては、空疎なコンセプトしか出てきません。

インターネットが普及し始めた一九九〇年代の後半、これでビジネスのすべてが根こそぎ変わるというようなことが盛んに喧伝されました。インターネットは隕石みたいなもので、それまで栄えていた恐竜はすべて死滅し、全く新しい世の中が始まるという話です。もちろんインターネットそのものは画期的な技術です。多くの企業がインターネットの台頭を機会と捉え、さまざまな「ビジネスモデル」を提案し、新しい事業へと参入しました。

しかし、ここで忘れてはならないのは、インターネットを使う人間の本性にはたいして変化はないということです。すでにお話ししたように、Eコマースに参入した企業は無数にありましたが、多くの企業は「二四―七―三六五」(二四時間、七日、三六五日)で、「グローバル・リーチ」で、「ダイレクト」で、「ディスインターメディエーション」(中間業者をスキップできる)、こうした当時の流行り言葉をうたっていました。しかし、これらはいずれも「どのように」についての方法論です。表層にある方法をコンセプトと履き違えていた企業は、すぐに淘汰されました。一〇年経ってみると、結局残っていたのはアマゾンや楽天など、人間の変わらぬ本性を見据えたコンセプトから戦略ストーリーを語り起こした企業ばかりです。

『ホットペッパー』の「狭域情報誌」も人間の本性を直視したコンセプトの好例です。毎日の買い物はどこでするのか。日常生活で必要とする情報やふだんの家族との会話に出てくる話題は身の回りのどのくらいの範囲なのか。マッサージ店や美容室やフィットネスクラブはどこまでなら行ってもよいか。私が自分を例にして考えてみても、せいぜい自宅の半径数キロの範囲です。いくら「情報化社会」（これ自体もはや古い言葉になりましたが）になっても、人々は半径数キロの範囲で情報を探し、ほとんどの日常的な消費を完結させています。これが人間の本性です。「生活圏」に限定した情報こそ日常生活の中で人々が本当に必要としている情報であり、そうした情報に特化したからこそ実際の消費につながる強力なメディアになることができたわけです。

「狭域情報誌」は、読者やユーザーだけでなく、広告を掲載するクライアントについても、人間の本性を見据えた、地に足が着いたコンセプトであるといえます。『ホットペッパー』が創刊された当時は、インターネットの普及期の真っただ中でした。従来のリクルートは、コストをかけて集めてきた情報を市販誌として発行し、情報を発信するクライアントからの掲載料だけでなく、書店で本を買ってもらうことによって情報の受け手からも収入を得ていました。この「一粒で二度おいしい」ストーリーがリクルートの成長のカギでした。

ところが、インターネットによって情報の無料化が急速に進みました。当時のネット業界では、多くの会社がユーザーを囲い込むために、ひたすらインフラやマーケティングの先行投資を続けていました。人の集まる場所をネット上につくれば、いずれは課金できるようになるだろうという発想です。人を集めるために、あらゆる情報が無料で提供されることになりました。これに対応して、ホットペッパーも読者に対しては無料の「フリーペーパー」という形をとっています。

ところが、ホットペッパーはインターネットではなく、意識的に紙媒体に限定してスタートしています。これは広告を出すクライアントの本性を考えての選択です。ホットペッパーのような生活情報誌が対象にしているクライアントは、街の飲食店や美容院といった個人経営の事業がほとんどです。そうしたクライアントが期待している顧客は生活圏の中にいる人々ですから、いくらインターネット広告が低コストでリーチが広いといっても、いきなりバーチャルの広告に掲載料を払う事業主はほとんどいないはずです。

リアルな紙媒体のメディアであれば、個人経営の事業主であっても掲載料を払ってくれる可能性が高まります。写真つきで印刷された雑誌はもちろん、その生活圏で実際に広告が行きわたるのを自分の目で確かめられるからです。ユーザーに対しては無料で配布するにしても、クライアントに課金できなければ事業にはなりません。

『ホットペッパー』の戦略ストーリーを構想した平尾さんは、「来るべきネット時代を見据えていた。だからこそそれに逆行してあえて紙でスタートした」と言っています。まずはクライアントにきちんと課金できるストーリーをつくる。一方でこれまでにない「クーポン・マガジン」として、『ホットペッパー』に目を通すことをユーザーの習慣にする。こうした紙媒体での地道な努力を続け、ホットペッパーのブランド化に成功した後、来るべきときに蓄積したクライアント情報と囲い込んだユーザーをウェブに転嫁する。これが平尾さんの意図したストーリーでした。要するに、紙からインターネットに行く道筋が当初からストーリーに織り込まれていたわけです。

コンセプトは人間の本性を見据えたものでなくてはならないという話は、産業財でも同じです。当時、ネットベンチャーの新星として注目を集めていた企業の一つにバーティカル・ネットがあります。バーティカル・ネットの標榜するコンセプトは「産業財のオンライン・マーケット」でした。産業財の垂直的取引のポータルをめざして、たとえば化学業界向けの「ケミカル・オンライン」や水処理関連資材の「ウォーター・オンライン」といったように、産業分野ごとに五〇以上のサイトを運営していました。

この会社は次のような基準で、参入する産業財取引の市場を選定していました。第一に、大規模市場であること。特に、一定以上の広告投資のある市場であること。第二に、支配的な企業がいない分散型市場であること。第三に、新製品導入率が高いこと。第四に、グローバルな業界であること。第五に、その時点で多くの企業がすでにインターネットに慣れ親しんでいる業界であること。

以上の五つは、インターネットの性格を考えると、それぞれに合理的な理由があります。バーティカル・ネットは本格的なEコマースに乗り出す準備として、まずは「コンテンツ&コミュニティ・モデル」といわれる、その場で決済まではいかないけれども、売り手と買い手がお互いに知り合うための情報コンテンツのサイトとしてスタートしました。主要な収入源は、潜在的な顧客を獲得しようとする売り手からの広告料収入でした。ですから、とりわけ一定以上（一〇〇〇万ドル以上）の広告投資のある市場であることは重要でした。新製品が次々に出てくるような変化の速い市場のほうがインターネットの強みであるスピードを活かせますし、グローバルな市場のほうが、地球の裏側にいるかもしれない取引相手を発見できるというインターネットのリーチの広さが役立ちます。

特に第二の条件がポイントでした。支配的な企業が存在して、すでに取引の構造が出来上がっている市場ではバーティカル・ネットのサービスはあまり意味がありません。たとえばPC業界におけるデルと部品メーカーとの取引を考えてみましょう。売り手である部品メーカーにとってデルという買い手が存在するのは自明です。また、デルのような大きな企業は自前のオンライン調達のシステムを整備するでしょうから、バーティカル・ネットが介在する余地はありません。

一方で、デルが売り手としてPCを法人顧客に売るという取引を考えてみましょう。この場合も、買い手はデルの存在を言われなくても知っていますし、デルは自社でオンラインの販売チャネルを構築するので、バーティカル・ネットを利用する理由はありません。ですから、バーティカル・ネットは、このような支配的企業が存在しない、小規模企業同士の取引が行われる産業財市場をターゲットとしていました。

当時のバーティカル・ネットは投資家の注目を集めた「花形ネットベンチャー」だったので、上場によって巨額の事業資金を手にしました。投資家はひたすら成長を期待します。ところが、「コンテンツ＆コミュニティ・モデル」ではさほどの事業規模にはなりません。そこでバーティカル・ネットは、実際に決済まで仲介するEコマースへと事業領域を拡張しました。ところが、鳴り物入りで始まった産業財のオンライン・マーケットは、全く鳴かず飛ばずで終わってしまいました。

これはコンセプトの不全が失敗を招いた典型的な事例です。なぜうまくいかなかったのか。考えてみれば至極当たり前なのですが、消費財と違って、産業財では、取引が一回で終わらず、その後も繰り返し継続するのが普通です。一度お互いに知り合って、結びつきができてしまえば、インターネットでのやり取りはバーティカル・ネットを介さなくてもできるわけですから、わざわざバーティカル・ネットのサービスを受ける必要がありません。

さらにいえば、産業財の取引では価格だけでなく、製品の詳細、サプライヤーの信頼性、納期、品質保証、アフターサービスなどについての詳細な情報が必要になります。こうした情報を揃えるのは非常に手のかかる仕事です。バーティカル・ネットは、初期投資が軽く、スピーディーに市場を立ち上げることができるというインターネットの強みを追求していたため、短期間にさまざまな分野に手を広げることに手いっぱいで、産業材の取引に必要となる情報をきちんと買い手に提供できませんでした。

右で見た参入市場の五つの条件は、インターネットの強みを活かそうというものであり、その意味では「合理的」です。しかし、それを使う人間の思考や行動についての洞察にあまりにも欠けていたことが問題でした。経済学者のアマルティア・センさんの言葉を流用すれば、「合理的な愚か者」(rational fool) といってもよいでしょう。空疎なコンセプトで筋の悪いストーリーを語り起こしてしまったというのがバーティカル・ネットの失敗でした。

振り返ってみれば、インターネットのように、新しい事業機会が華々しく生まれるときほど「合理的な愚か者」が多数現れる傾向にあります。目先の新しい機会を追いかけることに終始し、そのため肝心の人間の本性をないがしろにしてしまい、コンセプトの不全に陥るという成り行きです。

一九九〇年代の終わり頃、「ドッグイヤー」という、わりとイヤーな言葉が枕詞のようによく使われました。いわく、犬の寿命は人間の七分の一ぐらいだから、犬の時間は人間の七倍の速度で流れている。インターネットでデジタルな時代になると、物事のスピードがそれほど速くなる、という話です。しかし、人間は犬ではないのです。だいたい「イヤー、キミ、なんたってドッグイヤーの時代だからねぇ」などと息巻くおじさんに限って、一〇〇歳（ドッグ・イヤー換算で七〇〇歳）まで生きるつもりでいたりします。

インターネットは技術としては確かに革命的でした。しかし、「ＩＴ革命」という言葉が独り歩きしてしまうと、これまでのすべてが非連続的に変わる、変わらなければならないという議論に飛躍しがちです。今も昔もビジネスはしょせん人間が人間に対してやっていることです。人間の本性はそう簡単には変わりません。何を喜び、面白がり、嫌がり、悲しむかは、江戸時代、いやもっと前からほとんど変わっていないのではないでしょうか。

当時のＩＴブームに相当するような華々しく見える事業機会は、今でいえば、環境技術やシルバーマーケットというところでしょう。しかし、このような「追い風」は外部要因にすぎません。誰もが享受でき、影響を受けるマクロな環境変化です。環境技術やシルバーマーケットに目をつけても、それが自動的にユニークなコンセプトを約束するわけではありません。追い風を受けて新しい海に乗り出すのはよいのですが、きちんと風を受けるにはしっかりとしたマストが必要です。しかも、この追い風はしばしば強風となります。新規参入が相次ぎ、波が荒くなります。しっかりとしたマストでないと、強風の中で折れてしまいます。コンセプトとはここでいうマストのようなものです。それが人間の本性を捉えているほど、マストは強靭になります。

アスクルもインターネットビジネスの成功例として注目された企業の一つです。しかし、アスクルの戦略ストーリーの起点は小規模事業所のパートの「久美子さん」を見据えたコンセプトにあったわけで、インターネットはストーリーを構成する要素の一つにすぎません。アスクルを創業した岩田彰一郎さんは「Ｅコマースの会社」と呼ばれることに違和感があると言っていました。「初めからＥコマースをやろうとしたわけではなくて、顧客の利便性を考えると、結果的にインターネットになっていった」というのが岩田さんの認識です。[12] 現に、アスクルは初期の段階では、ほとんどの注文をインターネットよりもファクシミリで受けつけていました。小規模事業所ではインターネットのユーザーはごく限られていました。慣れないインターネットの画面を無理強いしてしまえば、「久美子さん」に嫌がられてしまいます。小規模事業所の顧客の本性を考えれば、より「洗練された」インターネットよりも、昔ながらのファクシミリにこだわるのは、むしろ自然な選択でした。

◆人間の本性は変わらない

これまで繰り返し強調してきたように、戦略ストーリーは「長い話」でなくてはなりません。ひとたびストーリーを固めれば、未来永劫とはいきませんが、向こう一〇年、一五年、できたら二〇年ぐらいは、同じストーリーで長期利益を獲得できるというのが理想です。ストーリーは時流に合わせてころころ変えるものではありません。ストーリーの寿命は、外的な機会が機会として存続する期間よりも、ずっと長くなければいけないのです。

できるだけ賞味期間の長いストーリーをつくるためにも、人間の変わらない本性を捉えたコンセプトが大切になります。事業を取り巻く環境や機会は常に変化するものです。絶えず変化していく環境や機会の表層を追いかけ回してしまうと、結局のところ目が回るだけで、筋の良いストーリーは生まれません。だから、「変わらないもの」としての人間の本性を捉えたコンセプトが必要なのです。

その後のアスクルは、オフィス用品の通販でつくり上げたストーリーを医療業界（二〇〇四年）や飲食業界（二〇〇五年）に横展開することによって成長を持続しています。[13] これは前章でお話しした、ストーリーの拡張性を「繰り返し」に見出すことによって「話を長く」するという取組みです。他業界への横展開にしても、その根本にはアスクルの当初からのコンセプトが普遍的な人間の本性を捉えていたということがあります。

お医者さんや看護師さんは昼夜を問わず、忙しく働いています。カテーテルや包帯などの医療機器、医療用品の発注は、厳しい時間的な制約の中で、仕事の合間に行われることがほとんどです。要するに前にお話しした小規模事業所の「久美子さん」と同じような困りごとが病院にも鬱積していたわけです。アスクルのコンセプトからすると、医療業界への進出は既存の戦略ストーリーのきわめて自然な延長上にあるといえます。

飲食業界向けの通販事業でも、アスクルは業務用の洗剤や包丁、食器といった幅広いアイテムを扱っています。ここでも当初からの「久美子さん」救済のコンセプトがそのまま活きています。飲食店は人手が不足していることが多く、お客さんが来れば調理やサービスにほとんどのパワーを振り向けなくてはいけません。開店前は食材など生鮮品の仕入れで忙しく、閉店後には掃除や売上の計算に追われます。備品の調達には時間をできるだけ使いたくないところです。浅草の道具街を見て回る時間や、重たい洗剤を買って帰る苦労を考えれば、アスクルに注文したほうがはるかに効率的です。しかも、飲食店のスペースは座席に優先的に割かれるのが普通です。倉庫部分は限られた狭い場所に押し込められ、備品があふれることになります。アスクルであれば少量でもいつでもすぐに届けてくれるため、限られたスペースの有効利用という点でもアスクルの価値は明らかです。

人間の本性を見つめる。それは「マーケティング調査をして顧客のニーズを知りましょう」という話とはまるで異なります。顧客のことを知悉しなければコンセプトは生まれませんが、だからといって顧客の声をいくら聞いても、人間の本性を捉えたコンセプトにはなりません。顧客はそもそも「消費すること」「買うこと」にしか責任がないからです。責任のない人に過剰な期待を寄せるのは禁物です。

「空飛ぶバス」や「第三の場所」といったコンセプトは、顧客の声を聞いた結果として出てきたものではありません。シュルツさんがどんなに体系的に顧客の声を収集したとしても、「第三の場所をつくってくれ！」というような気の利いたことを言うお客さんはいなかったはずです。「閉店時間をもう少し遅くしてほしい」とか、「こういう新しいメニューを入れてほしい」とか、「カプチーノは好きだけど、ストレートのエスプレッソはちょっときつ過ぎて……」というような「ニーズ」が出てくるのが関の山でしょう。そうした「声」をいくら寄せ集めても、それはコンセプトにはなりえません。

「スーパーマリオブラザーズ」など、任天堂の数々のゲームソフトのヒット作の開発をリードした宮本茂さんは、ゲームのコンセプトをつくるときにユーザーやユーザーに近いところにいる営業部門からのフィードバックを聞いてはいけないと言っています[14]。

面白いとはどういうことか、そのゲームはなぜ面白いのか、ここをきちんと詰めたコンセプトがなければゲーム開発は始まらない。その答えは結局われわれの頭の中にしかない。納得のいくコンセプトなり「お題」が決まれば、あとはそれを粛々と形にするだけ。…（中略）…コンセプトを考えるときには、営業部隊やユーザーの声は聞かない。営業はライバルとの競争の前線にいるので、他社のゲームソフトに負けたくないという気持ちが強い。どこかでヒット作が出てきて、それがたまたま長くて凝ったムービー（ロールプレイングゲームのオープニングやエンディングなどで使われる映画のような画面）を使っているとなると、「うちももっと長くてすごいムービーをつけるべきだ」という話ばかり出てくる。…（中略）…ユーザーの声も真に受けてはいけない。ユーザーは「もっと高品質で動きにストレスのない画面にしてほしい」というようなことしか求めてこない。あれも必要だ、これも大切だ、ということになって、収拾がつかなくなり、結局コンセプトがぼやけてしまう。…（中略）…開発の途中でさまざまなユーザー層から選んだモニターに試作品で遊んでもらうことはあるが、そのときも「このゲームのコンセプトはこういうもので、こういうところが面白くて…」というようにこちらからの説明は絶対にしない。いきなり遊ばせて、その姿を映像にとって、それを何度も見る。どの辺で楽しんでいるのか、つまらなそうにしていないか、途中でゲームを中断してコントローラーを置いてしまうとしたらどの辺か、自分たちが作品に込めた面白さの意図が伝わっているか、ひたすら「姿を見る」ことでコンセプトの効きをチェックする。こうした作業の積み重ねがその次のコンセプトづくりの肥やしになる。

要するにコンセプトは、自分の頭で深くじっくりと考えるしかないのです。どんなに投資をしても、自分の頭を使わなければコンセプトは構想できません。流行の画期的な技術やそのときに華々しく成長している市場セグメント、今そこにいる顧客の声、こうした「外部の事情」に惑わされてはなりません。人間の変わらない本性を見つめるためには、そのような表面的な誘惑や情報の洪水を意識的に遮断することがむしろ大切です。宮本さんは、本社が京都にあることの意味について、「東京のように情報があふれていると、それに振り回されてしまって、かえって面白いゲームのコンセプトが出なくなるような気がする。京都ぐらい中心から離れているところでちょうどよいのではないか」と語っています[15]。

人間の本性を捉えた骨太のコンセプトをつくるためには、その製品やサービスを本当に必要とするのは誰か、どのように利用し、なぜ喜び、なぜ満足を感じるのか、こうした顧客価値の細部についてのリアリティを突き詰めることが何よりも大切です。繰り返しお話ししてきたように、特に大切なのは「なぜ」についてのリアリティです。グーグルで広範な情報を検索し、引っかかった情報をいくら深掘りしたところで、顧客価値についてのリアリティのある「なぜ」を手に入れることはできません。

およそあらゆる人にとって、一番リアリティのある「なぜ」は自分自身の生活や仕事の中にあるはずです。自分自身ほどリアリティを持って理解できる「顧客」は他にはありません。皆さんもご自身でモノやサービスを消費する状況を思い浮かべてください。なぜそれにお金を払うのか、なぜ自分がそれに価値を感じるのか、無理して肩肘張らなくても、改めて振り返ってみればきわめてリアリティに満ちた「なぜ」が自然と思い当たるはずです。消費財でなくても話は同じです。ちょっとした便利さや価値、不便や不満は仕事の中で毎日のように感じたり、発見しているはずです。

ごく日常の生活や仕事の中で、嬉しかったこと、面白いと思ったこと、不便を感じたこと、頭にきたこと、疑問に思ったこと、そうしたちょっとした引っかかりをやり過ごさず、その背後にある「なぜ」を考えることを習慣にする。回り道のように見えて、これがコンセプトを構想するための最上にして最短の道だというのが私の意見です。どんなに画期的なコンセプトも、発想の初めの一歩はそうした日々の習慣の積み重ねの中から生まれるものだと私は思っています。

いろいろとお話ししてきましたが、この章のメッセージはシンプルです。筋の良いストーリーをつくるためには、起点としてのコンセプトが何よりも大切になります。「終わりよければすべてよし」は戦略ストーリーには当てはまりません。起点が空疎であれば、それに続けてどんな打ち手を繰り出したとしても、強くて太くて長いお話はできないのです。すべての始まりはコンセプト。これがこの章でお話ししたかったことでした。

次の章では、戦略ストーリーの五つのCの残された一つ、「クリティカル・コア」(critical core)についてじっくりお話ししたいと思います。もったいぶるわけではありませんが、この起承転結の「転」にあたる部分がストーリーづくりの一番おいしいところであります(前章の終わりでも同じようなことを言った気がしますが)。

第5章 「キラーパス」を組み込む

◆起承転結の「転」

「起承転結」という言葉は、もともとは四行から成る漢詩の絶句の構成を指していました。漢詩の絶句では一行目から順に起句、承句、転句、結句と呼びます。もとの意味から転じて、ストーリーの展開や構成を表す言葉として使われています。起承転結の例としては、次の俗謡が有名です。

京都三条糸屋の娘（起）
姉は十六妹十四（承）
諸国大名は弓矢で殺す（転）
糸屋の娘は眼で殺す（結）

「起」はストーリーの導入部です。そのストーリーのテーマは何か、なぜその物語は始まるのかなど、ストーリーを進めるうえでベースになる前提を紹介する部分です。とりあえず京都三条に糸屋の娘がいたわけです。

「承」は「起」で提起したテーマを受け、さらに進めて理解を促し、ストーリーの導入である「起」

から、物語の核心となる「転」へつなぐ役目を果たします。ここでは単純に「起」で語り起こしたストーリーを着実に進めることに主眼が置かれ、糸屋の娘は一六歳と一四歳の姉妹だったという説明にとどまり、あまり大きな展開はありません。

次に続く「転」はストーリーの核となる部分に当たります。「ヤマ」ともいわれ、ストーリーの中で最も盛り上がりを見せる部分です。糸屋の姉妹の話をしているのかと思ったら、いきなり諸国大名が登場して、弓矢で人を殺すという物騒な話が出てきます。このように、ストーリーの中でも最も大きな転機を発揮し、読者が知らなかった事柄や想起を超える展開をすることによって関心や興味を引く部分となるのが「転」です。

最後の「結」は「オチ」とも呼ばれる部分で、ストーリーが進んだ結果、最終的にどうなったのかを描いてストーリーを締めくくります。「糸屋の娘は眼で殺す」というのはなかなか粋な話でありまして、姉妹のキュートな姿や様子が浮かんでくるようですね。

糸屋の姉妹の話はこれぐらいにして、戦略ストーリーの起承転結です。戦略ストーリーの5Cを思い出してください（第3章の表3・1）。筋の良い戦略ストーリーをつくるためには、この五つのCをきちんと押さえることが大切です。前章ではこのうちのコンセプト、すなわち「本当のところ、誰に何を売っているのか」という本質的な顧客価値の定義についてお話ししました。コンセプトはストーリーの起承転結の「起」にあたります。人間の本性を捉えたユニークなコンセプトを構想するところからストーリーは始まります。コンセプトを固めることなしには筋の良いお話はつくりようがありません。

コンセプトを具体的な構成要素へとブレイクダウンしていくプロセスがストーリーの「承」です。構成要素が相互につながることによって、競争優位が生まれます。競争優位とは「要するになぜ長期利益が創出されるのか」に対する答えです。最終的に実現される競争優位がストーリーの「結」、つまり「めでたし、めでたし」に相当します。これについては第3章で詳しくお話ししました。

起承転結がきちんとしているというのは、古今東西の優れたお話の基本条件ですが、その中でもとりわけ重要なのは、読み手の心をがっちりつかむような「起」と、ストーリー展開のツボとなる「転」の二つです。戦略ストーリーでも同じです。この章では戦略ストーリーの5Cのうち残された最後の一つ、「クリティカル・コア」についてお話しします。クリティカル・コアは「転」にあたります。ストーリーのヤマといってもよいでしょう。コンセプトと並んで、クリティカル・コアは戦略ストーリーの優劣を決めるカギとなります。サッカーにたとえれば、ゴール（長期利益）へのシュート（競争優位）に向けてさまざまなパス（構成要素）を繰り出すわけですが、その中でも「キラーパス」となるのがクリティカル・コアです。

「戦略ストーリーの一貫性の基盤となり、持続的な競争優位の源泉となる中核的な構成要素」、これがクリティカル・コアの定義です。この定義を前段と後段に分解すると、クリティカル・コアの二つの条件が見えてきます。第一の条件は、「他のさまざまな構成要素と同時に多くのつながりを持っている」ということです。クリティカル・コアは文字どおりストーリー全体の中核、つまり他のさまざまな構成要素と深いかかわりを持ち、「一石で何鳥にもなる」打ち手です。これは前段の「ストーリーの一貫性」に関連しています。

第二の条件は、「一見して非合理に見える」ということです。ストーリーから切り離してそれだけを見ると、競合他社には「非合理」で「やるべきではないこと」のように見える。しかし、ストーリー全体の中に位置づければ、強力な合理性の源泉になる。クリティカル・コアの特徴はこの二面性にあります。この意味で、クリティカル・コアはストーリーに「ひねり」を利かすものであり、起承転結の「転」なのです。この第二の条件は、定義の後段の「持続的な競争優位」に関連しており、とりわけ重要な意味を持っています。

◆スターバックスのストーリー

概念的な定義だけではわかりにくいので、以下では、前章のコンセプトのところでも使ったスターバックスコーヒーの事例で見ていきましょう。スターバックスの戦略ストーリーを、例によってエンディングのほうから読み解いていくことにします[1]。

まずは長期利益に向けたシュート、すなわち競争優位です。日本でのスターバックスの競争相手の一つにドトールコーヒーショップがあります。ドトールは低コストにシュートを定め、長い間コーヒー一杯を一八〇円という価格で提供していました。これに対して、前にもお話ししたように、スターバックスの意図する最終的な競争優位はWTP（Willingness To Pay：顧客が支払いたいと思う水準）の増大にありました。エスプレッソ・ベースのコーヒーは、当初は（アメリカでは）珍しいサービスでした。しかし、アメリカだけで七〇〇店という急速な出店を初期の段階から計画していたことからもわかるように、スターバックスはニッチにとどまるつもりはありませんでした。つまり、「無競争」ではなく、他社と競争しつつも、より大きなWTPを獲得することがスターバックスの意図した競争優位でした。

顧客がより大きなWTPを感じるということは、スターバックスにそれだけプラスアルファの価値があるということです。その価値の本質は何か。この問いに対する答えがコンセプトです。すでにお話ししたとおり、「第三の場所」(third place)、これがスターバックス独自のコンセプトでした。つまり、コーヒーを売るのではなく、ゆったりとした雰囲気の中でリラックスするという経験なり文化なりを売るということで、コーヒーそのものは、そのための手段であるという考え方です。

第三の場所というコンセプトの定義は、単価を上げるだけでなく、顧客の来店頻度を上げるという意味でもWTPの増大に貢献します。日常的な避難場所として顧客は習慣的にスターバックスに来るようになります。

サッカーにたとえれば、WTP(競争優位)と第三の場所(コンセプト)がスターバックスの戦略ストーリーのツートップだということです。このツートップで長期利益のゴールにボールをたたき込もうというのがストーリーのエンディングの部分です。

ツートップを固めると、次に問題となるのは「パス出し」、つまりコンセプトを構成要素へとブレイクダウンしていくという作業です。スターバックスが第三の場所の実現に向かって繰り出したパスを、「店舗の雰囲気」「出店と立地」「オペレーション形態」「スタッフ」「メニュー」の五つに大まかに分類してお話しすることにしましょう。ここで重要なポイントは、一つひとつの構成要素がなぜ、どのように第三の場所というコンセプトとつながるのかという論理です。

1 店舗の雰囲気

ゆっくりとリラックスできる雰囲気の店舗、これはいうまでもなく第三の場所の実現にとって大切な要素です。店内の雰囲気を快適で落ち着くものにするために、スターバックスはさまざまなパスを繰り出しています。前章でお話しした店内禁煙もその一つです。コーヒーの香りはリラックスの重要な要素です。

間接照明、緩やかなBGM、座り心地の良い大きめのソファ、相対的に（たとえばドトールと比べてずっと）少ない店舗面積当たりの席数、さまざまなリラックスの仕方（一人でくつろぐとか、友達とおしゃべりをするとか）に合わせて異なったタイプの席を用意するというレイアウト、これらはすべて第三の場所というコンセプトの実現にとって有効なパスです。

細かい話になりますが、持ち帰りではなく店内で飲む場合でも、スターバックスの多くの店では紙コップを使います。これもまたコンセプトにつながる選択です。陶器のカップを使うと店内にカチャカチャというノイズが広がり、第三の場所の邪魔になるからです。

2 出店と立地

スターバックスはプレミアム立地に集中して出店するという戦略をとりました。日本に参入したときも当初は、銀座から始まって、丸の内、大手町、六本木、麻布、渋谷、青山といった一等地に出店を限定していました。この時期は、松戸とか錦糸町には出店しませんでした（松戸も錦糸町もそれぞれにイイ街ではありますが）。

なぜ「プレミアム立地」がスターバックスのストーリーにとって重要か、その因果論理を検討してみましょう。まず思いつくのは、そういう一等地には人がたくさんいるし、懐具合が温かい人々が多そうだからWTPをとりやすい、という論理です。しかし、これだけでは十分な説明ではありません。確かにシュートはWTPなのですが、スターバックスのストーリーは漠然とWTPを追いかけるものではありません。WTPが増大する根拠が第三の場所というコンセプトで明確に定義されています。一等地集中という立地の選択がなぜ第三の場所の実現につながるのか、その論理を考えなくてはなりません。

スターバックスが重視したのは、ターゲット顧客がスターバックスを利用する文脈です。第三の場所が念頭に置いているターゲットは、「第二の場所」（オフィス）でアタマを使ってキリキリと仕事をしているようなビジネスパーソンです。そういう人はリラックスできる「避難所」を日常的に必要としています。しかも、それは「第一の場所」（自宅）とも違って、一人もしくは気の置けない友人とくつろぐ場であるべきです。

面白いのは、リラックスというのは相対的な概念だという創業者のハワード・シュルツさんの洞察です。つまり、右でお話ししたように、店内がゆったりした雰囲気になっていることはもちろん大切なのですが、それと同時にスターバックスに入ってくるまでは、お客さんがなるべくハイテンションでいてくれるほうが望ましいというわけです。店に入る直前まで、テンションが高い状況にあれば、それだけスターバックスの雰囲気とのギャップが大きくなり、リラックスを実感させやすくなります。

東京でいえば、丸の内とか大手町のようなビジネス街の、アタマを使って緊張して仕事をしている人が多い地域にまず出店する。買い物でテンションが上がりがちな人が多い銀座に出店する。直前までハイテンションであるだけに、スターバックスに入ったお客さんはリラックス空間をより強く実感するだろう。そうであれば、スターバックスのコンセプトが構想する顧客価値をより効果的に浸透させることができる、というわけです。プレミアム立地というパスが、第三の場所というコンセプトにつながる因果論理がよく詰められていることがわかるでしょう。

スターバックスはニッチにとどまるつもりは毛頭ありませんので、今ではもちろん郊外にも数多くの店を出しています。松戸や錦糸町にもスターバックスがあります（私が住んでいる鷺沼にはまだありませんが）。ただし、こうした「非プレミアム立地」に進出したのは、日本に参入後、数年経ってからのことです。スターバックスにとって初期の段階で最も重要なことは、そのコンセプトを顧客に浸透させ、理屈ではなく身体に感じさせることでした。いきなり松戸や錦糸町に出店してしまえば、そもそもわりとリラックスした街なので、スターバックスに入ったときのリラックスの実感を与えにくくなります。コンセプトが効果的に伝わりません。第三の場所のイメージが世の中に十分に浸透するのを待って、ブランドイメージを確立してから松戸や錦糸町にも遅れて出店するという成り行きです。

出店に関して、もう一つ興味深いパスがあります。それは「クラスタリング」と呼ばれる集中出店です。これを書いている時点では、スターバックスは東京・港区だけで五〇店舗近くあります。六本木ヒルズ内だけでも三店舗です。外食産業の常識からすれば「共食い」してしまうような密度であえて出店する。これがスターバックスの重視している店舗のクラスタリングです。

なぜこんなことをするのでしょうか。クラスタリングの背後には、店舗そのものをプロモーション手段にするという発想があります。裏を返せば、スターバックスは新聞、雑誌、テレビといったメディアでのマスプロモーションにあまりお金をかけません。その理由は、コンセプトにつながる因果論理を考えれば明らかです。もし、スターバックスの提供価値が第三の場所といった空間や経験ではなく、「ものすごくおいしいコーヒー」とか「オリジナルのメニュー」であれば、マスプロモーションは効果的でしょう。言語やイメージで価値を伝えやすいからです。

ところが、スターバックスはより込み入った経験価値を提供しようとしています。「ストレスがかかる日常の中でのひとときのリラックス」という価値は、文字にしてしまえば簡単ですが、顧客に実際に経験してもらわなければ、中身が正確に伝わりません。人目につくトラフィックの多い立地に、これでもかというぐらい数多く出店し、とにかく一度は第三の場所を丸ごと経験してもらわないことには話が始まらないのです。

プレミアム立地と同様、このことは特に初期の段階で大切になります。スターバックスを経験すれば、全員ではなくても一定割合の人は第三の場所が心に響き、気に入ってくれる。そうした人々の何割かはリピーターになり、コンセプトをきちんと理解してくれる。そうした人々による口コミが正しくコンセプトを広め、新たな来店者を増やし、彼らの実感がさらにコンセプトを浸透させる。こうした好循環を起こすために、スターバックスは広告投資を抑え、その代わりに店舗そのものをプロモーション拠点にしたわけです。

3 オペレーション形態

チェーン・オペレーションの形態としては、大別してフランチャイズ方式と直営方式の二つがあります。空港内店舗など一部の例外を除いて、スターバックスは当初から原則的にすべての店舗を直営で展開しました。日本でも同じです。サザビー（現サザビーリーグ）とのジョイントベンチャーで「スターバックスコーヒージャパン」を設立し、駅や空港などの直営方式での出店が困難な商圏を除いて、すべての店舗を直営で運営しています。

第三の場所というコンセプトを実現し、維持するためにはサービスのさまざまな側面で細かいコントロールが必要になります。そのためには、個々の店舗に独立のオーナーがいるフランチャイズ方式ではなく、直営方式が必要になるという考え方です。

4 スタッフ

スターバックスは店舗でのサービスに従事するスタッフを「バリスタ」と呼んでいます。バリスタというのはバーテンダーのイタリア語で、もともとはイタリアのバール（コーヒーや軽食、ちょっとしたお酒を出す立ち飲み中心のカフェ）の店員を指す言葉です。

スターバックスがまだコーヒー豆の小売会社だった一九八三年、シュルツさんは仕入れの仕事でイタリアのミラノに出張しました。[2] そのときに彼は初めてイタリアのバールを経験し、その文化的な深みにいたく感銘を受けました。訪れる人々をほっとさせるようなバリスタの振舞いがとりわけ印象的だったそうです。この経験が、現在のスターバックスを創業するきっかけになりました。それだけに、インテリアやエクステリア、店舗のレイアウトといったハードウェアだけでなく、バリスタという人的資源が第三の場所にとって大切な要素であるということが、当初から強く意識されていました。

私はミラノにあるボッコーニ大学の経営大学院で教えていたことがあるのですが、さすがに本場だけあって、キャンパスの周りにはたくさんのバールがありました。講義の間などちょっとした空き時間にいつものバールに行くと、そこには顔見知りのバリスタがいます。お客さんにも知った顔がいて、ちょっとした無駄話をしながらコーヒーでリラックスする。まさに第三の場所です。

私もあるバールをひいきにして、いつもそこに行っていたのですが、そのきっかけもバリスタでした。初めてその店に行ったときから、彼はちょうどよいあんばいに無駄話を持ちかけてくれました。ミラノで何してるの、というところから始まって、なぜ人々が頻々とバールに来るのかとか、なんで道端に二重に縦列駐車をするのかとか、イタリアの女性がストッキングを履かないのはなぜかとか、行くたびにそんな無駄話をしているうちに、私はすっかりその店が気に入ってしまい、ちょくちょく顔を合わせる知り合いも増え、気がつくと自分の第三の場所になっていました。バリスタの無駄話はいちいち気が利いていて、客あしらいもつかず離れずという絶妙のものでした。

これは伝統に裏打ちされた本場の技量なので一朝一夕にはまねができないサービスでしょうが、スターバックスもバリスタの育成に相当な手間ひまをかけています。バリスタ人材を育成するために、スターバックスはすべての従業員（その多くはパートタイマー）に二四時間の教育プログラムを実施しました。おいしいコーヒーを適切に淹れることができるのはもちろん、バリスタにはお客さんとのコミュニケーション、気の利いた応対やコーヒーについての知識の提供が求められます。お客さんへのあいさつにしても、チェーン展開をしている競争相手のほとんどは、マニュアルどおりの機械的な応対です。しかし、スターバックスのバリスタは、バリスタによってあいさつの仕方が違ったり、しょっちゅう来るお客さんであれば顔を覚えていてちょっとした会話をします。

スキルやノウハウを持ったバリスタを定着させるために、スターバックスは週二〇時間以上働く人々を「パートナー」と呼び、ストックオプションや健康保険の適用など、さまざまなベネフィットを提供しました。アメリカでは国民の三〇％程度が無保険者であり、パートタイマーにまで健康保険を適用する企業はほとんどなかったことを考えると、例外的に手厚い制度であるといえます。これもまた人的資源が第三の場所の重要な構成要素として位置づけられているということの表れです。

5 メニュー

第三の場所の提供が目的であり、コーヒーという商品はそのための手段だとしても、高品質のコーヒーは顧客が第三の場所を楽しむために必須の条件です。スターバックスはアラビカ種のプレミアムコーヒーにこだわり、自社工場で深くローストした豆を使いました。訓練されたスタッフが標準化されたプロセスでコーヒーを淹れることにより、どこの店でも同じレベルのコーヒーを提供できるように、オペレーションを厳格にコントロールしました。

新鮮さを保つために、コーヒー豆は包装を開封してから七日以内に消費されなくてはならないというルールが設定されました。七日以上経過した豆はローカルのチャリティに寄付されました。このように鮮度にこだわるのは、一つには味のレベルを保つためです。しかし、それ以上に大切な理由は、店内に広がる心地よい香りを維持することにありました。コーヒーの香りは豆の鮮度によって大きく左右されます。コーヒーの香りは第三の場所の雰囲気づくりにとってきわめて重要な要素であるという考え方です。

メニューは、ラテやカプチーノ、マキアート、コンパナといった（アメリカ人にとっては）聞き慣れない商品を中心に構成されました。これもまたコンセプトにつながるパスになっています。アメリカでは日本よりも一人当たりのコーヒーの消費量がもともと多かったのですが、自宅やオフィスで彼らが飲むコーヒーはほとんどの場合、例の薄くてごくごく飲めるアメリカンなそれでした。メニューにはそうしたアイテム（カフェ・アメリカーノ）もあるのですが、そうした「普通のコーヒー」を前面に出さないほうが、自宅やオフィスとは異なる第三の場所としての価値がはっきりします。

さまざまな種類のコーヒーがあるだけでなく、温度をぬるめにするとか、普通のミルクをローファット（低脂肪）にするとか、エスプレッソ・ショットを追加してより深い味にするとか、スターバックスは顧客の好みによってカスタマイズに応じました。これにしても、リラックスするという経験があくまでもパーソナルなものであり、人それぞれで違うということを重視したからです。

コーヒーのメニューやコーヒーを淹れるプロセスは厳密に標準化されましたが、その一方で店舗で販売するフード（スナックやデザートなど）については、それぞれの店舗や地域で地元のものを仕入れるというやり方がとられていました。平たくいえば、スターバックスはフードにはそれほど力を入れていませんでした。

日本の例になりますが、ドトールはスターバックスよりもフードに力を入れています。「ジャーマンドック」や「ミラノサンド」といった軽食は、ドトールのターゲット顧客、つまり次の仕事のアポイントメントまでの一五分といった時間帯を使って一休みする（しかもタバコも吸える）ような、慌ただしい人々に人気のメニューです。時間がないときに、コーヒーと一緒に短時間で食事ができるからです。

スターバックスはレストランではないので、フードメニューに力を入れてしまうと、ドトールのような「効率的な食事の場」として使われてしまうというリスクがあります。そうなれば、第三の場所というメンタルな価値よりも、短時間での食事という機能的な価値が前面に出てしまいます。食品の提供は短期的には顧客単価の増大をもたらすのですが、それでコンセプトがあいまいになってしまえば元も子もないので、スターバックスは意識的にフードには力を入れなかったのです。

◆一貫性の基盤

ここまで、「店舗の雰囲気」「出店と立地」「オペレーション形態」「スタッフ」「メニュー」の五つのグループごとに、スターバックスの戦略ストーリーの構成要素と、それらとコンセプトの間をつなぐ因果論理を見てきました。第三の場所というコンセプトの実現に向けて実にさまざまなパスが繰り出されていることがわかります。しかも、それぞれのパスがコンセプトと明確な因果論理でつながっています。この意味でスターバックスの戦略は「強いストーリー」になっているのです。

ここで質問です。この五つの中で、戦略ストーリーの中核に位置するクリティカル・コアはどれでしょうか。第三の場所というコンセプトを起点に、WTPの増大という競争優位に向けてストーリーを組み立てているシュルツさんの立場になって考えてみてください。いずれの構成要素もコンセプトと強い因果論理で結ばれています。その意味では、この五つはすべて大切な要素です。どのパスが欠けても、第三の場所は実現できなかったでしょう。結果としてWTPのシュートも打てなかったでしょう。ただし、あえて優先順位をつけるとすれば、シュルツ監督にとって「キラーパス」に相当する決定的な構成要素はどれだったのでしょうか。

本当に売っているものが第三の場所だとすれば、それは直接的には空間を意味していますから、最初の「店舗の雰囲気」がキラーパスだと考える人は多いでしょう。これは回帰分析的な考え方です。五つのパスのうちのどれが第三の場所の出来不出来に最も強い影響を与えるか、という視点からすれば、「店舗の雰囲気」の効果が一番大きくなるかもしれません。

他社に簡単にはまねできないという条件を重視すれば、「スタッフ」に体現された組織能力、特に手間ひまをかけたバリスタの育成こそがキラーパスに思えるかもしれません。日本でも、スターバックスの成功に刺激されて、ドトールは別ブランドのチェーンとして「エクセルシオールカフェ」を始めました。店舗のデザインや立地、ソファなどのインテリアはある程度まで模倣できるかもしれません。しかし、スタッフによるサービスの質はつくり込むのに時間がかかるだけに、すぐにはまねしにくい要素です。

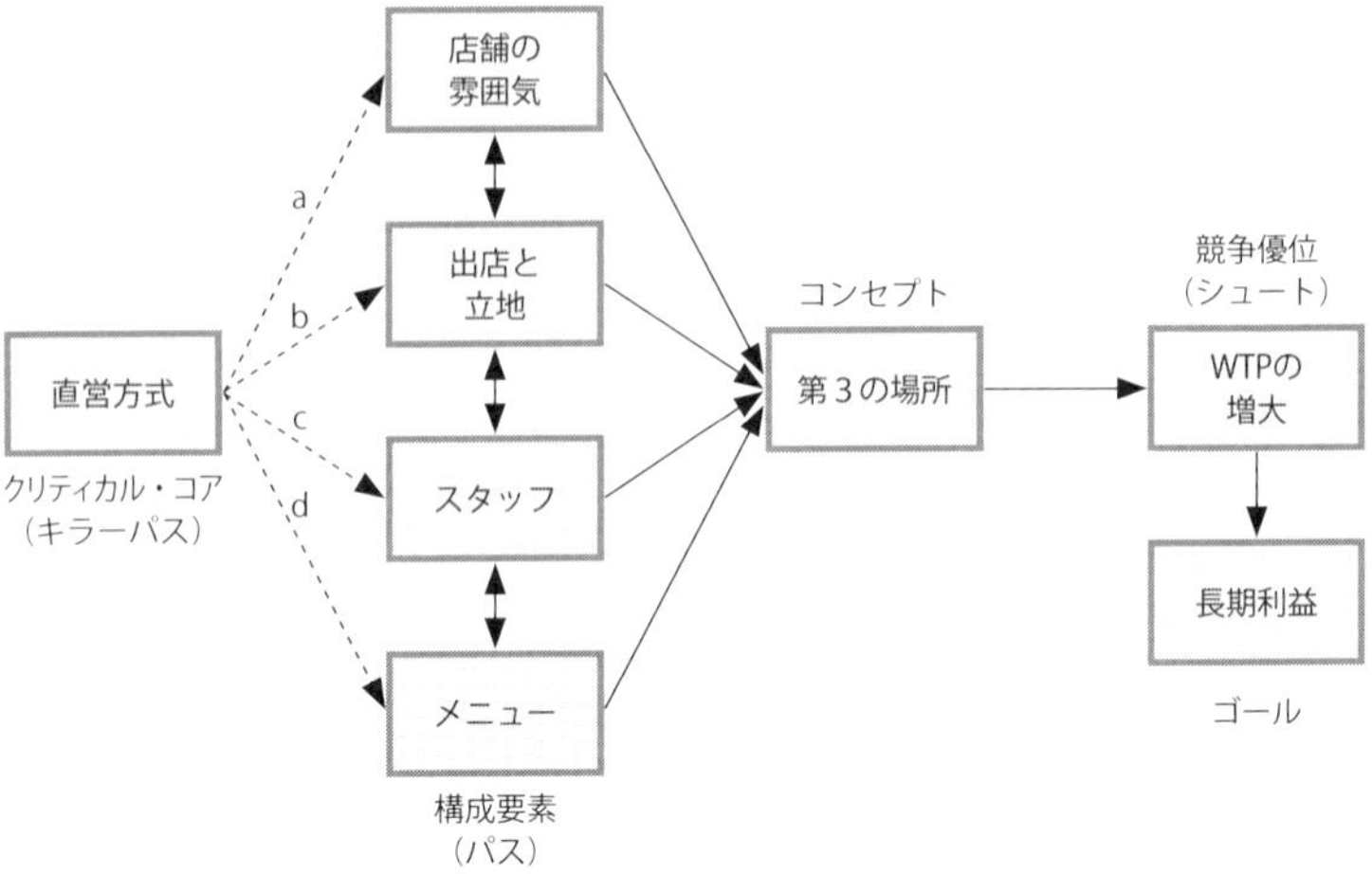

図5・1 スターバックスの戦略ストーリー

物事が起きる時間的な配列に注目する人は、「出店と立地」がクリティカル・コアだと考えるかもしれません。第三の場所を効果的に伝える条件を備えたところに出店しなければ、その後のストーリーは始まらないからです。

「店舗の雰囲気」「スタッフ」「出店と立地」、いずれもそれなりに「決定的に重要」であるという理屈は立ちます。しかし、パスをつなげていく因果論理をじっくり考えてみると、直営方式による店舗運営がキラーパスとして浮かび上がってきます。

それぞれの構成要素の間にある因果論理を示したものが図5・1です。「店舗の雰囲気」「出店と立地」「スタッフ」「メニュー」のそれぞれがコンセプトにつながる因果論理（実線の矢印）については、これまでにお話ししたとおりです。さらに、これらの要素は相互に効果を強める関係にあるということも容易にわかります（双方向の矢印）。

これら四つのパスはいずれも第三の場所の実現にとって不可欠なのですが、ここで注目すべきなのは、こうしたパスを繰り出し、きちんと維持するためには、直営方式でなければならないということです（点線の矢印a〜d）。裏を返せば、フランチャイズ方式では、コンセプトにとって不可欠ないくつかのパスを出しきれなくなってしまいます。要するに、「直営方式できちんとコントロールしないと、第三の場所が絵に描いたモチになってしまう」という話です。

しかし、直営方式から残りの四つの要素に向かっている点線の矢印a〜dの正体について、よくよく考えてみる必要があります。なぜならば、「本当に直営でないとやりきれないのか（フランチャイズでもできるのではないか）」という疑問が残るからです。

直営方式のほうが相対的にきちんとコントロールできるのは確かです。しかし、チェーン展開で事業を営んでいる多くの企業はフランチャイズ方式をとっています。スターバックスを追撃した「シアトルズベストコーヒー」はフランチャイズ方式をとっていましたし、日本でもドトールは、これを書いている時点でほぼ一五〇〇店を展開していますが、直営店はそのうちの三〇〇店程度で、主力はフランチャイズ店舗です。コーヒーショップに限らず、コンビニエンスストア、クリーニング店、ガソリンスタンド、こうした多拠点チェーンはフランチャイズで運営するのがむしろ普通です。

いうまでもなく、フランチャイズ方式では、フランチャイザー（本部）とフランチャイジー（オーナー）が事前にきちんとした契約を結びます。オーナーがすべて勝手に経営できるわけではありません。本部はオーナーの行動をモニターできます。店舗のオーナーがフランチャイズ契約を逸脱した行動をとれば、それを是正するか、フランチャイズ契約を破棄することができます。

考えてみると、フランチャイズ方式でもある程度までは契約できちんとコントロールできるはずなのです。「あー、疲れたから今日は早じまいにしよう」と夜の一一時に店を閉めてしまうセブン－イレブンの店長はいないでしょうし、商品を好き勝手に仕入れて店に並べるローソンのオーナーもいないはずです。オペレーションやサービス、店舗のレイアウトを見ても、どこのコンビニチェーンもそれなりに標準化されています。

一方で、直営方式はフランチャイズ方式と比べて間違いなく大きなコストがかかります。スターバックスは一九九二年のＩＰＯ以降、新規出店を加速させ、三年間で全米に五〇〇店舗以上を出店しましたが、初期投資だけでも一店舗当たり平均で二三万ドルを要しました。フランチャイズ方式であれば、建物や土地は各店舗のオーナー持ちになるので、格段に出店コストを抑えられます。前にお話しした小型フィットネスクラブをチェーン展開しているカーブスにしても、一九九二年のテキサス州での一号店開店以来、一五年間で世界の六〇カ国に一万店を展開するまでになれたのは、フランチャイズ方式が急速な出店展開を可能にしたからです。

ランニングコストを考慮すれば、直営方式ではさらにコスト負担が重くなります。フランチャイズ方式であれば、従業員を雇用するのは各店舗のオーナーです。スターバックスは直営方式ですから、店舗のスタッフをすべて自分で抱えなければなりません。つまり、直営方式という選択は、実際のところ非常に高くつくのです。もしセブン－イレブンやローソンが全店舗を直営方式でやっていたら、大変に非効率な経営になったでしょう。

ということは、スターバックスの戦略ストーリーには、それほどの負担を覚悟しても直営方式でなければならないという「切実な理由」があるはずなのです。

改めて図5・1の矢印a〜dで示されている論理を一つひとつ検討してみましょう。まず、「メニュー」に伸びる矢印dです。コーヒーの品質やメニューといった要素は、フランチャイズ方式でもある程度までコントロールできるでしょう。本部が一括してコーヒー豆を供給し、コーヒーを淹れるマシーンを据えつけ、オペレーションのプロセスを標準化すれば、「メニュー」にかかわる要素はフランチャイズ方式でも実行できそうです。

次に「スタッフ」とつながるcの矢印ですが、これをそのままフランチャイズ方式で実現するのは難しいかもしれません。フランチャイズ方式ではそれぞれの店舗のオーナーが従業員を雇います。彼らは基本的にパートタイマーで、いつ辞めてしまうかわからないので、オーナーにしてみれば人的資源への投資は迂遠、もしくは無駄に見えるかもしれません。しかし、たとえばバリスタの二四時間の教育のプログラムにしても、それにかかるコストを本部で一括して負担することにすれば、フランチャイズ方式でもある程度までバリスタを育成できるかもしれません。

「出店と立地」につながる矢印b、これはフランチャイズ方式では難しいでしょう。もしフランチャイズ方式で出店したらどういうことになるでしょうか。日本のケースで考えてみましょう。フランチャイズ方式では、「スターバックスが日本に参入します。ついては加盟店を募集します。やりたい人は手を挙げてください」というところから話が始まります。このときに手を挙げる人々の中には、松戸とか錦糸町とか鷺沼といった「非プレミアム立地」の人が数多く含まれているはずです（繰り返しますが、私は松戸はイイ街だと思っています）。東京の地価を考えると、銀座や大手町、丸の内、青山で加盟店を経営しようという人はそうそういないでしょう。いわれてみると当たり前ですが、フランチャイズ方式では、出店立地の選択の自由度が大きく制限されるのです。

フランチャイズ方式でさらにあからさまに難しくなるのが、店舗のクラスタリングです。あえて共食いするような密度で出店するということですから、フランチャイズ店のオーナーにとってはたまったものではありません。店舗同士の共食いを避けるということは、フランチャイズ方式のイロハのイです。クラスタリングはまず受け入れられないでしょう。だとすると、店舗そのものをプロモーションの手段として、第三の場所の本質的な価値を顧客に理解させていくという道は閉ざされてしまいます。

プレミアム立地とクラスタリングというスターバックスのやり方は、第三の場所という価値を顧客に伝えるために重要な意味を持っていました。出店に関するこの二つのパスが繰り出せなければ、スターバックスのコンセプトが初期の段階で有効に浸透しないばかりか、ねじ曲がって理解されてしまったかもしれません。ここには直営方式でなければならない強い理由があったといえます。

「店舗の雰囲気」につながる矢印a、実はここで直営方式の必要性は最も大きくなります。これは意外に聞こえるかもしれません。スターバックスのコンセプトからして、店舗の雰囲気を形成しているいくつかのパスが重要な意味を持っていることはいうまでもありません。しかし、ソファや照明、店内のレイアウト、エクステリアというのは一種の「初期設定」ですから、わざわざ直営方式にしなくても、フランチャイズ契約でそれなりのコントロールができるはずです。

しかし、です。フランチャイズ方式だとしたら、店舗を日々運営する立場にいるオーナーはどのような動機を持ち、どのような行動をとるでしょうか。フランチャイズ方式であれば、オーナーは独立した自営業者ですから、当然のことながら利益の極大化をめざします。ただし、フランチャイジーである以上、メニューや価格、営業時間は操作できません。立地も所与の条件です。だとしたら、利益を大きくするためにオーナーが影響を与えられる変数は何か。一番効くのはおそらく回転率でしょう。お客さんをなるべく回転させることによって利益を改善するというアプローチです。

お客さんの平均的な在店時間を考えてみるとわかりやすいと思います。前章でも少しお話ししたように、ドトールでコーヒーを飲む人の在店時間は平均で一〇分以下です。ドトールはフランチャイズ方式を広く活用しています。ドトールのフランチャイズ店のオーナーにしてみれば、さらに在店時間が短いほうが望ましいでしょう。昼食時のようにお客さんがたくさん来るときはとりわけそうです。少しでも回転を良くしようとして、オーナーはさまざまな努力をするでしょう。あからさまに「飲み終わったら出て行ってください」とは言わないでしょうが、コーヒーを飲み終えた後も延々と粘っているお客さんがいたら、テーブルからカップを下げてしまうとか、あまり長居をさせないように、間接的にでも働きかけるような「サービス」をしたくなるところです。いずれにせよ、オーナーであれば、なんとかして回転率を上げたいと思うのが人情です。

ドトールの戦略ストーリーからすれば、このようなオーナーの思考や行動はむしろ歓迎すべきことです。ドトールの意図する競争優位はＷＴＰよりも低コストです。決められた数の座席をより効率良く回す努力をオーナーがしてくれれば、ストーリーの駆動力はそれだけ強力になります。直営方式では、店長は社員になりますから、フランチャイズ店のオーナーほど日々の利益に向けた強いインセンティブを持たないでしょう。ドトールのストーリーでは、回転率を上げるという努力は本部とオーナーの両方にとって間違いなく共通の利益になります。

スターバックスでは話が大きく違ってきます。席に着いたお客さんには、コーヒーを飲みながら、読書をしたり、お友達とおしゃべりをしたりして、できれば三〇分ぐらいはゆっくりと過ごしてもらいたいところです。そうならなければ、いくら第三の場所を標榜しても、嘘になってしまいます。スターバックスでは、お客さんがコーヒーを受け取って席についたら、スタッフは近寄ってきません。好きなだけ店内で過ごしてもらうために、お店はお客さんを「放置」してくれるのです。

ところが、フランチャイズ方式を採用し、その結果としてオーナーが先にお話ししたような「色気」を持ったら、第三の場所はどうなるでしょうか。本部とオーナーとの間に深刻な利益相反が発生します。少しでも回転率を上げたいオーナーにしてみれば、お客さんを長居させるようなサービスに喜んで取り組むには無理があります。本部で「第三の場所」を掲げ、ゆっくりと過ごしてもらえるようなサービスの重要性をいくら強調したとしても、オーナーは嫌々従うのが関の山です。嫌々やるようなことは、決して長続きしません。レイアウトやインテリア、エクステリアをそれなりに整えたとしても、第三の場所の「雰囲気」をきちんと維持することは難しくなります。逆にいえば、直営だからこそ、社員は第三の場所の実現に全力で取り組めるというわけです。

見過ごしてしまいがちなことですが、第三の場所にとって最も重要なのは、そこでコーヒーを飲んでいるお客さん自身が醸し出す雰囲気です。忙しいお客さんがせわしなくコーヒーを飲み、出たり入ったりワサワサしてしまえば、第三の場所はぶち壊しです。

前章でもお話ししたように、スターバックスはお客さんの注文を受けた後で、ゆっくり時間をかけてコーヒーを淹れます。入口に近いキャッシャーで注文をすると、エスプレッソマシーンでコーヒーを淹れる人、最後にミルクなどを入れる人と、何人かの手を渡って、お店の少し奥まったところからコーヒーが出されます。つまり、あえて少しの間お客さんを待たせるわけです。「あそこは少し待つよ……」という認識がお客さんの間に行きわたれば、忙しい人は、(無意識のうちに)スターバックスを避けるでしょう。その結果、スターバックスにいるのは、時間にゆとりがあり、スターバックスが意図するような過ごし方をしてくれる人々ばかりになります。このように考えていくと、図5・1の矢印aが決定的に重要な意味を持っていることがわかります。

要するに、第三の場所を維持するために、スターバックスは忙しい人々にあえて嫌われようとしているわけです。しかし、別の視点から見れば、これは「わざわざ人件費をかけてお客さんを待たせ、回転率を悪くする」というとんでもなく非効率な話です。「わざと待たせる」というパスは第三の場所の維持にとって大切な意味を持っているのですが、こんなことをフランチャイズ店のオーナーに期待しても、それは無理というものです。ここからも、スターバックスのストーリーが直営方式を必要とするという因果論理が読み取れます。

直営方式がストーリーのクリティカル・コアになっているということをおわかりいただけたと思います。このくだりで私が最も強調したかったことは、クリティカル・コアがストーリー全体に一貫性を与えているということです。クリティカル・コアとコンセプトはストーリー全体の一貫性を高めるうえで、車の両輪のような役割を果たします。すべての構成要素がコンセプトと強い因果論理でつながっていれば、ストーリー全体の一貫性が高まります。それと同時に、数多くの構成要素と同時につながりを持つクリティカル・コアがあれば、ストーリーを太くすることによって一貫性を強化することができます。

改めて図5・1を見てください。クリティカル・コアとコンセプトが縦に並んだ四つの構成要素をがっちりと挟んでいます。これがスターバックスのストーリーを太くし、一貫性を確固たるものにしているのです。

◆一見して非合理——持続的な競争優位の源泉

クリティカル・コアの第二の条件に話を進めましょう。それは「一見して非合理」ということです。競争相手が非合理だと考えるような要素をあえてストーリーの中に組み込む。これがクリティカル・コアの文字どおりクリティカルなポイントになります。

スターバックスの直営方式は、この第二の条件も強力に満たしています。右でも詳しくお話ししたように、フランチャイズ方式と比較した場合、直営方式は明らかに「一見して非合理」な選択です。スターバックスの戦略ストーリーは、短期間のうちに数百店規模でコーヒーショップのチェーンを展開しようという話ですから、客観的に見れば、少なくとも以下のいくつかの理由でフランチャイズ方式のほうが合理的なはずです。

第一に、低コストという合理性です。フランチャイズ方式のほうが、少ない初期投資で急速に店舗数を拡大できます。第二に、低リスクという合理性です。フランチャイズ方式であれば、もし失敗したとしても、全部を本部で被る必要はありません。オーナーとリスクを分散することができます。第三に、深い知識という合理性です。フランチャイズ店のオーナーは何らかの理由でその商圏に関係があるはずで、そこにいるお客さんについてよりよく知っているはずです。第四に、高いモチベーションという合理性です。フランチャイズ方式であれば店長は独立した経営者として、その店舗と一蓮托生です。うまくいけば、それだけ実入りも多くなります。直営店の雇われ店長とは真剣さが違ってくるはずです。

スターバックスは短期間での大量出店を明確に意図していました。しかも、独立系のベンチャー企業ですから、投入できる資源は限られていました。にもかかわらず、直営方式を選択したという「非合理」は注目に値します。

スターバックスが株式を公開するとき、シュルツさんは多くの投資家やアナリストの前でスターバックスの戦略ストーリーを繰り返し説明させられました。投資家やアナリストはシュルツさんのストーリーをおおむね好意的に受け止めました。ところが、話が直営方式のくだりに差しかかると、決まって強烈な異論、反論が巻き起こったそうです。「直営方式へのこだわりはナンセンスだ。すべての店舗を自前で抱えてしまえば、分母が大きくなってしまうから、必然的にROA（総資本利益率）は低下する。出店スピードも鈍る。投資家はとにかくROAとスピーディーな成長を期待している。直営方式に替えてフランチャイズ方式を真剣に検討すべきだ」というのが典型的な反論でした。

しかし、「たとえ一時的なロスを抱えるにしても、直営方式は絶対に変更しない」というのがシュルツさんの反応でした。つまり、シュルツさんは直営方式がそれ自体では「一見して非合理」であるということを十分に知りながら、ストーリーの中核に置いていたわけです。

スターバックスの戦略ストーリーの全体像をすでに読み取っている皆さんにしてみれば、直営方式の合理性はもはや明らかです。お話ししたとおり、フランチャイズ方式にしてしまえば、周囲のパスをどんなに繰り出しても、意図するコンセプトの実現はままなりません。

しかし、ここがポイントなのですが、直営方式の合理性は、ストーリー全体の中に置いてみなければ、絶対に理解できません。ストーリーの筋の流れの中に位置づけて初めて、これまでお話ししてきたような直営方式の必要性と重要性が見えてくるのです。つまり、「それだけでは一見して非合理だけれども、ストーリー全体の文脈に位置づけると強力な合理性を持っている」という二面性、ここにこそクリティカル・コアの本質があります。

なぜ「一見して非合理」が重要になるのでしょうか。その理由は競争優位の持続性に深くかかわっています。違いをつくっても、それがすぐに他社に模倣されてしまうようなものであれば、一時的に競争優位を獲得できても、すぐに違いがなくなり、元の完全競争に戻ってしまいます。そうなると利益は期待できませんから、簡単にはまねできないような違いをつくるということが戦略の重要な挑戦課題です。これが競争優位の持続性という問題です。

他社がまねできないような違いとは何か。おそらく一番ストレートな、誰もが思いつくことは、「時間的先行による専有」です。これから伸びるだろう市場に誰よりも早く参入し、顧客を囲い込むことができれば、それは他社がすぐにはまねできない強みになります。他社に先駆けて技術を開発し、特許で押さえてしまうというのも同種の論理です。

本章でお話ししたストーリー全体の一貫性も、それ自体で持続的な競争優位の源泉となりえます。いくつかの構成要素をまねできたとしても、ストーリー全部を丸ごとまねすることはできないし、するにしても時間がかかるという論理です。

しかし、こうした論理に共通しているのは、実際にまねできるかどうかは別にして、少なくとも競争相手は「(それが良いことなので)できるものならまねしたい」という意思を持っているということです。これに対して「一見して非合理」というクリティカル・コアは全く違った論理を意図していません。それは「動機の不在」です。そもそも競争相手がまねようという動機を持っていなければ、まねされないのはいたって自然な話です。

もっといえば、競争相手による「意識的な模倣の忌避」という論理です。競争相手がわれわれのしていることを非合理だと考えていれば、たとえ「まねしてください」とお願いしても「イヤだよ」と向こうから断ってくれるでしょう。

「A(構成要素)がX(望ましい結果)をもたらす」という因果論理がその業界や周囲にいる第三者に広く定着しているとします。同時に「BがXを阻害する」という信念が共有されていたとしましょう。このときにAは「合理的」で、Bは「非合理」です。多くの会社がAを選択し、Bには手を出さないはずです。こうした状況で、ある会社がBという構成要素を中核に据えたストーリーをつくったらどうなるでしょうか。競争相手は「何をバカなことを……」と冷笑するか、黙殺するでしょう。Bをまねする動機がそもそもないのです。むしろ、Bをやる企業が出てくることによって、自分たちがやっているAの合理性をより強く認識するでしょう。そうした会社の側には「意識的な模倣の忌避」が生じ、より積極的にAの方向に踏み出すかもしれません。つまり、模倣による同質化とは反対に、敵が自ら距離を置いてくれるというわけです。

その後時間が経過し、その一見して非合理なことをやっていた会社（以下、「非合理会社」）が長期利益をたたき出すようになると、当然のことながら競合他社も「非合理会社」の強みを認識し、戦略を模倣しようという動機が生まれます。いくつかの構成要素はまねされるかもしれませんが、ここでも「非合理」なBの要素についてはまねされる可能性は依然として低いでしょう。

「非合理会社」の戦略ストーリーは、Bを中核として組み立てられています。ですから、いくつかの構成要素をまねしたとしても、一見非合理なBにまで手を出しきれない他社は、同じストーリーの全体を手に入れることができません。

ストーリーを読み解くセンスに優れた競争相手は（そういう企業は実際のところあまり多くないのですが）、Bにこそ競争優位の根幹があるということを見抜くかもしれません。しかし、それまでさんざん「合理的」なAの路線で事業を展開してしまっていますから、いきなり回れ右をしてBにスイッチすることは困難です。その場合、既存のストーリーを全部書き換えなければなりません。これには不可能といえるほど、長い時間と多くのコストを要するのが普通です。

この話の「非合理会社」にスターバックス、Aにフランチャイズ方式、Bに直営方式を当てはめてみると、スターバックスのクリティカル・コアがなぜ持続的な競争優位の源泉となりえたのかが理解できると思います。

スターバックスにはある程度の先行者優位がありました。優れた立地の先行的な確保などの点で、スターバックスの競争優位のある部分は時間的な先行性で説明できるかもしれません。しかし、すでにお話ししたように、シアトルズベストコーヒーのように、早い段階から「スペシャリティーコーヒーを提供して人々がゆっくりくつろげるような経験を提供する」という事業のポテンシャルに気づき、スターバックスを追撃した企業は数多くありました。先行者優位だけでスターバックスの持続的な競争優位は説明しにくいのです。

スターバックスのストーリーの構成要素には特段に難しいものはありません。特許で保護された技術があるわけでもないし、特別な熟練やノウハウを必要とするオペレーションがあるわけでもありません。もしすべての構成要素が他社にとって合理的に思えるようなものであったら、早くから丸ごとまねをする企業が出てきてもおかしくないように思えます。現に、店舗の雰囲気や立地、メニューといった要素については多くの企業がスターバックスを多かれ少なかれ模倣しました。

にもかかわらず、なぜスターバックスの戦略ストーリーは持続的な競争優位を持ちえたのか。シアトルズベストコーヒーのようなわりとベタな追随企業であっても、その多くがフランチャイズ方式で急速な店舗展開に乗り出したことを思い出してください。競争相手の目には「一見して非合理」に映る要素がスターバックスのストーリーに組み込まれていたからこそ、この要素については競争相手も模倣しなかったのです。

繰り返しますが、「まねできなかった」のではなく、そもそも「まねしようと思わなかった」というのがポイントです。この両者には競争優位の持続性の論理において決定的な違いがあります。「動機の不在」と「意識的な模倣の忌避」のほうが、スターバックスの持続的な競争優位をうまく説明する論理なのではないか、というのが私の考えです。

◆賢者の盲点を衝く

「それだけを見ると一見して非合理なのだけれども、ストーリー全体の文脈では強力な合理性を持つ」というクリティカル・コアは、部分の合理性と全体の合理性が別ものであるということに着目しています。戦略全体の合理性は、部分の合理性の単純合計ではありません。逆にいえば、誰にとっても合理的な要素だけでできているストーリーは面白みに欠けるということです。

クリティカル・コアが非合理に見えるのは、競争相手のミスや勘違いではなくて、それが非合理であるという合理的な理由（ちょっとややこしい表現ですが）があるからです。部分的な非合理を他の要素とつなげたり、組み合わせることによって、ストーリー全体で強力な全体合理性を獲得する。これがストーリーの戦略論の面白いところです。

ストーリーの本質は「部分の非合理を全体の合理性に転化する」ということにあります。昔から「損して得取れ」とか「負けるが勝ち」とか「肉を切らせて骨を断つ」（これはちょっと違うかな？）というような言い回しがありますが、こうした言葉はクリティカル・コアと共通の論理を示唆しているといえそうです。いずれにせよ、この意味で、クリティカル・コアはストーリーにひねりを加える「転」であり、シュートの決定的チャンスをつくり出す「キラーパス」なのです。

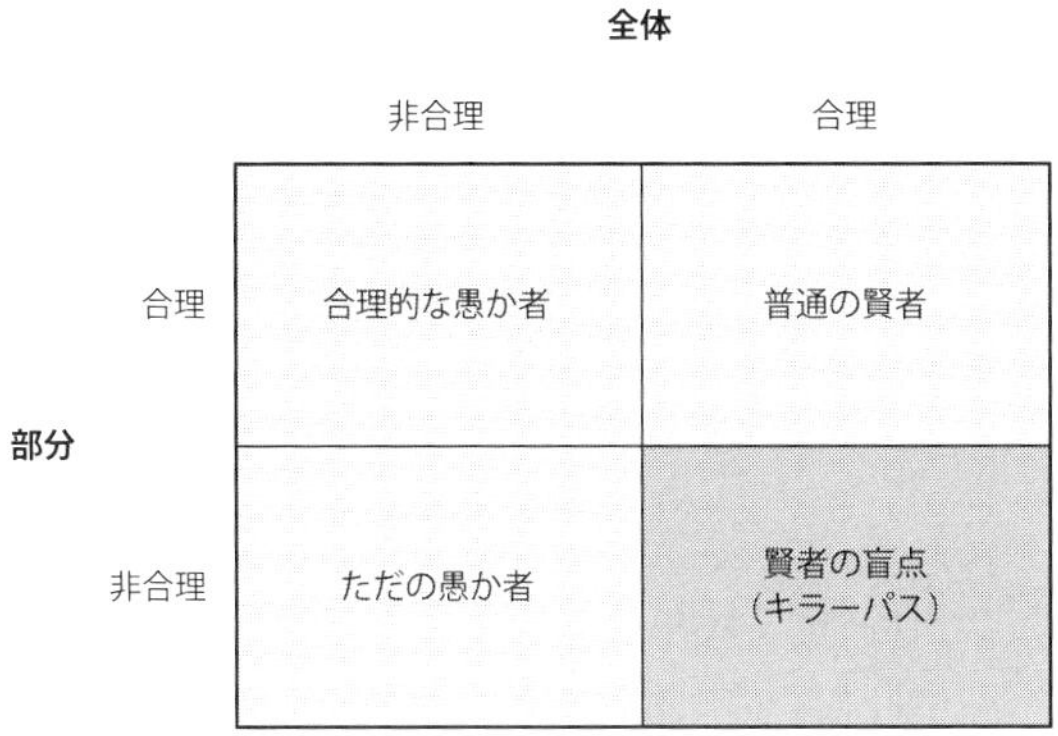

	全体	
部分	非合理	合理
合理	合理的な愚か者	普通の賢者
非合理	ただの愚か者	賢者の盲点（キラーパス）

図5・2　部分合理性と全体合理性

部分の合理性と全体の合理性を分けて考えると、図5・2のような四つの組合せが考えられます。左下のセルは部分にも全体にも合理性がないというストーリーです。つまり、バカなことに手を出し、それをつなげてみたら、全体としてもやっぱりバカな話だったというわけで、これは「ただの愚か者」の戦略です。うまくいかないのは当たり前です。

反対に、右上のセルは部分を見ても合理的ですし、全体としても合理的であるようなストーリーで、「普通の賢者」の戦略です。「合理的な打ち手」を誰よりも早く繰り出すことによって、先行者優位を確立して長期利益をものにするといった戦略ストーリーがその典型です。イメージでいえば、これから中国市場が成長するだろうという「合理的」な予測に基づいて、その中でも最も伸び盛りの業界に注目し、ポテンシャルが高いセグメントに集中してさまざまな手を周到に打つことによって先行者優位を固め、他社が参入できないようにするといった類のストーリーです。

左上のセルは「合理的な愚か者」の戦略とでも呼ぶべき

タイプです。一つひとつの構成要素を見ると、それなりに合理的で、多くの人々が「正しい」と思うパスなのですが、いざそうしたパスをつなげてみようとすると、きちんとした因果論理がないために、パスがつながらず、肝心のシュートまで至らないというパターンです。

多くの方はすでにお忘れかもしれませんが、当時は大変に注目された会社にウェブバン(Webvan)がありました。ウェブバンは部分合理性の陥穽にはまった会社の典型例です。

ウェブバンは一九九九年に操業を開始したインターネット上のスーパーマーケットでした。当時は「ドットコム」企業(今となっては懐かしい言葉です)が雨後の筍のように現れては消えたのですが、ウェブバンはその中でもひときわ派手な存在でした。アンダーセン・コンサルティング(当時)からITを知悉したCEOを受け入れ、トップマネジメント・チームにはGE、ゴールドマンサックス、オラクル、フェデラルエクスプレスといったそれぞれの分野で著名な企業出身のエリートが名を連ねました。

ウェブバンの構想は投資家からも高く評価され、名だたるベンチャーキャピタルが競って資金を提供しました。こうした投資家からの資金調達額は四億ドルに達しました。一九九九年の一一月には早くも株式公開を果たし、さらに四億ドルを調達することに成功しました。豊富な資金を活かして、二〇〇〇年には二億ドルという巨額のプロモーション投資が行われました。

「時間はないけれどもお金はある」という忙しい共働き夫婦がターゲットとされ、そうした人々は平均よりも一回のオーダー当たりの購入額が大きくなると期待されていました。リアルな店舗の物理的制約から解放されたウェブバンは、通常のスーパーが平均して三万アイテム扱っているところを、五万アイテムまで拡張しました。本拠地のオークランドを中心に二六の巨大な流通センターを設立する計画で、一つの流通センターは通常のスーパー一八店分に相当する規模でした。つまり、従来のスーパーに換算して四六八店に相当する規模のオペレーションを構えるというアグレッシブ極まりない計画です。一九九九年には一五〇〇万ドルを投じて最先端のサプライチェーンのシステムを構築し、アメリカの消費財企業トップ二〇社のうち一一社と戦略的な提携を結びました。これに加えて、社名に「バン」(van) が入っているように、自社のトラックで宅配まで行うというのがウェブバンの戦略でした。

このような一連の打ち手はEコマースやITの強みを徹底的に追求するもので、それぞれに合理性がありました。ネットスーパーを好んで使うのは、リアルな店舗に行く時間がない忙しい人々だと想定するのは自然です。しかも共働きであれば、可処分所得が高いので、たくさん買ってくれるでしょう。顧客の目に見える店舗を持たないEコマースでは、まずその存在を知らしめなくてはなりませんから、初期の強力なプロモーションは重要になります。店舗を持たずに巨大な流通センターに集約すれば、初期投資はリアルなスーパーに比べてずっと小さくなります。ITを活用することによって、徹底した自動化が行われ、人件費が抑制できます。

しかし、こうして華々しく始まったウェブバンは、早くも二〇〇一年七月には頓挫し、二〇〇〇人の従業員を解雇して倒産するという結末を迎えます。この失敗の理由は、個別の要素を見るとそれなりに合理的なのに、ストーリー全体ではやたらに非合理な話になってしまったということにあります。考えてみると、ウェブバンのストーリーはアマゾンとウォルマートとフェデラルエクスプレスを全部足して、しかも三で割らないでそのまま抱えるようなものです。あらゆる「ベストプラクティス」をそのまま全部突っ込んだようなストーリーになっています。すべての要素をうまくつなげるには無理があります。

そもそも、インターネットの総合スーパーというコンセプトに矛盾がありました。スーパーでの買い物という行為を考えてみてください。ウェブバンは計画購買を顧客に強いることになります。しかし、一般的なスーパーであれば、店内をうろついているうちに、今晩のメニューを思いついて、それが購買を触発するのが普通です。自宅まで無料配送してくれるにしても、顧客は受け取る時間に在宅している必要がありますから、この時間もまた事前の計画に入れておかなければなりません。これはターゲットの忙しい共働き夫婦にとっては、とりわけわずらわしいことでしょう。

ウェブバンの顧客の平均購入額は一一六ドルで、当初の目標を達成していました。しかし、リピーターになる顧客は目標を大きく下回り、結果的に一日のオーダー数は目標の三〇％以下にとどまりました。要するに、ウェブバンは「合理的な愚か者」だったのです。

「合理的な愚か者」の戦略の対極にあるのが一見非合理な要素をストーリーに組み込み、それを全体の合理性に転化するというキラーパスの発想です（図5・2の右下）。「賢者の盲点」を衝く戦略といってもよいでしょう。[3] 部分の合理性と全体の合理性の間隙を衝くことによって、独自の持続可能な強みを創造しようという戦略です。

「ただの愚か者」は論外です。「合理的な愚か者」は、ベストプラクティスを満載しているようでいて、結局のところ自滅してしまいます（ただし、独自の戦略ストーリーをつくろうとする人は、鳴り物入りで登場する「合理的な愚か者」にはくれぐれも惑わされないように注意する必要があります）。「普通の賢者」は文句のつけようがないストーリーを語るのですが、みんなが「正しい」と思う要素ばかりでストーリーが組み立てられているので、競争優位を獲得できても、遅かれ早かれ模倣される可能性があります。

これに対して、戦略の玄人は賢者の盲点、すなわち部分合理性と全体合理性のギャップに持続的な競争優位の源泉を見出します。賢者の盲点を衝くようなキラーパスを中核に据えて、一貫した戦略ストーリーを構築すれば、「君子危うきに近寄らず」とばかりに、競争相手はむしろ自分から離れてくれます。自然と他社との違いが持続し、競争優位も維持されるという成り行きです。

◆キラーパス・コレクション

ある程度長い期間にわたって競争優位を持続的に発揮することに成功した戦略ストーリーには、それ自体では「一見して非合理」なクリティカル・コアが往々にして含まれているものです。普通に「よくできました」という戦略ストーリーでは、一時的に成功を収めたとしても、競争優位が長続きしません。戦略ストーリーの「転」としてキラーパスが効いていること、これが普通によくできたストーリーと名作として後世に残るストーリーとの決定的な分かれ目です。

スターバックス以外にも、これまでに私の話に登場したいくつかの秀逸な戦略ストーリーはそれぞれ興味深いキラーパスを含んでいます。以下では、第1章や第3章に登場したマブチモーター、第2

章で見たデル、第3章で解読したサウスウエスト航空、第4章のコンセプトのところで取り上げたアマゾンとアスクル、これらの企業の戦略ストーリーではいずれも絶妙のキラーパスが効いています。以下では、それぞれのストーリーのキラーパスの部分を取り出して、順番に観賞していきましょう。

❶ マブチモーター

マブチモーターのキラーパスは「モーターの標準化」でした。標準化は他のさまざまな打ち手とつながりを持った要素で、ストーリー全体のシンセシスにとって不可欠な中核要素でした。加えて、当時はセットメーカーのさまざまなニーズに対応するのが業界の常識だったので、標準化は「一見して非合理」でした。競合他社は当時の常識からして「非合理」極まりなく見えた標準化を忌避したわけです。その後長い間にわたってマブチの戦略ストーリーを積極的に模倣しようとする企業は現れませんでした。このことがマブチの競争優位を長期的に持続させることになったのです。

モーターは部品ですから、顧客であるセットメーカーは常に王様で、セットメーカーが自社用に特注する仕様にいかにきっちりと合わせるかが勝負でした。玩具、家電、AV機器、自動車、用途はいろいろですが、各メーカーはそれぞれの製品に見合うモーターの特性や寸法を注文してきました。モーター会社は「市場のニーズ」を旗印に、その注文どおりのモーターを供給していました。

ところが一九六五年頃になると、マブチでは玩具向けモーターでヒットが続き、年産一億個にまで事業規模が拡大しました。そこで二つの深刻な問題が出てきました。一つは生産の繁閑のギャップです。玩具向けモーターが中心でしたから、どうしてもクリスマスや正月に需要が集中します。それに合わせて大量のモーターの生産が八月をピークとして前後六カ月に集中します。そして一〇月になると、とたんに工場は閑散として、翌年の四月ぐらいまで手持ち無沙汰が続きます。注文生産品なので事前に生産してストックしておくわけにもいきません。

もう一つの問題は、生産が特定の時期に集中するので、どうしても不良品率が高くなり、クレームが生じ、さらに納期が遅くなるという悪循環です。繁忙期の工場は残業と休日出勤の連続になります。納期に間に合わせようと無理をするので、不良品が出る率が高まり、クレームが起こりがちになります。クレームが出ると、その応急処置でてんてこ舞いになるという成り行きです。

こうした従来の限界を一気に打開する乾坤一擲の打ち手がモーターの標準化でした。標準化したモーターを大量生産しストックしておく以上、注文生産の特注品は断るしかありません。当時の社長だった馬渕隆一さんは、モーターの標準化について次のように振り返っています[4]。

マブチの歴史は、カスタムメイドの注文生産との戦い、標準品化への努力の歴史といってもよい。「市場のニーズに合わせる」という思い込みは間違っていた。もしモーターを標準化できれば、繁閑のピークカットができ、在庫が可能で、年中安定して操業できる。計画生産ができるようになる。コストも下げられるし、クレームも少なくなり、オシャカ（不良品）も減る。標準化すればすべての問題が数珠つなぎに解決するという全体像がはっきりと見えてきた。しかし、その後が大変で、社内とユーザーの説得に苦労した。お客さんは「モーターに合わせて製品をつくる？　そんなことできるか」という反応でなかなか理解してくれない。そもそも社内から猛然とした反対が出た。そんなことをしたら客が逃げてしまう、毎年新製品を発売するセットメーカーの業界で、モーターに合わせて本体をつくれなどと勝手なことをいえるわけがない、というのが営業サイドの言い分だった。標準モーターから始まる新しいやり方の全体像を何度となく社内で説明した。社内でもこの調子だから、競合の会社にしてみれば、気でも違ったと思われたのではないか。

2 デル

デルといえば一世を風靡した「ダイレクト・モデル」が有名です。従来のPC業界では、事前に需要を予測し、見込み生産をしておき、卸売業者、再販業者、小売店を通じて顧客との受発注が行われていました。これに対してデルは顧客（特に法人顧客）から直接注文を受け、注文を受けてから顧客の指定した仕様に合わせて即座に製品を組み立て、顧客に直接出荷しました。

ダイレクト・モデルとして知られるようになったデルの戦略ストーリーが確立したのは一九九〇年代の後半です。デルのストーリーは、いくつかの強みを持っていました。顧客とダイレクトにつながっているので、顧客のさまざまなニーズに合わせてPCのコンフィギュレーション（製品構成）をカスタマイズできます。加えて、顧客に素早く納入できます。デルでは、受注から発送に要する時間は三六時間でした。

デルのストーリーの意図した競争優位（シュート）は、いうまでもなく低コストにありました。デルのストーリーは低コストを実現する強力な武器になりました。まず、流通業者の中抜きによって彼らのとっていたマージンが不要になります。従来のPCメーカーは、再販業者や卸売業者に対して売れ残り在庫を買い戻す契約や、PCがチャネル上にある間に市場価格が下落した場合は、下落分を価格保証する契約を結ぶのが普通でした。買い戻しや価格保証にかかわるコストは売上価格の三〜五％になっていました。デルはこうした販売管理費を削減することができたわけです。

それに加えて、受注生産なので在庫が不要になり、低コストのオペレーションが可能になります。受注生産によって在庫のコストそのものが減るということもありましたが、それ以上に、部品業界の競争が激しく技術革新が旺盛だったため、部品の価格が年間三〇％、極端な場合は週に一％という猛烈なスピードで下落していたというPC業界に特徴的な傾向が重要な意味を持っていました。つまり、事前の見込み生産をしないデルは、他社と違って前倒しで部品を調達する必要がないので、それだけ価格が落ちたタイミングで他社よりも安い価格で部品を調達できたわけです。

このように、「直販」「(マス)カスタマイゼーション」「受注生産」「無在庫」といった要素が従来からデルの強みとして語られてきました。これらはデルの戦略ストーリーにとって確かに不可欠の重要な構成要素です。しかし、一方でこうした要素はいずれもそれ自体で「良いこと」であり、その「合理性」は容易に理解できます。顧客から直接注文を取り、直接発送すれば余計なコストが不要になりますし、在庫を持たないのはどの企業にとっても望ましいことです。PCのコンフィギュレーションをカスタマイズするという話にしても、特に法人顧客にとってはとてもありがたいことですから、手間ひまはかかるにしても「合理的」です。現に、デルに追随してカスタマイゼーションに取り組む企業は少なくありませんでした。これは他社にとってコストを払ってでも、PCのカスタマイズをすることが「合理的」に映ったということの表れです。

デルの戦略ストーリーのキラーパスは何だったのでしょうか。ここで見てきたような一見して合理的な打ち手ではなく、「自社工場での組立て」こそがキラーパスになっていたのではないか、というのが私の見解です。一九九〇年代後半時点のデルは、世界に五つあった自社の生産拠点で、自社の従業員を使って出荷するすべてのＰＣを組み立てていました。たとえばアメリカ市場向けのＰＣは、全量がテキサス州オースティンの自社工場で組み立てられていました。

ＰＣなどの標準部品から構成される製品分野では、組立工程は労働集約的なわりには付加価値が低く、バリューチェーン分析をすれば真っ先にアウトソーシングに出される機能でした。前にお話しした「スマイルカーブ」のモデルが主張するように、ＰＣのような製品で組立工程を内部に抱えるのはあからさまに非効率だと考えられていました。そこで多くの企業は、「スマイルカーブ」の教えに忠実に、労働コストが安いアジアに拠点を置くＰＣメーカーやＥＭＳ（Electronics Manufacturing Service）と呼ばれる製造専門企業に組立工程を委託していました。

それにもかかわらず、デルは一見して非合理な「自社工場での組立て」にこだわりました。なぜならば、デルの意図する戦略ストーリーを十全に動かすためには、組立工程を自前で持つことが不可欠だという認識があったからです。

組立てを委託生産にしてしまうと、その部分に限定してみれば安上がりかもしれません。しかしストーリー全体を考えれば、組立工程をアウトソーシングしてしまうと、生産部門と他部門との日々の細かい調整やきわめてきめの細かいコントロールができなくなり、結果的にデルのめざした低コストのオペレーションが実現できなくなってしまいます。デルのオペレーション担当副社長（当時）のキース・マクスウェルさんは次のように言っています[5]。

デルの生産システムの下では、組織全体がインテグレートされていなければならない。バッファを取り除いて在庫がなくなるということは、組織全体が完全に連動して、一丸となって機能しなければならなくなるということを意味している。どんな仕事でも後回しにしたり、途中にためておくことができない。「山積みになった仕事」という概念が、そもそもないからだ。

顧客からの注文を受け取ると、デルはすぐさま注文内容を適切な生産拠点に電子的に転送します。生産拠点ではその注文に合わせた部品リストが自動的に作成され、トラッキングのためのバーコードが取りつけられます。オースティン工場の場合、ＰＣ一台分の部品がすべて一つの箱にまとめられ、五人組のセル生産のチームに移送され、組立てが行われます。組立て後、ＰＣはソフトウェアのローディング・ゾーンに運ばれ、特別仕様のコンピュータと高速ネットワークを使って顧客が指定したソフトウェアがインストールされます。最後にさまざまなアクセサリーとともにＰＣが箱詰めされ、顧客へと発送されました。このように実際の特定の注文を受けてからカスタマイズしたＰＣを組み立てるため、「標準モデル」の最終製品在庫は一切ありませんでした。

こうした生産プロセスが可能になるように、デルの生産拠点はサプライヤーとも日常的に細かい調整を繰り返していました。オースティン工場を例にとると、二〇四あったサプライヤーの数は一九九

○年代の後半には四七まで絞り込まれ、残った四七社とは電子的なネットワークで部品の補充ニーズを一時間ごとにやり取りできる体制が構築されました。

さらにデルは、サプライヤーに対して生産拠点や倉庫そのものを自社の組立工場の近くに設置する(co-location)よう働きかけました。このような高度に統合された生産システムがあって、初めて「直販」「カスタマイゼーション」「受注生産」「無在庫」といったデルの強みが可能になったわけです。

競争が激しいＰＣ業界にもかかわらず、デルは一貫して業界標準を大きく上回る利益を出し続けました。当然の帰結として、デルの成功を見た競合他社はデルの戦略をつぶさに調べ上げ、あらゆるＰＣメーカーがデルのやり方を取り入れようとしました。しかし、デルの戦略ストーリーを丸ごと模倣しようという企業はありませんでした。結果的に、デルの競争優位は長期的に維持されました。

なぜでしょうか。一つの理由としては、チャネルのコンフリクトから来るトレードオフがありました。他社はすでにチャネルを使った販売体制をつくってしまっていたため、デル的な直販に乗り出してしまうと、これまでのチャネルとコンフリクトが生じてしまいます。ですから、すぐには直販にシフトできません。しかし、「デル・ダイレクト・モデル」が飛び抜けて成功しているのは誰の目にも明らかでしたから、他社はなんとかデルに追いつこうとして、直販への取組みを積極的に進めました。

たとえば、ＩＢＭです。ＩＢＭはデルのダイレクト・モデルの脅威に最も早く気づいた競合企業の一つでした。一九九二年には「アンブラ」(Ambra)と名づけた独立事業部を構え、顧客への直接販売に乗り出しました。しかし、アンブラは当初の目標を達成できず、一九九四年には事業部が解散しています。一方のデルは、一九九六年に「デル・オンライン」を開始しました。すると、ＩＢＭは一九九八年に「アプティバ」(Aptiva)と名づけた製品ラインを用意し、インターネットを通じたPCの直販を始め、デルに追随します。

ただし、こうした直販化の取組みの一方で、IBMはPCの組立てに関しては依然として外部企業への委託を続けていました。アンブラの組立ては低コストの外部の製造業者に委託されました。アプティバは台湾のエイサーからのOEM供給でした[6]。直販の恩恵は手に入れたい。しかしその一方で、労働集約的な組立てまでも自前で抱えてしまうのはあまりにも非合理だ。だから委託生産によってコストを低下させよう。これがIBMの「合理的」な選択でした。

裏を返せば、自社組立てにこだわるという、他社からして「非合理」に見える(ただし、ストーリーを構想したデル自身はその要素の合理性を完全に理解している)要素が効いていたことが、デルの戦略ストーリーの模倣を阻止したわけです。この意味で、「自社工場での組立て」がデルのキラーパスとして持続的な競争優位の構築に一役買っていたというのが私の解読です。

3 サウスウエスト航空

次に、サウスウエスト航空です。サウスウエスト航空のストーリーを読み解くと、「ハブ空港を使わない」が強烈なキラーパスになっていることがわかります。ハブ・アンド・スポーク方式を使わないということは、国内便を運航する航空会社にとって、それ自体ではきわめて非合理な選択でした。

よく知られているように、ハブ・アンド・スポーク方式はフェデラルエクスプレスの創業者のフレッド・スミスさんが発案したものです。スミスさんはどうすれば効率的な小荷物の物流が可能になるかを考えていました。荷物は全米各地から発送され、その行き先もバラバラです。そこでスミスさんはすべての荷物をいったんメンフィスの「ハブ」に集め、そこから行き先別に荷物を分けて配送するというシステムを考案したのです。

アメリカには中小都市が拡散しており、そこには航空サービスの需要が存在します。一つひとつは小さくても、合計すると大きなマーケットです。しかし、そうした中小都市のすべてに路線を張りめぐらせるとあまりにもコストが高くなります。そこで大手航空会社はフェデックスのハブ・アンド・スポーク方式を短距離国内便に応用したのです。

ハブ・アンド・スポーク方式は国内線を運航する航空会社にとって良いことずくめです[7]。需要のそれほど大きくない中小都市間の直行便を廃止し、中小空港（二次空港）からはすべてハブ空港に向かわせる。短距離便をハブ空港に集めることによって、職員や機材をハブ空港に集約し、オペレーションを軽くすることができる。ハブ空港につなぐだけで、世界中から集まってくる乗客を相手にすることができるので、搭乗率の向上が期待できる。アメリカのいろいろなところに住んでいる乗客は、最寄りの空港からまずはハブ空港に飛ぶので、そうした人々に国内便を利用してもらうことができる。逆に、ハブ空港から飛び立つ短距離便は、そこに集まる大量の乗客を乗せることができる。ハブ空港を経由すれば、多様化する乗客の目的地にも効率的に対応することができる。

このように、ハブ・アンド・スポーク方式は、長距離国際便だけでなく、国内の短距離便にとっても、きわめて合理的なシステムなのです。ハブ空港を使わないということは、今そこにいる大量のお客さんをみすみす切り捨てるということであり、まるで非合理な話に聞こえます。しかも、競合他社がハブ・アンド・スポーク方式の効率性を追求すればするほど、二次空港をつなぐ直行便は削減されていきます。つまり、サウスウエストの「ポイント・トゥー・ポイント方式」に近づくどころか、どんどん離れていくことになります。

既存の大手航空会社は、一九九〇年代に入って、短距離特化の子会社で別立てのオペレーション体制を組むことによって、ようやくサウスウエストの模倣を始めましたが（ユナイテッド航空の「ユナイテッド・シャトル」、USエアウェイズの「メトロジェット」、デルタ航空の「デルタ・エクスプレス」など）、それはサウスウエストの操業開始から十数年が経過してのことでした。

大手航空会社の子会社作戦は、結局のところ本体の長距離国際便との折り合いの悪さ（ストーリーの一貫性の欠如）からことごとく失敗していくのですが、それ以上に興味深いのは、サウスウエストの好業績をずっと横目に見ていたにもかかわらず、実際に模倣のアクションに移すまでにきわめて長いタイムラグが生じたのはなぜか、ということです。おそらく、サウスウエストのキラーパスがあからさまに非合理なので、「合理的」に考える大手航空会社は、正面からまねする動機を持ちきれなかったのだと思います。サウスウエストの事例もまた、キラーパスの効いたストーリーが競争優位を持続させるという成り行きを如実に物語っています。

4 アマゾン

デルがダイレクトな受発注の部分で注目を集めたのと同じように、アマゾンの戦略ストーリーの構成要素としては、顧客ごとに個別化されたレコメンデーション、使い勝手の良い購買の仕組み、きめの細かいサービス、といった顧客インターフェースにかかわる部分がこれまで喧伝されてきました。Eコマースならではの革新的な顧客インターフェースの構築とその進化に対する地道な努力は、アマゾンのコンセプトに直結した重要な構成要素です。

しかしアマゾンにしても、こうした人々の耳目を集める部分ではなく、巨大な物流センターとそのための情報技術の継続的な開発のほうがキラーパスになっているというのが私の見解です。

二〇〇〇年前後のアマゾンは継続的な赤字経営状態で、しかも年々損失額を増大させていました。とりわけ衝撃的だったのは、一九九九年のクリスマス商戦にあたる一〇～一二月期です。四半期だけで三億ドルの純損失を出し、株価は半年間で五〇％も下落しました。二〇〇〇年頃のアマゾンは創業後四年で売上高を三二〇〇倍にした一方で、純損失も二三〇〇倍となり、格付機関は投機的な扱いへ評価を引き下げました。一九九七年からの五年間の累積赤字は二四億ドルに達しました。投資家の期待を集めながら巨額の赤字を続け、株価が低迷していたアマゾンは、ドットコムブームで現れては消えた他の「バブルの寵児」と同じ穴のムジナではないかという論調が支配的でした。

当時のアマゾンの赤字の最大の理由は、物流センターへの投資を加速したことにありました[8]。二〇〇〇年の時点で、アマゾンはすでに全米に八カ所の物流拠点を構えていましたが、そのうちの六つが一九九九年から二〇〇〇年の一年間に建設されたものでした。この一年間で物流センターの総床面積は、三万平方メートルから一挙に五〇万平方メートルにまで拡張されています。

物流センターの建設は一カ所当たり五〇〇〇万ドルという巨額な投資です。物流センターのオペレーションを稼働させるためには、建設費以上の巨額な投資が必要となります。従業員も加速度的に増やす必要に迫られ、二〇〇〇年までに従業員数は八〇〇〇人近くにまで膨れ上がりました。情報技術への投資も続けなければなりません。こうした投資をまかなうために、アマゾンは二〇億ドル以上という途方もない金額の社債を発行しなければなりませんでした。

積極的な物流センターへの投資は、ウォールストリートや株主にとってはとりわけ不評でした。アマゾンをはじめとする新興Eコマース企業が投資家にとって魅力的に映ったのは、その「身軽さ」にありました。リアルな小売業と違って、たくさんの在庫や人員を抱えないで済みます。顧客から注文を受けることができれば、本の確保や配送は書籍の取次業者に任せることができます。ところが、この時期のアマゾンはひたすら物流センターのインフラに投資を続けました。

当時のアマゾンに対するウォールストリートの批判は次のようなものです[9]。「ネット企業に投資をしたつもりなのに、インフラを抱え、人を抱え、在庫を抱えるアマゾンはネット企業ではなくなってしまった。やっていることはLLビーンやエディ・バウアーのような従来の通信販売企業と変わらない。違いといえば、ウェブサイトが多少よくできているだけだ」。つまり、身軽さが身上のEコマースであるにもかかわらず、自前の物流センターに巨額の投資を続けるのは本末転倒で非合理だという批判です。

創業者のジェフ・ベゾスさんも、当初はEコマースの優位がその身軽さにあると信じて創業に踏み切ったといいます。ベゾスさんはもともとプリンストン大学でコンピュータ工学を専攻したエンジニアでした。アマゾンを創業する以前のベゾスさんは、ウォールストリートのヘッジファンドの会社でコンピュータサイエンスを応用した投資で頭角を現し、二八歳の若さで副会長のポストに就いていました。

一九九四年のことです。他の多くの人々と同様に、ベゾスさんは近い将来に人々がインターネットを通じてものを買うようになるだろうと確信し、Eコマースに適した商品を二〇品目リストアップし、その中から最適な商品として書籍を選びました。すべての本を販売することはリアルな書店では不可能でした。その一方ですべての本がすでに電子的にカタログ化されていたので、広範なセレクションを顧客に提示することが容易でした。アマゾンの本社をシアトルに置いたのも、そこに大勢のソフトウェア・エンジニアがいたからだけでなく、そう遠くない距離に全米で最大の書籍物流拠点があり、この社外の倉庫と機動的に連携できると期待したからです。

当初ベゾスさんが考えたアマゾンの強みは、他のネット企業と大差のないものでした。実際に店や倉庫を構えて在庫にわずらわされることなく、すべての書籍を網羅した巨大なセレクションで商売ができるだろうという発想です。しかし、アマゾンが実際に操業を始めるとベゾスさんはすぐにこの考えを放棄し、「倉庫こそアマゾンの最大の資産」と公言して自前の物流センターへの投資にひた走ります。

アマゾンはついに二〇〇三年に黒字に転換し、その後は増収を重ねることになるのですが、収益の最大の駆動力はベゾスさんが意図したとおり、物流センターの効率的なオペレーションとそれを支える技術でした。

一九九〇年代後半のEコマースの初期の頃、ネット書店に対する最大の不満は、本がいつ届くのか注文時にわからず、品切れなどで結局届かないことも少なくないということでした。顧客は書店に行けばすぐに買えるとわかっているベストセラーを手に入れるのに、二日以上も待とうとしないというのがアマゾンの経験でした。

日本でも多くの会社が書籍のEコマースに参入し、「国内書籍一五〇万件」などと品揃えを強調していました。しかし、「国内書籍一五〇万件」が意味するのはデータベースに登録されている書籍数にすぎず、そこで実際に購入できる本とは全く無関係の数字でした。絶版や品切れを除けば、現実に流通している書籍は六〇万点程度、しかもそのうちのほとんどは出版社に死蔵されており、すぐに手に入るわけではありません。当初のネット書店は利用者をぬか喜びさせるだけで、むしろ信用を喪失することになりました。

そこで大手取次店が保有している専用在庫にセレクションを限って販売するというネット書店も現れました。たとえば、ソフトバンク、セブン‐イレブン・ジャパン、トーハン、ヤフーの共同出資で一九九九年に設立されたイー・ショッピング・ブックス（現セブンネットショッピング）です。この方式だと、利用者はウェブサイトで目当ての本の在庫を確認したうえで安心して注文を出せます。在庫がなければ仕方ありませんが、少なくとも利用者の期待を後から裏切ることにはなりません。しかし、一方で専用在庫にセレクションを限定してしまうので、買える本があまりにも少なくなるという問題が残ります。検索したほとんどの本が「ただいま在庫切れです」となってしまうので、顧客にとっては魅力に欠けるものでした。

アマゾンの強力な物流センターは、こうしたEコマースにつきものだった、広いセレクションと確実なデリバリーとのトレードオフの問題を根底から解決しました。アマゾンの典型的な物流センターには三〇〇万点の本やCD、DVD、玩具、家庭用品、家電製品が整然と棚に並んでいます。物流センターはきわめて高い水準の情報技術で武装されており、アマゾンのウェブサイトをつくるのと同じ量のコードを費やした専用のソフトウェアで、オペレーションは完全にコンピュータ化されていました。ピッキングとパッキングの効率を向上させるために、作業者はワイヤレスのレシーバーを身につけ、そこにコンピュータから自動的に情報が送られ、それに従って作業者が最も効率良い方法で商品をピッキングします。梱包された後の商品は、自動化されたラインを通じて発送されます。

ベゾスさんは言います。「リアルな店舗の時代、成功のために大切なことは『一に立地、二に立地、三に立地』だった。われわれにとって最も大切なものを三つ挙げれば、『技術、技術、技術』だ」。アマゾンに独自のオペレーション技術が生まれる場となり、技術蓄積の受け皿となるのが物流センターでした。自前の物流センターなしには、現在の小売業界最高水準を誇る在庫回転率もありえませんでした。物流センターの効率的なオペレーションがあって初めて、顧客インターフェース部分でのさまざまな価値提供が可能になったのです。

アマゾンもまた「一見非合理」なキラーパスをテコにして、全体としてきわめて合理性の高い、秀逸な戦略ストーリーをつくっているということがおわかりいただけたと思います。

5 アスクル

アスクルは直販業者でありながら、既存のローカルな文具店などを「エージェント」(代理店)として組織化し、顧客とアスクルを仲介する機能を委託しました。これはデルに代表される直販の会社が問屋や小売などを使わない「中抜き」でスピードやコスト削減をめざすのとは逆の動きでした。しかも、マーチャンダイジング、販売ツールであるカタログの制作と配送、商品の受注、顧客からの問合せやクレームの処理、物流センターの注文の処理と発送、こうした主要な機能はすべてアスクルが担当しました。エージェントが担当するのは、チラシを配布したり個別営業をして顧客を開拓する仕事と、与信管理、代金の回収、これだけです。

多くの直販業者は中間に介在する業者を排除する「中抜き」に強みを求めていました。直販業者であるにもかかわらず、中間にごく限定的な役割を担うだけのエージェントを介在させるということは、それ自体では「一見して非合理」です。しかしアスクルの戦略ストーリーでは、このエージェントの活用がキラーパスとして効いていました。

アスクルのストーリーの一つの柱は、すでにお話ししたように、コクヨなどの既存の大手オフィスサプライ業者がフルサービスを提供してこなかった小規模事業所にターゲットを絞ったことにありました。従業員が三〇人以上の大規模事業所は、全体の一〇%以下にすぎません。数からいえば、圧倒的な多数を占める小規模事業所が満足のいくサービスを受けていなかったということにアスクルの目のつけどころがありました。

しかし小規模なオフィスは、その数が多い反面、きわめて分散して存在するため、潜在的な顧客が特定のエリアのどこに存在するのかを知ることがそもそも容易ではありません。存在が自明な大規模事業所と違って、需要を掘り起こしていくのが困難なのです。ここにエージェントの機能を活用した顧客開拓の妙味がありました。エージェントをうまく使ったからこそ、ローカルに分散したアクセスしにくい小規模事業所へと浸透できましたし、きめの細かい代金の回収と与信管理が可能になったのです。

エージェントになるのは、たとえば減少の一途をたどっていた街の一般文具小売店です。そうした小売店は小規模な家業経営で、往々にして後継ぎがいないような状態です。お店の仕事はそれほど繁盛していません。アスクルのエージェントになれば、薄いマージンではあっても経営にとっては十分に大きな足しになります。受発注に伴う実際のオペレーションのほとんどをアスクルが担当するので、顧客開拓と代金回収ならばこれまでの家業の規模でもやることができます。

ポイントは、こうしたエージェントがそれぞれのローカルな市場とそこに含まれる潜在顧客のありかをよく知っているということです。たとえば、チラシやカタログを配布するにしても、エージェントはその地域のどこにどのようなビルがあり、どのようなオフィスがそこに入居しているかということを理解しているので、的確にアスクルのターゲットとする顧客にアプローチできます。カタログを置き、注文を促すにしても、ご近所感覚で直接出向いて個別営業をすることができます。

アスクルが事業を拡大していた一九九七年、外資系の文具・事務用品の大手小売企業であるオフィス・デポとオフィス・マックスの二社が日本に参入しました。アメリカでは一九八〇年代から特定の商品分野に特化した「カテゴリーキラー」と呼ばれる量販店が急成長していました。玩具のトイザらスのように、ある商品分野に限って深く豊富な品揃えをするのがカテゴリーキラーのアプローチでした。卸や問屋を中抜きして、メーカーと直接取引をすることにより、大量発注によるディスカウントを獲得し、低価格を実現する。オフィス・デポとオフィス・マックスは、いずれもこうした量販店でした。

参入時点では大きな脅威になると恐れられたオフィス・デポとオフィス・マックスは、日本での一号店としていずれも七〇〇坪から八〇〇坪の大規模な店舗を開きましたが、その後日本では予想外の苦戦を強いられました。日本では事業所に直接商品を配送する「納品」という購買形式が意外に根強く、アメリカのような大型店舗での低価格大量販売はすぐには受け入れられなかったのです。

そこでオフィス・デポは、通信販売のバイキングを買収し、アスクルのようなオフィス消耗品のネット直販事業に乗り出しました。しかしアスクルとは異なり、オフィス・デポの直販は純粋な「中抜き」による直販でした。ネット上に店を開くことは簡単でも、実際に顧客にその存在を知らしめ、注文してもらうのは容易ではありませんでした。

大規模事業所であればすでにフルサービスのサプライヤーががっちりと食い込んでいます。一方で小規模事業所はフルサービスを受けられないでいたので新しい通信販売チャネルに適していたのですが、なにぶんこうした事業所はローカルに分散した「見えない存在」です。オフィス・デポは顧客を獲得するために大規模なプロモーションを強いられ、これが新規顧客を獲得するためのマーケティングのコストを増大させ、事業展開のスピードを圧迫しました。その間にアスクルはエージェントをフルに動員して、ねらったセグメントの小規模事業所を押さえてしまったという成り行きです。

アスクルの戦略ストーリーでも、あえて意図的に既存の問屋・小売業者を取り込むという一見して非合理な要素が、ストーリー全体の合理性をつくり、競争他社に対しても重要な差別化の源泉となっていることがわかります。

◆「先見の明」ではない

賢者の盲点を衝くような「一見して非合理」なキラーパスがストーリーのクリティカル・コアとして組み込まれている。このことは古今東西の古典として読み継がれるべき秀逸なストーリーに共通して見られる特徴なのですが、戦略「論」としてこれに最初に注目したのは、おそらく吉原英樹さんだと思います。

当時神戸大学にいらした吉原さんは『「バカな」と「なるほど」』という素敵なタイトルの本を今から二〇年以上も前に書いていらっしゃるのですが、このタイトルがそのまま戦略の本質を言い表しています。[10] 戦略が合理的な要素ばかりで出来上がっていれば、誰もが同じようなことを考えるので、独走することはできない。だとすれば、「バカな」と思わせる非合理の要素がありながらも、成功してみると人々が「なるほど」とうなずく、これが優れた戦略の要諦だ、という話です。

真にもって慧眼です。若い頃にこの本を読んで以来、私は吉原先生を大リスペクト！ でありまして、ストーリーとしての競争戦略という視点にしても、先生の研究に大いに影響を受けています。[11] ただし、ここでお話ししてきた「部分の非合理を全体の合理性に転化する」という論理は、吉原さんオリジナルの『「バカな」と「なるほど」』（以下、短縮して「バカなる」）の論理と質的に異なるところがあるので、そこを強調しておきたいと思います。それは「一見して非合理」がなぜ最終的には合理的な戦略に転じるのかについての論理の違いです。

「バカなる」の論理は、事前の合理性と事後の合理性のギャップに注目しています。つまりその時点では「非合理」に見えた行動が、その後の時代の変化の中で、合理性を獲得していくという「変化の先取り」の論理です。一言でいえば、「先見の明」です。

和歌山大学の吉村典久さんは、「バカなる」の論理について、次のように説明しています。[12] 事前の合理性が成立しない「バカな」戦略の場合、競合他社は一斉に「模様眺め」になり、模倣には着手しない。事後の合理性を確認して初めて模倣に着手するけれども、相当のタイムラグが発生する。その間、「バカな」戦略をとる企業は足元を固められるので、相当の期間、創業者利潤を獲得できる。このように戦略には「やってみなければわからない」という面があり、これが大きな成功の背後にある、というのが吉村さんの議論です。

三品和広さんは、戦略のコンテクスト依存性に注目して、「バカなる」を説明しています。[13] 戦略は、経済や社会の状況、技術やインフラ、人口構成や法体系、そういう外部環境のコンテクストに常に埋め込まれています。外部環境のコンテクストは絶えず変化するので、同じ企業をとっても、時が変わればコンテクストは微妙に違ってきます。コンテクストが変化すれば、昨日の最善が今日の最善とは限りません。しかし、コンテクストはゆっくりとしか動かないため、変化を見抜くのは容易ではありません。多くの企業が見落としている変化に気がつけば、新たなコンテクストに対応した独創的な戦略を組み立てる余地が生まれます。だから、外部環境のコンテクストの変化という「機」を読み取る心眼にこそ戦略の神髄がある、というのが三品さんの主張です。

吉村さんと三品さん、いずれも「先見の明」という論理で「バカなる」を説明しています。戦略が置かれた外部環境のコンテクストに合理性の判断が依存しており、だからこそ事前の「バカな」が事

		事後	
		非合理	合理
事前	合理	読み違い （時すでに遅し）	ただの成功
	非合理	ただの失敗 （勘違い）	先見の明

図5・3　事前合理性と事後合理性

後的には「なるほど」になるという説明です。

「先見の明」という論理の意味するところは、図5・3のように整理するとわかりやすいでしょう。合理性を事前と事後に分けて考えると、右上のセルは「ただの成功」で、左下のセルは「ただの失敗」です。この二つのケースでは、事前合理性と事後合理性にはギャップがありません。環境変化の先読みをして、他社と違う方向に走ったものの、実際にはそのような変化が起きずに失敗してしまった、という「勘違い」も左下に入ります。

これに対して左上と右下のセルは、外部環境のコンテクストが変化した結果、事前と事後の合理性にギャップが生じるというケースです。左上のセルは、判断の時点では合理的に見える理由はあったのだけれども、結果的にはそれが非合理であったという外部環境の「読み違い」です。合理的だと判断して実行したのだけれども、他社も同じように考えて実行したので、横並び競争になり埋没してしまったとか、判断は合理的でも出遅れてしまったために成功を他社に持っていかれたという「時すでに遅し」というのも左上のセルに含まれるでしょう。

「先見の明」は図の右下のセルのケースです。ここでは事前合理性と事後合理性の間隙を衝くことによって、成功がもたらされます。その典型例を吉原さんが安室憲一さん、金井一頼さんと書いた『「非」常識の経営』の中で事例として取り上げている「ホテル百万石」や「平安堂」に見ることができます[14]。

山代温泉の老舗旅館「花屋」の経営を親から引き継いだ吉田豊彦さんは、中心部から遠く離れた田んぼの真ん中に、当時としては巨大なホテルを建てました。その時点は、同業他社が「バカな」というような投資でした。ところが一九七〇年代になると、世の中はマイクロバスで家族客を送迎する時代から、大型観光バスで慰安旅行の団体客を受け入れる時代へと静かに変化していきました。その頃になると、同業他社も「なるほど」と吉田さんの先見の明に感心したという話です。

旧態依然とした流通構造を引きずっていた書籍業界にあって、長野県に本社を置く平安堂は、スーパーが利用しているPOSシステムをはじめとするさまざまな情報システムを他社に先駆けて導入し、コンビニエンスストアのような書店のフランチャイズチェーンを展開し、急成長しました。こうした「非」常識の経営の事例分析をもとに、吉原さんたちは「バカなる」の論理の中核に「先見の明」があると結論しています[15]。

……これら企業の内外の環境のニーズ（引用者注：情報化、国際化、女性化、ハイテク化など）に、他社に先駆けて応えたということを成功の理由としてあげたい。時代の動きを先取りしたのであり、人々のニーズ、欲求を満足させる機会を他社に先駆けて提供したのである。……（中略）…本書で取り上げた八社の非常識経営の意義は、時代の動きに対応した新しい経営を他社に先駆けて決断し、そして実行したという点に求めることができる。時代先取りの経営の実行である。先発の利益を得たということが、八社の非常識経営が大きな成果を生んだ理由である。…（中略）…今日の非常識の経営は、明日には多くの企業によって実行されており、常識経営になっている可能性が大きい。本書で取り上げた八社が優れている点の一つは、企業の内外の環境に適応した明日の常識経営をすでに今日において実行しているところにあるといえる。今日の異端が明日の正統になるのが世の常である。今日の正統だけでは明日の異端は約束されないのである。

このように「先見の明」の論理は、外部環境の変化の先取りを前提にしています。これが私にとっては若干不満なところなのです。「バカな」が「なるほど」に転化する論理が先見の明であれば、戦略の成功は経営者の時機読解の能力にかかってきます。時機の読解は確かに戦略の一つの本質ですが、悪くいえば、これでは戦略が「バクチ」に近いものになってしまいます。当たれば大きいのですが、大失敗と紙一重です。

ストーリーの戦略論は、部分的には非合理に見える要素が、他の要素との相互作用を通じて、ストーリー全体での合理性に転化するという論理に注目しています。事前と事後のギャップではなくて、部分と全体の合理性のギャップに賢者の盲点を見出します。

「A（施策）がB（結果）をもたらす」という近視眼的な因果論理が、その業界の通念として広く定着しているとしましょう。ストーリー全体の流れを見渡せば、「Bをもたらすのは、実はAよりもCである」という意識の外にあった変数がしばしば見出されるものです。もしくは、ストーリーの組立てによっては「AであるほどBが阻害される」という逆説（パラドックス）が導かれる可能性もあります。こうした「視界の拡張」「視点の転換」、もっといえば「目から鱗」となるキラーパスを引き出すのがストーリーの戦略論の本領です。

クリティカル・コアの論理が「先見の明」と大きく異なるのは、外部環境の変化に依存しないということにあります。「先見の明」の論理では、戦略が事後合理性を獲得するためには、外部環境が期待したとおりに変化してくれなくてはなりません。確かに時間的には変化の先読みをしているのですが、本当のところどうなるかは実際の外部環境の成り行き次第です。外部環境に対して「受け身」の姿勢になります。この意味で、事後の合理性に期待する戦略は「やってみなければわからない」のです。

もちろんどんな戦略も、最終的には「やってみなければわからない」という不確実性を抱えています。競争優位の源泉が「バカなる」であれば、単に合理的なことをしようとする戦略と比べて、不確実性は不可避的に大きくなります。しかし、「事前と事後」と「部分と全体」では、想定する不確実性の中身に大きな違いがあります。それは不確実性が外部の環境要因にあるのか、それとも戦略の内部にあるのか、という違いです。

部分非合理を全体合理性に転化するというクリティカル・コアは、ストーリー全体を構想することによって、その戦略が有効性を発揮するコンテクストを自ら意図的につくろうとします。ですから、外部環境が「先見」のとおりに動いてくれるかどうかにそれほど依存しなくても、独自の競争優位をつくることができるのです。

スターバックスの直営方式やマブチモーターの標準化、サウスウエスト航空のハブ空港を使わない運航、こうしたキラーパスはいずれも競争相手には非合理に見えました。しかし、ストーリー全体についての構想を持っていたハワード・シュルツさんや馬渕隆一さん、ハーブ・ケレハーさんにとっては、事後の成功を待たずとも、ストーリーの文脈でキラーパスの合理性は事前から明らかでした。彼らには外部環境の（想定どおりの）変化を期待する必要はありませんでした。なぜならば、ストーリーを構想することによって、キラーパスが合理性に転化するメカニズムを自らつくり出しているからです。

ストーリーの戦略論が必ずしも「先見の明」に依拠するものではないということをおわかりいただけたと思います。この違いは競争優位の持続性のあり方にも大きく影響します。キラーパスの正体が先見の明であれば、事前の段階で競争相手の「動機の不在」には期待できるかもしれませんが、事後的に合理性が明らかになってしまえば、他社は同じことをするでしょう。「意図的な模倣の忌避」による競争優位の持続は期待できそうもありません。この時点では「部分」も「全体」も合理的ですから、「先見の明」は図５・２の「普通の賢者」の戦略と同じことになってしまいます。競争優位が持続できるとしたら、規模の経済や経験効果、ネットワーク外部性、戦略ポジションの専有など、普通の意味での先行者優位が何かしら確保されていなければなりません。時間軸で事前と事後の合理性のギャップを衝くよりも、自らつくるストーリーの力によって、部分の非合理から全体の合理性を引き出すという戦略のほうが、競争優位の持続性という点で優れているというのが私の考えです。

もっといえば、本当の意味での「先見の明」による成功は、あったとしても例外的で、ほとんどの会社にとってあまり参考にはならないのではないか、と私は思っています。経営環境が大きく変わり、全く新しい技術や市場が生まれるというような局面では先見の明による成功の機会と可能性は相対的に大きくなります。しかし非連続的な変化に見えることでも、実際の経営にとっての環境変化は連続的にしか進まないことがほとんどです。

これを書いている時点でやたらと取りざたされている「クラウド・コンピューティング」にしても、「クラウド」というラベルがついたのは最近のことかもしれませんが、アイディアとしては一九九〇年代の「ネットワーク・コンピューティング」とほとんど同じ話です。事業としてもＡＳＰ（Application Service Provider）とかＳａａＳ（Software as a Service）という形で一九九〇年代の終わりから広まっています。

サン・マイクロシステムズのチーフサイエンティストだったビル・ジョイさんは、それこそ「先見の明」の持ち主で、インターネットが一般化する以前のごく早いうちから、「コンピュータがネットワークでつながるのではない。ネットワークこそがコンピュータなのだ」というネットワーク・コンピューティングの概念を鮮明に打ち出していました。しかし、サンはこの「先見の明」を現実の事業の成功に結びつけることはできませんでした。

発想や概念はずっと前からあったわけですが、それがなかなか一般化しなかったのは、ネットワーク関連のインフラの普及や技術やコストがアイディアに追いつかなかったからです。そうした制約が一〇年、一五年かけて徐々に克服された結果、今の「これからはクラウド！」という潮流になっているというのが本当のところでしょう。

環境変化という外在的な機会はどの企業にとっても等しく降り注ぐものです。どこかの企業にだけ機会の陽が射すわけではありません。考えてみてください。これだけ情報の流通の速度が速い時代にあって、「誰も気づいていない新しい環境変化にいち早く気づき、誰よりも早く実行したから成功した」ということはますます難しくなっているはずです。自分が気づいていることは、だいたい他の人も気づいていると思ったほうがよいでしょう。「先見の明」で先行したつもりでも、どこかで誰かがすでに手をつけていてもおかしくありません。「先見の明」という論理に寄りかかってしまうと、本当の意味で独自の戦略ストーリーは出てこないというのが私の意見です。要するに、機会は外在的な環境にではなくて、自らの戦略ストーリーの中にあるのです。

ブックオフのキラーパスを考えてみましょう。中古本の小売という業界はブックオフが事業を始めるずっと以前から存在していました。ブックオフが一号店をオープンした一九九〇年には、全国に五〇〇〇店以上の古書店がありました。東京都千代田区の神保町は世界最大の古書店街で、一五〇を超える古書店の集積地でした。従来型の古書店はそれぞれに自分たちのカラーを持っていました。歴史書に強いとか、自然科学の専門書中心とか、特定の分野に特化した「ブティック」でした。

従来の古書店は顧客が持ち込む本を店主が一冊ずつ評価し、自分の店のカラーに合った本だけを買い取りました。店舗面積が狭いこともあって、文庫本やコミックスのような、流通量が大きく、安価な本を積極的に買い入れる古書店はまれでした。買取価格は稀少性と収集家にとっての魅力度で左右されました。それぞれの書店に独自の値づけの基準があり、店主は訓練を積んだ「目利き」でなければなりませんでした。その道で優れた目利きになるには一〇年以上の経験が必要になるといわれていました。買取における専門的な評価能力が従来型の古書店経営のカギだったわけです。

このようなやり方で連綿として続いてきた業界にあって、ブックオフは本の内容ではなく、外観だけで評価して買取を行いました。価格決定の基準もごく単純です。状態の良い本は定価の一割で買い取り、きれいにして定価の五〇％で売る。買取から三カ月以上経過した売れ残り品と、五冊を超える過剰在庫は一律一〇〇円で販売する。買い取る本は必要とされる「加工作業の度合い」によって四段階に評価されました。加工後に定価の半額で売れると判断される本はAあるいはB、加工しても一〇〇円でしか販売できない本をC、汚れがひどくて販売できない本はDとされました。D評価の本でも顧客の希望があれば引き取り、処分しました。

ブックオフが始めた買取や値づけの方法は、従来の古書店主からすれば、とんでもないやり方というか、愚の骨頂のように見えたはずです。しかし、こうした買取オペレーションが「読み終わった本を何でもお売りください」というブックオフの顧客価値を切り拓きました。買取や陳列、販売の業務が標準化できるようになり、従来の古書店業界ではありえなかったチェーン展開が可能になったわけです。

繰り返しますが、中古本を売ったり買ったりする仕事は、ブックオフのずっと以前から存在していました。業界は淡々と同じことを何十年もやり続けていました。ブックオフの創業前後に大きな環境変化があり、何か新しい外在的な事業機会が生まれたわけではありません。もしブックオフの戦略ストーリーが、それまでの人々、古書店業界の知識を持った人々にとって「良いこと」ばかりで綴られていたとしたら、ブックオフが創業するずっと以前の一九六〇年代か七〇年代にブックオフと同じような企業が登場していても全く不思議はありません。ブックオフの戦略ストーリーが「新しく」「独自」だったのは、それが従来から共有され信じられてきた基準からして、明らかに「一見して非合理」なキラーパスを含んでいたからなのです。

◆競争優位の階層

単に競争優位を獲得するにとどまらず、どうやってそれを持続的なものにしていけるのか。これまでも多くの戦略論がこの問いに答えようとしてきました。この章のクリティカル・コアの話をこれまでの話と重ね合わせると、図5・4にあるような競争優位の階層を描くことができます。競争優位のあり方には五つの異なるレベルがあり、持続性が低いものから高いものへと階層をなしています。

レベル0は単に「景気がいいから儲かっている」というもので、利益の源泉が丸ごと外部の一時的な環境要因に依存しています。景気が悪くなれば利益が出ない状態に逆戻りしてしまうわけで、競争優位以前の段階です。レベル0では定義からして持続的な競争優位は期待できません。

一つ上のレベル1は、業界の競争構造に利益の源泉を求めるというスタンスです。第2章でお話ししたように、世の中には利益が出やすい構造にある業界もあれば、もともと出にくい構造に置かれて

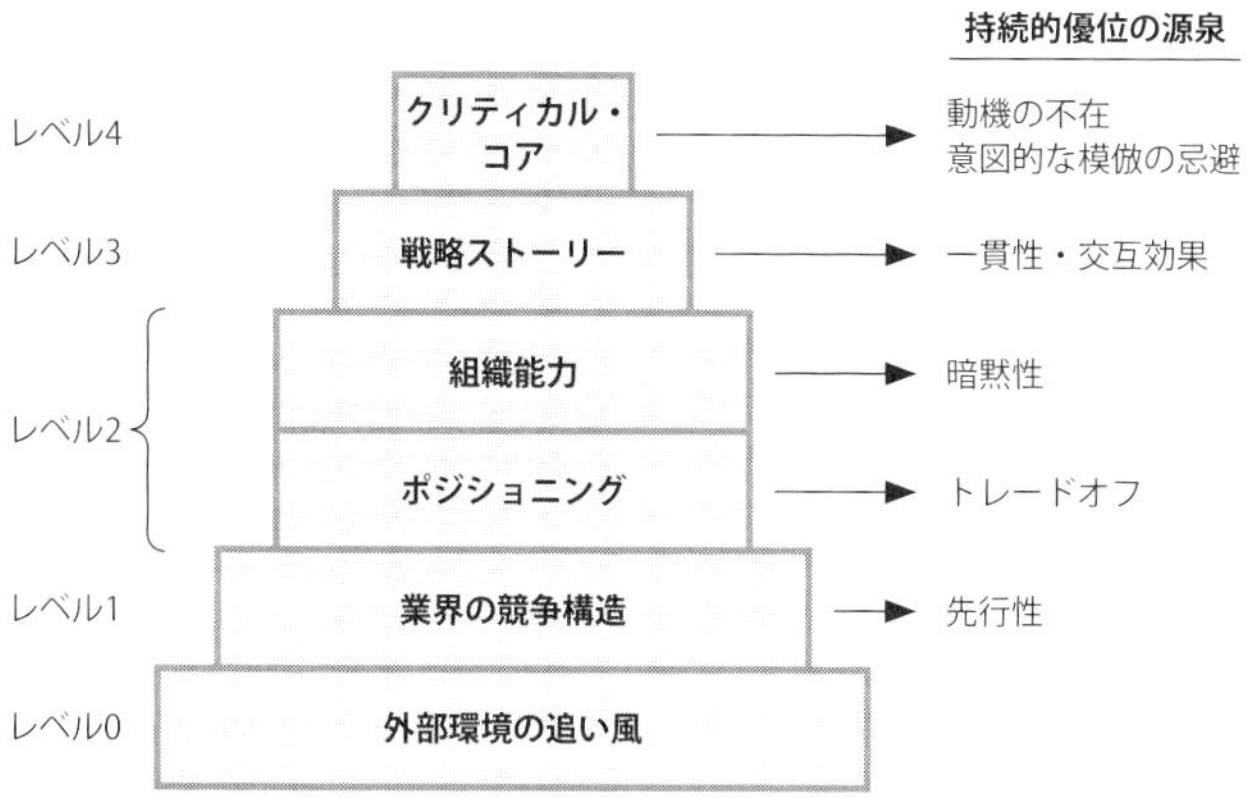

図5・4　競争優位の階層

いる業界もあります。業界の競争構造をよく理解すれば、参入すべき業界を慎重に選択することによって、利益を増大させることができます。

GEのジャック・ウェルチさんは一九八〇年代に「参入障壁が低くて多数乱戦になる事業はやらない」「市場や技術の変化の激しい事業はやらない」というように、手がける事業領域を大胆に絞り込みました。これは、業界の競争構造を重視する戦略の典型です。他社に先駆けて魅力的な業界に参入し、そこで強力な先行者優位を確保できれば、レベル1の競争優位は長期利益を可能にします。

ただし、第2章でもお話ししたように、利益性の高い魅力的な業界は誰にとっても魅力的ですから、他社もそうした業界にはぜひとも参入したいと考えるはずです。一時的に魅力的な競争構造にある業界でも、他社が次々に参入してしまえば荒らされてしまいます。それこそよっぽどの「先見の明」がなければ、業界の競争構造だけに依拠して持続的な競争優位を確立するのは難しそうです。

このようにレベル0とレベル1は、企業の競争戦略というよりも、その企業を取り巻く外部要因に注目した論理にとどまっています。レベル2以降が競争戦略の出番となります。

レベル2は個別の構成要素に競争優位を求める経営です。第2章で詳しくお話ししたように、競争戦略の構成要素には、ポジショニング（SP）と組織能力（OC）という二種類があります。いずれもそれなりに競争優位を持続させる論理を含んでいます。

SPに基づく差別化はトレードオフの論理に依拠しています。イヌであり、同時にネコでもあるということはできません。トレードオフ上ではっきりとした活動の選択をすれば、単に「他社よりも高品質」というような程度問題の違いと比べて、より持続的な違いをつくれます。

これに対してOCを基盤とした差別化は、能力の暗黙性や経路依存性、時間とともに進化するというダイナミックな性格に持続的な競争優位を求めます。第2章で例として使ったセブン‐イレブン・ジャパンの仮説検証型発注や、日本の自動車メーカーの製品開発におけるフロントローディングによるリードタイムの短縮はその典型です。こうした企業のOCが競争優位の基盤にあるということは誰もがわかっているのですが、その正体は小さなルーティンの積み重ねなので、成果との因果関係が他社にはよくわかりません。「どこの誰かは知らないけれど、誰もがみんな知っている」*（それにしてもこれ、うまいフレーズですね）というわけで、月光仮面のような強みです。しかも、時間をかけて練り上げられたものなので、一足飛びには同じ能力を手にすることはできません。

個別の要素を超えて、ストーリー全体に持続的な競争優位を求めるのがレベル3です。要素を個別にまねすることはできても、それが複雑に絡み合った全体をまねするのはずっと難しくなるという考え方です。第3章で強調したように、このレベルでの競争優位の源泉は、個別の要素の中にあるのではなく、ストーリーの一貫性が生み出す交互効果にあります。構成要素の間には相互依存や因果関係が張りめぐらされているので、いくつかの要素をまねしても、全体がきちんとかみ合って交互効果を起こさなければ、同水準の競争優位は達成できません。

最上位にあるレベル4の戦略は、構成要素の交互効果をもたらすようなストーリーを構築するにとどまらず、「一見して非合理」なキラーパスにそのストーリーの一貫性の基盤を求めます。ここでの持続性の源泉は、そもそも競合がまねしようという意図をそもそも持たないという「動機の不在」と「意図的な模倣の忌避」でした。こうして比較すると、階層の上位に行くほど、競争優位の持続性の背後にある論理が強力になっているということがおわかりいただけると思います。

競争優位の階層にある五つのレベルは、どれか一つを選ぶというものではなく、積み重なる関係にあります。利益ポテンシャルが高い業界で、明確なSPと強力なOCを持ち、それが一貫したストーリーを構成し、キラーパスが効いていて、おまけに景気が良いとくれば、五つのすべてが満たされており、最強です。

レベル1や2でも、競争優位を十分に持続できていれば、ストーリーの戦略思考は必要ありません。しかし、近年の競争環境では、下位レベルの戦略で競争優位を持続させることが以前よりも難しくなっているというのが私の認識です。競争優位の階層を上がり、ストーリーの一貫性やキラーパスで勝負することがますます重要になるゆえんです。

◆持続的競争優位の正体

考えてみれば、ある戦略がもたらす競争優位が長期にわたって持続するというのは不思議なことです。情報や知識の移転が簡単でなかった時代はいざ知らず、これだけ情報技術が発達し、経済がグローバル化した今日では、国や地域や企業を超えたヒト、モノ、カネ、情報の流動性は飛躍的に増大しています。

ある企業が高いパフォーマンスを達成していれば、ごく自然に他社の関心を集めます。好業績の背後にどのような戦略があるのか、誰しも興味を持って注目します。こうした需要を受けて、メディアはこぞって成功している企業の戦略を喧伝します。利益ポテンシャルに富んだ市場セグメントや好業績をもたらす戦略ポジショニングの存在は、すぐに世の中に知れわたるところとなります。成功の背後に優れた技術や経営ツールがあるとしても、その多くはお金さえ払えば市場を通じて手に入れることができます。コンサルティング会社はさまざまな企業の成功要因を分析し、ありとあらゆる知識を提供してくれます。

要するに経営資源の企業を超えた流動性、移転可能性は一貫して増大傾向にあるのです。こうしたトレンドは、理屈からすればいずれも企業間の差異を小さくする方向に働きます。ある企業が一時的に成功したとしても、業界内外の他社はその企業がなぜ強いのか、十分に関心を持ち、その戦略についてさまざまな情報や知識を容易に手に入れることができます。そうであれば、その戦略はいずれ模倣されてしまい、その結果、競争優位を長期的に持続するのはますます困難になるはずです。

しかし、現実を見ると、強い企業はかなりの長期にわたって強い。四方八方から戦略を注視され、模倣の脅威にさらされながらも、五年、一〇年、一五年と競争優位を持続しています。これはなぜでしょうか。なぜ企業間の差異が長期にわたって維持されるのでしょうか。

私はこの問題についてずっと強い関心を持ち、持続的な競争優位の正体についていろいろと考えてきました。「ストーリーとしての競争戦略」という視点に立てば、これまで明示的もしくは暗黙のうちに想定されていたものとは異なる、従来見過ごされていた論理があるのではないかと考えるようになりました。

今、競争優位を持ち、高い業績をあげている企業A社があるとします。A社の競合企業B社はA社になんとか追いつこうとしています。B社はA社の成功の背後にある戦略に関心を寄せ、その強みを手に入れるためにA社の戦略を模倣しようとします。

なぜA社の競争優位が持続するのか。先にお話しした競争優位の階層でいうレベル2までは、A社にとって「防御の論理」を想定しています。つまり、B社はA社の戦略を模倣しようとするのだけれども、そこにいくつかの障壁があるので、完全にはまねしきれない。だからA社の競争優位が持続するという論理です。これを図式的に表現したものが図5・5の①です。

このような「競争優位を防御する」という論理では、A社にとっての戦略の防御（B社にとっての模倣の障壁）となりうるものには、さまざまな種類があります。A社が先行者優位に基づいて参入障壁を固めているため、B社がその業界に参入すること自体ができない。これはレベル1の防御の論理です。

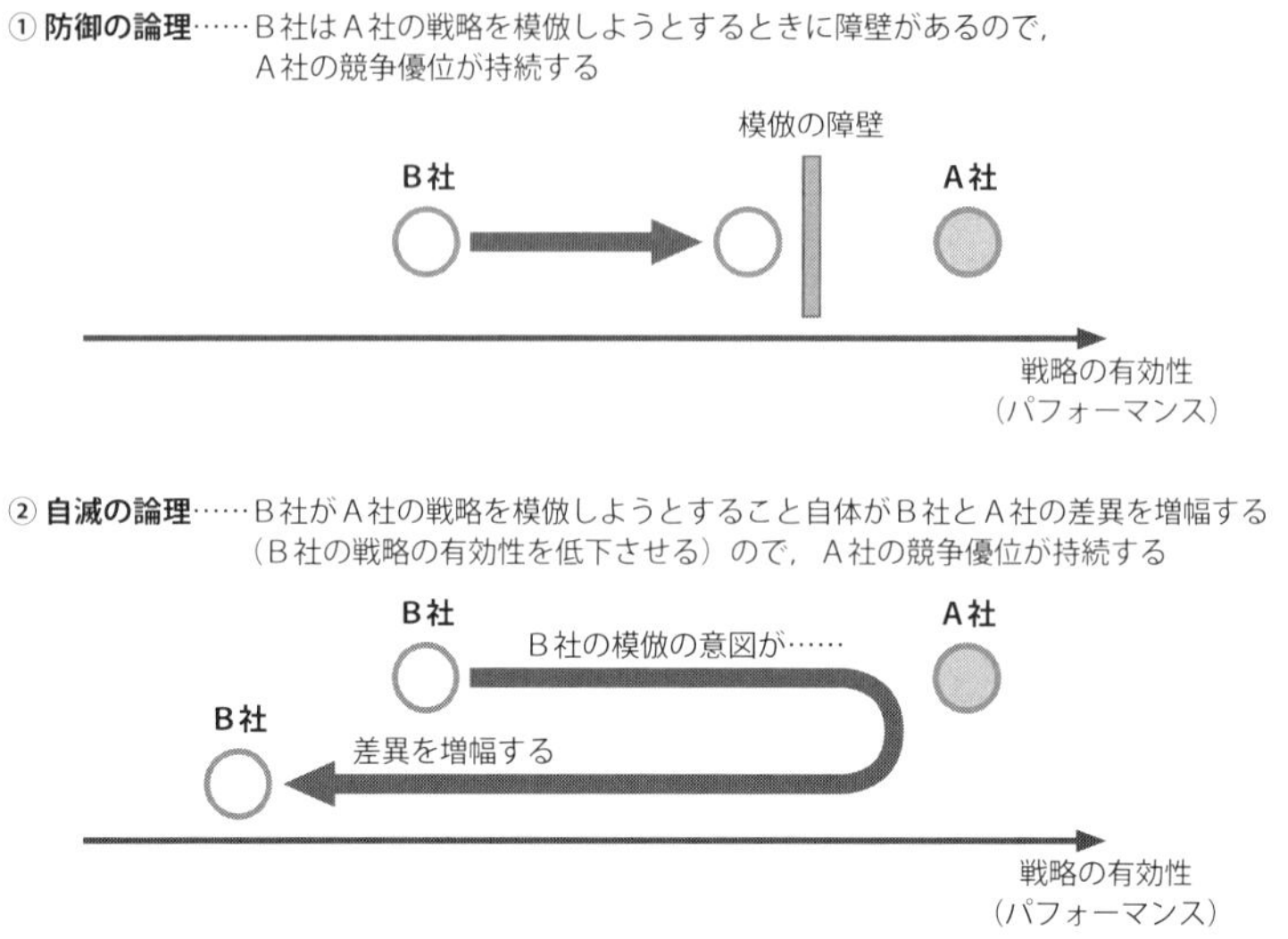

① 防御の論理……B社はA社の戦略を模倣しようとするときに障壁があるので，
A社の競争優位が持続する
模倣の障壁
B社
A社
戦略の有効性
（パフォーマンス）
② 自滅の論理……B社がA社の戦略を模倣しようとすること自体がB社とA社の差異を増幅する
（B社の戦略の有効性を低下させる）ので，A社の競争優位が持続する
B社
A社
B社の模倣の意図が……
B社
差異を増幅する
戦略の有効性
（パフォーマンス）

図5・5　持続的な競争優位の論理

異なるポジショニングの間にはトレードオフがあるので、B社がA社の戦略を模倣するのはそう簡単ではない。これはマイケル・ポーターさんの競争戦略論の中核にある「移動障壁」の概念です。一方のOCに注目するならば、A社が保有する技術をパテントで専有してしまえばB社は対価を払わなければ手に入れられませんし、A社がノウハウの密度が高いものづくりの能力を構築していれば、B社は簡単には追いつけません。結果的にA社の競争優位は維持されます。いずれにせよ、これらはいずれも戦略模倣の障壁を高めようとする防御の論理です。

しかし、戦略ストーリーの交互効果がもたらす競争優位をよくよく考えれば、競争優位の階層のレベル3やレベル4になると、こうした防御の論理ではなく、むしろ「自滅の論理」とでもいうべき質の異なる論理が浮かび上がってきます。つまり、B社がA社の戦略を模倣しようとすることそれ自体がB社の戦略の有効性を低下させ、結果的にA社とB社の差異が増幅するという論理です。

これを図式的に示すと、図5・5の②のようになります。B社はA社に追いつこうとして戦略を模倣しようとします。しかし、戦略をまねする過程でB社に「奇妙なこと」が起き、A社に追いつけないどころか、当初の意図に反してかえってA社との距離が広がってしまうという成り行きです。

防御の論理では、A社にとっての敵(B社)はあくまでも目的合理的な行動をとるものとして想定されています。自社に追いつこうとして合理的な手を打ってくる。なんとか戦略を模倣しようとする。だから防御のメカニズムを戦略に組み込んでおかなければならない。模倣の障壁を高くすることができれば、B社は完全にはA社に追いつくことができない。その結果として競争優位の持続性が生まれるという話です。ここでは図5・5の①にあるように、当初の状態から比べて、障壁に突き当たるまでB社はA社に近づいてきます。戦略の差異やパフォーマンスの格差は、ある程度まで縮小されることになります。

これに対して、模倣しようとすること自体が差異を増幅するという論理は、結果として起こるB社の「敵失」や「自殺点」がA社に持続的な競争優位をもたらしているという考え方です。B社はA社に追いつこうとして、主観的には合理的な模倣行動をとるのですが、実際はその過程で自らのパフォーマンスを低下させてしまうという落とし穴に陥ります。自滅の論理では、B社はA社との距離を詰めてくるどころか、むしろ当初よりも戦略の差異やパフォーマンスの格差は拡大することになります。つまり、A社が意図的に防御しなくても、B社が勝手に遠ざかっていくというか、「自滅」してくれる。その結果として、A社の競争優位が持続するという論理です。

◆地方都市のコギャル

優れた戦略ストーリーの持続的な競争優位の背後には、競合他社の自滅の論理があるのではないか。これを私が思いついたきっかけは、ずいぶん前の話になりますが、ある地方都市に出張したときのことでした。

新幹線を降りた私は駅前のバス停で、出張先の大学に行くバスを待っていました。バスがなかなか来ないので、バス停にはバスを待つ人々の列ができていました。当時は高校生を中心とした若い女性の間で「コギャル」と呼ばれるファッションが流行っていました。今となっては過去の話ですが、覚えている方もおいでだと思います。髪をどぎつく染め、真っ黒に日焼けし、睫毛にはマスカラをたっぷりと塗り、目の周りをアイシャドーで白くし、白っぽい口紅、大きな花の髪飾り、短い丈のスカート、ダブダブのルーズソックスで武装するというスタイルです。

バス停の私の前にはそうしたコギャル・ファッションの女子高校生三人のグループがにぎやかなおしゃべりをしながらバスを待っていました。彼女たちの会話を聞くとはなしにたたずんでいると（つまり、聞いていたのですが）、話題はファッションのことばかり。相当にコギャル・ファッションに情熱を注いでいる様子です。

青春の情熱を注いでいるのはわかるのですが、私の見たところ、その三人グループのコギャル・フアッションはいかにも「やり過ぎ」で、変なことになっているのです。コギャル・ファッション発祥の地は東京・渋谷の「センター街」という若者がウヨウヨしている一角だそうで、私も当時たまに渋谷で目にする機会があったのですが、そうした「本場のコギャル」と比べても、その地方都市のコギャルのほうがはるかに過激でした。髪はギンギラの金髪、昔の漫画に出てくる「実験に失敗した科学者」のように爆発したような髪型、眼球の白い部分が判別できないほどの重厚なマスカラ、日焼けした肌はあくまでもどす黒く、アイシャドーと口紅はあくまでも白く、髪飾りの花はあくまでも大きく、スカートの丈はあくまでも短く、ルーズソックスは徹頭徹尾ルーズで、渋谷のコギャルがむしろおとなしく見えるほどです。

彼女たちのあまりの過激さが興味深かったので、バスを待つのに退屈していた私はインタビューを試みました。「それにしても諸君のファッションは過激だね！　このあたりは東京よりもずっと進んでいるね……」と話しかけてみますと、「全然そんなことないよ！　これが普通だよ。オジサン、東京から来たの？　だったらシブヤとかのコギャルもこんな感じでしょ……」という答え。

「いや、渋谷のコギャルも時々見かけるけど、もっとおとなしめだよ。諸君のほうがずっと過激だ」と反論すると、「いや、それは絶対に違うと断言できる。われわれはコギャル・ファッションに多大な関心を寄せ、日夜研究している。東京に行ったことはほとんどないが、東京・渋谷の本場のコギャルのファッションは雑誌で研究し尽くしている（と言ってカバンからコギャル・ファッション専門の雑誌を出して見せてくれる。エレクトロニクス業界の人々にとっての『電波新聞』、オーディオ・マニアにとっての『ステレオサウンド』のようなものか）。どういうメイクで、どういうヘアスタイルで、どういう服を着て、どういうアクセサリーを使っているのか、われわれは本場のコギャル・ファッションを知悉している。東京から遠く離れたこの地であっても、同じものが手に入る。われわれは渋谷の最先端のコギャルと全く同じファッションを細部にわたって再現しているのであるから、違いがあるはずがない」と（いうような趣旨のことをコギャル風の話し方で）主張し、頑として譲りません。

しかし私が客観的に見るところでは、やはり彼女たちは明らかに「コギャル過剰」で、素人の私が見てもなんともちぐはぐな印象なのです。「いや、やっぱり過激だと思う」「いや、絶対にそんなことはない」とやり合っているうちにバスが来たので、インタビューはそこで終わりました。

後日、知り合いの女性にこの話をしてみました。というのは、彼女はアパレル業界で仕事をしていて、若い頃は「コギャル・ファッションのカリスマ」として鳴らしていたと聞いていたからです。「地方に行くほど過激になるのよ。いくらコギャルでも、全体のコーディネートでメリハリが利いていないと格好悪い。雑誌とかで研究していきなりコギャルをやろうとすると、基礎ができていないから、さじ加減がめちゃめちゃになる。ヘアスタイルやメイクから洋服まで全部派手にしたほうが格好良いと思って、暴走しちゃうのね。それって、ありがちだから……」というのが彼女のコメントでした。

◆模倣それ自体が差異を増幅する

自滅の論理のところでお話ししたA社に「渋谷のコギャル」を、追いつこうとして戦略を模倣しようとするB社に「地方都市のコギャル」を当てはめてみてください。図5・6にあるような、「模倣それ自体が差異を増幅する」というメカニズムが浮かび上がってきます。

渋谷のオリジナルな（?）コギャルのスタイルは一朝一夕に出来上がったものではありません。好き嫌いは別にして（私はいかがなものかと思いますが……）、コギャル・ファッションは渋谷のセンター街の若者文化の文脈で、ある程度の時間をかけて練り上げられたものでした。

その後、渋谷のコギャルのファッションが素敵だ、格好良いという評価が定着すると、それまでコギャル・ファッションとは無縁だった地方都市の女の子も渋谷のコギャルのようになろうとします。彼女たちは出来上がった「コギャル・ファッション」を模倣します。模倣の対象であるオリジナルのコギャルは、ファッションの構成要素（ヘアスタイルやメイクや服やアクセサリー）の交互効果（コギャル・ファッションの元カリスマの言う「メリハリ」や「さじ加減」）についての理解を、スタイルを練り上げていく過程で自然とものにしています。しかし、出来上がったものを事後的に模倣する地方都市のコギャルにはそうした交互効果の妙がわかりません。

地方都市のコギャルであっても、メディアが発達していますから、テレビや雑誌やインターネットで渋谷のコギャルのファッションについてのさまざまな情報や知識をふんだんに入手することができます。雑誌を見れば、どういう髪型でどういうふうにメイクをしたらよいか、化粧品や服や靴やアク

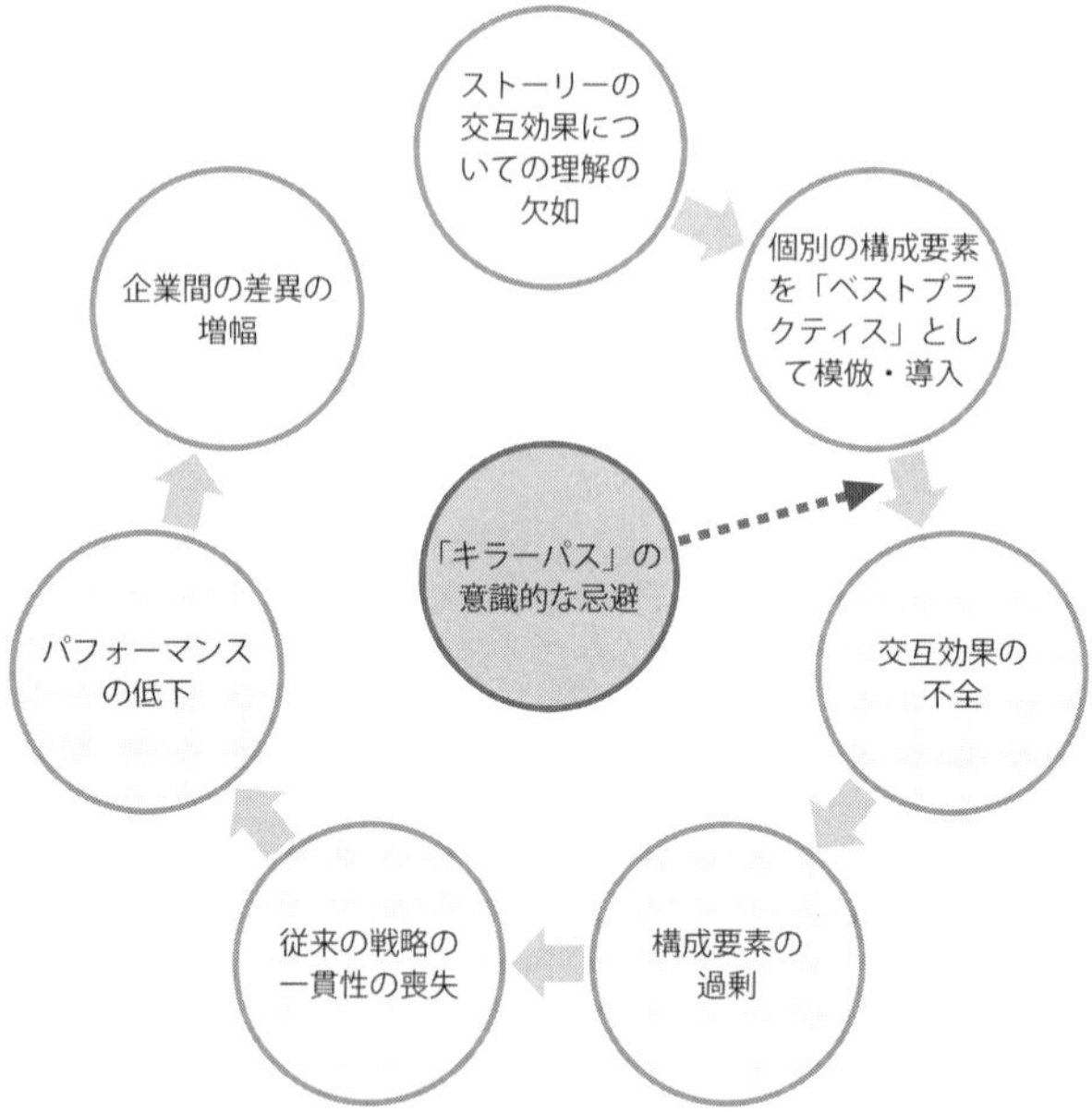

図5・6　戦略ストーリーの模倣が企業間の差異を増幅するメカニズム

セサリーについては、どのブランドのどの商品かというところまで情報をふんだんに持っています。しかも、そうしたファッション・アイテムは市場から調達できるものばかりです。自分たちの町に売っていなくても、ネット通販で買うことができます。かくして地方都市のコギャルは本場のコギャルのファッション・アイテムを個別に「ベストプラクティス」として模倣し、導入します。

彼女たちは個別の要素を模倣することによって、地方都市でコギャル・ファッションの全体を再構築しようとするわけですが、構成要素の背後にある肝心要の交互効果までを丸ごと手に入れるのは容易ではありません。ファッションが交互効果の点で不全をきたします。

さまざまなコギャルの武器を手に入れたのに、いまひとつしっくりこない。そこで地方都市のコギャルは、個別の構成要素をさらに強めることによってコギャル化を完遂しようとします。その結果、それぞれの要素を見れば、渋谷のコギャルよりもさらに激しくコギャル化することになります。これが「構成要素の過剰」です。皮肉なことに、構成要素が過剰になると、ますます全体として収まりが悪くなるという悪循環が始まります。

その一方で、これまでのスタイルの一貫性も破壊されてしまいます。地方都市のコギャルはその地方の文化に根差した、それなりに素敵なファッションセンスを持っていたのですが（この例だとちょっと変かもしれませんが、一応そういうことにしておいてください）、そうした強みも失ってしまいます。こうして、なんだか間の抜けた奇妙な風体の「過激なコギャル」が出来上がります。

このたとえ話では、結果的に渋谷のコギャルは競争優位（？）を持続させることに成功していますが、それは防御の論理では説明がつきません。渋谷のコギャルは地方都市のコギャルによる模倣を阻止する障壁をつくろうとしたわけではありません。彼女たちは競争優位を防御するための行動をなんらとっていません。ただこれまでどおり、渋谷のセンター街で粛々と（？）コギャル・ファッションに磨きをかけていただけです。

この場合、パフォーマンスに相当するのは「ファッションの格好良さ」です。そもそもは渋谷のコギャルのように格好良くなろうというのが地方都市のコギャルの模倣の意図でしたが、模倣の過程で交互効果の不全を抱えてしまった結果、かえって「格好悪く」なってしまい、両者のパフォーマンスの開きは当初よりもかえって拡大しています。つまり、地方都市のコギャルの側で自滅の論理が作動し、このことが図らずも渋谷のコギャルの競争優位を持続させたわけです。

コギャルのたとえ話が長くなってしまいました。企業の競争優位の長期持続性に話を戻しましょう。優れた戦略ストーリーの競争優位が長期の持続性を持つ理由は、その企業の戦略の模倣を困難にする障壁があるというよりも、このエピソードにある地方都市のコギャルのように、追いつこうとする企業が戦略を模倣しようとする結果、自滅していくからではないか。これが私の言いたいことです。

優れた戦略ストーリーの競争優位の本質は交互効果にあるので、一見してすぐにわかるような派手な構成要素は必ずしも含まれていません。そのため競合他社はしばらくその優位に気づかずにやり過ごします。しかし、そのストーリーの交互効果がフル回転し、いよいよ競争優位を発揮するようになると、結果としてもたらされる高いパフォーマンスは他社の注目を集めるところとなります。

他社はこれこそベストプラクティスとばかりにその戦略を模倣しようとします。さまざまな情報を収集し、分析し、コンサルタントの助言も活かして、成功しているストーリーの構成要素を洗い出します。分析してみると、出てきた構成要素の多くのものはわりと簡単に自分のところでもできそうなことですし、お金を出せば市場を通じて手に入れられそうに映ります。そこで他社は、次から次へと自分の戦略にそれらの要素を導入します。

しかし、地方都市のコギャルがそうであったように、競合他社はオリジナルのストーリーが内包していた交互効果の妙については十分に理解していません。場当たり的に戦略を模倣しても、オリジナルの戦略の競争優位の本質であった交互効果は発揮できません。戦略が不全をきたし、かえってちぐはぐなことになります。「聡明にして間抜け」というわけです。これまでの戦略の一貫性や強みも破壊され、パフォーマンス低下の憂き目に遭うという成り行きです。

この間、優れた戦略で成功している企業は何をしていたのでしょうか。競合他社の動きに反応して防衛策をとったわけでも、特段の戦略変更をしたわけでもありません。オリジナルのストーリーにせっせと磨きをかけていただけです。気づいたときには、競争他社が勝手に奇妙なことを始め、パフォーマンスを低下させています。戦略ストーリーが模倣されるどころか、かえって競争優位が確固たるものになるという次第です。

◆キラーパスの忌避と交互効果の不全

このような自滅の論理は、競争優位にある企業のオリジナルな戦略ストーリーに一見して非合理に見えるキラーパスが含まれているほど、より顕著になるといえそうです。

すべてがあからさまに合理的な要素でできている「普通の賢者」のストーリーであれば、競合他社がすべての構成要素をそっくりそのまま取り入れ、ストーリーを丸ごと再構成することによって、同じような交互効果を獲得する可能性は（小さいとはいえ）相対的には高くなるでしょう。

しかし今、オリジナルのストーリーにキラーパスが効いているとします。競合企業にとってキラーパスは非合理で迂遠でバカなことに映ります。「合理的」な他社から見れば「やるべきではないこと」なので、キラーパスの部分には手を出しません。つまり、戦略ストーリーを模倣するにしても、キラーパスの部分については模倣が意識的に忌避されるのです。

もう一度、図5・6をご覧ください。競合他社が他の構成要素を模倣して同じようなストーリーを再構成しようとしても、キラーパスが抜け落ちているので、交互効果は発揮しようがありません。キラーパスこそが優れた戦略ストーリーの中核であり、ストーリーの一貫性の基盤になっているからです。キラーパスが効いているほど、追いつこうとする企業の側で交互効果の不全が起きやすいというわけです（図の点線の矢印）。

この章でお話ししたデルやアマゾンの競争優位の長期持続性の背景にも、このようなキラーパスの忌避から始まる競合他社の自滅の論理が見て取れます。デルのＰＣの直販のストーリーの持続的な競争優位は、初期の段階では「ディーラー・チャネルを使っていれば、直販はできない」というトレードオフにありました。つまり、この段階ではレベル２に相当するＳＰが競争優位の持続性の源泉となっていたわけです。

しかし、お話ししたようにデルの「ダイレクト・モデル」の強みが広く知れわたるようになると、ＩＢＭをはじめとする競合他社も、ＳＰの違いを乗り越えて直販に乗り込んできました。ところが、こうしたデルのストーリーを模倣した企業であっても、「自社工場による組立て」を中核とするデルの高度に統合されたオペレーションまでは手を出しませんでした。ＰＣの組立てのような労働集約的で単純で仕事で外部業者を使わないということが、「賢明」な競合他社の目にはあからさまに非合理に映ったからです。しかし、このキラーパスの意識的な忌避は、デルのストーリーをまねようとした競合企業の側での交互効果の不全を招くことになりました。

個人間のインターネット競売市場を開拓したイーベイは、二〇〇〇年代半ばに入ると成長の減速に直面しました。新品の小売で成長を続けていたアマゾンに刺激されたイーベイは、新品の定額販売サイト「イーベイ・エクスプレス」に乗り出しました。イーベイはオークションサイトとして膨大な顧客基盤を持っていたので、当時、業界関係者の多くは小売の分野でもイーベイが支配的な地位に立つと予想しました。

しかし、イーベイ・エクスプレスは売上高や顧客ベースの拡大にはつながりませんでした。アマゾンとの決定的な違いは、アマゾンが自前で巨大な倉庫と流通センターを抱え、そこでのオペレーションの経験を通じて情報技術に磨きをかけていたことにありました。これがアマゾンのキラーパスになっていたということはすでにお話ししたとおりです。

オークションサイトとして発展してきたイーベイにしてみれば、倉庫や流通センターといった莫大な投資を必要とする資産を自社に抱えなくても済むという「身軽な経営」にこそEコマースの合理性がありました。イーベイは新品の小売事業のプロモーションには盛んに投資をしましたが、アマゾンのような流通インフラには手を出しませんでした。顧客の購買経験を舞台裏で支える情報技術にしても、出品者と落札者の直接的なやり取りを前提としていたイーベイは後手に回りました。

アマゾンのような強力なインフラを欠いたイーベイ・エクスプレスは、小売のサイトとして便利で快適な買い物経験を顧客に提供できませんでした。結局イーベイは二〇〇九年には戦略を方向転換し、従来の中古品市場の仲介業へと原点回帰しています。小売サイトとしてのアマゾンの牙城は崩れず、かえってその強さを見せつけることとなりました。これもまた戦略ストーリーを模倣しつつも、一見して非合理なキラーパスについては意図的に模倣を避けるという競合他社の行動が予期せざる交互効果の不全をもたらし、結果的に優れた戦略ストーリーの競争優位を持続させた例だといえるでしょう。

◆構成要素の過剰

地方都市のコギャルのファッション・アイテムが渋谷のコギャルよりも過激になるように、競合企業が優れたストーリーを模倣するプロセスでは、交互効果の不全と相まって構成要素の過剰な純化がしばしば起こります。自滅の論理の背後には、模倣する企業の側の「やり過ぎ」があるという話です。

規模でいえば自動車産業で当時世界第二位だったフォードは、一九九五年から「フォード２０００」と呼ばれる大規模な全社改革プランに取りかかりました。フォード２０００の旗振り役は「タフなコストカッター」として勇名を馳せていたジャック・ナッサーさんで、ナッサーさんは一九九九年からＣＥＯの座に就きました。フォード２０００の柱の一つとなったのが、ＦＰＳ（Ford Production System）と呼ばれる新しい生産システムへの移行によるコストの大幅な削減です。

その名のとおり、ＦＰＳは基本的にはトヨタ生産方式（TPS: Toyota Production System）をモデルにして、「プル型」（需要に応じて必要な車種を必要なだけ組み立てる）の生産システムをめざしました。ＦＰＳの核となった新しい取組みがＳＭＦ（Synchronous Material Flow）と呼ばれる「モノの流れの同期化」でした。柔軟で無駄のないプル型の工程を実現するためには、部品や完成品の流れが生産プロセスの最初から最後まで同期化され、生産が平準化されていなければなりません。ここまではＴＰＳのジャスト・イン・タイム（ＪＩＴ）と同じ話です。

ところが、フォードはＳＭＦの切り札として、ＩＬＶＳ（In-Line Vehicle Sequencing：組立ライン上での完成途中の車の流れの順序の制御）というシステムの開発に注力しました[16]。ＩＬＶＳは組立ての途中でラインを流れてくる半完成車の順番の自動的な変更（resequencing）を可能にするシステムです。ラインの途中にはＡＳＲＳ（Automated Storage and Retrieval System）と呼ばれる「バンク」（半完成車をライン上で一時的に滞留させることができる仕組み）が組み込まれています。

ＡＳＲＳはラインを流れている車の上に垂直的にバンクを重ねることができるというもので、巨額の投資を必要とする巨大な設備です。ＡＳＲＳは専用のソフトを組み込んだコンピュータで自動制御され、バンクにあるどの半完成車にもランダムにアクセスできます。不測の事態が発生しても、半完成車がライン上を流れてくる順番を柔軟に組み替えることができます。その結果、サプライヤーからの部品供給と組立工程との同期化が維持され、ＪＩＴが実現され、中間在庫が少なくなり、コストが下がるという理屈です。

しかし、見方を変えれば、「ＩＬＶＳ＋ＡＳＲＳ＝ＳＭＦ」というフォードの取組みは、本場のトヨタのＪＩＴの過剰な純化の産物といえます。

本場のＴＰＳでは、多種多様な構成要素、たとえばサプライヤーとの長期的な信頼関係や作業者の多能工化、問題が発生する現場での改善活動、もちろん他にもたくさんあるのですが、こうしたさまざまな要素が一貫したストーリーでかみ合って作動し、その結果としてＪＩＴが実現されています。

一方、フォードのＩＬＶＳは、サプライヤーから供給される部品の一時的な不足や品質問題などで、そもそも生産ラインで半完成車の順番が当初の計画から逸脱してしまうということを前提としています。ラインを流れる順番に影響するような不測の事態が起こっても、車がラインを流れる順番を自動的に入れ替えることによってＪＩＴを「無理やり」達成する、これがフォードのやろうとしたことです。

高度なコンピュータシステムで武装したＡＳＲＳのおかげで、最後の組立ラインでのＪＩＴは表面的には達成できます。事実、フォードは組立工程でのＪＩＴの達成率九九％を目標にしていました。ここだけを見るとＦＰＳは本家本元のＴＰＳ以上に「ジャスト」なＪＩＴだといえるかもしれません。しかし、ＩＬＶＳという一連の巨大な投資は、サプライチェーン全体の活動を、本当の意味で同期化させるものではありません。組立工程にしわ寄せされたさまざまな問題の「つじつま合わせ」を力技で一挙にやってしまおうというのが本当のところです。

ＡＳＲＳという「飛び道具」を使ったために、サプライチェーン全体を同期化するために必要になるはずのさまざまな要素の必要性はかえって覆い隠されてしまいました。トヨタのＪＩＴを成り立たせている複雑で微妙な交互効果は望むべくもありません。

フォードのＦＰＳの取組みは結果的にさまざまな無理を抱えることとなり、一九九〇年代後半以降、トヨタとの生産効率の差は埋まるどころか、かえって拡大することとなりました。これは戦略ストーリーの模倣が特定の構成要素の過剰を招き、それが交互効果の不全に拍車をかけたという典型例です。

オリジナルなストーリーでは、あくまでもさまざまな要素が絡み合った交互効果の「合わせ技」で成果が達成されているのですが、模倣する側はそうした合わせ技の妙を発揮できません。戦略ストーリーの模倣が往々にして構成要素の過剰をもたらすのは、模倣する企業が交互効果の合わせ技でなく、特定の構成要素の「必殺技」の一撃に頼って、同じような強みを手に入れようとするからです。

フォードの例でいえば、そもそも一〇や二〇の打ち手の交互効果があって初めて可能になるJITを、最終組立工程でのILVS、とりわけコンピュータで自動制御されたASRSの一撃で実現しようとしています。これはいわば一〇や二〇の柱で負荷を分散して支えている屋根を、丸ごと一本の（見かけ上は）強力な大黒柱で支えようとするようなものです。いきおい大黒柱は過剰に太くならざるをえません。そして、この種の構成要素の過剰が結果的に、戦略ストーリーの一貫性を崩してしまうのです。

◆究極の競争優位

戦略の競争優位が持続する論理として、模倣の障壁による「排除の論理」と競合他社の「自滅の論理」があるというお話をしてきました。ここで言いたかったことは、前者に比べて後者の論理のほうが、持続的な競争優位の源泉としてより強力だということです。

戦略ストーリーがその流れの中で交互効果を発揮できれば、他社はそう簡単にはまねできません。しかし、この競争優位の階層でいうレベル3の段階では、交互効果の複雑性が戦略模倣の障壁となっているという話で、排除の論理にとどまっています。

しかし、さらに時間軸を延ばして競合他社の反応を考えてみましょう。優れた戦略ストーリーが高いパフォーマンスを出し続けていれば、当然のことながら競合他社はよりいっそう強い関心を持つはずです。なんとかして自分たちも、その強みを手に入れようとするかもしれません。

ここでクローズアップされるのが自滅の論理です。キラーパスをテコにしたレベル4の競争優位の持続性は、排除の論理よりもむしろ自滅の論理に依拠しています。優れた戦略ストーリーを徹底的に分析し、それを構成している要素を手に入れようとすること自体が、追いかけてくる競合他社の側で構成要素の過剰を引き起こし、結果的に戦略不全に陥ります。繰り返しますが、オリジナルのストーリーの中核にキラーパスが効いているほど、こうした成り行きの可能性は大きくなります。模倣しようとすることそれ自体が、かえって模倣の対象との距離を広げてしまうわけですから、レベル4は究極の持続的な競争優位だといえるでしょう。

ヒト・モノ・カネ・情報の流通のスピードが速くなり、その範囲もどんどんグローバルになっています。この不可逆的な傾向は、ある戦略で成功してもすぐにまねされてしまい、以前と比べると競争優位を持続しにくくなるということを意味しています。しかしその反面で、情報の流通が盛んになるほど、優れた戦略ストーリーが喧伝され、業界の内外で知れわたるだけに、それを（生半可に）模倣しようとする企業は増えるのかもしれません。模倣すること自体が差異を増幅するという、ここでお話ししたメカニズムに注目すれば、情報技術やグローバル化がどんなに進展しても、独自の優れた戦略ストーリーを構築した企業の優位は一般に思われている以上に持続的だといえそうです。

もちろん、優れた戦略ストーリーが未来永劫にわたって盤石だというつもりはありません。どんなに強く、太く、長いストーリーであっても、やはり寿命というか賞味期限があります。長期的な環境変化の結果、かつては優れていたストーリーが徐々に陳腐化し、顧客に対する提供価値を失い、ひいては利益を創出できなくなることも十分にありえます（これについては第7章で触れます）。しかし、企業間の競争に競合他社にまねされないという意味では、レベル4の競争優位が最も持続性に優れているというのが私の見解です。

この章では、戦略ストーリーのキラーパスとなるクリティカル・コアの論理についてお話ししてきました。ストーリーの一貫性の基盤となり、しかも持続的な競争優位の源泉となるクリティカル・コアは、文字どおり戦略の中核をなすものです。持続的な競争優位を構築するためには、ストーリーにキラーパスを組み込むことが大切になるというのがこの章のメッセージでした。

それが「一見して非合理」であるために、キラーパスを出すにはちょっとした創造性が必要となります。しかし、だからといって、それは天才のひらめきでも、荒唐無稽な発想の飛躍でもありません。そんなに突飛なものであれば、全体合理性に転化するのも困難でしょう。ストーリー全体の文脈に置けば、誰もが論理でその合理性を理解できる、その程度の「飛躍」でなければなりません。

「ちょっとした創造性」は、その業界で広く共有されている通念や常識を疑うことから生まれます。その先にキラーパスの芽を発見するのはそれほど難しいことではありません。肝心なのは、部分の非合理を全体の合理性に転化するようなストーリーの構想です。これがストーリーテラーとしての戦略家の一番の腕の見せどころです。そのためには、いつも同じ結論になりますが、論理が何より大切です。キラーパスが全体合理性に転化し、最終的にコンセプトへとつながる因果論理を突き詰めなければなりません。

ストーリーとしての競争戦略とは何を意味しているのか。なぜ「ストーリー」という戦略思考が重要になるのか。優れた戦略ストーリーの条件とは何か。こうしたことについてこれまで一通りお話ししてきました。次の章では、応用編として特定の企業の戦略ストーリーを取り上げて、じっくりと読解してみたいと思います。事例は中古車流通業界のガリバーインターナショナルです。

第6章　戦略ストーリーを読解する

これまで事例として取り上げてきたマブチモーター、サウスウエスト航空、スターバックスコーヒーといった企業の戦略ストーリーは、いずれも「戦略ストーリーの殿堂」（私が頭の中で勝手に選んでいるだけですが）に入る秀逸な作品です。ガリバーインターナショナル（以下、ガリバー）の戦略ストーリーは、こうしたクラシックとでもいうべき戦略ストーリーに比肩する「名作」で、間違いなく「殿堂入り」に値すると思います。

事例をお読みいただければわかるように、ガリバーのストーリーは、取り立てて新しい要素で構成されているわけではありません。中古車業界はガリバーの創業の時点ですでに相当に成熟しており、たいして魅力のある業界とはいえません。ガリバーは画期的な技術の開発に成功したわけでもなければ、それまでに誰も手をつけていないような新興市場に乗り出したわけでもありません。「インターナショナル」という言葉が社名に入ってはいますが、今のところはわりとドメスティックな会社であります。中古車業界に新しいストーリーを持ち込んで成功した、といえばそれまでなのですが、言い換えれば、ガリバーの武器は独自の戦略ストーリーにしかなかったわけです。

よく知られているように、シュンペーターは、これまでの要素のつながりを破壊し、そこに新しいつながりを構築する「新結合」にこそイノベーションの本質があると喝破しました。ガリバーの戦略ストーリーは従来の中古車業界が当然のものとして受け入れていた「つながり」を大きく変えるものでした。ガリバーがやったことは、シュンペーターの定義に忠実な意味でのイノベーションといえます。一見してたいして利益ポテンシャルがなさそうな成熟した業界でも、ストーリーだけでここまで成功できるというわけで、これがガリバーの事例のとりわけ面白いところです。

以下では、まずは素材として、創業後一〇年が経過した二〇〇四年のガリバーの戦略についての記述をお読みいただきます。ここでは分析や読解に立ち入らず、あえて淡々とした記述にとどめてあります。本編は戦略ストーリーの読解です。ここではガリバーのストーリーがなぜ、どのように優れていたのかを詳細に読み解きます。最後に、二〇〇四年以降のガリバーにも触れつつ、この読解から得られるインプリケーションについてお話ししたいと思います。

◆事例——二〇〇四年のガリバーインターナショナル

二〇〇四年のガリバーインターナショナルの業績には目覚ましいものがあった[1]。売上高は前年比二八%増の一二一八億円、営業利益は四六%増の七六億円となり、これで一九九四年の設立以来、一〇年連続で増収増益を達成することになった。ROE（株主資本利益率）は二九%、ROA（総資本利益率）は三三%と高水準にあり、財務基盤も安定していた。

ガリバーは二〇〇三年八月一日に東京証券取引所一部上場を果たした。一九九八年一二月に会社設立からわずか四年で店頭公開、二〇〇〇年一二月に当時としては最短記録で東証二部上場を果たし、東証一部上場も八年一〇カ月という異例のスピードでの実現だった。

ガリバーの成功の最大の理由は、中古車流通業界に「買取専門」という独自の戦略を持ち込んだことにあった。ガリバーの前身は、創業者で代表取締役社長（当時）の羽鳥兼市が一九七五年に設立した「東京マイカー販売」であった。東京マイカー販売は従来のやり方で中古車を販売していた。羽鳥は二〇年近く手がけてきた従来の中古車流通に限界を感じ、ガリバーを創業した。ガリバーのミッションは「自動車業界の流通革命」であった。

1 日本の中古車業界

日本の新車販売台数は二〇〇三年度には約五八〇万台であり、これは前年度とほとんど変わっていなかった。この年の中古車登録台数は約八二〇万台であった。中古車登録台数は新車販売台数に比べて大きな数字になっているが、実際の中古車の販売は中古車登録台数よりもずっと少ないと考えられた。中古車が販売会社から販売会社に取引される際に所有権が移転し、これも登録台数にカウントされるからである。中古車登録台数は中古車販売台数の約二倍と推計された。これを考慮に入れると、新車販売台数と中古車販売台数の比率は約三：二であった。これに対し、ヨーロッパやアメリカの比率は約一：二であった。

元の所有者から売却されて新しい所有者に購入されるまでの過程で、中古車の流通には、次の三つのタイプの取引があった。

① 中古車を消費者から買い取る「C to B取引」

②オークションでの中古車販売業者同士の「B to B取引」
③中古車を消費者に販売する「B to C取引」

ガリバーの「買取専門」の戦略は、このうちのC to B取引に軸足を置いていた。二〇〇二年の主要各社の買取推定台数を見ると、ガリバー（約二五万台）はトヨタ系ディーラー（約七五万台）と日産系ディーラー（約三五万台）に次ぐ三番手で、ホンダ系ディーラー（約二〇万台）を上回る規模であった。

従来の中古車業者の事業の軸足は、B to C取引、つまり一般消費者への小売にあった。B to Cの小売では、中古車販売に適した立地に一定規模の店舗を持ち、さまざまな工夫を凝らして在庫車両を展示し、一方で在庫のコストとリスクを削減することが重要になった。中古車は一台一台異なるので、手元にある在庫と顧客ニーズをマッチングさせ、販売に結びつけるのは容易ではない。そこで、マッチングの可能性を高めるために、中古車業者はなるべく多くの車を展示しようとした。しかし、中古車価格は二〜三週間ごとに下落するのが普通であり、一年後には三〇〜五〇%の価格低下を余儀なくされた。そこで、中古車販売業者は仕入れた車を確実に売り切るか、さもなければ売れ残った不良在庫を一定期間のうちに処分しなければならなかった。羽鳥は次のように振り返っている。

大型の中古車展示場で二〇〇台並べたとしても、ひと月で六〇台売れれば御の字というのがこの業界だ。残りの一四〇台の価格は時が経つにつれて目減りしていく。しかも、販売業者としては『高価買取』をうたうのぼり旗のすぐ横に『激安販売』というのぼり旗を立てざるをえない。やってみてつくづくわかったのだが、中古車販売業というのは根本的な矛盾を抱えていた。

こうした中古車流通の特性がオークション市場を必要としていた。中古車オークションには、車両が会場に持ち込まれる「現車オークション」と、車両を会場に運ばずに画像を利用する「画像オークション」という二つの形態があった。年間約六〇〇万台の中古車が日本にある約一五〇のオークション会場に出品され、そのうち五〇％以上の車が実際に中古車販売業者へと売却されていた。近年ではコンピュータシステムの導入が進み、一台の車両はわずか一〇秒程度で落札されるようになっていた。このような日本のオークションは世界的に見てもきわめて洗練された仕組みを誇っていた。

一九八〇年代には、二種類の小規模な中古車オークションがあった。一つは非営利組織である日本中古車自動車販売連合会（ＪＵ）で、四七の地域ごとの組織から成り、それぞれの組織が特定の県に所在する数百の独立した中古車販売業者を取りまとめていた。ＪＵは営利事業としてオークションを開催するのではなく、各地域の小規模な会員のサポートを目的としていた。ＪＵは地域ごとのオークションを開くのみで、その頻度は少なく、非定期開催であった。もう一つのグループはトヨタ中古自動車販売など自動車メーカー系の自動車ディーラーで、これらのオークションは出品された車の購入のみで、中古車業者が在庫を売りに出すことはできなかった。メーカー系のオークションは系列外の中古車業者にとっては便利なものとはいえなかった。

トヨタ中古自動車販売が日本で最初の中古車オークションを一九六七年に開催して以来、中古車オークションは人手によるものであった。競売人は舞台に立ち、慌ただしく声をあげつつ、参加者は次々と現れる車両を吟味するというやり方であった。出品台数や参加できる中古車販売業者の数は限定されていた。

中古車オークションは一九八〇年代後半から変化し始めた。中古車オークション運営会社は、コンピュータを利用した自動化されたオークションシステムを導入した。コンピュータ制御のオークションシステムによって一日当たり数千台と、伝統的な人手による競売システムに対して三〜四倍の数を取引できた。また、オークションの参加者も数多く収容することが可能となった。オークションが地域限定のものから大規模かつ全国的なものへ変化するにつれて、USSやオークネットなどのメーカーから独立した中古車オークションを専門に行う企業が台頭してきた。

二〇〇二年度には約一五五万台の中古車がUSSのオークション会場に出品された。これは前年比一四%増であった。業界リーダーのUSSのシェアは前年比二%増の二五%であった。中古車販売業者かつ中古車オークション運営会社であるハナテンは、シェア七%で第二位、トヨタ系列のトヨタ・オート・オークション(TAA)は、六%のシェアで三位のポジション、衛星を使用したオークションに特化するオークネットは五%のシェアであった。

2 「買取専門」

ガリバーの最大の特徴は、それまでの中古車業者とは違い、展示場での小売をせずに、消費者からの中古車買取に事業の軸足を定めたことにあった。買い取った車は、後述するドルフィネット経由で販売される中古車を除いて、原則的にオークションで売却された。最も高い値段がつくと見込まれるオークション会場へと機動的に出品するため、ガリバーは車を効率的に陸送する事業部門（子会社の「ハコボー」）を持っていた。ガリバーの出品車のオークションでの成約率は約七〇％と、平均成約率五〇％と比べて高い水準にあった。

中古車オークションは毎週一回開催されるのが通常であったので、ガリバーの買取から販売までの期間は七〜一〇日間であった。これに対して一般の中古車店における車両の在庫回転期間は平均二〜三カ月であった。代表取締役副社長（当時）の村田育生は次のように述べている。

> 一般の中古車店では買い取った中古車を自らの店舗で消費者に販売するので、一台当たりでは高い利益率を得ることができる。ところが、車種、グレード、走行距離、年式などのさまざまな要素を加味すると、中古車には無数のモデルがあり、これが販売の難しさ、さらには在庫期間の長期化をもたらしている。

3 本部一括査定

ガリバーの買取価格は、本部で一括して決定され、顧客との接点である店舗には価格決定の権限はなかった。ガリバーの店舗に持ち込まれた車は、メーカー、車種、走行距離、年式、傷の有無、内装の状態などさまざまな要素がチェックされ、これらの情報が査定票に記入される。すべてのチェックが完了すると、査定票はガリバーの本部に送信され、本部の専門の査定士が買取価格を決定し、店舗にフィードバックするという仕組みである。

ガリバーは直近のオークションの取引実績に基づいて、その車のオークション市場での相場を把握し、これに一律に一定のマージンを乗せる形で買取価格を決定していた。中古車の価格は二～三週間で変化するため、変動するオークション相場を見極め、落札価格を見通したうえで買取価格が決められた。このようなガリバーに独自のやり方を、羽鳥は次のように説明している。

オークションでの市場価格に単純に一定のマージンを乗せることによって、ガリバーの買取価格は決まる。通常の中古車業者のビジネスでは、自社の展示場で想定する販売価格があって、これとの兼ね合いで買取価格が決まるが、売れるかどうかは事前にはわからない。販売コストとリスクがあるので、あらかじめ高いマージンを見ておかなければならないということになる。ところが、ガリバーのやり方からすると、まずオークションで、たとえば一〇〇万円ぐらいで売れるという前提があって、そこから一定の利益を差し引いて買取価格を決めることができる。従来の中古車販売に比べて、一台当たりのマージンは当然低くなる。

市場に流通している車のモデル数は、同一車種のグレードの違いもカウントすると、国産・外国車を合わせて六〇〇〇を超えていた。そのうえ、走行距離や年式、色、装備、事故歴の有無などの要素が加味されると、膨大な数の組合せがあった。ガリバーはオークション会場での最新の売買記録を反映させた五〇万件というデータベースをもとに、本部の査定士が一括査定するシステムを採用していた。データベースは週二回更新された。

データベースに基づく一元的な査定によって、明確な根拠をもとにした査定価格が提示できるようになり、中古車買取の透明性が高まった。また、この地域ではこのモデルのこの色がよく売れる、というようなことがわかるため、より高い買取価格を提示することができた。

4 出店とプロモーション

急速な出店を達成するために、ガリバーは当初はフランチャイズ方式を活用した[2]。ガリバーのフランチャイズ展開における一つの特徴として、中古車業界の未経験者を中心とした採用があった。その意図を村田は次のように説明している。

> ガリバーが掲げる「クルマの流通革命」には既存の中古車ビジネスにとらわれない人材が必要だと考えた。中古車業界の未経験者を教育することは時間がかかる。しかし、経験者に染みついた習慣を変えるということは、それ以上に手間がかかる。ガリバーの新しい買い方・売り方は、既存の中古車業界のノウハウとは相いれない部分が数多くある。

ガリバーは初期の段階からマスメディアを通じた広告に多額の投資を行ってきた。二〇〇一年一二月にはイメージキャラクターとしてタレントの藤原紀香、二〇〇三年六月には米メジャーリーグのニユーヨーク・ヤンキース（当時）の松井秀喜選手をそれぞれ起用し、頻繁にCMを流していた。

ガリバーは顧客接点を強化する目的でコンタクトセンターにも多額の投資をし、電話やインターネットを通した顧客からの査定依頼を受けた。依頼を受けると、全国の出張拠点から営業スタッフが直接顧客のもとに派遣され、出張査定が行われた。ガリバーが買い取る車の六〇％は店舗への持込み、四〇％は出張査定によるものであった。営業スタッフの訪問スケジュールはコンタクトセンターが一元的に管理していた。

5 ドルフィネットシステム

一九九八年にガリバーは画像による一般消費者への車販売チャネル、「ドルフィネット」の運営を始めた。ドルフィネットでは車両の画像や基本データはもちろん、過去の修理歴や小さなへこみに至るまで詳細な情報が開示された。また、外装は一〇〇点満点、内装は五段階の評価によってトータルな当該車両の価値が評価された。ガリバー店舗で買い取られた車は、次のオークションへ出品するまでの七〜一〇日間に限って、ドルフィネットに掲示された。この期間が終了すると、すべての車はオークションに出品された。当初はドルフィネットの端末が店舗に置かれるだけだったが、その後はインターネットによって顧客に在庫車両の情報が開示された。

二〇〇四年四月時点でのドルフィネットの販売台数は、累計で約一五万台に達していた。中古車の価値を見極めることが困難な消費者は、現車を見てなんとか判断しようとするが、従来の中古車販売店では細かな情報が開示されていることはほとんどなかった。現車の展示がなく、画像による中古車販売は一般には浸透していなかったが、一台ごとに価値が異なるという性格を持つ中古車販売においては、ドルフィネットのような画像販売が消費者にとっても最良であると羽鳥は考えていた。

ガリバーは消費者に販売する場合でも現車の展示場を持たないのだが、考え方によっては、東名高速の上が展示場だともいえる。東名高速でオークション会場へと陸送をかけている途中であっても、ドルフィネットを見たお客さまから買いたいという連絡が入れば、その時点でオークションへ出すのを取りやめて、そのお客さまに販売する。ドルフィネットはガリバーにとってのB to Cの販路を開くものだが、それと同時に、在庫の期間をさらに短縮するという意味もある。

6 競合他社

ガリバーの成功によって買取専門店の認知度が向上していくにつれて、「買取専門」を掲げる競合会社も増加していた。中古車業界の収益は人気車種を確保する能力によって大きく左右されるため、既存の中古車販売業者や大手自動車メーカーも買取事業に注目していた。他社とのスタンスの違いについて、村田は次のように言っている。

競合他社は「買取専門」を掲げつつも、一方で消費者への販売も行っているので、買取後はオークションに出すガリバーとは異なったものとなっている。確かに直接消費者に販売することができれば一台当たりの利益率はガリバーに比べて高くなるが、すべての在庫を直接消費者に売り切ってしまうことはできない。したがって、在庫全体の回転率を考慮に入れれば、ガリバーのやり方に優位があると考える。ただし、一台売れたときの高い利益率に慣れている既存の中古車販売業者は、小売をやめられないのが実情だと思う。

USSは一九八〇年に中古車オークション運営会社として設立された。USSは中古車オークションのパイオニアであり、同社のオークション運営手法が業界標準になっていた。二〇〇四年には、USSは国内に一一カ所、海外に二カ所のオークションセンターを所有していた。各オークションセンターでは年間平均で約一五三万台の中古車が取引され、オークション会員数は二〇〇三年三月末現在では二万七六二二社であった。[3] 二〇〇四年のUSSの売上高は四二四億円、営業利益は一八〇億円であった。

オークション市場への出品台数を増加させるため、二〇〇〇年七月にUSSは中古車買取専門店チェーンのラビットジャパン（現R&W）を子会社化した。二〇〇二年のラビットは、売上高五二億円に対して営業損失二億円を計上していた。[4] ラビットのチェーン店は九〇%以上がフランチャイズ店舗であり、中古車業界の経験者がフランチャイジーとなっていた。二〇〇三年時点では、全国四七五店舗のうち直営店は一四店だけであった。

ハナテンは一九六六年に中古車ディーラーとして大阪で設立された。中古車の仕様や価格の情報を在庫車両のフロントガラスに掲示する方式を初めて採用したのがハナテンであった。一九八〇年代以降同社は事業を拡大し、一九八八年に現車オークション事業、一九九四年には中古車買取事業を開始していた。ハナテンの事業拡大は一九九〇年代には財務状況の悪化を招いた。中古車ディーラーの競争激化の中、一九九七年には四一八億円に達していたハナテンの売上高は減少の一途をたどり、二〇〇四年の売上高は約一八六億円、営業利益約二億円となっていた[5]。ハナテンは、従来の中古車販売店で行う中古車買取に加え、「アセスショップ」というブランドの買取専門の店舗をフランチャイズ展開し、六四店舗のネットワークを持っていた。

アップルは中古車買取専門店として、フランチャイズ方式で二三一店舗の買取店を展開していた。アップルもラビット同様に主に中古車業界の経験者をフランチャイジーとして採用していた。アップルは中古車販売にも積極的に事業展開しており、二〇〇四年には自動車のネット販売を手がけるオートバイテル・ジャパンの発行済株式の一六%を取得し、それと同時に米オートバイテルとも業務提携していた。二〇〇三年のアップルの売上高は一八二億円、営業利益は一一億円だった。

新車販売台数が停滞する中、自動車メーカーは中核ビジネスを補完する存在として中古車事業を再構築しようとしていた。トヨタは日本全国に一九〇〇の中古車販売拠点を持っていた。二〇〇〇年になると、トヨタは「T－UP」（ティーアップ）という新しいブランドの下、中古車買取事業を積極的に展開し始めた。二〇〇三年一二月末のT－UP店舗数は六一一店であった。

◆戦略ストーリーの読解

1 競争優位とコンセプト

それでは、戦略ストーリーの5Cに注目してガリバーのストーリーを読み解いていきましょう。まずはガリバーが意図した競争優位、すなわち利益創出の最終的な論理です。企業が持続的に利益を出すことができるとしたら、競合他社よりもWTP（Willingness To Pay：顧客が支払いたいと思う水準）が高いかコストが安いか、はたまた無競争状態を維持するかのいずれかしかありません。事例を読めばすぐわかると思いますが、ガリバーが意図した最終的な競争優位は低コストにあります。従来の中古車業者のやり方と比べて、はるかに低いコストのオペレーションを確立したことが、ガリバーの持続的な利益の源泉です。

低コストという競争優位の背景にあるのが、「買取専門」というユニークなコンセプトです。従来の中古車業者は、一般消費者への販売を成功させた時点で手に入るマージンをめざして車を売ったり買ったりしていました。つまり、セルサイドに立った事業モデルです。既存の中古車業者にとって事業とはあくまでも中古車「販売」であり、買取はそのための「仕入れ」にすぎませんでした。

これに対してガリバーは、買取そのものに事業の力点を置き、これまでとは一八〇度異なる、バイサイドに立った戦略ストーリーを描きました。「買取専門」は、ストーリーのコンセプトであると同時に、さまざまな構成要素のつながりの中核にあるクリティカル・コアにもなっています。

当たり前の話ですが、本当に消費者から中古車を買い取るだけの、文字どおりの「買取専門」であれば、会社はすぐにつぶれてしまいます。もちろんガリバーも買い取った車を販売しているのですが、売却先はオークションを通じた中古車業者、つまりB to Bの卸売です。小売をせずに、最初からオークションでの売却を前提にして買い取れば、中古車取引につきもののコストとリスクから解放されます。これが「買取専門」という戦略ストーリーの主軸となる論理です。

2 従来の中古車業者のストーリー

このストーリーが従来の中古車業者の頭の中にあったストーリーといかに違うかは、図6・1のように比較してみるとわかりやすいでしょう。図6・1の左側が従来のストーリーです。中古車業者は一般消費者から中古車を仕入れます（左のCから入ってくる矢印）。仕入れた車は在庫として展示場に並べて、消費者に販売します（右のCに出る矢印）。このC to B to Cという取引がビジネスの基本線となります。

この従来のストーリーでカギを握るのは、消費者のニーズと仕入れた車とのマッチングです。車は趣味嗜好の度合いが強い商品です。さまざまなモデルがあるうえに、色が違う、グレードやオプションが違う、走行距離が違う、年式が違うというように、バリエーションが果てしなく広がっています。日本の消費者の車に対する趣味嗜好は細やかなので、こうしたバリエーションの違いに敏感に反応します。ですから顧客ニーズと在庫とのマッチングを実現するのは容易ではありません。

裏を返せば、ここが中古車業者の腕の見せどころになります。仕入れた車を売り切る営業力、マーケティング力が勝負の分かれ目になります。優れた立地に大きな展示場を構え、集客力を高め、広

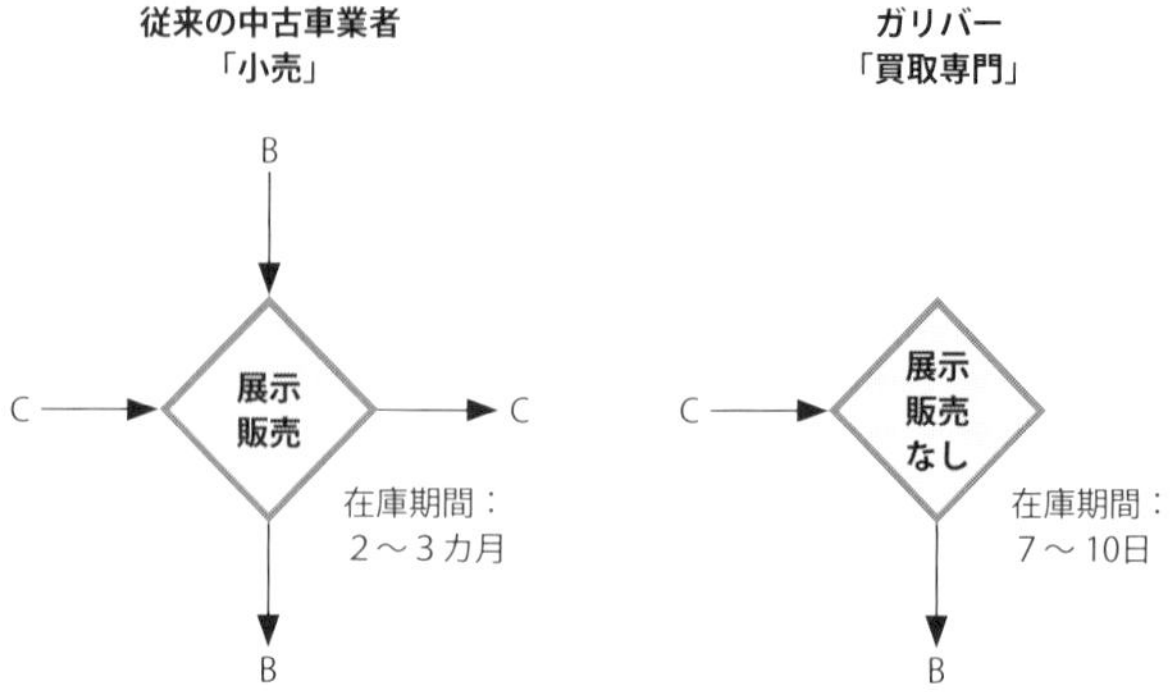

図6・1　「小売」と「買取専門」の対比

告・宣伝などさまざまなプロモーションの手を尽くし、来店した顧客には腕利きの営業担当者が接客し、なんとか顧客ニーズとのマッチングを実現しようとします。

マッチングの問題を克服し、実際に車を売ることができれば、そのご褒美として中古車業者は大きなマージンを手にすることができます。一台売れたときのマージンの大きさが中古車販売のおいしいところです。中古車業者にしてみれば「いかに売るか」が最重要にして最大の問題となります。

幹線道路を車で走っていると、小さな展示場に数台並んでいるだけの、いかにも個人でやっているような小さな中古車店があります。かなり地価が高そうなところで、こんな小規模のお店でやっていけるものなのか、以前から不思議だったので、ガリバーを調べているときに、ごく簡単な調査をしてみました。東京の環状八号線沿いにたくさんある小さな中古車店に乗りつけて、「この商売でやっていけるの？」と単刀直入に聞いて回るという、わりと失礼な「調査」だったのですが、多くのお店の返事は「自分一人でやっている分には、やっていけるよ！」という、わりと元気なものでした。

その手の中古車店を回っていて気づいたのですが、いずれも「欧州小型車専門」とか「大型アメ車専門」とか、特定の領域に専門化したブティック型のお店です。大きな展示場を持たなくても、得意分野に特化して独自性を出し、そこできちんと営業とマーケティングを積み重ね、その世界で一定の客筋をつかんでしまえば、毎月そんなにたくさん売れなくても個人の商売として十分にやっていけるというのです。これは大型展示場を構えてマッチングの確率を高めるというのとは異なるやり方ですが、高い地価にもかかわらず月に数台の販売でやっていけるということは、実際に売れたときのマージンがいかに大きいかを示唆しています。

その反面で、従来の中古車販売は大きなリスクを抱えています。仕入れて並べた車がすべて売れるわけではありません。いくら営業とマーケティングに努力しても、仕入れた一カ月後には平均すれば六〇～七〇%が売れ残ってしまうというのがこの世界です。

さらに難しいのは、中古車が生モノだということです。新車の乗換え期間が短く、中古車の供給が豊富な日本では、二～三週間という短期間で値崩れが進みます。つまり、売れ残りがどんどん不良在庫化していってしまいます。そこで中古車業者は一定の期間が過ぎたら、在庫に見切りをつけざるをえません。事例にあるように、従来の中古車業者は在庫を平均して二～三カ月間持ちます。買い取った車の価格下落が進むため、三カ月以上は持てないのです。それ以上になると、不良在庫になってしまいます。

ここで頼りになるのがB to Bのオークションです。いったん仕入れても売れ残ってしまった在庫はオークションで売却され、現金化されます（図6・1の左側の下のBに出る矢印）。つまり、中古車業者が在庫車両をオークションに出すのは、不良在庫の「損切り」としての性格が強いのです。一方で、中古車業者は一般消費者から直接の買取だけで品揃えを満たせないので、オークションから車を仕入れることによって、展示場のラインアップを充実させようとします。

このように、これまでの中古車ビジネスは、B to C取引とB to B取引が相互補完的に組み合わさって成立していました。繰り返しますが、このような複雑な取引が錯綜するのも、とどのつまりは中古車業者がB to C販売での大きなマージンの獲得という一点をめざしているからです。

❸「後出しジャンケン」

これに対して、ガリバーが構想した新しいストーリーは、あっけないほどシンプルです(図6・1の右側)。一般消費者から買い取るところは同じですが、展示場で小売をせずに、そのままオークションで売却します。これだけです。図にしてしまうと単純極まりない話なのですが、これによってさまざまなコスト負担が軽くなります。一〇〇台近くの車を並べる展示場のコストが要らなくなります。B to Cの小売をやらないので、人件費やプロモーションのコストが軽くなります。

それ以上に大きいのは、在庫リスクから解放されるということです。ガリバーの在庫期間は七〜一〇日間と、それまでの業界の平均からすれば著しく短いのですが、これにしてもガリバーに特別な販売力があるからではなくて、買い取った車をそのままオークションに出してしまうからです。

従来の中古車業者は、売れるかどうかわからない在庫を抱えざるをえません。売れたら大きなマージンを手にできるのですが、売れなければオークションで損切りしなくてはなりません。それに対して、ガリバーは毎週全国各地で開かれるオークションでの売却を前提として買い取るので、売れるかどうかを心配する必要はありません。いわば「後出しジャンケン」です。オークションの相場からして妥当な価格をつけてあげれば、確実に売れるので、販売に向けて営業努力でプッシュする必要がそもそもありません。

ケースにあるように、ガリバーはドルフィネットを通じた画像販売で、B to Cの小売も手がけています。しかし、だからといってストーリーの軸足がB to Bのオークション販売にあることには変わりありません。羽鳥さんの「東名高速の上が展示場」というコメントにもあるように、買い取ってからオークションに出すまでの七〜一〇日の間に買い手がつけば、一般消費者にも販売されます。しかし、小売を優先して、在庫期間を延長するということはありません。次のオークションが来れば、小売の買い手がつくのを待たずに、オークションに出品されます。B to Cで売れるのを期待してズルズルと在庫保有期間を延ばしてしまえば、ガリバーのストーリーの根幹が崩れてしまうからです。

仕入れた以上は売り切らなければならない従来の中古車店と異なり、ドルフィネットによる小売は、あくまでも「もしよろしかったらどうぞ」というスタンスです。買い手がつかなければ、通常どおりオークションに出すだけです。ドルフィネットはガリバーにとってより収益性の高いチャネルではありますが、より高いマージンを追求するというよりも、オークションよりもさらに手前で売却し、在庫の回転率を上げるという意味合いのほうが大きいでしょう。

ガリバーのストーリーの「後出しジャンケン」的な側面は、「本部一括査定」に如実に表れています。本部が設定した基準で査定をし、買取価格を決めるということは、言い換えれば店舗での顧客との「相対査定」をしないということです。

私も自分でガリバーに車を持ち込んで試してみたのですが、店舗の現場ではフォームに基づいて車の状態を一通りチェックするだけです。「しばらくお待ちください。すぐに本部から査定価格が返ってきますので……」ということで、一〇分も経たずに「今でしたら、この金額で買い取ります」と、価格が提示されました。

ここから先が私のしつこいところなのですが、私はその足で近くにある別のガリバーの店舗に行き、同じことをやってみました。すると、全く同じやり方で同じ価格が提示されました。なるほど、確かに現場では判断せずに本部一括で査定しているわけです[6]。店舗の現場での相対査定をやめて、本部一括査定にすれば、そのお客さんとの取引や交渉の文脈にかかわらず、一元的な基準で買取価格を提示できますから、査定価格の根拠はオープンかつ透明になります。

ガリバーが透明性の高い一括査定で買取できるのは、直近のオークションでその車がいくらなら確実に売れるのか、買い取る時点でわかっているからです。セルサイドに軸足を置いた従来の中古車業者ではこうはいきません。実際に販売につながるかどうか不確実な状況で、中古車業者はさまざまなコストとリスクを勘案し、「これぐらいの価格で買えば利益が出るだろう」というもくろみに基づいて買取価格を決めざるをえません。それがもくろみどおりの利益になるかどうかは、営業とマーケティングの努力にかかっています。その後の成り行きによっては負けることもありえます。

ところが、ガリバーのストーリーからすれば、一つひとつの買取は「後出しジャンケン」ですから、「利益が出るだろう」ではなく「これだけの（適正な）利益が出る」ということを買取の時点で確定できます。ガリバーでは日本全国のあらゆるオークション会場の売買実績がデータベースに蓄積されています。最も高く売れるであろうオークション会場（中古車の価格は地域によってもかなりばらつきがあります）の相場に合わせて、そこから機械的にマージン部分を差し引くことで、買取価格が決定されます。ですから、そもそも負けるということはありません。負けないように買取価格を設定できるというのがガリバーのストーリーの最大の強みです。

4 二つの「顧客」

「買取専門」というガリバーのコンセプトを、最も喜ぶのは誰でしょうか。査定の根拠が透明になりますから、もちろん車を手放す一般消費者は喜ぶでしょう。しかし、表現としては「お客さま」であっても、ガリバーに中古車を売る一般消費者は、正確にいえばサプライヤーであり、ガリバーがお金を支払う対象です。ドルフィネットで小売をする場合を別にすれば、彼らから収入を得ることはできません。

これはテレビ局の「顧客」は誰なのか、という問題に似ています。番組を観てくれる視聴者はある意味でお客さまです。その番組に視聴者がたくさんついてくれなければスポンサーからの収入もありえないので、視聴者はテレビ局にとってとても大切です。しかし、実際にお金を払ってくれる人を顧客と定義すれば、真の顧客は番組のスポンサーである企業です。

これと同じように、ガリバーの実際の収入源はオークションでの売却です。ここがガリバーの面白いところで、ガリバーは既存の中古車業者と競争している面も確かにあるのですが、他方ではより新鮮なタマを数多く集めて供給してくれる存在として、既存の中古車業者にとって重要なチャネルにもなっているのです。

こうして考えると、ガリバーのストーリーを最も歓迎したのは、実はＵＳＳに代表される中古車オークション業者であることがわかります。市場価値の高い中古車が出品され、取引が実現すれば手数料が入る。これがオークション運営会社のビジネスです。

事例にあるように、ガリバーの車のオークションでの成約率は平均を大きく上回っています。これはごく自然な話です。従来の中古車業者がオークションに出品する主要な動機は「損切り」です。つまり、売れ残りがオークションに出されます。これに対して、ガリバーは買い取って七〜一〇日の新鮮なタマを選り好みせずにそのままオークションに持ってきてくれます。成約率が上がるのも当然です。ガリバーは、オークション業者にとっては鮮度の高い中古車の供給源としてありがたい存在なのです。

消費者の趣味嗜好が強く、値崩れが激しい日本の中古車流通においては、オークションが重要な役割を果たしています。オークション業者は中古車業界の隠れたキープレイヤーとして強い影響力を持っています。ガリバーのストーリーはオークション業者と強力な互恵的な関係を構築するものでありました。「誰を喜ばせるか」というターゲット顧客の定義という意味でも、「買取専門」はきわめて筋の良いコンセプトだったということがわかります。

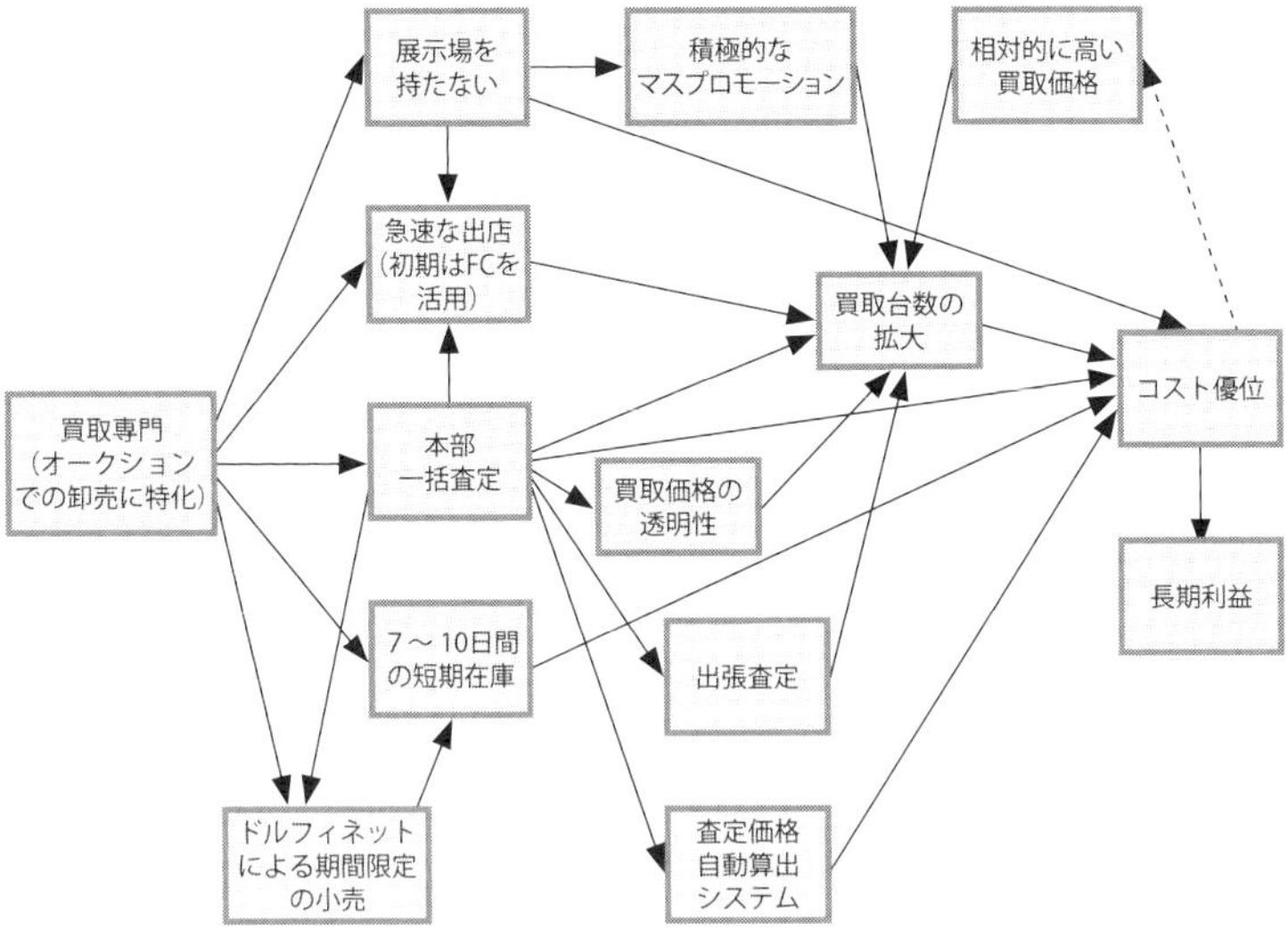

図6・2　ガリバーインターナショナルの戦略ストーリー

5 ストーリーの一貫性

　ガリバーの戦略ストーリーを整理したものが図6・2です。ストーリーのクリティカル・コアである「買取専門」（BtoCの小売をせず、オークションでの卸売に特化する）と「コスト優位」がさまざまな因果論理でつながっていることがわかります。

　コスト優位へと向かう因果論理は、その時点で発生する直接的な効果と、やっているうちに徐々に効いてくるダイナミックな効果に分けて考えることができます。オークションでのBtoB取引に特化すれば、「展示場を持たない」「本部一括査定」「七〜一〇日間の短期在庫」が可能になります。これらの構成要素は人件費や展示場のコスト、在庫のコストとリスクを即座に大きく削減することになるので、コスト優位につながる直接的な効果といえます。

一方で、ダイナミックな効果とは、オペレーションが拡大するにつれてさらなるコスト低減が期待できるという論理を指しています。店舗で相対査定をしないので、現場のオペレーションが複雑なノウハウなしでもできるようになります。加えて、展示場を持つ必要がないので店舗の規模は小さくて済みます。こうしたことがフランチャイズ方式を活用した急速な出店を可能にし、買取台数拡大につながります。

本部一括査定による透明な価格決定や出張査定（相対査定をしないので、簡単なネットワーク端末を持っていけば出張査定ができる）はユーザーの満足や利便性を高め、これもまた買取台数の拡大に貢献します。そもそも従来のやり方に比べてコスト優位を構築できれば、その分相対的に高い価格で買い取れるわけですから、これがさらに買取台数を増大するという好循環も期待できます。台数が増えるほど規模の経済や経験効果によって、いっそうのコストダウンが達成されます。

改めて確認しておきますが、戦略ストーリーの評価基準はストーリーの一貫性（consistency）にあります。一貫性の次元としては、ストーリーの「強さ」「太さ」「長さ」の三つがありました。強くて太くて長い話であるほど「優れたストーリー」だといえます。

ストーリーが「強い」ということは、因果論理の蓋然性が高いということです。「うまくいけばそうなるだろう」という楽観的な期待に寄りかからなくても、オークションでの卸売に特化すれば、「展示場を持たない」「本部一括査定」「七〜一〇日間の短期在庫」といった打ち手は論理的に実現可能ですし、そうなればこれまでのやり方よりも確実にコストやリスクを下げることができます。

次に、ストーリーの太さです。「太さ」とは、構成要素間のつながりの数が多いということを指しています。一石で何鳥にもなる構成要素があれば、ストーリーは太くなります。ストーリーのクリティカル・コアである「買取専門」は、コスト優位につながる「強い」打ち手であると同時に、ストーリーを「太く」しています。小売をやめてオークションへの出品に専念すれば、図6・2にあるようないくつもの打ち手が同時に可能となります。しかも、「買取専門」から出てくる複数の構成要素がお互いに必要とするような関係で結びついています。たとえば、右で見たように「展示場を持たない」と「本部一括査定」はフランチャイズを活用した初期の「急速な出店」を側面から補強する打ち手になっています。

ストーリーの長さとは、時間軸でのストーリーの拡張性や発展性が高いということを意味しています。反対に、パスの間に強いつながりがあっても、将来に向けた拡張性がなければ、それは「短い話」で終わってしまいます。すでに見たように、ガリバーのストーリーにはあちこちに「やっているうちに徐々に効いてくる」というダイナミックな論理が組み込まれています。これがストーリーを長くしています。

さらに、ストーリーの長さとの関連でガリバーのストーリーの優れている点は、同業他社と比べて圧倒的に多い買取台数という基盤をつくってしまえば、その上にさまざまな事業展開が可能になるということです。一九九八年に始まったドルフィネットはその好例です。ストーリーの本筋からすればガリバーはB to Cには手を出せない、手を出すべきではないということになります。しかし、時間を限定した画像販売であれば、ストーリーの一貫性を損なうことなく、新たな小売の収益機会をものにすることができます。すでにお話ししたように、ドルフィネットは一貫性を損なうどころか、さらに短期間で在庫を回転させるために有効であり、ストーリーをより強くするのに貢献しています。

このように、ガリバーの戦略ストーリーにはきわめて高い一貫性が組み込まれています。戦略が「優れたお話」になっているのです。

6 合理性では先行できない

前章では、ストーリーの「キラーパス」としてのクリティカル・コアの重要性についてお話ししました。思い出していただきたいのですが、クリティカル・コアの特徴は、他のさまざまな構成要素とつながりを持つということに加えて、それが「一見して非合理」なことにあります。ストーリーから切り離してそれだけを見ると、競合他社の目では「非合理」で「やるべきではないこと」のように見える。しかし、ストーリー全体の中に位置づければ、強力な合理性の中核にある。この二面性がクリティカル・コアのカギです。

クリティカル・コアの「一見して非合理」な側面が重要なのは、それが競争優位の持続性の源泉となりうるからです。すぐに他社に模倣されてしまうような戦略であれば、一時的に競争優位を獲得できても、そのうちに優位を喪失してしまいます。

「普通に賢い」戦略家は、先行性や専有性に持続的優位の論理を求めます。しかし、こうした論理の弱点は、実際にまねできるかどうかは別にしても、少なくとも競争相手は「(それが良いことなので)できるものならまねしたい」という動機を持っているということです。これに対して「一見して非合理」というクリティカル・コアは、「動機の不在」という論理を意図しています。そもそも競争相手にまねしようという動機がなければ、まねされないのはいたって自然です。部分の非合理を他の要素と組み合わせることによって、ストーリー全体での合理性に転化する。これがストーリーとしての競争戦略の醍醐味だというのが前章のメッセージでした。

クリティカル・コアの論理からすれば、その業界のことをよく知っている人々が「それはイイね！」と思うような要素だけで出来上がっているストーリーは、実はたいして面白くないということになります。時間的に先行したとしても、強い模倣の動機を持つ他社にすぐにまねされてしまえば、「コロンブスの卵」で終わってしまいます。

以上のキラーパスの論理を突き詰めると、「合理的な戦略では先行できない」という逆説が浮かび上がってきます。ある戦略ストーリーが「一見して合理的」な要素だけで組み立てられていたとします。競争に直面している企業はそれほど暢気ではありません。多かれ少なかれ利益機会に敏感ですし、利益につながる打ち手を日頃からあれこれと考えているものです。そんなに「良い話」であれば、その会社がその戦略を思いつく以前に、誰かが同じことを思いついていてもおかしくありません。だとすれば、その手の「合理的な戦略」は、それが合理的であるがゆえに、すでに誰かが手をつけてしまっていて、「新しい」ものになりえないという可能性が大です。

もう少し考えを進めてみましょう。「合理的な戦略」で先行できるとしたら、それはどのような条件下でしょうか。これまでになかったような外的な利益機会（そしてその機会は「新しい」のでまだ誰も手をつけていない）が存在することが重要な条件となります。「インターネットが普及し始めた」というような技術の変化や「中国が経済開放政策を取り始めた」というような市場の変化がその例です。このような全く新しい外的機会が生じた場合は、利益機会の獲得は単純な「更地の取り合い」になります。動きが早く、しかも速ければ、「合理的な戦略」で先行者優位を獲得できるかもしれません。

しかし、多くの企業にとって、そのようなまっさらの外的な機会はめったにないことです。ガリバーも例外ではありません。中古車業界はガリバーの設立のずっと前からある業界です。数十年にわたって、多くの企業が中古車を売ったり買ったりしていました。目新しい技術革新はありませんし、市場は十分に成熟しています。ガリバーのストーリーはオークションなしには考えられませんが、オークションそれ自体はガリバーの設立以前から存在していました。現に、多くの中古車業者がごく普通にオークションでの取引に参加していたのです。

だとすれば、「なぜガリバーが独自のストーリーを構想できたのか?」という問いかけにはあまり意味がありません。ストーリー全体をつぶさに読み取れば、ガリバーの戦略にはコストとリスクを同時に低下させる強力な合理性があるのははっきりとしています。にもかかわらず、ガリバーが一九九四年に事業を開始するまで、なぜ同じようなことをやる企業が現れなかったのでしょうか。こちらのほうがより本質的な問題なのです。

その答えは、ガリバーのキラーパスにあります。消費者への小売をせずにオークションで売却するという発想は、それまでの中古車業者にしてみれば、きわめて「非合理」なことに映ったはずです。中古車販売のおいしいところは、販売が成立したときのマージンの大きさにあります。このゴールに向けて中古車業者は日々腕を磨いていました。ところが、ガリバーは大きなマージンが期待できるはずの小売からは手を引き、オークションでのB to B取引に軸足をシフトしてしまいます。当然のことながら、一台当たりのマージンははるかに小さくなります。従来の中古車業者の目で見れば、これはビジネスの一番おいしいところをみすみす逃すことにほかなりません。ショートケーキを目の前にして、わざとイチゴを残すようなものです。

お寿司屋さんのたとえで考えるとわかりやすいと思います。お寿司屋さんは自分の仕事を「お寿司をお客さんに食べさせること」として認識しています。不確実性（お客さんが本当に来てくれるか）とかコスト（お客さんが喜ぶような立地や店構えや腕のいい職人）とかリスク（魚は生モノなので、お客さんが食べてくれなかったら腐ってしまう）を抱えるのですが、それでもお寿司屋さんをやっているのは、ひとたびマグロをお寿司に握って食べさせることができれば、仕入れ値に対してははるかに大きなマージンを取れるからです。もちろんそのためにマグロのおいしいところを市場から仕入れますし、おいしいマグロを選別する能力は大切なのですが、彼らはあくまでも「飲食業」で、「マグロ仕入業」だとは考えていません。

こうした業界に、ある日突然、あっちこっちから仕入れてきたマグロをお寿司にしてお客さんに食べさせずに、そのまま別のお寿司屋さんに売却する人が登場したとします。何をバカなことをやっているのかと、ほとんどのお寿司屋さんは奇妙に思うでしょう。もちろんマグロではこういうビジネスは成り立たないのですが（確信はないのですが、たぶん成り立たないと思います）、中古車では成り立つどころか、全く新しい可能性を切り開くと考えたところにガリバーの洞察があります。

「買取専門」は従来の中古車業界のインサイダーにとって非合理極まりない話でした。だからこそ、ガリバー以前に同じことをする企業は現れませんでしたし、ガリバーの台頭以降も正面から模倣する企業はほとんど現れていません。ガリバーの成功に刺激されて、「買取専門」を掲げる企業は少なくありません。トヨタの「T‐UP」やハナテンの「アセスショップ」はいずれも「買取専門店」なので、一見するとガリバーと同じことをやっているように見えます。しかし多くの場合、こうした「競合他社」は事業の軸足をB to Cの小売に置いています。T‐UPにしても、小売のための仕入れを強化するためのチャネルです。T‐UPで買い取られた車は、トヨタ系列の中古車展示場に搬送され、そこで従来のやり方で一般消費者に販売されています。戦略ストーリー全体を見渡せば、こうした「買取専門店」の事業の中身はガリバーとは似て非なるものなのです。

7 一括査定の「非合理」

オセロゲームでは、決め手となるようなところに白を置くと、これまで黒だったところがパタパタと白に変わってしまうということがあります。キラーパスにはオセロゲームの決め手のような面があります。これまではまるで非合理だと思えたことが、キラーパスとのつながりで考えると、にわかに合理性を帯びてくる、という成り行きです。

ガリバーのストーリーをよく見ると、「買取専門」以外にも、それ自体では「一見して非合理」に見える要素が少なくありません。たとえば「本部一括査定」です。羽鳥さんは従来の中古車流通について次のように振り返っています。

従来型の中古車販売業をやっていた当時、身にしみて感じたのは、中古車販売業界のイメージの悪さ。同じ車でも新車ディーラーは良くて、中古車業者はうさんくさいと思われていた。ユーザーは車の中身については知識がないので、査定金額に納得するのは容易ではない。旧来の中古車業の事業構造そのものが顧客満足と一致しにくい性格を持っていた。だから、ユーザーから不透明だと思われている中古車業界をなんとかしたかった。

中古車は一つひとつ異なるので、一般消費者は中古車業者に対して圧倒的な情報劣位にあります。羽鳥さんは、ガリバー創業以前の従来型の中古車販売業の経験から、査定の根拠や買取価格の不透明さ、「高価買取・激安販売」のうさんくささが業界のイメージを悪くしているということを骨身にしみて感じていました。

しかし、忘れてはいけないのは、こうした構造的な問題はガリバーの創業以前から綿々と続いていたということです。羽鳥さん以前にも、こうした問題をなんとかしようという人が現れていてもおかしくはありません。不透明な査定が一元的な基準に基づく透明なものになれば、それは顧客満足を高めるに決まっています。

しかも、査定の基準となるのはオークションでの市場価格です。オークションはオープンマーケットですから、そこでの取引価格は秘密でも何でもありません。オークションは中古車業者にとって自ら参加している身近な存在です。直近の取引価格の情報にアクセスすること自体はそれほど難しいとは思えません。なぜガリバー以前の中古車業界が不透明な相対査定に終始していたのかは、考えてみれば不思議な話です。つまり、本部一括査定にしても、「なぜガリバー以前に同じことをする企業が長い間現れなかったのか」を考えてみる必要があります。

従来の中古車業者にとっては、本部一括査定ははなはだ「非合理」なやり方でした。ですから、一括査定をしようという企業も現れなかったのです。ただしこれは「査定基準を不透明にしておいたほうが、情報劣位にある消費者を買いたたくことができる。だから一括査定は非合理だ」というほど単純な話ではありません。これでは消費者の無知につけ込んでいるだけの話です。熾烈な競争があるのですから、無知につけ込んでいるだけであれば、遅かれ早かれ、本部一括査定に踏み切る「合理的な企業」が出てきてもおかしくありません。

そもそも既存の業者が「消費者の情報劣位につけ込む」ために査定基準を不透明にしているのであれば、「買いたたき」の結果、中古車の買取価格はガリバーよりも常に安くなるはずです。もちろんガリバーは既存業者に対してコスト優位にあり、その分より高く買い取ることができるので、平均的にいえばガリバーの提示する買取価格のほうが高くなる傾向にあります。しかし、中古車を買い取るときに、ガリバーよりもむしろ高い査定金額を積極的に提示する既存業者も決して少なくないのです。

その理由は一般消費者が「車を売る」ということがどういうことかを考えてみるとすぐにわかるでしょう。普通の人が車を売りたくなるのはどういうときでしょうか。「さーて、今日は天気もいいし、車でも売るか……」という人はあまりいないでしょう。車を売るという行為は「車を買う」（新車もしくは中古車）という行為に付随して起こるのが普通です。つまり、新車ディーラーや中古車ディーラーによる「下取り」です。下取りの査定金額は顧客にとって何を意味しているのでしょうか。それは買おうとしている車の値引き以外の何物でもありません。

これをディーラーの側から見ると、車を手放すお客さんは、同時に車を買ってくれるお客さんでもあるわけです。車を売ることを目的としているディーラーにとって、下取りの査定は、販売促進の手段として、きわめて重要な変数です。もしそのお客さんが買おうとしている車が人気車種で、お客さんも買う気満々であることがわかれば、ディーラーは強く出て、相場よりも安い査定金額を提示するかもしれません。しかし、ディーラーが売ろうとしている車がそれほど人気のない車種で、しかもその店舗に在庫として売れ残っていて、なんとか売り切ってしまいたいとディーラーがうずうずしていたとすれば、お客さんを買う気にさせるために、思い切って高い査定金額を提示するでしょう。これは事実上の値引きです。このような場合、既存業者が買取の局面でガリバーよりも高い査定価格を提示することもありえます。

いずれにせよ、車を売る人がそのまま車を買ってくれるお客さんでもあるので、ディーラーはお客さんの顔色を見ながら、値引き交渉の一環として買取金額を提示するわけです。従来の下取りの取引では、あくまでもその取引に固有の相対査定である必然性があったのです。

こうした下取りに一括査定を持ち込んだらどういうことになるでしょうか。値引きとしての下取り査定は、ディーラーの握っている最も強力な交渉の切り札です。本部一括査定にしてしまえば、目の前にいるお客さんとの取引の文脈が全く考慮されず、一元的な基準で査定金額が決まってしまいます。これでは両手を縛られて営業するようなもので、車の販売を目的としているディーラーにとっては、商売あがったりです。

本部一括査定は、既存の業者にとっては最大の眼目である営業の切り札を自分から放棄するに等しい「非合理」なものでした。ガリバーの一括査定が結果的に「ユニーク」になりえたのは、それが買取専門というキラーパスとの連鎖の中で初めて合理的になるものであり、それ自体では非合理だと認識されていたからです。

8 なぜ「素人」なのか

初期のガリバーは急速な成長を実現するために、フランチャイズ方式で出店を加速していました。ガリバーはそれまで中古車業界の経験がない「素人オーナー」にこだわってフランチャイジーを募集しました。これもまたストーリーの一貫性を補強する小さなキラーパスとして効いています。

業界経験豊富な玄人か、それとも未経験の素人か、これだけをストーリーから切り離して考えれば、玄人オーナーをフランチャイジーにしたほうが合理的です。彼らはそれなりの立地に土地と店舗をすでに所有していますし、車を扱う知識もあります。接客ノウハウを持つ従業員もいるでしょう。ガリバーのフランチャイズ加盟店としてすぐに仕事を始める準備ができています。事実、ガリバーに追随したアップルやUSS系列のラビットは業界経験者を中心にフランチャイジーを集め、出店を急ぎました。

しかし、ガリバーはそのような業界経験者を意図的に排除しました。なぜならば、業界経験者は車が一台売れたときのマージンのおいしさを実感として知ってしまっているからです。「自分のところで買い取った車はそのままオークションに持って行きましょう。展示場に並べて小売をしてはいけません」とどれだけ熱心に本部が指導したところで、「これはすぐに売れる!」というタマが入ってくれば、店先に並べて小売をしたくなってしまいます。現にそうした行動は、ガリバー以外の「買取専門」チェーンの業界経験のあるオーナーにはしばしば見られるそうです。そのほうがオーナーの利益になるのですから、こうした反則がないようにフランチャイジーをコントロールしていくのはきわめて困難です。

逆にいえば、従来の中古車の小売では、一台売れたときのマージンの大きさがそれだけ魅力的だということです。オーナーが買い取った車を自分の店先でひそかに売りさばいてしまえば、ガリバーの意図するストーリーは崩れてしまいます。業界経験のない素人に依存したフランチャイズ展開はそれ自体では奇妙に見えるのですが、実はストーリーが含む因果論理についての深い理解の表れなのです。

9 読解のまとめ

もう一度戦略ストーリーの5Cに戻って、ガリバーのストーリーが秀逸であるゆえんをまとめておきましょう。第一に、競争優位です。なぜ利益が創出されるのか、その最終的な論理がはっきりしています。従来のやり方と比べてコストとリスクを同時に削減できるというのが、ガリバーの意図した競争優位の中身でした。

第二に、コンセプトです。ガリバーのやろうとすることは要するに何なのか、その本質が「買取専門」という言葉で明確に定義されています。「買取専門」は中古車業界にこれまでにないカテゴリーを拓くユニークなコンセプトでした。

第三に、構成要素です。「買取専門」のコンセプトをコスト優位に結実させるためのさまざまな構成要素がストーリーに盛り込まれていました。とりわけ、「大型展示場での小売はしない」「一定期間以上の在庫は持たない」「業界経験のあるオーナーをフランチャイジーにしない」というように、「何をしないか」というトレードオフが明確に意図されていました。

それ以上に重要な理由として、第四に、ストーリーに高い一貫性がありました。さまざまな構成要素が強く太く長い因果論理でつながっていて、ストーリーの流れに無理や破綻がありません。

そして、最後にクリティカル・コアです。ガリバーの「買取専門」はまさにキラーパスでした。バイサイドに軸足を置けば、小売では避けられなかったコストとリスクを抱えなくても済むし、標準化された基準に基づいて本部一括査定ができる。本部一括査定であれば現場での相対査定のノウハウが必要なくなるので、業界経験のない素人を使ったフランチャイズ展開で急速に出店できるし、出張査定での買取も可能になる。そうなれば買取台数を短期間で伸ばすことによって、規模の経済をテコにさらにコストを下げることができる。ストーリーの因果論理を丹念に追いかけていけば、ガリバーのやっていることはいちいち合理的で筋が通っています。

ところが、業界に知悉している人が見れば、戦略のカギとなる要素のいくつかにはあからさまに「非合理」な側面がありました。部分の非合理がストーリーの中でつながることによって、見事に全体の合理性に転化されています。一見して合理的な要素だけで組み立てられたストーリーであれば、中古車業界のような成熟した業界では、誰かがどこかでとっくに思いつき、実行していたはずです。キラーパスが効いているからこそ、ガリバーのストーリーはユニークかつ持続的な競争力を持つものになりえたのです。

◆読解からの教訓

最後に、ガリバーの戦略ストーリーの読解から得られるインプリケーションを考えてみましょう。さすがに名作だけあって、ガリバーのストーリーの読解からはさまざまな教訓が引き出せるのですが、ここでは特に大切な三つの論点を指摘しておきたいと思います。

1 成長戦略は「内向き」に

成長戦略はそれまでその企業を動かしてきたストーリーにフィットしていなければならない。これが第一の教訓です。言い換えれば、成長戦略は「内向き」に考えなければいけないということです。「内向きの成長戦略」というと、語義矛盾に聞こえるかもしれませんが、これまでもたびたび強調してきたように、外的な機会に飛びつくだけの「外向き」の成長戦略は成功しない確率が大です。

成長戦略というと、「さて、これからどういう分野が伸びるのかな……」とばかりに、目前の外的な機会に目が向きがちです。しかし、そうした外的な成長機会は、競合他社にも同じように見えているものです。外的な機会をものにしようとするだけでは、単純な先陣争いになってしまいます。その外的機会が「魅力的」であるほど競争も激しくなります。もちろん外的な成長の機会が豊富であるには越したことがないのですが、目先の機会にやみくもに手を出してしまえば、かえってこれまでつくり上げてきた戦略ストーリーの一貫性が破壊されかねません。成長の機会をものにできないばかりか、これまでの強みも喪失してしまいます。

ですから、「これから」の外的機会よりも、「これまで」の自社の戦略ストーリーと成長戦略とのフィットをよくよく考えることが大切です。成長戦略が従来のストーリーの自然な延長上にあれば、これまでの自社の戦略ストーリーの強みをそのまま発揮することができます。また、そうでなくては、激しい競争がある中で成長を実現するのは困難でしょう。

ガリバーの成長戦略では、ストーリーとのフィットが強く意図されています。事例にある二〇〇四年まででいえば、成長のための新しい打ち手として最も大きかったのは、ドルフィネットによる小売への進出です。ドルフィネットは、B to Bの卸売に特化していたガリバーにとって、新しい収益源を開くものでした。しかし、同時にドルフィネットはあくまでも買取事業の自然な延長上にあります。どんな人気車種であっても、卸売と同じように、七〜一〇日間の在庫期間が過ぎれば、オークションに出してしまうというのがドルフィネットのポイントです。七〜一〇日間に限定すれば、小売と卸売が一つのストーリーの中で併存できます。現車の展示をせず、画像販売にとどめるのも、大きな展示場を抱えれば、ストーリーの基本線が崩れてしまうからです。そもそも、車は全国各地で買い取るので、現車を見せることにこだわれば、車を需要のある場所にいちいち移動しなければならないので、七〜一〇日間という期限を守れなくなってしまいます。

事例の後のガリバーは順調に成長を重ね、二〇〇七年には最高益を達成しています[7]。二〇〇四年にドルフィネット経由で販売される車は買い取ったうちの一〇%でしたが、二〇〇八年には二〇%まで上昇しています。その結果、ドルフィネットによる小売は年率三〇％の成長を実現し、単一の企業としては、現在では小売でも日本で最大の中古車販売業者になっています。さらに、ドルフィネット事業は、車の買替えに伴うローンや保険といった金融サービスのクロスセリングの可能性を開くことになりました。金融事業はガリバーの利益の五％程度を支えています。

二〇〇四年以降の新しい事業としては、二〇〇五年に始まったB to Bオークションの「GAO！オークション」があります。これはそれまで外部の企業に依存していたオークションを内部化するという動きです。GAO！オークションは従来の現車オークションと同様に、せり上げ式のオークションシステムで、二万社の会員中古車業者向けに週に一回開催されています。ドルフィネットで買い手がつかなかった車は、原則的にガリバーのオークションに出品されます。二〇〇八年には、買い取った車の約四〇％が自社のオークションを通じて中古車業者に販売されています。オークション事業はドルフィネットと並んで、新しい収益源として成長に貢献しています。

ガリバーにはそもそも買い取った大量の中古車があるので、自らオークション運営も手がけるというのはいたって自然な話です。ただし、ここでもこれまでのストーリーとのフィットが明確に意図されています。ポイントは二つです。

第一に、ドルフィネットと同様に、ガリバーのオークションは時間が限定されています。自社オークションへの出品は一回だけです。そこで成約しなければ、従来と同じように、外部のオークションに出されることになります。ガリバーのオークションは週に一回ですので、いずれにしても早いうちに外部のオークションで売却されます。出品を一回に限定することによって、在庫回転率を高くしてコストとリスクを排除するというストーリーの基本線を崩さないようにしているわけです。

第二に、ガリバーのオークションは業界初のインターネットの完全リアルタイム・オークションになっています。USSなど大手オークション運営会社は現車のオークションを中心としています。成約率を見ると、GAO!オークションは四〇%程度で、これは現車オークションの成約率（五〇%）を下回ります。入札する業者が現車を直接見ることができないインターネット・オークションには不利な面があるのですが、大規模なオークション会場に投資をしてしまえば、ガリバーのそもそものストーリーに反して、高い固定費を抱えることになります。

それ以上に問題となるのは、現車をいちいち自社のオークション会場に搬送するということになれば、ドルフィネットの小売と外部オークションでの売却の時間的なスキを衝いた機動的な出品ができなくなってしまいます。ストーリーとのフィットを考えると、オークションを自社で手がけるにしても、インターネットを利用する必然性があったわけです。

以上の新しい販路を従来のストーリーの基本線であるB to Bの卸売事業と重ね合わせると、ガリバーの現在の事業の全体像は図6・3のようになります。ドルフィネットとGAO!オークション、さらには付帯サービスのクロスセリングが、「買取専門」のストーリーの本筋にうまくフィットしていることがよくわかると思います。成長のための新事業が、矛盾なく従来のストーリー全体の中に統合され、むしろストーリーを強化するものになっているのです。

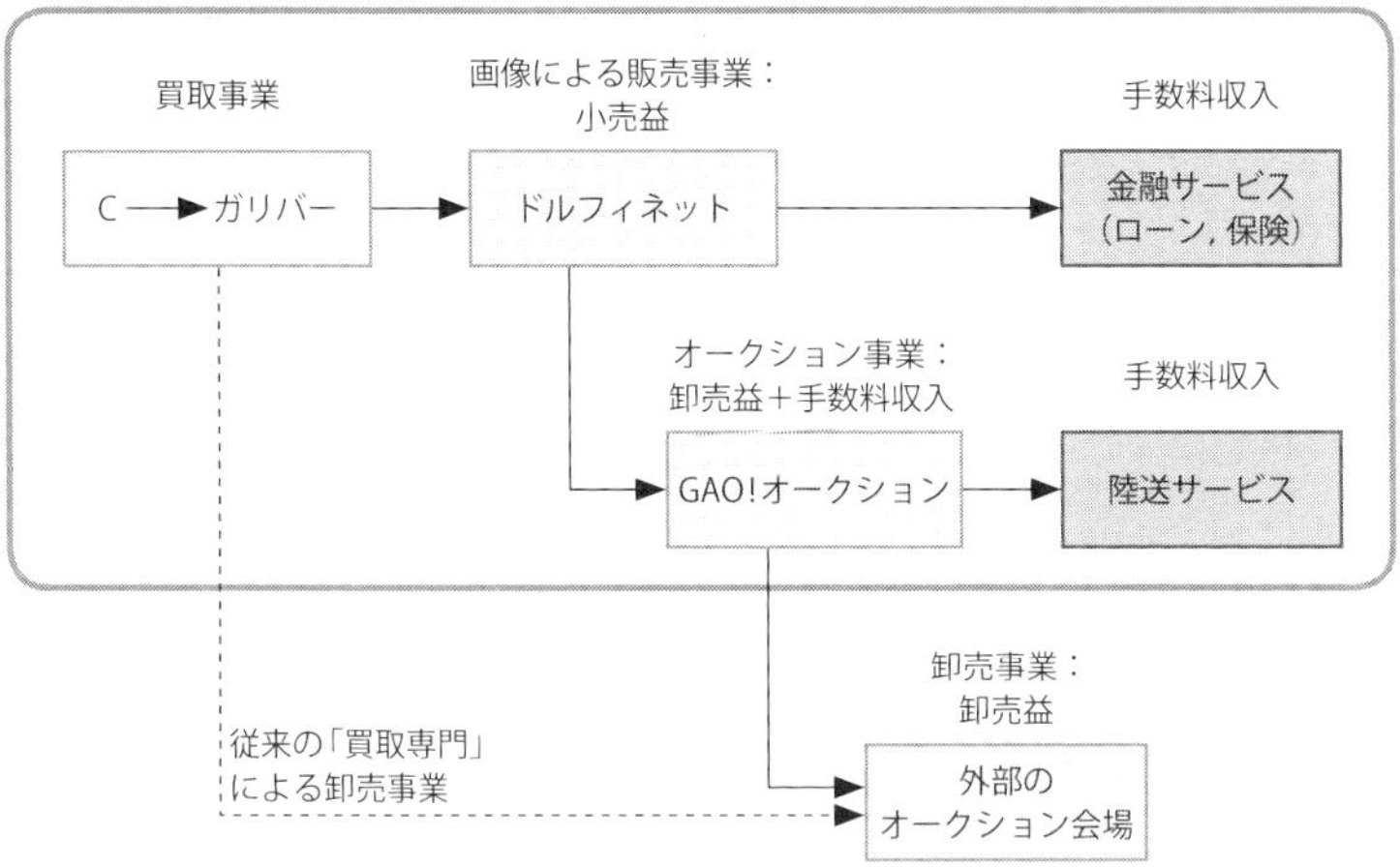

図6・3　ガリバーの事業展開

2 キラーパスを出す勇気

第二の教訓は、経営者にはキラーパスを出す勇気が求められるということです。前章でわりとしつこくお話ししたように、ストーリーの中核に「一見して非合理」なキラーパスがあるかどうか、「普通に優れた戦略」と「真に秀逸な戦略」の分かれ目はここにあります。しかし、考えてみると、キラーパスを繰り出すというのは、あえて「愚行」に手を出すということです。それが最終的にはストーリー全体の中で合理性の源泉になると頭では理解していても、戦略を実行する当の本人にとってもなかなかに厳しい話であります。

ガリバーの事例で興味深いのは、「小売の高いマージンを追わない」というキラーパスを決断した羽鳥さん自身が、それまで長い間中古車販売業界のインサイダーだったという事実です。羽鳥さんは、東京マイカー販売での経験を通じて、自分自身でも「売れたときのマージンの大きさ」という小売の魅力をイヤというほどわかっていたはずです。しかも、ガリバーを創業した当初の羽鳥さんは、それまでの本業であった大型展示場での中古車販売業をガリバーと並行して続けていました。羽鳥さんはガリバーを創業した当時を次のように振り返っています。

買取専門である以上、買い取った車は全部キャリアカーに載せてオークション会場に陸送をかける。でも、その中には展示場に出せばすぐに買い手がつくような、魅力的な車もたくさん含まれている。「こんなにいい車を本当にオークションに出してもよいのか？」と、ガリバーの一号店の社員に聞かれたときは、自分としてもつらいものがあった。実は私も心の中で「この車、今すぐキャリアカーから降ろして展示場に並べたいな……」と思っていて、胸のうちを見透かされた思いがした。すぐに売れそうな車を満載したキャリアカーがオークション会場に向かうのを見送りながら、複雑な気持ちになったものだ。しかし、ここでキャリアカーから降ろしてしまえば、一生これまでの中古車業で終わってしまうぞ、と自分に言い聞かせて、ぐっとこらえた。

このあたりは小説にするなら精妙な描写が必要となるところだと思います。創業当時、このようなジレンマに直面した羽鳥さんは、「買取専門」という新たなストーリーを貫徹するために、あえて従来の中古車販売業とガリバーの買取事業との間に「仕切り」を設けることにしました。つまり、それまで経営していた中古車展示場は割り切ってオークションから仕入れることにし、ガリバーで買い取った車は選別することなくそのまますべてオークションに出すようにしたのです。

ストーリーを構想するのと、それを現実に実行に移すのとの間には相当の開きがあります。「損して得取れ」というのがキラーパスの発想です。目先の利益を見殺しにせざるをえません。キラーパスを出すのに勇気が求められるゆえんです。しかし、その勇気がなければ、ユニークかつ持続的な競争優位のあるストーリーは実現できません。ここに経営者のリーダーシップの一つの本質があります。

3「なぜ」を突き詰める

どうしたら「一見して非合理」なことをあえてするという決断に踏み切れるのでしょうか。キラーパスを繰り出すのに勇気が必要だとしたら、その勇気はどこから生まれるのでしょうか。それは自らの戦略ストーリーに対する「論理的な確信」にしかない、というのが私の意見です。戦略ストーリーを構想する経営者は、自らのストーリーに論理的な確信を持てるまで、「なぜ」を突き詰めるべきです。これが第三の教訓です。

これまでもお話ししてきたように、戦略ストーリーは構成要素の因果論理でできています。因果論理とは、なぜある打ち手が他の打ち手を可能にし、なぜその連鎖の先に長期利益が見込めるのか、「ストーリーの筋」を意味しています。一つひとつの打ち手がしっかりとした因果論理でつながったときに、ストーリーは動きだします。

こと戦略に関しては、絶対の保証はありえません。その戦略ストーリーがうまくいくかどうか、本当のところはやってみなければわかりません。しかし、論理的な確信を持つことはできます。それは

「これだけ情熱を持ってやっているのだから、必ず道は開ける」という情緒的な思い込みではありません。「どうせやってみなければわからないから、一か八かの勝負だ」という冒険でもありません。ストーリーが太く強く長い論理でつながっている、だから長期利益に向かって動いていくはずだ、という論理に基づく確信です。

自らのストーリーに対する論理的な確信を得るためには、構成要素のつながりの背後にある「なぜ」を突き詰めていくしかありません。何をやるか、いつやるか、どのようにやるか、戦略はさまざまな問いに答えなければなりませんが、何よりも大切な問いは「なぜ」です。羽鳥さんは次のように言っています。

一九九四年に私とスタッフ一人の二人だけでガリバーの一号店を始めたとき、「一九九九年一二月三一日までに全国五〇〇店達成」と毎朝二人で唱和していた。しかし、展示場を持たない買取専門の店舗だから、同業他社の反応はいたって冷淡だった。「小売抜きで買取が成り立つはずはない」「フランチャイズの素人が買い取れるはずがない」と冷めた目で見られていた。しかし、彼らは頭から否定するだけで、「なぜ」に入っていかない。なぜ小売抜きでは成り立たないのか。なぜ素人が買い取れないのか。そこまで突っ込んで考えない。私は自分の構想には自信があった。なぜ買取専門が新しい価値を生むのか、中古車の流通革命の全体像がはっきりと見えていたからだ。

前章でお話ししたように、戦略ストーリーの成功は、「先見の明」では必ずしも説明できません。もちろん将来を見通す能力があるに越したことはないのですが、未来は誰にもわからないのが実際のところです。成功した戦略ストーリーは事後的には「先見の明」のように見えるのですが、「先見性があった」ということで成功の理由を片づけてしまうのは危険です。「先見性」に寄りかかってしまうと、戦略はただのギャンブルと紙一重です。

ガリバーの成功にしても、羽鳥さんが「将来の中古車業界はこうなるだろう」と誰よりも早く予見して、結果的にそれがうまく当たりました、おめでとうございます、という話ではありません。なぜこれまでの中古車業界のやり方がコストとリスクを抱えなければならなかったのか、なぜ展示場での小売をやめて買取に軸足を置けばコストとリスクから解放されるのか、なぜそれが持続的な競争優位をもたらすのか、戦略ストーリーがそうしたさまざまな「なぜ」を突き詰めていたからこそ、現実がストーリーについてきたのです。

戦略とは将来の世の中や環境が「こうなるだろう」（だからそれに適応しよう）という予測ではありません。自分たちが世の中を「こうしよう」という主体的な意図の表明です。羽鳥さんにとって、中古車業界の将来は、予測の対象となるような外部要因ではなく、自らつくり上げるべきものでした。戦略ストーリーはそのための設計図なのです。

なぜ社名を「ガリバー」としたのか、という問いに対して、羽鳥さんは次のように答えています。羽鳥さんが自分の構想したストーリーに論理的な確信を持っていたことを如実に物語るエピソードです。

「ガリバー」というと多くの人が巨人を思い浮かべる。しかし、もともとの話の中では、ガリバーは別に巨人ではない。小人の国に行ったので、ガリバーが巨人に見えただけだ。われわれにしても巨人になって業界を支配しようというわけではない。これまでの中古車業界はさまざまな小さな業者がひしめいている世界だった。小人の国で私たちが構想する流通革命を起こせば、自然と大きな存在になれる。だから「ガリバー」と名づけた。

この章では、ガリバーインターナショナルの事例を取り上げて、戦略ストーリーを詳細に読解しました。優れた戦略ストーリーがどのようなものか、それがなぜ優れているのか、具体的なイメージで理解していただけたと思います。

次の章でいよいよ私の話もおしまいです。最終章では、これまでいろいろな切り口でお話ししてきたことをまとめて、ストーリーとしての競争戦略の「骨法」とでもいうべきものをお話ししたいと思います。

第7章　戦略ストーリーの「骨法一〇カ条」

ストーリーの戦略論は二つのフェーズに大別できます。第一のフェーズは「論理化としての読解」です。戦略が文脈に依存した特殊解である以上、この作業は必然的に個別の事例を単位としたものとなります。この連載で取り上げた例でいえば、マブチモーターやサウスウエスト航空やスターバックスコーヒーやガリバーインターナショナルの戦略ストーリーの読解がそれにあたります。

個別事例の読解は、「ベストプラクティス戦略論」とは異なり、成功の要因を列挙することが目的ではありません。戦略ストーリーを構成する要素の間にどのようなつながりがあり、どのような相互作用を起こしたのかを、その事例の文脈で読み取り、論理化することが目的です。

読解のフェーズは、その戦略の評価を含みます。ストーリーを支えている因果論理を読み取ることによって、その戦略がなぜ成功（もしくは失敗）したのか、（事後的にではありますが）解明するという作業です。

ここで経営者と経営学者の関係は、小説家と文学研究者のそれに類似しています。文学研究者は必ずしも小説を書くわけではありませんが、個別具体的なテクストに注目して人間の思考や感じ方を解明し、その作品を評価します。[1] 経営学者にしても実際に経営するわけではないのですが、戦略ストーリーの因果論理を読み解き、なぜその戦略が優れていた（もしくは失敗した）のかを評価するわけです。

ストーリーの戦略論の第二のフェーズは、「原理原則の抽出」です。さまざまな優れた戦略ストーリーの読解を積み重ねていけば、そこに共通の論理を見つけることができるでしょう。その裏返しで、失敗する戦略が陥りやすい落とし穴も浮かび上がってくるでしょう。戦略ストーリーをつくろうという人々にとって有用な基本論理を提示する。ここにストーリーの戦略論のめざすところがあります。

『仁義なき戦い』などの東映任侠映画の花形脚本家であった笠原和夫さんは、撮影所の伝統が生み出した、「面白い娯楽映画」のための「シナリオ骨法一〇カ条」を掲げています[2]。

　さてその骨法というやつ——これはパターンではない。パターンは時勢によって止揚し、あるいは変革しなければならないものだが、『骨法』は千古不易である。天の岩戸の前で踊った天鈿女命《あまのうずめのみこと》の舞も『ターミネーター』のシュワルツェネッガーの迫力も、同じ骨法に沿っている。

第1章でしつこくお話ししたことですが、面白い映画シナリオを書くための必勝の方程式がないのと同様に、優れた戦略ストーリーをつくるための普遍の法則もありません。業界や時代や市場や企業が違えば、成功する戦略ストーリーも当然のことながら違ってきます。戦略ストーリーは、定義からして「他にないただ一つ」(the one and only)であるべきです。

映画がいくつかのジャンルに分類できるように、戦略ストーリーにもいくつかのパターンがあるかもしれません[3]。しかし、笠原さんがいうように、骨法とはそうした意味での「パターン」ではありません。コメディーでもサスペンスでもラブストーリーでもアクションものでも、あらゆるジャンルに共通した原理原則、それが骨法です。以下では、これまであちこちでお話ししてきたことを、戦略ストーリーの「骨法一〇カ条」にまとめてみましょう。

◆骨法その一　エンディングから考える

戦略の目的は、長期利益の実現です。紙芝居でいえば、最後に出てくる一枚は「……というわけで、長期利益が出ましたとさ。めでたし、めでたし……」でなくてはなりません。まず取りかからなければならない仕事は、この直前のエンディングのありようを固めるということです。

エンディングを固めるためには、実現するべき「競争優位」と「コンセプト」の二つをはっきりとイメージしなくてはなりません。実際に実現される順番でいえば、エンディングは文字どおり最後にくるのですが、思考の順番としては、エンディングから逆回しでストーリーを構想するべきです。さまざまな打ち手をあれこれ考えるのは後回しです。

なぜかといえば、戦略ストーリーの優劣の基準が「一貫性」にあるからです。一貫性こそが戦略ストーリーがもたらす持続的な競争優位の源泉です。先に競争優位とコンセプトを固め、一つひとつの構成要素が強い因果論理でエンディングにつながるようにしてあげれば、自然とストーリーがシンプルで骨太になり、一貫性が確保されます。

実現すべき競争優位はわりと単純な話です。WTP（Willingness To Pay：顧客が支払いたいと思う水準）を上げるか、コストを下げるか、無競争状態に持ち込む（通常はニッチへの特化）か、選択肢は三つしかありません。しかし、競争優位を決めるだけではエンディングとしては不十分です。競争優位はこちらが儲ける理屈にすぎません。なぜ儲かるのか。それは顧客に何らかの価値を提供するからです。

第2章で強調したとおり、戦略のゴールは長期利益にあります。この「ゴール」という言葉を「目標」と「目的」に分けて考えてみましょう。厳密な言葉の定義はさておき、語感としていえば、このうちの目標に相当するのが長期利益です。この目標を達成する理由であり、手段となるのが競争優位です。

一方のコンセプトは目標というよりも目的という言葉がしっくりきます。目標が客観的でどちらかというとドライでクールなゴールだとすれば、目的はストーリーの実現にかかわる人々が自ら主体的にコミットするべきホットなゴールです。戦略が到達すべき目標はあくまでも長期利益にしっかりと定められていなければならないのですが、目的がないがしろにされて目標だけが前面に出てきてしまうと、戦略が一方的に到達目標を示すだけで、無理強いの手段になりかねません。実現しようとする顧客価値がコンセプトに凝縮され、それが組織の人々に共通の目的になっていなければストーリーは動きません。ストーリーのエンディングにとっては、コンセプトの定義が最も大切になる次第です。

優れたコンセプトを構想するためには、ターゲット顧客をはっきりさせるだけでなく、そうした人々の心と体の「動き」を頭の中でよくよくイメージしてみる必要があります。どのような状況と動機で、どのようにその製品やサービスとかかわり、どのように使用し、その結果としてどのように喜ぶのか、顧客の側で起こる一連のストーリーを頭の中でしつこくイメージするということです。ターゲット顧客の「動き」を細部までリアルに思い浮かべてみることが大切です。

スターバックスの例でいえば、「強いプレッシャーがかかる中で、ハイテンションで仕事をしているビジネスパーソンがいる。仕事（第二の場所）が終わって疲れ果て、家（第一の場所）に帰ろうとする。自宅では確かにくつろげるのだけれども、帰ったら帰ったで家族の前でそれなりにいい顔をしなくてはならない。家に帰る前に二〇～三〇分、一人でテンションを下げる時間が欲しいなあ、と思いつつオフィスを出ると……（長くなるので以下省略）」というのが顧客の「動き」です。

アスクルでいえば、「エレベーターのない雑居ビルの小さなオフィスで働く事務担当のアルバイトの人が、こまごまとした消耗品補充の注文を聞いて回り、つっかけを履いて近所の文具店に買出しに行くのだけれども、ついでにティッシュやミネラルウォーターの買い物も頼まれてしまい、スーパーに寄ったあげくに重たい荷物を持ってふうふう言いながらビルの階段を上ってオフィスに戻って、領収書を整理した後でようやく一息ついていると、さっき買い物に行った文具店のおじさん（エージェント）がアスクルのカタログを持ってきて、それをお茶を飲みながらパラパラと眺めていると……（きりがないので以下省略）」というイメージです。

こうした「顧客が動くストーリー」をどれだけ鮮明にイメージできるかがコンセプトづくりの勝負になります。BtoCでもBtoBでも変わりません。産業財や企業向けサービスでも、購買を意思決定し、それを使って価値を感じるのはあくまでも人間だからです。顧客のストーリーを描いた短編映画がすぐに頭に思い浮かぶようなものでなければ、本物のコンセプトではありません。

ファーストリテイリングは二〇〇九年に、ニューヨークとロンドンに続く三番目のグローバル旗艦店として、パリのオペラ地区に「ユニクロ」をオープンしました。パリ・オペラ店は売場面積六五〇坪の大型店で、最先端の東京、日本らしさが感じられるユニクロのコンセプトの発信基地として位置づけられ、開店初日には八〇〇人の行列ができました。オープン時の主力商品の一つはジーンズでした。女性用一二色、男性用一〇色がラインアップされ、価格はいずれも九・九ユーロで、従来の「高品質・低価格」というユニクロのメッセージが打ち出されました。しかし、それと同時に、カシミアのセーター、ファッション・デザイナーのジル・サンダーさんと共同開発した「＋Ｊ」（プラスＪ）のコレクションといった相対的に高価格な商品も目玉商品とされました。

このような商品構成は、教科書的にいえばあまり一貫性がなく、ヨーロッパにおけるユニクロのブランドイメージを混乱させるように見えるかもしれません。しかし、この背後にはユニクロがフランス市場での事業展開にあたって意図した「顧客の心と体の動き」がありました。顧客がどのように感じ、考え、動くのかについてのイメージを突き詰めれば、超低価格のジーンズと通常価格で八〇ユーロ近くするカシミアのセーターを横に並べて売ることは戦略ストーリーにとって必要な打ち手でした。柳井正さん（ファーストリテイリング代表取締役会長兼社長）は次のように言っています[4]。

一〇ユーロ以下のジーンズと数ユーロのＴシャツを売る。そうすると、お客さまはカジュアルな低価格路線の店かと思う。そういうところで売っているセーターはアクリルの廉価なものだという先入観がある。ところが、ユニクロのニットは最高級素材のカシミアで、しかも安い。かと思うと、一五〇〇ユーロはするジル・サンダーの服がはるかに安価で楽しめる＋Ｊがある。

しかも立地はパリでも最高のところ。こうなれば、パリの人々は「これは何だろう。何か新しいものがある……」ということになる。ヨーロッパやフランスの人たちはユニクロをまだよく知らない。ユニクロが既存のブランドとはそもそも違った切り口で洋服にアプローチしているということをわかってもらう必要がある。価格や商品構成を断片的に見てはいけない。お客さまがどういう気持ちでお店に来て、そこで何を見て何を感じ、買い物をした後どのような印象を持ち、周囲の人々とどのような話をしたくなるか、一連のシーンを考え抜くことが大切だ。

小説を書いている人が調子に乗ってくると、あれこれと思い悩まなくても、登場人物が勝手に動いてストーリーを展開してくれるということがあるそうです。そうなればしめたものです。コンセプトが本質的な顧客価値を捉えていれば、登場人物が自然と動き、ストーリーがどんどん広がり、具体的になってくるはずです。

登場人物の動きが見える、登場人物が自然と動きだすようなコンセプトから語り起こす。これが戦略ストーリーの必須条件です。戦略ストーリーが動画である以上、その起点にあるコンセプトも動画でなければなりません。多くの戦略の失敗の原因は、そもそも静止画的なコンセプトからストーリーが語り起こされていることにあります。

ストーリーの中で登場人物を自然と動かすためには、本当のところ「何を」提供するのか、それを「誰が」「なぜ」喜ぶのかを突き詰めなければなりません。コンセプトが「誰に」「何を」「なぜ」の三つにこだわったものになっていることが大切です。第4章でもお話ししたように、「誰に」「何を」「なぜ」が抜け落ちて、「どのように」という方法ばかりが先行したコンセプトからは優れた戦略ストーリーは生まれません。

このうちでも、「なぜ」はストーリーを動かすエンジンとしてとりわけ重要です。すでにお話ししたように、「産業財取引のポータル」をめざしたバーティカル・ネットの戦略ストーリーは、肝心の「なぜ」が空疎だったために、コンセプト不全に陥りました。ストーリーの細部を組み立てる前に、顧客である産業財市場の売り手（たとえば、継手パイプメーカーの営業部員）と買い手（装置メーカーの購買部員）の動きの背後にある「なぜ」をもっとリアルにイメージしていたら、あれほどの空振りにはならなかったはずです。

ひとたびコンセプトが確定したら、あらゆる打ち手はコンセプトと明確な因果論理でつながっていなくてはなりません。コンセプトとのつながりを論理的に説明できないような構成要素はストーリーから排除すべきです。戦略をつくるときは、競合他社の最新の動向とか、話題になっている業界のベストプラクティスとか、一見して効果がありそうなさまざまな打ち手に心をひかれるものです。しかし、安易な期待だけでやみくもに手を出すと、ストーリーが拡散し、いたずらに複雑になり、自分でも何のために何をやっているのかがわからなくなってしまいます。これではストーリーはぶち壊しです。

逆にいえば、確信を持てるようなエンディングが固まれば、ストーリーづくりの五〇％は終わったも同然です。後はコンセプトを具体的な打ち手へと忠実にブレイクダウンしていけば、おのずと筋の通ったストーリーが浮かび上がってきます。夏目漱石の『夢十夜』に出てくる運慶の話を思い出してください。本質的な顧客価値をえぐり出すようなコンセプトであれば、「初めから仁王が埋まっている木材」のように、ストーリーの主要な構成要素が次々に姿を現すはずです。

コンセプトは戦略ストーリーの基盤であり、支柱であり、推進力です。ストーリーをつくる過程で、判断に迷うことや行き詰まることも少なくありません。そういうときはコンセプトに立ち戻って考えればよいのです。

たとえば、スターバックスは当初から明確に全席禁煙を打ち出しています。今では当たり前かもしれませんが、スターバックスの戦略ストーリーがつくられた一九八〇年代を回想してください。禁煙にしたその時点で、多数のお客さんを失うことになりかねません。しかし、「コーヒー」ではなく「第三の場所」という空間と時間を提供しようとするコンセプトからすれば、確信を持って禁煙を決断できます。

アスクルの「親会社のプラスの製品以外も扱う」、アマゾンの「過去にその顧客が買ったことのある商品の注文があったときに『あなたはこの商品を一年前に買いましたが、それでももう一度買いますか？』というメッセージを表示する」といった打ち手も、それだけ見るとなかなか難しい決断に思えますが、コンセプトとのつながりを考えれば、いたって自然な話です。

裏を返せば、コンセプトは判断に迷ったり、行き詰まったときに、常に立ち戻ることができる何かでなくてはなりません。そこに立ち戻れば、迷いが解消し、決断に向けて背中を押してくれるのがコンセプトです。いざというときに立ち戻れないようなコンセプトでは、ストーリーづくりは遅かれ早かれデッドエンドに突き当たります。コンセプトはストーリーの終点であり、起点です。個別の具体策に手を出す前に、確信が持てるまでコンセプトを考え抜く。あらゆるストーリーづくりはそこから始まります。

◆骨法その二 「普通の人々」の本性を直視する

コンセプトを構想するためには、「誰をどのように喜ばせるのか」をはっきりとイメージしなくてはなりません。そこでは「誰に嫌われるか」という視点が大切です。「誰からも愛される」というのは「誰からも愛されない」のと同じです。誰かに本当に必要とされるためには、誰かに嫌われなくてはなりません。八方美人は禁物です。

しかし、だからといって、独自性を追求するあまり、あからさまに「尖った」顧客をターゲットにしてしまうと、筋の良いストーリーはつくれません。どんなコンセプトでも、それが心に響く顧客は世の中のどこかに必ずいるものです。しかし、それがあまりにマニアックであれば、ごく特殊なニッチに押し込められてしまいます。ニッチに特化した無競争を初めから意図する場合は別にして、あまりにも「独創的」なコンセプトは結局のところビジネスにはなりません。

コンセプトを固めるときは、あくまでも「普通の人々」を念頭に置き、普通の人々の「本性」を直視することが大切です。普通の人々が確かに必要とすること、欲しがるものを価値の中心に据えるべきです。「コンセプト・クリエーター」というと、浮世離れした天才肌をイメージしがちですが、その種の人は突飛なコンセプトに飛びつきがちなので、実はコンセプトをつくるという仕事には不向きなのです。普通の人々が、仕事や家庭やプライベートの局面で、何を考え、何を感じ、どのようなことに困り、何を欲しているのか、こうしたことが自然と肌でわかるような人のほうがコンセプトづくりに向いているように思います[5]。

コンセプトは「今そこにある価値」を捉えるものでなくてはなりません。「今はまだ顕在化していないけれども、将来のニーズを先取りした……」という類の「先進的」なコンセプトは眉唾ものです。すでに強調したように、コンセプトは人間の本性を見据えたものでなければなりません。技術や表面的な流行は日々変化していきます。しかし、人間の本性はそう簡単には変わりません。人間の本性を考えれば、今そこにある価値でなければ、五年後、一〇年後になっても存在しない可能性が高い。

これを書いている時点で、急速に広まっているインターネットのサービスに「ツイッター」(Twitter)があります。今の時点ではツイッターは収益源を見出せていないようなので、正確には「事業」とは呼べないのですが、新しいサービスとして多くの人々を捉えています。

この種の現象が起こると、「人間のコミュニケーションや社会のありようが革命的に変わる!」という大げさな話をする人が決まって出てくるのですが、私は全くそうは思いません。ツイッターは確かに新しい仕立てのユーザー・インターフェースを持つサービスです。ただし、提供している価値の本質はインターネットが生まれるずっと以前から存在する人間の本性、つまり「日常生活の中で知り合いとつながっていたい」という素朴な欲求を捉えたものです。だからこそツイッターは急速に受け入れられたのです。

繰り返しますが、人間の本性はそう簡単には変わりません。表層的な現象にとらわれると、骨太のコンセプトはかえって生み出しにくくなります。新しくユニークなコンセプトが生まれるのは、人間や社会にとって新しい価値がある日突然出てきたからではありません。昔から存在する人間の本性についての着眼点がユニークだったり、人間の本性が欲する価値を実現するやり方が変わっただけです。「日の下に新しきものなし」とはよくいったもので、人間が人間を相手にしてビジネスをしている以上、本当の意味で「新しい価値」などというものは、そもそも存在しないと考えたほうがよいでしょう。慌てず騒がず、普通の人々を念頭に置いて、人間の本性をしっかり見つめることが大切です。

人間の本性を捉えたコンセプトにするためには、できるだけ価値中立的な言葉を使うべきです。スターバックスの「第三の場所」やガリバーの「買取専門」、こうしたコンセプトの表現には、それ自体で肯定的な意味を持つ形容詞が一切使われていません。だからこそユニークな価値を捉えられたのです。

「業界ナンバーワン」とか「世界最高水準」といったベタベタに肯定的な価値を含んだ言葉を使ってしまうと、それ自体が「良いこと」に決まっているので、その時点で思考停止に陥りがちです。意図する顧客価値の正体が何なのか、なぜその事業を人々が必要とするのか、という本性の部分を突き詰めることとなしに、言葉が上滑りします。あげくに、「さあ、頑張ろう……」という話になりかねません。「業界ナンバーワン」とか「世界最高水準」のために、あらゆることにバラバラと手を出すことになります。これでは一貫したストーリーにはなりません。

「言われたら確実にそそられるけれども、言われるまでは誰も気づいていない」、これが最高のコンセプトです。もちろんここにはジレンマがあります。みんなが食いつくようなコンセプトであれば、とうに誰かがものにしているでしょうし、まだ誰も気づいていないコンセプトであれば、往々にして突飛なだけで終わってしまいます。だからこそユニークなコンセプトの創造は難しいのです。このジレンマを乗り越えるのが本当の創造性です。

◆骨法その三　悲観主義で論理を詰める

優れた戦略ストーリーの条件は一貫性にあります。一貫性の高いストーリーをつくるためには、打ち手をバラバラと箇条書きするだけでなく、その間にある因果論理をよくよく考えなければなりません。ここで大切なことは、打ち手をつなぐ因果論理を詰めるときは悲観主義で臨むべきだということです。

ひとたびコンセプトを固めたら、コンセプトについては楽観主義であるべきです。いちいちコンセプトを疑っていたら、ストーリーづくりは前に進みません（だからこそ、コンセプトについての確信が得られるまでは、ストーリーづくりを前に進めるべきではありません）。しかし、一つひとつの因果論理を考えるときは悲観主義者の構えをとるべきです。失敗した戦略ストーリーを眺めていると、「こうやっておけば、どうにかなるさ……」という論理（？）で構成要素がつながっていることが多いものです。

たとえば、「シナジー（相乗効果）をテコにして……」というようなフレーズがやたらと出てくる戦略ストーリーは要注意です。もちろん相乗効果それ自体は悪いことではありません。ただし、そこに本当に相乗効果があるのか、なぜ相乗効果が生まれるのか、どのように相乗効果を引き出すのか、そうした論理の中身を詰めることなく、「シナジー」という美辞麗句だけでストーリーを走らせてしまうのは、「どうにかなるさ」と言っているのとほとんど同じです。「どうにかなるさ」では「どうにもならない」、これが悲観主義者のスタンスです。ストーリーをつくっている本人は、どうしても自分に都合良く考えがちです。きちんとした因果論理でストーリーを綴るためには、悲観主義ぐらいでちょうどよいのです。

ウェブバンの事例を思い出してください。インターネット上でスーパーマーケット事業をやろうとしたウェブバンの戦略ストーリーは、「リアル店舗のスーパーよりもはるかに幅広い品揃え」「巨大でＩＴ化した流通センターへのオペレーションの集約」「消費財のトップ企業との戦略的提携」「自社のトラックとスタッフによる無料宅配」といった構成要素を柱としていました。このような一連の打ち手は、個別に見るとそれぞれに何らかの競争優位をもたらします。しかし、鳴り物入りで事業を始めたウェブバンはものの二年で破綻してしまいました。これらの要素をうまくつなげ、全体を首尾一貫して動かすのに無理があったからです。過度の楽観主義が招いた失敗といえるでしょう。

悲観主義で論理を詰めるということは、「そうなるだろう」「そうなってほしい」という希望的観測と「本当にそうなる」とを区別するということです。たとえば、顧客が「(その気になれば) そうするだろう」という期待と、自ら進んで確かに「そうする」ということとの間には、大きなギャップがあります。

私は少し前に携帯電話を買い替えたのですが、最近の携帯電話には、メールやカメラだけでなく、ありとあらゆる機能が盛り込まれています。メニュー画面にはさまざまなファンクションの長いリストが出てきます。マニュアルも何百ページという分厚いものです。いちいち確認したわけではありませんが、おそらく機能的にはすべてがきちんと作動するのでしょう。ユーザーがその気になれば何百種類ものサービスが利用可能なのでしょう。

しかし、「こういうことができますよ」ということは、ユーザーが本当に（お金を払ってでも）使うということとはほとんど無関係です。携帯電話の中に一〇〇の機能を入れ込むことは簡単です。しかし、それを本当にユーザーに使ってもらい、お金を払ってもらい、さらには喜んでもらい、使い続けてもらうには、よっぽど強くて太い論理に裏打ちされたストーリーが必要になります。この点で、最近の携帯電話のメーカーやキャリアの戦略は、あまりにも楽観的というか、緩い論理にとどまっているのではないか、というのが私の印象です。

ストーリーが過度の楽観主義に傾斜して因果論理が甘くなる最大の理由の一つは、戦略をつくるリーダーやトップマネジメントが、ストーリーの実行にかかわる人々の動きについてのリアルなイメージを思い浮かべずにやり過ごしてしまうということがあります。

リクルートの「ホットペッパー」のチームは飲食店を主要ターゲットとして新規クライアントを開拓する営業活動を推進しましたが、初めのうちは新規受注が思ったように増えませんでした。飲食店のニーズを聞き出し、それに合った提案をするという「提案営業」が当初から意図されていましたが、それが十分にできていないことが新規受注に苦戦している理由だと考えられました。そこでそれぞれの生活圏に対応した責任者が集まり、提案営業のための営業ツールが作成されました。

ここで興味深いのは、ホットペッパー事業のリーダーだった平尾勇司さんが、生活圏の責任者自身にそのツールを使った新規飛び込み営業をまずやらせたということです[6]。ツール作成に集まった責任者全員が午後二時から五時までの三時間をかけて、銀座で二〇件の飛び込み営業を実際にやってみました。やってみてわかったことは、実際の営業の現場では提案どころではないということでした。飲食店の経営者は想像以上に忙しく、座って話すどころか、立ち話もさせてもらえません。中に入って話を聞いてもらう前に、門前払いの連続でした。これでは営業ツールの使いようがありません。

そこで平尾さんたちは、「どうやって店の扉を開いて、どこの誰にどんな顔をして、どんな切り出し方で声をかければいいのか?」という問題に集中しました。その結果、「ずけずけと中に入っていって、五分でもいいから話を聞いてもらう」という型が考案され、新規開拓営業のツールがつくり直されました。

ストーリーの登場人物である顧客の動きをイメージすることが大切だという話をしましたが、戦略の実行にかかわる人々もまた重要なストーリーの登場人物です。ストーリーを組み立てるときには、戦略の実行を担うさまざまな人々の心や体の動きをリアルにイメージしなくてはなりません。「提案営業」をかけるにしても、マネジメントの目線だけでは営業の前線にいる人々の動きについてのリアリティが希薄になります。その結果、ストーリーが「そうなるだろう（そうなればいいな……）」の楽観主義に陥り、打ち手が因果論理でつながらなくなります。悲観主義で論理を詰めるということは、言い換えれば、仕事の現場にいる人々の目に映るシーンを思い描くということでもあります。

『ホットペッパー』は飲食情報誌ではなく、あくまでも生活情報誌として位置づけられていましたが、当初は飲食コンテンツに優先順位を置いてクライアントに対して営業をかけるというのが平尾さんの方針でした。食欲は人間の三大欲求の一つで、しかもたいていは毎日三回起こります。飲食にかかわる情報は毎日見てもらいやすいコンテンツになります。このことが飲食に優先順位を置く理由でした。

営業の焦点が定まり、その後のホットペッパーの営業部隊は「プチコン」（プチコンサルティングの略）と「一人屋台方式」を武器にしたストーリーで、着実に飲食店のクライアントを獲得していきました。

単に広告媒体を売るだけでなく、顧客の収益向上に貢献するようなソリューションを提案すれば、その分広告を受注しやすくなるだろう。これは誰しもが考えることで、多くの競合企業が「コンサルティング型営業」を唱えていました。しかし、立地やターゲット設定、投資効果など飲食業界の課題についての本格的なコンサルティングをするためには、広くて深い知識とスキルを持つ優秀なコンサルタントを大量に育成する必要があります。

ホットペッパーにかかわる人々の八〇％以上は、リクルートでCV職と呼ばれる期間三年の契約社員やアルバイトなどの非正社員でした。もちろん、彼らには飲食店を経営した経験はありません。本格的なコンサルティングなど絵に描いたモチです。そこで平尾さんは、コンサルティングの対象を広告の表現領域に絞った提案で勝負しようと考えました。営業スタッフがその店の良いところを発見し、それを限られた広告スペースの中で表現して、ターゲットである二十代の女性読者に伝える。これがプチコンです。

多くの企業がより低価格で対抗しましたが、ホットペッパーはプチコンの繰り返しで全国に無数の強力な顧客接点を構築することに成功しました。競合企業が低価格で対抗しても、顧客はホットペッパーにより大きな価値を認め、ホットペッパーを選び続けました。

プチコンは組織能力を重視した打ち手であるといえます。顧客接点にいる一人ひとりが日々の営業活動の中でつくり上げる強みなので、構築するのに時間はかかりますが、その反面、競合は一朝一夕にはまねできません。プチコンは後発の競合企業に対するホットペッパーの優位の基盤となりました。

プチコンは営業スタッフの育成やモチベーションの向上にとっても、大きな意味を持っていました。スタッフは自らの提案で顧客が喜ぶ姿を日々の営業活動の場で実感することができます。顧客がもっと喜ぶ姿を見たいと思い、プチコンに磨きがかかります。それが如実に営業の成果に跳ね返ってきます。

広告業界では、広告コンテンツの制作と営業をそれぞれに専門化した別々の部門で分業するのが普通です。しかしホットペッパーでは、プチコンを基点とした競争優位の好循環を確かなものにするために、こうした分業を絶対にしませんでした。一人のスタッフが営業もすれば原稿も書く。新規開拓営業も既存顧客のリピート営業もする。電話も訪問も一人でする。入金も営業もフォローする。顧客接点のすべてを営業が一人で担います。これが「一人屋台方式」です。平尾さんは次のように一人屋台方式の重要性を強調しています。[7]

自分の仕事がダイレクトに顧客の満足という成果につながる仕組みを壊してはならない。…

（中略）…仕事には複雑性があるから面白い。「自分で考え、決め、行動する」要素が仕事には必要だ。…（中略）…顧客接点の価値はひとつひとつの熟練度も大切だが流れのほうがもっと大切なのだ。分業化すれば流れは切れて、モチベーションも切れる。…（中略）…おもしろいと思って仕事に取り組む営業マンは顧客にとって魅力的な存在になる。営業マンがおもしろくて工夫し、成長していくことが競合との競争優位性になる。

ホットペッパーの前身の『サンロクマル』もまた、当初から飲食をキラーコンテンツに定めていました。しかし、そこにはホットペッパーのような一貫したストーリーがありませんでした。サンロクマルでは営業組織が業務委託だったということもあり、営業の前線は売りにくい飲食よりも売りやすいエステティック・サロンに流れていきました。平尾さんは次のように言っています[8]。

『サンロクマル』には残念ながら勝つシナリオがなかった。「やりながらシナリオをつくるんだ」などとうそぶき、キレイごとばかりが唱えられた。それでは、台本のない芝居を役者が演じているみたいなもので、演じながらシナリオを描くと言っているのと同じになる。アドリブだけで心を動かす劇になるはずがない。事業が成功するためにシナリオは是が非でもなくてはならない。考えて、考え抜いて、これでだめなら仕方がないと思えるまで練り込んだシナリオが必要なのだ。全体の流れはどのように流れていくのか？　どのような順番になるのか？　それはなぜか？　それらによって、働く人たちの一挙手一投足が決まっていく。

ここでいう「悲観主義」は「弱者の論理」と言い換えてもよいでしょう。ヒト、モノ、カネの制約に苦しんでいる会社であれば、「どうにかなるさ」とは言っていられません。ストーリーが本当に作動するかどうか、打ち手をつなぐ論理を突き詰めて考えざるをえません。そもそも、あらゆる戦略は利用可能な資源の制約を前提にしています。無尽蔵に資源を使えるのであれば（そんなことは現実にはないのですが）、戦略は必要ありません。

戦略ストーリーのつくり手として私が大いに尊敬している人に井原高忠さんがいます。井原さんは日本テレビのプロデューサーとして、テレビの創成期を引っ張った人物です。一九七〇年代、制作局次長だった井原さんは音楽番組を日本テレビの軸足にしようと考えました。ところが、当時はたくさんのスターを一手に抱える渡辺プロダクション（以下、ナベプロ）が業界ではきわめて強い力を持っていました[9]。

当時の日本テレビの看板音楽番組は『ＮＴＶ紅白歌のベストテン』でした。ところが、ナベプロが同じ曜日の同じ時間に他局で同じようなユニット番組をやることになりました。そうなるとナベプロの歌手は『ＮＴＶ紅白歌のベストテン』には出られません。それでは番組が成り立たない。困った井原さんはナベプロに交渉に行きます。当時、業界内に絶大な権勢を誇っていた渡辺晋社長は事もなげにこう言いました。「じゃ、そちらが曜日を変えりゃいいじゃないか」。

この言葉で井原さんはナベプロとの決別を心に決めました。そこから井原さんの新しい戦略ストーリーが動きだします。まず『スター誕生！』という新人発掘番組を使って、「日本テレビの生んだスター」をつくる。そこから生まれたスターの卵を日本テレビのありとあらゆる音楽番組にどんどん出すことによって、本当のスターにする。そのスターのレコードの出版権は日本テレビ音楽という子会社に持たせて、版権ビジネスとしても利益を出す。『スター誕生！』から出てきたスターの卵は、ナベプロ以外の当時はまだ弱小勢力だったプロダクションに分配する。最後は「日本テレビ音楽祭」です。この賞は、「レコード大賞」のような賞と違って、レコードの売上成績は関係なく、日本テレビに貢献のあった人にのみ賞を贈る、というものでした。井原さんは日本テレビを退職した後の一九八三年に次のように当時を振り返っています[11]。

日本テレビの音楽部は、緊急事態だってんで一致団結した。当時は渡辺プロがなかったら文字どおり音楽番組が成り立たない時代だった。それを思い切りよく切っちゃったんだから。…（中略）…それと同時に、渡辺プロ以外の全プロダクションの社長に集まってもらいまして、今日は紅茶とケーキしかないけれど、実はこうこうこうで、渡辺プロとこういう話になった。正直言って俺も困る。だから助けてくれ、ここは一つ井原を男にしてくれっていう話をした。ただで応援しろって話じゃない。『スター誕生！』で出てきたスターを全部配分したんだから。…（中略）…しかも、配給すると同時にこっちは放送でドンチャカドンチャカやるから、どんどんスターになっちゃう。…（中略）…一方、渡辺プロは逆に、ずっと下り坂になってきちゃって、今日の姿と相成った。

これは戦略ストーリーの見事な成功例です。その背景には、もちろん井原さんのストーリーテラーとしての非凡な才覚があるのですが、それと同時に、井原さんと日本テレビ音楽部が弱者の立場に置かれていたということが影響していると思います。「ナベプロのスター」という最重要資源へのアクセスを断ってしまった以上、フワフワしたストーリーではつぶされてしまいます。弱者の立場にあれば、しっかりした論理の必要性を肌で感じることができます。

ところが、資源が潤沢な（つもりになっている）「強者」は、戦略にとって不可欠な弱者の論理を忘れ、緩い因果論理でストーリーを組み立てがちです。ウェブバンはベンチャー企業だったのですが、折からのインターネットブームの追い風を受けて、創業の当初から巨額の投資を受けていました。きわめてキャッシュリッチな状況にあったことが、緩いストーリーの背景にあるといえそうです。

ストーリーが緩くなる典型的なパターンが、特定の「飛び道具」や「必殺技」に寄りかかってしまうという症状です。インターネットブームの頃の「ポータル戦略」がその例です。まず、人々が訪れるウェブサイトをつくり、その先にさまざまなサービスをぶら下げておけば、規模の経済と範囲の経済を同時に実現できる！　とんでもなく魅力的な必殺技のように聞こえるのですが、実際に成功した企業はごく一部でした。

ポータル戦略が成功するためには、以下にあるようないくつもの論理を詰めなくてはなりません。第一に、いうまでもないことですが、なぜ多くの人々がそのウェブサイトを「ポータル」として認識し、実際に日常的に訪問するようになるのか。第二に、大勢の人々がやってきたところで、なぜそこにあるさまざまなサービスに注意を払い、実際にアクセスするようになるのか。何でもかんでもぶら下げてしまえば、一つひとつのサービスに対して顧客が実際に注ぐ注意の量は小さくなるはずですし、そもそもそのサイトが何のための「ポータル」なのかがわかりにくくなります。第三に、ポータルを通じて人々が特定のサービスにアクセスしたところで、なぜそのサービスを実際に使うのか。第四に、サービスを使うにしても、ユーザーは本当にお金を払うのか。払うとしたらなぜか。……挙げていけばきりがないのですが、こうした一つひとつの論理を詰めることなしには、戦略ストーリーは動きません。派手に聞こえる飛び道具がよろしくないのは、それを持ち出したとたんに戦略ストーリーが飛び道具に寄りかかってしまい、「どうにかなるさ」に陥るからです。論理を突き詰めずに、ストーリーが暴走してしまいます。

このところの例でいうと、「顧客の囲い込み」とか「提案型コンサルティング営業」とか「ワン・トゥー・ワン・マーケティング」とか「オンデマンド」とか「ソリューション・サービス」とか「エマージング・マーケット」とか、その辺が怪しいところです。この手の飛び道具を持ち出すと、漠然と良いことが起こりそうな気がするのですが、言ったとたんに思考停止を招き、ストーリーの論理が緩くなりがちです。

デパート業界では、多くの企業が「モノではなくライフスタイルを売る」「きめ細かい提案型サービスで顧客を囲い込む」といった話がよく出てきます。提案型サービスや顧客の囲い込みで長期利益を実現できればよいのですが、話をつなぐ論理がいかにも緩いことが多いのです。

私は実際に数時間、ある大手デパートの婦人服売場で販売員とお客さんの様子を観察してみたのですが、七割以上のお客さんはほとんど販売員と会話をせず、ごく手続き的なやり取りをするだけで買い物を済ませています。販売員から提案型のアプローチをするケースもままあるのですが、多くのお客さんがむしろ迷惑そうにしています。現実に提案型サービスを利益に結びつけるためには、相当に強力な論理の裏づけが必要なのは一目瞭然です。必殺技のお題目を唱えているだけのデパートが少なくないように思います。

将棋棋士の大山康晴さんの極意は、自分の強みの正体を現さないところにありました。「誰も私の将棋をまねできなかった。まねされるような強さは本物ではない。私にはわけがわからないところがある」と大山名人は言っていたそうです[11]。新しい手や奇抜な手は使わない。無理をしない。相手を一つひとつ封じ込めていく。いかにも強いというものを感じさせないが、終わってみると勝っている。「ただ勝つだけでは不十分だ。相手が自分の顔を見るのもいやだというダメージを与える」というのが大山名人の凄みでした。決定打がないのに負けてしまうので、相手は勝負に負けた以上の心理的な圧迫を受けるというわけです。相手に強さを感じさせないのが真の戦略家だという話です。

要するに、一撃で勝負がつくような「飛び道具」や「必殺技」がどこかにあるはずだ、それをなんとか手に入れよう、という発想がそもそも間違っているのです。戦略ストーリーが意図する強みは、個別の打ち手の中にはありません。打ち手をつなげていく因果論理の一貫性こそが競争優位の源泉なのです。成功を持続している企業の戦略ストーリーを眺めると、さまざまな打ち手が明確な因果関係でがっちりとつながっている一方で、一つひとつの打ち手はわりと地味に見えるのがむしろ普通です。戦略ストーリーが意図するのは、一目瞭然の派手な差別化ではなく、「似て非なるもの」という差別化なのです。

◆骨法その四　物事が起こる順序にこだわる

戦略の構成要素そのものよりも、そのつながりに注目しているという点で、ストーリーの戦略論はビジネスモデルの戦略論と似ています。ただし、大きな違いが一つあります。それは、ビジネスモデルが戦略の構成要素の空間的な配置形態に焦点を合わせているのに対して、戦略ストーリーは打ち手の時間的展開に注目している、ということです。

「ビジネスモデルを図示してください」と言うと、ビジネスに含まれるさまざまなプレイヤーや機能部門の間のカネやモノや情報のやり取りの絵が出てくるのが普通です。これに対して、いくつかの事例の読解で見てきたように、戦略ストーリーの絵は「こうすると、こうなる。そうなれば、これが可能になる……」という時間軸に沿った因果論理になります。

因果論理の組立てに不可欠の条件は、共変関係（AとBが連動する）だけでなく、時間的先行性（AがBに先行して起こる）があることです。戦略ストーリーを考えるときは、いつも頭の中に時間軸がなければなりません。要するに、物事が起こる順序にこだわるということです。ビジネスモデルの概念は、確かに全体の「かたち」を捉えるものですが、構成要素の因果論理が巻き起こす「流れ」や「動き」の側面を捉えにくいというきらいがあります。

ウェブバンの話に戻りましょう。ウェブバンは「ビジネスモデル」については当初から明確な構想がありました。この構想はすでにお話ししたように因果論理の点であまりにも楽観的だったわけですが、それに加えて、ビジネスの最終的な「かたち」をいきなり実現しようとして、すべてを同時並行的にフルスケールでやろうとしたことに失敗の本質的な原因がありました。ウェブバンのスポークスマンは当時、「火星に行こうと思ったら、途中までしか飛ばないロケットをつくっても意味がない」と言っていました。この言葉が同社の思考様式を象徴しています。

先ほど「ポータル」という飛び道具めいたアイディアに幻惑されて失敗した会社がたくさんあるという話をしました。これもまた、ストーリーの時間的な展開を考えずにアイディアだけに飛びついてしまい、結局何も起こらなかったという成り行きです。

ポータルという言葉は顧客の囲い込みやネットワーク効果による「自然独占」「勝者総取り」の世界を連想させます。しかし、そもそも初めの段階で顧客が集まって実際にサービスを使ってくれなければ、こうした夢のような先行者利益は文字どおり夢のまた夢でしかありません。どうやってそのような最終形に到達するのか、時間展開をにらんだストーリーが問題になります。

楽天はポータルとして成功した数少ない会社です。インターネット上のショッピングモール事業からスタートした楽天は、旅行サービスやクレジットペイメントや証券などの金融サービスへと事業領域を拡張し、日本におけるEコマースの総合的なポータルサイトになっています。ただし、この種の最終形としてのビジネスモデルは多くの人が思いつくことです。意図していた最終形だけを見れば、三木谷浩史さんも他の多くの人も、それほど大きな差はなかったかもしれません。

しかし、実際にEコマース事業で顧客ベースを構築できなければ、その向こうにあるポータルのビジョンは絵に描いたモチにすぎません。第4章でお話ししたように、楽天の戦略ストーリーの起点には「Eコマースは自動販売機ではない」「エンターテインメントとしてのショッピング」というユニークなコンセプトがありました。一貫した戦略ストーリーで初期の段階で実際にどこよりも多くのリピート顧客を獲得する。それがあるレベルに達した段階で上場し、調達した資金で買収によって旅行や証券といった他の事業へと参入する。さらに楽天グループ内部でのユーザーの取引が膨大になったタイミングでクレジットペイメント事業に本腰を入れる……というように、時間軸に沿ったストーリーが描かれていました。楽天が凡百の他社と決定的に違っていたのは、最終形としてのビジネスモデルではなく、それに至るストーリーなのです。

　ストーリーは時間的な広がりを持っています。意思決定をすれば出来上がるというものではありません。経営学者のヘンリー・ミンツバーグさんは、戦略を「練り上げる」(crafting)という言葉を使っていますが[12]、まさに戦略ストーリーは物事が起こる順序をよく考えながら練り上げていくものです。ストーリーの原型は必要ですが、第3章でもお話ししたように、戦略構築の本質は、その後の(多分に偶発的な)機会や脅威を受けて、ストーリーに新しい要素を取り込んでいくという「ストーリー化」のプロセスにあります。

　意思決定や実行が早いのは結構ですが、ウェブバンのように「いきなり丸ごと」式にやろうとすれば、ストーリーの時間軸を見失ってしまいます。まずは立ち止まって、ストーリーの原型を固め、時間展開の中でストーリーを徐々に練り上げることが大切です。

◆骨法その五　過去から未来を構想する

ビジネスを継続的に成長させるためには、「長い」ストーリーが必要になります。ストーリーに拡張性や発展性が織り込まれていなければなりません。打ち手の間に強くて太い因果論理があっても、将来に向けた拡張性がなければ、「短い話」で終わってしまいます。

本当のところ、正確な未来は誰にもわかりません。これまでもたびたびお話ししてきたことですが、私は「先見の明」という話には懐疑的です。将来どうなるか、予測がつけば戦略をつくりやすくなりますから、多くの人は「これからどうなるのか」に多大な関心を寄せます。ビジネス雑誌を眺めると、この種の将来予測の記事があふれています。

しかし、「これからどうなるのか」ばかりを考えていると、目先の機会に目が向きがちです。今だったら「シルバーマーケット」とか「エコビジネス」というような話です。しかし、その程度の外的な成長機会であれば、誰もが見えているわけです。その機会があからさまに「魅力的」であるほど競争も激しくなるでしょう。

戦略は長期的に考えなければいけない。当たり前の話です。しかし、自分が依拠するストーリーを理解していなければ、本当の意味での「長期」を考えることはできません。ストーリーは将来の機会を見つめるためのレンズです。裸眼で漠然と将来を眺めてみても、ありきたりのことしか見えません。ストーリーというレンズがなければ、真の機会は像を結ばないのです。ぼんやりとした機会にやみくもに手を出してしまえば、「合理的な愚か者」になるのがオチです。かえって戦略ストーリーの一貫性が破壊されてしまいます。

「これから」と「これまで」のフィットをよくよく考える必要があります。従来の自社の戦略ストーリーの延長上に自然とつながる構想でなければ、競争の中で他社に打ち勝つのは容易ではありません。

他社に先駆けてＰＣや周辺機器をオンライン販売するという一九九六年の「デル・オンライン」は、その後のデルの成長を強力に牽引した打ち手でした。それにしても、デルに独自の「先見の明」があったわけではありません。ＰＣのような製品がごく近い将来にインターネットを通じて売られるだろうことは、多くの人が容易に予測できたことでした。

なぜデルがオンライン販売で圧倒的に先行できたのか。それは以前からデルの戦略ストーリーが大規模法人顧客を中心とするエンドユーザーへの直接販売をベースにしていたからです。デルにしてみれば、顧客とのインターフェースがそれまでの電話やファクシミリからインターネットに代わっただけの話です。オンライン販売はこれまでのごく延長線上にある展開でした。インターフェースの裏側で動いているオペレーションは以前からのものをほとんどそのまま使えます。

しかも、デルのターゲットは大企業中心でした。顧客は洗練されたインターネットの使い手です。これが個人ユーザー相手であれば、当時はまだＥコマースはそれほど普及していなかったので、顧客を啓蒙し、教育するのに手間ひまがかかったでしょう。つまり、それまでのデルの戦略ストーリーからして、インターネットのスピードや効率を丸ごと享受する体制が整っていたわけです。この意味で、デル・オンラインは「これまで」とのフィットに優れていました。

成長戦略を考えるときに、既存の事業との「シナジー」を考えない人はいないでしょう。ところが、シナジーというと、既存の顧客と重なるとか、これまで蓄積してきた技術的な強みが活かせるとか、個別の要素に目が向きがちです。しかし、本当にものをいうのは、戦略ストーリー全体とのシナジーです。マブチモーターやサウスウエスト航空の事例を使ってお話ししたように、ストーリーを長くするためには、そこに「好循環」や「繰り返し」の論理を組み込むことが大切です。それまでの戦略ストーリーの強みを丸ごと活かさなければ好循環や繰り返しは起こりません。

二〇〇四年のことですが、マイケル・デルさんにインタビューをする機会がありました。当時デルさんは「当面の大きな成長機会は、プリンタにある」と言っていました。デルさんはその理由を次のように説明しています[13]。

プリンタ事業の成功を確信する理由は、プリンタという製品が、これまでのデルのやり方に最もフィットするからだ。われわれの顧客の声を聞いていると、「プリンタはもうコモディティだ。どこの製品のでも大差ない」という意見がこのところ急速に広まっている。われわれはこのような顧客の声に大きな興味を持っている。デルの強みは、コモディティになった製品を、より低コストで、より早く、より便利な方法で顧客に届けるという独自のやり方にある。客観的に見ればプリンタは特に魅力的な市場だとはいえないかもしれない。すでに強力な競争相手がいるし、市場も成熟しつつある。デルにプリンタ技術の蓄積があるわけでもないからやめておけという意見も社外には多い。しかし、そうした意見はデルのこれまでの戦略との関連を無視している。一般的に見てプリンタが魅力的な分野かどうか、そんな議論には意味がない。問題は、デルにとってプリンタが魅力的かどうかだけだ。

スターバックスのメニューにしても、食事には当初から意図的に力を入れていませんし、アルコールも出していません。このようなメニューが「第三の場所」のストーリーとフィットしないからです。スターバックスはレストランではないので、食事に力を入れるにしてもどうしても軽食中心になります。そうすると、お客さんにとっては限られた時間で食事を済ますというファストフード的な使い方となり、ゆったりとリラックスする時間を過ごすというよりも、機能的に便利な場所になってしまいます。アルコールを出してしまうと、ストーリーの意図する落ち着いた空間がパブのような騒がしい場所に変容してしまって、お客さんがリラックスするにしてもその中身が意図とずれてしまい、「第三の場所」が破壊されてしまいます。

ここで注意すべきことは、オペレーションに限定してシナジーを考えれば、食事やアルコールは、不適切どころか、スターバックスのオペレーションの大部分がそのまま使えるという意味で、相乗効果を期待できるメニューだということです。お店があって、テーブルがあって、従業員がいる。大規模な追加投資をしなくても、さまざまな軽食を提供するオペレーションは可能です。

事実、初期の頃スターバックスのお客さんにどのようなメニューを追加すべきかという希望を調査したところ、ビールなどのアルコールは常に上位に来たそうです。第三の場所というコンセプトがターゲットとする顧客のことを考えると、タフな仕事（第二の場所）の後、自宅（第一の場所）に帰る前に軽くビールでも飲みたいと思うのは自然な話です。コーヒーもビールも液体という意味では同じですから、オペレーションのシナジーは期待できます。顧客のニーズはあったわけですから、目先の売上を考えれば、軽食やビールの提供は成長にとって有効な打ち手だったかもしれません。

しかし、スターバックスにとって大切なのは、既存のオペレーションとのフィットではなく、あくまでも構想する戦略ストーリーとのフィットのほうです。第三の場所というコンセプトから始まるストーリーのありようを考えれば、いくらオペレーションのシナジーが期待でき、短期的には売上増が期待できても、ストーリーとフィットしない打ち手には手を出さないという割り切りが大切なのです。

ストーリーという戦略思考からすれば、事業の成長は、非連続的な「革命」(revolution)というよりも、連続的な「進化」(evolution)の結果です。「これから」は「これまで」と無関係には考えられません。裏を返せば、戦略ストーリーは一面では成長の制約要因にもなるということです。どこまでもストーリーを拡張していくのが理想なのですが、無限の拡張性を持ったストーリーはありません。スターバックス、デル、マブチモーター、こうした企業はそれぞれに強く太く長いストーリーで長期にわたって成功してきましたが、そろそろ成長の限界に差しかかっているのかもしれません。

これまでのストーリーの延長上に将来を描けなくなったらどうすればよいのか。事ここに及んで、初めて「革命」というオプションが出てきます。つまり、これまでのストーリーを捨てて、ストーリーの全面的な書き換えに踏み切るということです。ただし、口で言うのは簡単なのですが、ストーリーの全面書き換えは一般にきわめて困難です。成功確率は非常に低い。

このところのマイクロソフトの苦しみも、まさにここにあります。リナックスのような新しい発想に基づく技術やグーグルなどの新興企業に押されて、あれほど強く太く長かったマイクロソフトの戦略ストーリーにもさすがに陰りが見えてきました。しかし、これまでのストーリーが強力だっただけに、その全面書き換えは容易ではありません。

革命的なストーリーの書き換えに成功した企業の例を挙げろと言われても、私がすぐに思いつくのはＩＢＭ（「コンピュータ」のストーリーから「ソリューション・サービス」のストーリーへ）くらいです。これまでに取り上げた事例でいえば、伝統的な「町の株屋さん」からいきなりネット証券の先駆的企業へと脱皮を遂げた松井証券はその例かもしれません。しかし、松井証券の場合、書き換え以前に確固とした戦略ストーリーがあったわけではなさそうです。松井道夫さんは義父である先代から会社の経営を引き継ぐときに「後を継ぎたいというならおやんなさいよ。でも、つまんないよ」と言われたそうです[14]。それまでがほとんど白紙の状態だったからこそ、全面的に新しいストーリーに刷新できたというケースです。

いずれにせよ、オリジナルのストーリーの寿命が尽きたときは、全面的に書き換えるしかありません。では、全面書き換えに骨法はあるのか。これは究極の難問で、私にはなんとも答えようがありません。原理原則を導こうにも、読解の対象となる「作品」があまりにも少ないのです。

ただし、この難問を逆手にとれば、次の二つのことが指摘できます。第一に、ストーリーは「窮屈さ」を感じるぐらいでちょうどよいということ。戦略ストーリーがしっかりしているほど、ある打ち手がそれまでのストーリーにフィットするかしないか、はっきりと判断できます。目先の機会にすぐに食いつく前に、それがストーリーの延長上にうまく乗っかるかどうかを自然と考えるものです。ストーリーとのフィットを追求すれば、何でもかんでも手を出すわけにはいきません。打ち手の選択肢は必然的に狭まります。その意味で、優れたストーリーには窮屈なところがあるのです。窮屈さを感じるということは、それだけストーリーがよくできているということの何よりの証明です。

営利目的のビジネスではないのですが、リナックスに代表されるオープンソース・ソフトウェアは優れた戦略ストーリーの産物です。よく知られているように、オープンソース・ソフトウェアのストーリーが秀逸だったのは、これまで分断されていたソフトウェアの開発者とユーザーの垣根を取り払い、世界中に分散している膨大な数のユーザーが、自分の必要性や興味に応じて、自ら開発に参加できるようにしたということにありました。彼らは無償で開発に参加するボランティアなので、マイクロソフトに代表されるこれまでのソフトビジネスのストーリーと比べて低コストでの開発が可能になりました。

しかし、オープンソースというストーリーの強みとしてそれ以上に重要なのは、バグ（ソフトウェアの欠陥）を修正するスピードがはるかに速く、より高品質のものへと製品を素早く改善できるということにありました。開発にかかわる人数の多さだけがその理由ではありません。オープンソース・ソフトウェアではユーザー自身が開発者なので、バグを発見して修正するにしても、そのプロセスでの情報のロスが少ないということが決定的に重要な意味を持っています。

ソースコードをブラックボックス化しておく従来のやり方では、ユーザーが不具合を見つけても、彼らはほとんどの場合は技術的に素人なので、そのままやり過ごしてしまいます（第一の情報ロス）。アクションをとるにしても、まずはソフト会社のカスタマーサポートにコンタクトします。カスタマーサポートはユーザーの苦情を聞いてはくれますが、多くの不具合はユーザーの使用状況という文脈に依存しているので、文脈を共有していないカスタマーサポートのスタッフが問題の所在を正確に把握するのはなかなかに大変です（第二の情報ロス）。カスタマーサポートのスタッフが問題を正確に理解したとしても、自分ですぐに修正できるわけではありませんから、ユーザーから寄せられた不具合の解決を会社の開発部門のエンジニアに依頼します。しかし、エンジニアはいつでも忙しいと相場が決まっているので、すぐに問題は解決されず、しばらくは放置されてしまいます。そのまま手が回らずに終わってしまうことも少なくないでしょう（第三の情報ロス）。オープンソースというストーリーはユーザーと開発者を重ね合わせることによって、こうした問題を一挙に解決したわけです。

しかしその一方で、オープンソースのアプローチが優れた製品に結実しているのは、ＯＳ（基本ソフト）のようなインフラ系のソフトウェアに大きく偏っていて、アプリケーション・ソフトの分野では必ずしも成功していません。その理由は、オープンソースのストーリーとアプリケーション・ソフトのフィットの悪さに求められます。

ユーザーが自分の本業（多くの場合、彼らは民間企業のソフトウェアの開発者か企業のシステム部門の専門スタッフ）があるにもかかわらずボランティアとしてオープンソース・ソフトウェアの開発に参加するのは、次の二つの理由があるからです。第一に、オープンソース・ソフトウェアの開発に参加し、ソフトウェアの改善に貢献することが、エンジニアとして知的に挑戦的で面白い。第二に、自分がふだんはユーザーなので、ソフトの品質が改善されれば自分の仕事もやりやすくなる。

アプリケーション・ソフトを、水平型（ワープロソフトやスプレッドシートのように多くの人々が使うアプリケーション）と垂直型（特定の業界で特定の目的のために使われるアプリケーション。たとえば個人経営の開業医のための保険の点数計算ソフトなど）に分けて考えてみましょう。水平型のアプリケーションをオープンソースで開発しようとする場合、ユーザーが開発に参加する動機づけは弱くなってしまうでしょう。多くの人に使われるという点ではやりがいがあるかもしれませんが、技術的にはあまり挑戦的ではありません。しかも、ユーザーとしての彼らの興味や知見は、そうしたアプリケーションよりもインフラ系のソフトに向かっています。一般のオフィスで仕事をしている人々がユーザーの中心ですが、そうした人々には開発に参加するだけの技術的なスキルがありません。

垂直型のアプリケーションはさらに望み薄です。ほとんどすべての開発者は、垂直型アプリケーションのユーザーではありません。ユーザーの目的や使用文脈についての知識に欠けています。点数計算の傍らオープンソースのアプリケーションの開発に関与するような、技術的なスキルを持つ個人経営の開業医はまずいないでしょう。

つまり、一世を風靡したオープンソースというストーリーにしても、すべてのタイプのソフトウェアで通用するほど万能ではないということです。これはオープンソースのストーリーがそれだけ強くて太い因果論理で出来上がっているということの裏返しです。逆にいえば、「なんでも来い！」というのは、ストーリーに本当に力を発揮するツボがないということでもあります。拡張性や発展性に若干の窮屈さがあるほうがむしろ筋が良いストーリーなのです。

第二に、ストーリーを構想する以上、少なくとも一〇年、できれば二〇年ぐらいの賞味期間が期待できるような、できるだけ長いストーリーをめざすべきです。全面書き換えがきわめて難しい以上、ビジネスは一つのストーリーと心中する覚悟を持つべきだ、というのが私の考えです。

スターバックスにしてもデルにしても、基本的には一つのストーリーで二〇年以上にわたって長期利益を持続してきたわけです。マブチモーターは四〇年です。これ以上の寿命を一つのストーリーに期待するのはそもそも酷なのかもしれません。そんな贅沢な悩みを先取りして心配するよりも、二〇年は持つような拡張性のあるストーリーを構想することが先決です。

アマゾンの創業経営者であるジェフ・ベゾスさんは二〇〇〇年のインタビューで次のように発言しています[15]。

世界を相手にインターネットを通じて顧客満足の高いサービスを提供できる会社はまだない。私たちはそうなりたい。アマゾンの顧客が増えても、個人個人に違ったサイトを提供できるので、新しい需要をつくっていく。それが当社の使命で、やり遂げたらアマゾンの役割は非常に大きなものになるだろう。（「あと何年でそうした目標に到達できるのか」という問いに答えて）三〇年から四〇年はかかるだろう。そして、アマゾンは永遠に続く会社になる。

◆骨法その六　失敗を避けようとしない

戦略ストーリーをつくるときには、失敗を避けようとしてはいけません。未来が定義からして不確実である以上、失敗は避けられません。避けられないものを避けようとすると、その時点で立ち止まってしまい、前に進めなくなります。唯一可能な手は、試行錯誤を重ね、ストーリーを修正していくという実験的なアプローチです。

失敗したら修正すればいい、だから、まずは実験的なアプローチでやってみよう。これはよく聞く話ですが、重大な落とし穴があります。ごく個人的な活動は別にしても、ビジネスのような高度に組織的な営みの場合、失敗したとしてもそれが失敗だとわからないことのほうがずっと多いのです。成功と比べて、失敗はフィードバックがはるかにかかりにくい。結果の数字から見て失敗だということがはっきりしても、本当のところ何がまずかったのか、失敗の正体はちょっとやそっとでは突き止められません。資源が豊富な大会社であるほど、ズルズルと失敗を引きずる「余裕」がありますから、失敗はなおのこと放置されがちです。

どんなに秀逸な戦略ストーリーでも、それが本当に成功するかどうかは事前には判断できません。最後のところは、やってみるしかないのです。この意味で、実験の規模に違いがあるにせよ、あらゆるビジネスは本質的に実験であるといえます。だとしたら、事前にできること、するべきことは次の二つです。一つは事前に戦略ストーリーを持ち、組織でしっかりと共有すること。もう一つはストーリーのつくり手が失敗を事前に明確に定義しておくことです。

サッカーのたとえでいえば、戦略ストーリーを持つということは、攻撃や守備の流れ、パス回しを事前に構想したうえで試合に臨むということです。相手がある話ですし、いざ試合が始まってみると、思いどおりにいかないことが出てくるのが普通です。

ここで事前に攻撃の流れがストーリーとして明確に意図されていれば、たとえば「相手のプレッシャーが予想以上に激しいので、中盤からのパスがフォワードに通らない」といったように、何を読み間違えていたのかが明らかになります。試合開始一五分ぐらいで、失敗の正体がはっきりするわけです。失敗の正体がはっきりと特定できれば、ストーリーを部分的に修正することができます。失敗を引きずることなく、失敗から学習することができます。

戦略ストーリーが事前に共有されていないと、「子どものサッカー」になってしまいます。小学校の体育の時間のサッカーを見ていると、面白いことに気づきます。時間が来ると、試合終了の笛とともに先生がコートの真ん中に両チームを集めます。「三対二で赤組の勝ち！」と言うと、赤組の子どもたちは「やったー！」、白組の子どもたちは「残念……」。そこで白組の子どもたちに「どこがまずかったと思う？」と聞いてみると、「一点足りなかった」という答え。「じゃあ、次はどうしたらいいと思う？」と聞くと、「あと二点は取れるようにならなきゃ！」。つまり、子どもたちは成功失敗が「結果」でしかわからないのです。試合の中で、具体的にどこがまずかったのか、失敗の正体がつかめなければ、学習のしようがありません。

ビジネスに話を戻しましょう。達成すべき目標値は事前に設定されています。一年にせよ四半期にせよ、始まればいずれ必ず終わりがやって来ます。数字で結果が出てきます。予算を達成できなかった、いくら予算に届かなかった、ということは誰の目にもはっきりします。しかし、ストーリーが事前に共有されていない子どものサッカー状態になると、そこで話が終わってしまいます。監督は「ダメだ、こりゃ……。次、行ってみよう！」（いかりや長介風で）ということになります。選手一人ひとりの「身の回り」では、いろいろと反省することもあるでしょう。たとえば、今期はいまひとつ自分のモチベーションを上げられず、新規顧客開拓の足が鈍ってしまった、だから担当顧客からの売上が計画よりも下振れしてしまった……、というような「個人的な反省」です。

しかし、チーム全体として、本当のところ何がまずかったのか、その肝心の部分はやり過ごされてしまいます。そして、新しい四半期が始まります。人間というのはよくできたもので、新しい試合が始まってみると、「よーし、次は頑張るぞ！」とばかりに、わりとさわやかな気持ちで取り組めるものです。そしてまた四半期が終わり……、ということの繰り返しで、せっかくの失敗を組織的な学習に活かすことができません。

毎回毎回「ダメだ、こりゃ……」であれば、さすがに失敗の正体をつかもうとするでしょう。しかし、幸か不幸か、「今期はよくやった！　次、行ってみよう……」ということもしばしばあるわけです。子どものサッカー状態になると、予算を上回る数字を達成したとしても、本当のところ何が成功をもたらしたのかがわかりません。成功からも学習できないということになります。

もう一つの大切なことは、戦略ストーリーの中で失敗をきちんと定義しておくということです。つまり、成功と失敗の境界条件をいくつか設定し、いついつまでにこういう条件をクリアできなかったら、そのストーリーは失敗として即座に引っ込めるという出口を設けておくわけです。たとえば、リクルートのホットペッパー事業にしても、当初から「一八カ月での黒字達成」と「累積キャッシュアウトは二〇億円が上限」という条件が厳しく設定されていました[16]。この条件をクリアできなければ撤退するという前提で戦略ストーリーがつくられました。戦略ストーリーは、あくまでも長期利益というハッピーエンディングに向けて進んでいくべきものですが、成功するかどうかはやってみなければわからない以上、その裏に失敗という「アンハッピーエンディング」をあらかじめ織り込んでおく必要があります。

吉越浩一郎さん（トリンプ・インターナショナル・ジャパン代表取締役社長、当時）は次のように言っています[17]。

「川に飛び込め」の精神が大切だ。迷わず飛び込んで向こう岸をめざす。もし川が思ったよりも浅ければそのまま走って渡ればよい。深かったら泳げばよい。泳いでみれば流れは案外緩いかもしれない。もし流れが急で泳ぎ切れなかったらどうするか。これが怖いからなかなか飛び込めない。だから経営が「はい、ここまで」という撤退のラインを決めておく必要がある。店舗を新たに出すとき、まず考えなければいけないのは立地でも家賃でもない。閉店のルールだ。一定のルールを満たしていない店は月に一回の「閉店会議」で問答無用で閉店する。うちでは閉店資金が毎月積み立ててある。いつでも店を閉められる。ある意味で失敗を認めている。失敗がルール化されていれば、思い切って川に飛び込める。

ストーリーは失敗を避けるためにあるのではありません。むしろ、きちんと失敗するためにあるようなものです。どんなに成功した企業でも、ストーリーを実現していく過程でさまざまな失敗を経験しているはずです。大切なことは、失敗を避けることではなく、「早く」「小さく」「はっきりと」失敗することです。ストーリーがメンバーに共有されていないと、子どものサッカー状態になり、失敗が「遅く」「大きく」「あいまい」になります。

ガリバーの羽鳥兼市さんは、創業以前の一九八五年に「クルマ買取専門店」と銘打った「日本流通」を立ち上げて、あえなく失敗しています。このときから、羽鳥さんの頭の中には後のガリバーの原型となる戦略ストーリーがありました。ところが、実際に日本流通で買取専門事業を始めてみると、「買い取った車を短期間のうちにすべてオークションに出品する」という、ガリバーのストーリーの一番肝心なパスがうまく通らないという現実に突き当たりました。当時はオークション会場が少なく、システムの自動化も進んでいなかったため、機動的なオークションへの出品ができなかったからです。羽鳥さんは買取専門事業を早々に断念して、従来やっていた伝統的な中古車販売業に戻りました。

この話のポイントは、事前に羽鳥さんの頭の中にストーリーが描かれていたからこそ、「期待していたスピードでは買い取った車をオークションでさばけない」という失敗の本質がはっきりした、ということです。逆にいえば、この日本流通の失敗の経験は、オークションの会場数や規模の問題をクリアできれば、このストーリーはきちんと動くはずだ、という確信につながりました。

失敗から学習した羽鳥さんは、頭の中にあるストーリーを修正し、中古車オークション市場の成長動向に注意しながら、虎視眈々と再挑戦のタイミングを待っていました。羽鳥さんがガリバーで再挑戦に踏み切ったのは、日本流通の失敗から九年後の一九九四年のことでした。事前に戦略ストーリーがあったからこそ、「早く、小さく、はっきりとした失敗」ができ、そこで得た学習が大きな成功をもたらしたのです。

◆骨法その七　「賢者の盲点」を衝く

その業界を知悉している（つもりの）「賢い人」が聞けば、「何をバカなことを……」と思う。しかしストーリー全体の文脈に置いてみれば、一貫性と独自の競争優位の源泉となっている。部分の非合理を全体での合理性に転化する。これがストーリーの戦略論の醍醐味です。ストーリーづくりで一番面白く、しかし難しいのは、そうした「キラーパス」を組み込むというところにあります。

あっさり言ってしまえば、「他社と違った良いことをやる」、これが戦略です。至極当たり前に聞こえるかもしれません。しかし、よくよく考えてみるとここには大いなる矛盾があります。「違ったこと」をやらなければならない。しかし、「良いこと」であれば、「違ったこと」にはなりにくい。なぜかといえば、それ自体「良いこと」であれば、遅かれ早かれ他社も同じことをしてくるからです。そうなればせっかくの違いが失われてしまいます。そもそも、そんなに「良いこと」であれば、われわれがやりだす前に、とっくに誰かが気づいてやっていてもよさそうなものです。前章でお話しした「合理性では先行できない」という論理です。

個別の構成要素の一段上にあるシンセシス（綜合）のレベルで戦略の宿命的なジレンマを解決する。ストーリーの戦略論の腕の見せどころはここにあります。戦略のある要素が非合理であれば、他社はその部分については模倣しようという動機を持ちません。むしろ、意図的にそこから離れようとします。あからさまに「良いこと」をやるのと比べて、違いを持続することができます。もちろん、それだけでは非合理なので、長期利益にはなりません。しかし、ストーリー全体の流れの中で部分の非合理を全体の合理性に転化することができれば、「良いこと」と「違ったこと」の矛盾が解け、この両者を同時に、しかも長期的に維持できるわけです。

「カイゼン」や「JIT」(Just In Time) は、今日では世界中の製造現場で導入されているトヨタ発の「ベストプラクティス」です。ボストンコンサルティンググループの水越豊さんから面白い話を聞いたのですが、一九七〇年代初めに欧米企業の幹部がトヨタを見学したとき、今でいう「トヨタ生産方式」を見て、彼らは「トヨタはものづくりがわかっていない……」と眉をひそめたそうです。一つは、現場で改善活動に取り組む労働者を見て、「ライン・スタッフ制ができていない。現場でバラバラやっていたのでは、系統だった組織的な問題解決ができない」。もう一つは、仕掛かり在庫を最小化するために小ロット生産や並行処理を多用する作業フローを見て、「同種の作業をまとめて処理して効率を上げるバッチ方式が全くできていない。分業による専門化と規模の経済の利点を全く理解していない」。今ではベストプラクティスとして世界中で受け入れられているトヨタ生産方式も、外部にいる「賢者」にとっては、当初は非合理極まりないように見えたという話です。

次のような二つの思考実験をしてみると、この話の意味合いがよくわかるでしょう。第一に、もしトヨタが「われわれは遅れている。だから欧米の先進的なベストプラクティスを取り入れなければならない」と考えていたら、どうなったでしょうか。数十年後に世界を席巻するイノベーションは生まれなかったはずです。第二に、トヨタの思いついた「違ったこと」が、欧米企業の幹部にとっても「良いこと」であり、その合理性を即座に理解できるようなものだったらどうなったでしょうか。彼らはトヨタの発想に感心して、帰ってすぐに自社の製造部門に取り入れたはずです。すぐに模倣されてしまい、違いは持続できなかったでしょう。

もう一つ重要なポイントがあります。それは、トヨタ生産方式（ＴＰＳ）は「先見の明」の産物ではない、ということです。東京大学の藤本隆宏さんは、ＴＰＳの発生メカニズムについて詳細に検討し、「経営資源が不足する中で生産量成長を余儀なくされた」「急速なモータリゼーションがモデル多様化を伴わざるをえなかった」というような、戦後日本の歴史的拘束条件への「仕方がない」適応の結果として、ＴＰＳが生み出されたと指摘しています。[18] 先を見通すどころか、その当時の日本にローカルな課題に四苦八苦したあげくに出てきたストーリーがＴＰＳだったというのです。

「先見の明」というのは、その時点では他社が気づいていないような合理性を時間的に先取りするということです。ＴＰＳの合理性にしても、その時点では他社は気づいていなかったのですが、その理由は時間的な先取りではなく、部分の非合理は見えても、他社にとってはストーリー全体の合理性がなかなか見えなかったということにあります。

優れたストーリーは「賢者の盲点」を衝くことによって、ユニークな競争優位をもたらします。「普通の賢者」の思考に染まってしまうと、賢者の盲点を衝くことはできません。この意味で、「ベストプラクティスの戦略論」はストーリーの戦略論に全く逆行するものです。ベストプラクティスの戦略論は「あからさまに良いこと」の集大成です。どこかにうまい手があるはずだ、それを探して取り入れよう、という発想では、キラーパスの効いた面白いストーリーは決してつくれません。ここに戦略の素人と玄人の分かれ目があります。

賢者の盲点を衝くためには、まずはその時点で業界の内外で広く共有されている「信念」なり「常識」を疑ってみるという姿勢が大切です。常識を疑うといっても、「他社が一〇時間でやる仕事を、われわれは一時間でやる」というような、常識の「先を行く」という話ではありません。「急がば回れ」です。一般的に「良いこと」と信じられている常識の「逆を行く」という思考様式が求められます。

どうも引っかかる常識にぶつかったときは、なぜその常識が信じられてきたのか、その背後にある論理をじっくり考えてみるべきです。常識の裏側には、何らかの非常識や非合理が隠されているかもしれません。トヨタの例でいえば、ライン（現場の作業者）とスタッフ（現場を離れて考える人）をはっきりと分ける組織は、分業と専門化という合理性に立脚しているけれども、改善策を考えるスタッフとそれを実行する現場が分断されてしまうという問題が隠されています。トヨタの「自働化」や「カイゼン」は、「現場から離れた人には本当に重要な問題が発見できないのではないか」という、従来のものづくりの常識に対する疑問から始まっています。

前章のガリバーの例でいえば、中古車業者は多様な個人顧客の嗜好とのマッチングを図ることでなるべく高いマージンを取ろうとするけれども、それがために過剰な在庫リスクを抱えてしまっているわけです。こうした広く信じられている合理性の裏にある隠された論理に目を向けることが大切です。そうでないと、「ベストプラクティス」的な情報の洪水に押し流されてしまい、賢者の盲点を衝くようなキラーパスはなかなか浮かび上がってきません。

賢者の盲点を見出すためには、日常の仕事や生活の局面で遭遇する小さな疑問をないがしろにしないことが大切です。普通に仕事をし、生活をしているだけで、ちょっとした不便や疑問がさまざまに出てくるものです。なぜこんな不便が解決されずに残っているのか、こういうものがあったら面白いのになぜ世の中に存在しないのか、こういうサービスがあったら楽しいのに……、というような疑問です。

こうした疑問が出てきたときに、「なぜ」を考えることを惜しんではいけません。そうした不便や問題や欠如が解決されずにそのまま残っているのには必ず何らかの理由があります。その理由をもう一歩深く考えてみてください。ほとんどの場合、思い当たる理由は「かかるコストがとうてい引き合わない」とか「技術的に無理」とか、その種の「どうしようもない理由」でしょう。

しかし、どんな人でも多かれ少なかれ常識にとらわれているものです（そもそも常識とはそういうものです）。一歩引いて、論理的に素直に考えてみれば、その時点で世の中や業界や会社で共有されている「常識」が邪魔をして、考えてみればごく簡単な解決策があるにもかかわらず、長い間にわたって放置されている不便や欠如があるかもしれません。この場合、解決策が賢者から見て「非合理」に映るので、問題が問題としてそのまま放置されて、「常識」がそうした問題の存在を半ば無意識のうちに受け入れてきたわけです。

図7・1を見てください。今、①という問題がなぜ存在するのか、その理由を考えた先にXという賢者の盲点らしきものが見えてきたとします。この段階では思考はそれ以上前に進まないかもしれません。とりあえず「X↓①」という小さな因果論理を頭の片隅にストックしておくだけで十分です。

日常的に小さな問題の背後にある「なぜ」を考えるという習慣を続けていけば、ふとした機会に②という同根の問題（同じ賢者の盲点Xが背後にありそうな問題）が見つかるかもしれません。自分が

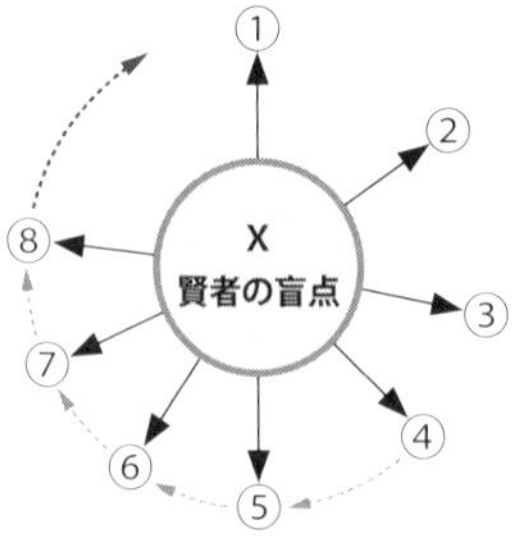

図7・1　賢者の盲点

日常の仕事や生活の中で遭遇する範囲で、こうした一つのXから派生している同根の問題が複数見つかるような場合（図の③や④）、Xは賢者の盲点である可能性が高いといえます。Xが賢者の盲点になっているために、一見関係なさそうな不便や問題が放置されており、それらが根っこのところでつながっているわけです。

ひとたび賢者の盲点を見つけることができたら、今度は逆の因果論理を考えることができます。つまり、賢者の盲点が障害となっているために解決されずに残されている問題が他にないかということを考えてみる。これが次々と出てくるようであれば（図の⑤～⑧）、Xは相当に筋の良いストーリーを切り拓くポテンシャルを持った賢者の盲点であるといえます。Xが本当に賢者の盲点であれば、それが「合理的」だと思われて長いこと維持されているだけに、そこから派生する問題がたくさん残されているはずなのです。

ここまできたらしめたものです。賢者の盲点Xをクリティカル・コアに据えて、筋の良いユニークなストーリーを描ける可能性が高くなります。Xという盲点を衝けば、その一撃で①～⑧というさまざまな問題を一網打尽に解決できます。ですから、ストーリーが自然と太くなります。これまで無理だと思われていた問題が自然に無理でなくなるので、その先にさらなるさまざまな打ち手が芋づる式に出てくるはずです。ストーリーが強く長くなります。

サウスウエスト航空の「ポイント・トゥー・ポイント・サービス」、マブチモーターの「標準モーター」、ガリバーの「買取専門で小売はしない」といったこれまでお話ししてきたクリティカル・コアとそれがブレイクスルーとなって生まれた戦略ストーリーは、それぞれの経営者の頭の中でこのようなプロセスを経て出てきたのではないかというのが私の推測です。もちろんこうした段取りが明確に意識されていたわけではないでしょうが、素朴な疑問に対する「なぜ」の思考がストーリーの発火点になったことは間違いありません。

こうした「なぜ」の積み重ねは当事者の頭の中にしかない、ということを改めて強調したいと思います。よろしくないのは、さまざまな情報を集めて調査をすれば面白いストーリーのネタが見つかるだろう、という受け身的な発想です。情報のインプットが多くなるほど、常識が強化されます。情報量が多過ぎると、かえってキラーパスの発想は貧困になるのかもしれません。これだけ情報が氾濫している時代なのですから、改めて調査してみなくても、必要となる情報の大まかなところはすでにわかっているはずです。ストーリーを書くための予備知識はそれで十分、まずは書いてみることです。

そもそも、普通のメディアで飛び交っている情報はほとんど頼りになりません。そうした情報の圧倒的大多数は、多かれ少なかれ「最新のベストプラクティス」的な話です。キラーパスは『日本経済新聞』の一面には出てきません。それ自体では「良いこと」に聞こえないからです。キラーパスの効いたストーリーは、出来合いの情報ばかり集めている素人の発想が及ばないところにあります。その意味で、キラーパスは玄人好みの戦略なのです。

◆骨法その八　競合他社に対してオープンに構える

唯我独尊の自前主義に凝り固まらないという意味での「オープン化」や、他社の資源を有効に活用するという意味での「オープン・イノベーション」がこのところ注目を集めていますが、ここで言いたいことはそうした話とは全く関係ありません。「オープンに構える」というのは、競合他社に対して防御的（defensive）な構えをとるべきではないという意味です。

優れた戦略で成功すれば、当然、競合他社は注目します。他社が戦略を模倣して追いかけてくるのではないかと気になるのは無理もありません。しかし、いくら戦略の優位や独自性を防御しようとしたところで、このご時世ではどうやっても完全には防御しきれないと思ったほうがよいでしょう。新薬の特許一発で相当の長期にわたって利益を維持できる製薬業界や、デファクト・スタンダードを握ってしまえば、あとは強力なネットワーク外部性で優位を持続できる一部のソフトウェア業界などはあくまでも例外です。

しかし、第5章の競争優位の階層のところでお話ししたように、その戦略が本当に優れたストーリーになっていれば、実際のところ模倣の脅威はそれほど大きくはありません。ストーリーがどんなに広く知れ渡り、他社がどんなに研究・分析したとしても、直接の模倣の対象となるのはストーリー全体ではなくて、個別の構成要素のほうです。個別の要素がかなり包括的に模倣されたとしても、他社がストーリーの交互効果という肝心要の強みまで手に入れるのは相当に困難です。一見して非合理なキラーパスがストーリーのクリティカル・コアになっていれば、追いかけてくる競合他社の側で自滅の論理が作動して、第5章でお話ししたような「地方都市のコギャル」になるかもしれません。そうなったらしめたものです。

要するに自信を持てるストーリーさえあれば、競争相手の反応に対して鷹揚に構えていることができます。逆にいえば、競争相手に対してオープンな構えを自然に取れる程度に自信を持てるストーリーを描くことが大切だということです。

優れた戦略ストーリーで競争優位を維持してきた企業を見ると、競合他社に対してオープンな構えのところが少なくありません。たとえばトヨタです。もちろんブラックボックス化された技術やノウハウ、知的財産については十分に防御的ですが、トヨタ生産方式（ＴＰＳ）など戦略ストーリーの柱となる部分については、外部に対してわりとオープンです。その証拠に、ＴＰＳについてその細部まで研究し、その「秘密」を解き明かした本は世の中にあふれています。

デルにしても、創業者のマイケル・デルさんは一九九九年の時点で *Direct from Dell* という本（邦題『デルの革命』）を出版しています。[19] 副題に「業界を変えた戦略」(*Strategies That Revolutionized an Industry*) とあるように、デルの創業以来の成功を支えた競争戦略をその詳細に至るまでつまびらかにしています。もしデルさんが競争他社の戦略の模倣に対して防御的であれば、とうていここまでは書かなかったはずです。

トヨタやデル、その他の優れた戦略ストーリーで成功した企業はなぜオープンな構えを取るのでしょうか。それは自分たちが構築したストーリーに自信があるからだと思います。「一部の構成要素は取り入れられても、ストーリー全体はそう簡単にはまねできない」という自信です。うがった見方をすれば、自社のストーリーを公開することによって、それを模倣しにかかる他社が自滅の論理にはまるのを期待しているのかもしれません。もっとも、さすがにそこまでは考えていないでしょうが、いずれにせよ、個別の構成要素ではなく自社のストーリーを深いレベルで理解し、ストーリーこそが持続的な競争優位の源泉になっているということを強く自覚しているのだと思います。

デルが急成長を続けていた一九九七年のことです。デルの優れた業績とそれを可能にした「ダイレクト戦略」はPC業界の内外で注目を集めるようになりました。第5章でお話ししたIBMだけでなく、ヒューレット・パッカード（HP）や（HPに吸収される前の）コンパックもまた同じような戦略を導入して、デルに盛んに攻撃を仕掛けてきました。こうした他社の戦略模倣の動きに対して、マイケル・デルさんをはじめとするデルの経営陣は「競合他社の動きを歓迎する。業界の大手企業がわれわれの戦略を模倣するということは、われわれのやってきたことの信頼性がそれだけ高いということだ」という発言を繰り返しました[20]。

PC業界で当時デルの二倍近くの市場シェアを持ち、業界最大の規模を誇っていた王者コンパックがフルスケールで直販に乗り出すという戦略を表明したときは、さすがのデルも相当に大きな影響を受けるのではないかと取りざたされました。しかし、このニュースについての感想を聞かれたマイケル・デルさんは「われわれが最高の野球選手だとすれば、コンパックは最高のバスケットボール選手だ。コンパックは野球をやりたいというのだが……」と発言しています[21]。

これはなかなか含蓄のある言葉です。球技（PC事業）という点では同じですが、デルのPC事業を駆動している戦略ストーリーはコンパックのそれとは大きく異なります。どんなにコンパックが優れたバスケットボール選手だとしても、野球ではそうはうまくいかないよ……、というわけで、自分の練り上げてきた戦略ストーリーに対するデルさんの深い自信が読み取れます。

反対に、ストーリーの一貫性よりも特定の構成要素に強みを大きく依存している企業は競合他社に対して防御的にならざるをえません。その「お宝」ともいうべき要素を模倣されてしまえば、競争優位をいちどきに喪失してしまうからです。競合他社にまねされて追いつかれてしまうのではないかということが心配になるようでは、まだまだ戦略ストーリーの詰めが甘いということです。ストーリーとしての戦略に自信が持ちきれないと、どうしても防御的な構えになります。オープンな自然体で競争相手に向き合えるとしたら、戦略ストーリーも本物です。

ここでいうオープンな構えというのは、オープン・イノベーションなどというときのオープンとは全くの別ものだといいました。もちろん広い視野を持って他社に学んだり、外部企業と柔軟に連携しながら社外の資源や成果を取り入れるということは悪いことではありません。しかし、この意味での「オープン」が過ぎると、他社の「優れた点」をやみくもに取り入れることになって、肝心の自社の戦略ストーリーの一貫性が崩れてしまいかねません。これでは何のために他社に学んでいるのかがわからなくなります。

自社に優れた戦略ストーリーがあり、それが持続的な競争優位をもたらし、他社がおいそれとまねしようとしてもかえって「地方都市のコギャル」になってしまう。これが競争戦略にとって最高の状態です。反対に、一貫した独自のストーリーがなく、戦略なるものが成功事例から拝借した個別要素のパッチワークになったあげくに、自分たちが「地方都市のコギャル」になってしまう。これが最悪の戦略です。

まずは自分の頭を使って、自分の言葉で、自分だけのストーリーをつくることが先決です。もちろんすぐに完成されたストーリーができるわけではありません。しかし、自信を持てるだけのストーリーの原型をつくることが大切です。ストーリーの原型ができてしまえば、あとは業界の一時的な流行や競争相手の短期的な行動に振り回されることなく、試行錯誤を重ねながらストーリーがより強く、太く、長くなるように磨きをかけることが大切です。

◆骨法その九　抽象化で本質をつかむ

戦略ストーリーの骨法を順番にお話ししていると、いつも結論は「自分の頭で考えましょう」とか「ビジネスを駆動している論理を立ち止まって考えましょう」とか、そういう話になってしまうのですが、他社の経験や動向を知ることは、もちろん悪いことではありません。自分の業界や自社のことだけを考えていても発想が偏りますし、煮詰まってしまいます。

今では新聞や雑誌、インターネットなどなど、さまざまなメディアを通じて、ありとあらゆる情報にアクセスできます。ただし、どの企業（who）が、いつ（when）、どこで（where）、何を（what）、どのように（how）やっているのか、こうした個別のファクトについての情報にはそれほどの意味はありません。どんな情報に接するときでも、その背後にどういう論理があるのか、whyを考える癖をつけることが大切です。

簡単にアクセスできる情報には、肝心のwhyが欠落しています。アクションの背後にある論理は、あくまでも自分の頭で読解しなければなりません。ファクトを漠然と眺めるだけでは、「木を見て森を見ず」です。個別のファクトをつなぐストーリーを汲み取ることができません。

戦略が特定の文脈に埋め込まれた特殊解である以上、決定論や法則では戦略ストーリーはつくれません。あらゆる戦略はただの一回しか起こらない出来事なのです。ですから、戦略思考を豊かにするためには、「歴史的方法」が最も有効です。要するに、過去に生まれたストーリーを数多く読み、背後にある論理を読解するということです。

読解の対象としては、新聞や雑誌の「速報」的な断片の情報よりも、ある企業の歴史や戦略についてじっくりと記述した本、優れた経営者の評伝・自伝といった、「ストーリー」になっているもののほうが適しているでしょう。事の成り行きからしてどうしても数は少なくなるのですが、成功した名作ストーリーだけではなく、失敗した「愚作」を読むこともとても大切です。失敗したストーリーのほうが、むしろファクトの背後にあるwhyを考えやすいものです。

私が個人的に気に入っている抽象化のやり方に、昔の新聞や雑誌の記事を読むというのがあります。たとえば、私の手元にはこの本を書くための資料としてこの一〇年間のアマゾンについての記事を集めたファイルがあります。メディアの論調はその時々の業績とか評判に大きく左右されるものです（余談ですが、一九九〇年代の終わりには、多くのメディアがエンロンの「革新的なビジネスモデル」

を大絶賛していました。こういう記事を今になって読むと、ぶれない論理を持つことの大切さをしみじみと感じます）。アマゾンにしても、創業当初は絶賛され、ネットバブルが崩壊して赤字続きが危惧された頃はさんざんにこき下ろされ、最近になってまた絶賛されるという成り行きです。

ここでのポイントは、賞賛されるときもこき下ろされるときも、アマゾンの戦略は基本的に同じストーリーで一貫していたということです。一〇年分の記事をたどって読んでみると、その時々の表面的な現象に左右されずに、かえってアマゾンの戦略ストーリーが依拠している論理の本質を理解しやすいのです。

ビジネススクールの戦略論の講義がしばしばケース・ディスカッションの形をとるのは、それが過去のストーリーの読解として有効な方法だからです。ケースにはその業界や企業についてのさまざまなファクトが淡々と記述されているのが普通です。記述そのものは無味乾燥で、読み物としては面白くもなんともありません。ケースはあくまでもクラスでディスカッションするための教材です。

ケースを使った講義というと、それだけで「実践的でいいですね！」と言う人がいます。現実に起きた具体的な事例を使えば、ビジネスですぐに役立つ「実践的」な知識が身につく、というのです。そういう人に限って、自分のビジネスに「近い」業界や会社の「最新」のケースを読みたがります。

これは戦略の本質を無視したひどい誤解です。ケースにしても、ファクトを知ることにはほとんど意味がありません。大学生が就職活動のときによくやる「企業研究」ではないのです。しつこくお話ししてきたように、華々しい成功事例であっても、そこに含まれている具体的な事々を自分のビジネスにそのまま応用することはできません。最新のベストプラクティスを知ったところで、しょせんはそのケースの文脈に埋め込まれた断片的要素にすぎません。ファクトのつながりにまで踏み込んだストーリーを理解し、そこから戦略思考の支えとなる重要な論理をつかむ。これがケース・ディスカッションの本来の目的です。

かつて学部の学生（大学の一年生から四年生）に教えていた頃の話です。いろいろな事例を使って競争戦略を講義していたのですが、ある学生が手を挙げて、「先生、もっと抽象的に説明してもらわないとわかりません」と言いました。学部の学生には実務経験はありません。こちらとしては具体的な例を使って説明したほうがわかりやすいだろうと思って講義をしていたのですが、実務経験がない学生にビジネスの具体的なことを話しても、いまひとつリアリティがない。抽象レベルで理解すれば、ビジネスの実際を肌で知らなくとも本質がつかめるはずだ、だからもっと抽象的に説明してほしい、というのがこの学生のリクエストでした。

この学生の発言はなかなか筋が通っています。もちろん抽象論理だけでは戦略ストーリーはつくれません。現実のストーリーはもちろん具体的なアクションのレベルに落ちていなければなりません。しかし、具体的な事象はあくまでも特定の文脈の中でのみ意味を持ちます。他社の成功要因を自分のストーリーに水平的に応用しようとしても、異なった文脈をまたぐことになるので、そのままでは無理があります。具体的事象の背後にある論理を汲み取って、抽象化することが大切なのです。具体的事象をいったん抽象化することによって、初めて汎用的な知識ベースとなります。汎用的な論理であれば、それを自分の文脈で具体化することによって、ストーリーに応用することができます。

このように抽象化と具体化を往復することで、物事の本質が見えてきます。ここで大切なことは、思考の推進力はあくまでも抽象化のほうにあるということです。具体的な事象についての情報であれば、漫然としていても日常生活の中でどんどん入ってきます。しかし、意識的に抽象化をしなければ本質はつかめません。三枝匡さんはこのプロセスを、具体的な事象を「冷凍」（抽象化）して、ひとまず「冷凍庫」（知識ベース）に入れておき、必要なときに自分の文脈で「解凍」（具体化）して応用する、というメタファーで説明しています。[22] 具体的な事象は「生もの」なので、一度冷凍しないと、文脈を超えて持ち運ぶことができないというわけです。

これは三枝さんが紹介している話ですが、一九八〇年代に日本的経営のブームが起き、アメリカでもトヨタ生産方式（ＴＰＳ）は注目を集めました。しかし、アメリカの人々にとってＴＰＳの本質がわかりにくかったようで、当初は単純に在庫を減らすための一つの方法として受け止められていました。初期の段階ではＴＰＳの導入は機械組立産業に限られていました。

ところが一九九〇年代に入ると、ＴＰＳの本質が「時間」にあるのではないか、という抽象化の視点が提示されました。[23] 企業のあらゆる活動で時間短縮を図ることが競争優位につながるという論理化です。ＴＰＳが「時間に基づく競争優位」という概念で抽象化されると、機械組立ての生産現場だけでなく、営業や開発など企業活動全体に応用できるという気づきが生まれました。その後、ＴＰＳはＰＣ、航空機、医療機器、玩具、樹脂成型、あるいは非製造業の物流、郵便、建設、病院などの分野でも施行されることになりました。

たとえばＰＦＣ（Patient-Focused Care）と呼ばれる病院の改善手法です。ここでは工場の組立ラインを流れていく商品に相当するのが病院の患者ということになります。病院内で患者に提供される一連の治療サービスを、工場の生産ラインと同じようにタイムリーに提供していく。従来は病院の中央にあったナースステーションを廃止し、看護師が病室のすぐ近くにいられるように分散的に配置する。それによって看護師の動線を短縮する。同時に、看護師が患者に頻繁に触れることによって患者が押しボタンでナースコールをすることをやめさせる。滞留や待ち時間を減らして、なるべく在院期間を短くするという発想です。TPSの論理が「時間」という切り口で抽象化されたことが、さまざまな分野での応用を可能にしたわけです。

当のTPSにしても、それ自体が文脈に埋め込まれた現実現場の事象を論理化・抽象化するメカニズムとして理解できます。たとえばTPSを支える柱の一つに、「なぜ」を五回繰り返すという思考様式があることはよく知られています。「なぜ」を繰り返すことによって現場で出てくる問題や現象の背後にある根本原因を突き止める。これが「なぜなぜ五回」の目的です。「なぜ」の繰り返しは、一面では現場での文脈に埋め込まれた因果論理を徐々にその文脈から引きはがし、汎用的な知識へと抽象化していくプロセスであるともいえます。現場発の知識を十分に抽象化し、組織的に蓄積しておけば、それを他の現場や将来に起こる問題の解決に汎用できるというわけです。

ガリバーのストーリーを抽象化して考えると、「後出しジャンケン」という論理が浮かび上がってきます。前章で詳しくお話ししたように、それまでの中古車の買取は、それが実際に売れるかどうか、売れるとしてもいくらで売れるか、大きな不確実性を抱えたうえで値づけをしなければなりませんでした。しかし、ガリバーは買い取った車をそのまま直近のオークションに出してしまいます。中古車オークションでの相場はわかっているので、実際に確実に売れる価格に機械的にマージンを上乗せするだけで、一元的に買取価格を決定できます。先に相手の手がわかっている後出しジャンケンなら、負けることはありません。在庫のリスクやコストを抱えずに済みます。

このようにストーリーの本質を抽象論理で押さえておくと、一見関係のなさそうな他の業界にも、同じようなストーリーがあることに気づきます。たとえば、ファッション・アパレル業界のザラです。ザラのようにファッション性が高いアパレルの会社は、「ファッションリーダー」をめざすのが普通です。つまり、次のシーズンに何が流行るのかを予測しよう、もっといえば流行を自らあおろうという話です。

ところが、なにぶん「女心と秋の空」でありまして、移ろいやすいファッションを相手にしている以上、いくら予想をしても、打率には限界があります。そこでザラは考えました。何が流行るか事前に考えるのがそもそもの間違いなのではないか。まずは小ロットで多種多様な商品をつくってみて、お店に並べ、売れ行きを見る。ハズした商品はそこで終わりにする。食いつきの良い商品があれば、すぐに追加生産してお店に並べる。店頭でのお客さんの反応を観察していれば、そのシーズンのデザインや色についての微妙な流行がだんだんわかってくる。シーズン中であってもすぐにデザインや色の変更をかければよい……。

こうしたザラの発想は、開発から製造、販売まで自社で一貫したサプライチェーンを構え、リードタイムを短くし、速いサイクルで顧客の嗜好を追いかけていくという、「ファッションフォロワー」の戦略ストーリーとして結実しました。中古車流通と業界は全く違いますが、ザラの「ファッションフォロワー」のストーリーも後出しジャンケンの論理に立脚しています。これまでのファッション業界では何が流行るかを必死に予測したりあおっていたわけですが、ザラは売れ行きを眺めながら少しずつつくって売ろうという発想ですから、ジャンケンで相手（顧客の嗜好）の手を見てからこちらの出す手を決めているようなものです（相手の手を見てからこちらの手を出すまでの時間が非常に短いことが条件となりますが）。

ストーリーを抽象化すると、共通点だけではなく、違いもまた鮮明になります。ガリバーもザラもある種の後出しジャンケンをしているのですが、完全に同じ論理でくってしまうには若干の違和感があります。ガリバーの後出しジャンケンは、マッチングの難しさと、それに伴う価格（買取価格と販売価格）の不確実性を削減しようとするものでした。一方のザラは、同じ不確実性でも、消費者がそもそも何を欲しがるのか、変化が激しいので読みきれないという、ニーズの不確実性を削減しようとしています。

だとすると、ザラのストーリーが立脚している論理は、後出しジャンケンというよりも、「目標追尾型ミサイル」といったほうが正確かもしれません。ファッション業界では、ねらうべき標的が刻々と変化していきます。どんなに腕の良い狙撃手でも、目標が動いてしまっては百発百中というわけにはいかない。ファッションリーダーは、それでもなんとか命中率を上げようとして、射撃の腕を鍛えることに終始していました。これに対して、いくら射撃の腕を磨いても限界がある、むしろ弾に自動的に目標を追尾する機能をつければ、標的があっちこっち動いても、追いかけていって当てることができる、というのがザラの発想です。

このように抽象化すると、今度はザラとセブン－イレブン・ジャパンとの共通点が浮かび上がってきます。この本の最初のほうでお話ししたセブン－イレブンの仮説検証型発注システムを思い出してください。セブン－イレブンでは発注の権限は本部ではなく店側にあります。それぞれの店舗のオーナーやスタッフが、現場での観察や経験を総動員して一つひとつのアイテムについて日々「仮説」を立て、それに基づいて発注し、結果を素早くフィードバックすることによって、次のより良い仮説を誘導する。これが仮説検証型の発注です。事前に売れ筋を決め、それにねらいを定めて弾を撃つのではなく、日々の業務の中で素早いネガティブ・フィードバックを繰り返すことによって、刻々と変化する顧客の嗜好を捉えようというわけで、これは「自動追尾型ミサイル」の論理です。

他社のストーリーを読解するときは、このような抽象化が欠かせません。抽象化すれば、汎用的な知見を手に入れる可能性が飛躍的に高まります。一見何の関連もなさそうな業界の事例や、時代遅れに見える遠い昔の事例から、自分のストーリーづくりに役立つさまざまなヒントが得られるはずです。抽象的な論理こそ実用的なのです。

◆骨法その一〇　思わず人に話したくなる話をする

「強さ」と「太さ」と「長さ」の三つが戦略ストーリーの評価基準だという話をしましたが、一番手っ取り早くわかる優れたストーリーの条件は、そのストーリーを話している人自身が「面白がっている」ということです。自分が面白がっているからといって必ずしも成功するとは限りませんが、このことは優れたストーリーの必要条件として最重要なものの一つであることは間違いありません。自分で面白いと思えるということは、少なくともその人の頭の中では、ストーリーを構成するさまざまな決めごとや打ち手が論理で無理なくつながっているということを保証しています。

ストーリーの戦略論は、改めて戦略づくりの面白さに光を当てるものです。ストーリーを構想し、組み立てるということは、そもそも創造的で楽しい仕事のはずです。にもかかわらず、「中期経営計画」という名分のもとに、難しい目標設定を与えられ、眉間にしわを寄せた渋い顔で「戦略」を考え（させられ）ている人が多過ぎるように思います。戦略は「嫌々考える」ものではありません。まずは自分自身が面白くて仕方がない、これが絶対の条件です。そのことを考えていると時間が経つのを忘れてしまうほど心底面白いことであれば、いくらでもエネルギーを投入できます。努力が苦痛になりません。多少忙しくとも、ストーリーづくりは自然と前に進んでいきます。

ストーリーの面白さは、組織における戦略の実行と深くかかわっています。戦略の実行を担う人々は、具体的な仕事としては特定の機能や部門を担当しています。ストーリーという全体を共有しなくても、アナリシス（分析）の発想に基づいて、組織のメンバー一人ひとりにインセンティブを与えることは可能です。戦略を構成要素に分解し、特定の個人が担当する範囲を定義し、その人が達成すべき目標を明示し、それに対する報酬を設計してあげれば、その人は動機づけられるかもしれません。極端な話でいえば、個人に対応して定義された成果をあげるほど、その人の金銭的報酬が上がるような仕組みを用意すれば、一人ひとりが「自分の稼ぎを極大化する」というモチベーションで勝手に動いてくれるだろうという発想です。

しかし、これではマネジメントの放棄と紙一重です。当たり前の話ですが、自分の稼ぎを極大化しようとする人々の集団では戦略は実行できません。戦略ストーリーはあくまでもシンセシスです。相互に独立した要素へと完全に分解することはできません。アナリシスで割り切ると、どうしても全体としての整合性がとれなくなります。個人のレベルでどんなに精緻にインセンティブ・システムを整えても、戦略を駆動する力は生まれないのです。自分の仕事がストーリーの中でどこを担当しており、他の人々の仕事とどのようにかみ合って、成果とどのようにつながっているのか、そうしたストーリー全体についての実感がなければ、人々は戦略の実行にコミットできません。戦略ストーリーをつくる立場にいるリーダーだけでなく、ミドルマネジメント以下の多くの人々も、仕事に向かって突き動かされるような面白いストーリーを強く求めているはずです。

前に「子どものサッカー」という話をしました。子どものサッカーのもう一つの特徴は、なぜ、何のためにプレーしているのか、プレイヤー一人ひとりの「戦う根拠」が薄弱になるということにあります。子どもが体育の時間にサッカーをしているところを見ていると、始まって一五分ぐらいで、急速にやる気をなくす子どもがちらほらと出てきます。初めのうちは楽しそうにボールを追いかけていたのに、そのうちグラウンドの隅でつまらなそうに下を向いて石を蹴っている子がいます。「なぜみんなと一緒にボールを追いかけないの?」と聞いてみると、「おじさんね、僕は足が遅いから、なかなかボールを蹴れないんで、面白くないよ。あーあ、野球のほうがよかったな。野球だったら打つ順番が回ってくるし、僕は得意だから……」という答え。

サッカーは総力戦です。一人全員の力が一つにならないと勝てません。そのためには全員が一つの戦略ストーリーを共有し、それにコミットしなければなりません。最終的なゴールが試合に勝つということにあるのは誰にとっても自明です。しかし、ストーリーが共有されていないと、「グラウンドの隅で石を蹴る子ども」が出てきます。この瞬間の自分の行動がチームの勝利とどのようにかかわっているのかがわからなければ、試合にコミットできません。

自他ともに認めるエースストライカーやゴールを守るキーパーであれば、ストーリーが共有されていようがいまいが、試合終了までやる気満々でプレーできるかもしれません。

しかし、一一人の中にはそうした目立つポジションにいないプレイヤーもいるわけです。中には上がったり下がったり、右に左に走り回るだけで、ほとんどボールに触れられない人もいるでしょう。しかし、ゴールに至るパス回しや攻め方、勝利のための戦略ストーリーが全員に共有されていれば、そうした地味な役回りの人々も、なぜ今自分が相手陣地に思いっきり走り込まなければいけないのか、なぜ右や左に駆け回らなければいけないのか、自分の一つひとつの行動が他の一〇人の行動とどのようにつながり、チームとして勝つことにどのようにかかわっているのかを理解したうえで試合に参加することができます。

サッカーと同様に、ビジネスも総力戦です。「何を」「どのように」も大切ですが、それ以前に「なぜ」についての全員の深い理解がなくては実行にかかわる人々のモチベーションは維持できませんし、総力戦にはなりえません。ストーリーを全員で共有していれば、自分の一挙手一投足が戦略の成否にどのようにかかわっているのか、一人ひとりが根拠を持って日々の仕事に取り組めます。戦略がどこか上のほうで漂っている「お題目」でなく、「自分の問題」になります。自分がストーリーの登場人物の一人であることがわかれば、その気になります。こうしてビジネスは総力戦になるのです。

ジョン・スタージェスが監督し、スティーブ・マックイーンが主演した名作映画『大脱走』をご覧になった方は多いと思います。これは第二次世界大戦中の一九四四年にドイツ軍の捕虜収容所から捕虜が集団脱走した史実を映画化したものです。ドイツ軍の後方攪乱を目的として二五〇人もの集団脱走を計画したリーダー（ロジャー・バートレット少佐）が登場します。彼の脱走戦略はそれぞれ「トム」「ディック」「ハリー」というコードがついた三本のトンネルを掘ることを柱にしているのですが、映画の中で彼は自分の構想した戦略を実に生き生きとストーリーとして部下に語って聞かせます。

脱走戦略を実行するためにはさまざまな仕事が必要になります。収容所内のあらゆる情報を集める「情報屋」、トンネル掘りを指揮する「トンネル屋」、脱走した後に使う身分証を偽造する「偽造屋」、脱走用のドイツ軍の制服をつくる「仕立て屋」、合図一つで脱走のための作業を偽装したり中止させる「警備屋」、トンネル掘削用のさまざまな道具をつくる「製造屋」、こうした断片的な仕事を担う人々がお互いに絶妙の連携で戦略を実行していきます。文字どおりの総力戦です。これが可能になったのも、一つのストーリーが実行にかかわる全員に共有されていたからです。脱走するという目的は容易に共有できるのですが、それだけでは組織は動きません。全員がストーリーを共有しているということが戦略の駆動力になっています。言葉はちょっと悪いのですが、一つのストーリーをともに担っているという「共犯意識」が大切なのです。

『大脱走』のような戦争状態とは比べ物にはなりませんが、どんな仕事もそれなりに困難でやっかいなものです。滑った転んだとこまごまとした問題が次から次へと出てきます。仕事は疲れるものです。しかし、戦略ストーリーが共有されていれば、少なくとも「明るく疲れる」ことができます。一人ひとりのメンバーが、今なぜこういう大変なことに取り組み、乗り越えなければいけないかというと、これをきちんとやっておくと、こういういいことが待っていて、その先にこういうことが達成できる可能性が広がるから……、という根拠を持って仕事ができるからです。

ホットペッパーの平尾勇司さんは、戦略ストーリーをつくるだけでなく、ストーリーを戦略の実行にかかわる現場の人々に伝え、理解させ、共有させるためにありとあらゆる工夫をしています。とりわけ興味深いのが戦略ストーリーを「念仏」にするという方法です。

人通りが多く、飲食店が集積する中心地を営業活動のコア商圏として設定し、飲食店の中でも特に居酒屋に集中して訪問する。プチコンと一人屋台方式の強みを駆使して、広告の情報量を確保できる一ページの九分の一のスペースを三回連続で受注する。連続受注をとるためにはインデックス営業を武器にする。[24] そのために一日二〇件を必ず営業訪問する。これがホットペッパーの営業の戦略ストーリーでした。

このストーリーのキーワードをつなげた「コア商圏・飲食・居酒屋・九分の一・三回連続受注・二〇件訪問・インデックス受注」という言葉、これが平尾さんのいう「念仏」です。平尾さんは戦略ストーリーを浸透させ、共有するための念仏の効用について、次のように言っています。[25]

一人ひとりがその念仏を唱え、自分の行動がその行動基準から外れていないかを毎日の中で確認できる。それが「念仏」だった。…（中略）…仏を信じることは「南無阿弥陀仏」を唱えることとしたことで、親鸞の浄土真宗は広く深く浸透していった。同じ意味で「念仏」なのである。…（中略）…戦略戦術が一人ひとりの行動に具現化しなければ事業は成功しない。日常性、具体的行動、一斉に全員でやること、繰り返されること、シンプルなこと、これらが重要だ。…（中略）…事業の戦略などという難しい表現はなく、朝会でも、キックオフでも、表彰者スピーチでも飲み会の席でも、独り言やギャグや呟きや呪文として誰でも口ずさむものとなった。四六時中口に出すこと、それこそが念仏の醍醐味なのだ。

ストーリーがなかったり、あったとしてもリーダーの頭の中にあるだけで組織のメンバーと共有されていなければ、なぜ仕事をしなければならないのか、日々の課題を解決しなければならないのか、それに対する答えはせいぜい「自分の評価が下がってしまうから」ということになります。戦略の実行にかかわる一人ひとりが、「なぜ」についての本当の根拠を持てません。仕事の大変さが同じであったとしても、疲れがやたらと暗くなります。戦略ストーリーは、それにかかわる人々を「明るく疲れさせる」ためのものです。

戦略ストーリーは社内の人々を突き動かす最強のエンジンです。経営者から出てくる戦略が機能部門ごとの無味乾燥な静止画の羅列であれば、総力戦はとうてい期待できません。インセンティブ・システムなどさまざまな制度や施策も必要でしょうが、そんな細部に入り込む前に、人々を興奮させるようなストーリーを語り、見せてあげることが、戦略の実効性を確保するうえでとても大切です。リーダーが自ら面白いストーリーを語り、ストーリーで人々を突き動かし、現場の日常のコミュニケーションでストーリーが飛び交い、全員が一つのストーリーを共有し、「共犯意識」を持っている。これが私の思い浮かべる理想的な組織のイメージです。

戦略をつくることと戦略を実行することの重要性はいうまでもありません。しかし、それと同等に大切なこととして「戦略を伝える」ということがあります。戦略の伝達は策定と実行をつなげるという重要な役割を担っています。戦略がきちんと伝わらなければ、実行はありえません。戦略の策定や実行の重要性が強調されているわりには、戦略の伝達はこれまでないがしろにされてきた感がありま す。ひとたび戦略をつくったら、リーダーはありとあらゆる機会、フォーマルなミーティングだけでなく、インフォーマルな日常の接触の機会を捉えて、戦略を組織のメンバーに伝え、理解させなければなりません。

戦略ストーリーの伝達はリーダーにとって非常に手間のかかる仕事です。こぎれいにまとまったチャートやグラフや数字満載のドキュメントをメールで社内にばらまいたり、イントラネットで共有してもストーリーは伝達できません。静止画ではストーリーは絶対に伝わりませんし、理解されません。ストーリーを丸ごと伝達するためには、リーダー自らがそのストーリーを直接語ってみせるしかないのです。

ストーリーを語るときはフェイス・トゥー・フェイスのやり取りが基本です。リーダーが全身全霊を込めて、人々の目を見て直接語りかけ、納得がいくまで何度でも繰り返し説明しなければなりません。ストーリーの伝達には、その構想以上に投入努力が必要になるかもしれません。しかし、ここで手間や手数を惜しんではなりません。リーダーにとって絶対に避けて通れない仕事です。

ただでさえ忙しい中で、リーダーはどうしたらストーリーを伝えるための努力を続けられるでしょうか。自分で面白いと思えるストーリーをつくることに尽きるというのが私の意見です。面白い映画を観たり、面白い話を聞いたら、思わず友人や家族にそのストーリーを話したくなるものです。戦略ストーリーもそれと同じです。自分で面白くて仕方がないような戦略ストーリーであれば、それを伝えるのが苦になりません。それどころか、何度でも自然と人に伝え、共有したくなります。

思わず人に伝えたくなる話。これが優れたストーリーです。逆にいえば、誰かに話したくてたまらなくなるようなストーリーでなければ、自分でも本当のところは面白いと思っていないわけです。自分でも面白いと思っていないような話を人にするのは面倒で退屈なものですし、聞かされるほうも迷惑な話です。自分で面白がっていなければ、人が聞いて面白いと思うわけがありません。ましてや、そんなストーリーで組織を動かそうとする、これはもはや「犯罪」といってもいいでしょう。

私の経験した範囲でいっても、「話がとにかく面白い」ということが優れたリーダーに共通の特徴であるように思います。この連載で事例として取り上げてきた会社の経営者にしても、実にお話が面白い方々ばかりでした。話が面白いというのは、「話がうまい」とか「プレゼンテーションに長けている」とか、そういう表面的なスキルをいっているのではありません。一般的な意味では、必ずしも「話し上手」でない方もいるのですが、訥々とした語り口の中にも骨太の論理があり、思わず身を乗り出して聞いてしまうような面白さがあります。[26] 何よりも話している本人が面白がって話をしているのです。ストーリーという戦略の本質を考えると、「話の面白さ」はリーダーシップの最重要な条件の一つです。

◆一番大切なこと

論理が大切だという話をこれまでしつこくしてきました。だからといって、論理にとらわれて、自分自身にとって「切実なもの」を衰弱させてはなりません。戦略ストーリーにとって一番大切なこと、それはストーリーの根底に抜き差しならない切実なものがあるということです。

「切実さ」は「面白さ」とは少し違います。面白いというのは、あくまでも自分を主語にしています。自分にとって面白いことでなければ、ストーリーづくりは始まりません。面白ければ、文字どおり寝食を忘れてのめり込めます。

しかし、面白いだけではその情熱は長続きしないように思うのです。骨法その五でお話ししたように、戦略ストーリーが向こう一〇年、二〇年を射程に入れたものであるとすれば、それだけの長期を支える屋台骨として、面白さを超えたところにある切実さが必要になります。先に紹介した脚本家の笠原さんは、切実なものを「体の内側から盛り上がってくる熱気と、そして心の奥底に沈んでいる黒い錘《おもり》である」と表現しています。戦略ストーリーも、そうした切実なものに裏打ちされていなければなりません。

戦略ストーリーにとって切実なものとは何か。煎じ詰めれば、それは「自分以外の誰かのためになる」ということだと思います。直接的には顧客への価値の提供ですが、その向こうにはもっと大きな社会に対する「構え」なり「志」のようなものがあるはずです。「社会貢献」とか「世のため人のため」というと何やらきれいごとに聞こえるのですが、自分が楽しい、自分のためになるということだけでは、スタートダッシュは効いても、決して長続きしません。

変化の激しい時代だといいます。しかし、人間の寿命は延びている。ほとんどの人が数十年間は仕事をするわけです。事業や会社はもっと長続きするべきものです。切実なものとは、結局のところ「世のため人のため」なのです。本当にそうなるかは別にして、少なくとも自分では「世のため人のため」と信じられることでなくては、一〇年、二〇年続く仕事としてもたないのではないでしょうか。

ブックオフの佐藤弘志さんはこういう話をしてくれました。[27]

ブックオフは創業二〇年を目前にしている。どんな会社でもそうだと思うが、初めのうちは自分たちが生きていくこと、伸びていくことで精一杯だった。しかし、二〇歳という大人になると、自分たちだけがよいというだけではこれ以上の成長ができなくなってくる。仕事を通じて世の中に何らかの貢献をしているという実感がなければやっていられない。中古の書店ではなく、リユース社会のインフラとして、ものを捨てたくないと思う人のための存在になる。こうした志があるから、現場の一人ひとりがブックオフで働くことに自信と誇りを持てる。それがなければ会社は続かない。

同じ職場の仲間とパネルディスカッション形式の講演をやったときのことです。このときはこれから社会に出る若者がオーディエンスでした。若者は自分の夢を語ります。「ある分野の資格を取って、専門能力を身につけたい」とか「グローバルに活躍できる人材になりたい」とか「ベンチャー企業を興して起業家として成功したい」とか、そうした話が出てきます。そこでパネリストの一人だった小林三郎さんがこう言いました。[28]「それは個人の『欲』です。『夢』という言葉を使わないでください」。私は横で聞いていて心底しびれました。

人間は多かれ少なかれ利己的な生き物です。誰も自分が一番かわいい。しかし、その一方で人間はわりとよくできているもので、自分以外の誰かに必要とされたり、喜ばれたり、感謝されたり、そういう実感を得たときに、一番嬉しく、一番自分がかわいく思えるものです。それが人間の本性だと思います。

そう考えると、「切実さ」と「面白さ」とは、実際のところはほとんど重なっているのかもしれません。「好きこそものの上手なれ」です。自分が好きで、心底面白いと思えることであれば、人は持てる力をフルに発揮できます。その結果、良い仕事ができるし、自分以外の誰かの役に立てる。人の役に立っているという実感が、ますますその仕事を面白くする。ますます好きになり、能力に磨きがかかる。こうした好循環が仕事を持続させるのだと思います。「世のため人のため」はつまるところ「自分のため」ですし、本当に「自分のため」になることをしようとすれば、自然に「世のため人のため」になります。

優れた戦略ストーリーを読解していると、必ずといってよいほど、その根底には、自分以外の誰かを喜ばせたい、人々の問題を解決したい、人々の役に立ちたいという切実なものが流れていることに気づかされます。世の中は捨てたものじゃないな、とつくづく思うのです。

ここまでお読みくださったあなたにとって「切実なもの」とは何でしょうか。それは自分の胸に聞いてみるしかありません。

ストーリーとしての競争戦略について、長々と手前勝手な話を続けてきました。この本にしても、書き始めたきっかけには、競争戦略を考えるということを仕事にしている私なりの「切実なもの」がありました。それは、本来は面白いストーリーであるはずの戦略が、このところ無味乾燥で奇妙な静止画の羅列――それは「アクションリスト」だったり、「テンプレート」だったり、「ベストプラクティス」だったり、ひどい場合は単なる「ワンフレーズ」だったりするのですが――になってしまっているのではないか、という問題意識です。面白く生き生きとした動画という戦略論の本来の姿を取り戻したい。それが私にとっての切実な思いです。

もう一つ、自分が面白いと思う話、人に思わず伝えたくなる話をしよう、と心がけてきました。この本を通じて、自分で面白いと思えない話は一切しなかったつもりです。少なくとも自分では面白いと思っているのですが、お読みいただいた皆さんはいかがでしたでしょうか。

私の感じた「切実さ」と「面白さ」が皆さんにも伝わり、ご自身の戦略ストーリーづくりにとって少しでも意味のある何かを汲み取っていただけたら、それに優る喜びはありません。私の話はこれでおしまいです。最後までおつきあいいただきまして、本当にありがとうございました。

著者紹介

一橋ビジネススクール特任教授（PDS寄付講座・競争戦略）.
1964年東京都生まれ．89年一橋大学大学院商学研究科修士課程修了．一橋大学商学部助教授および同イノベーション研究センター助教授，一橋ビジネススクール教授などを経て，2023年より現職．専攻は競争戦略．
著書に，『「好き嫌い」と経営』『「好き嫌い」と才能』（ともに編著，東洋経済新報社），『すべては「好き嫌い」から始まる』（文藝春秋），『室内生活』（晶文社），『好きなようにしてください』（ダイヤモンド社），『経営センスの論理』（新潮新書），『戦略読書日記』（ちくま文庫），『逆・タイムマシン経営論』（共著，日経BP），『絶対悲観主義』（講談社＋α新書），*Dynamics of Knowledge, Corporate System and Innovation*（共著，Springer）などがある．

＊日本音楽著作権協会（出）許諾第1004339-537号

ストーリーとしての競争戦略

2010年5月6日　第1刷発行
2025年3月12日　第37刷発行

著　者　楠木《くすのき》　建《けん》
発行者　山田徹也
発行所　〒103-8345 東京都中央区日本橋本石町1-2-1　東洋経済新報社
電話　東洋経済コールセンター03(6386)1040
印刷・製本　港北メディアサービス

Printed in Japan　ISBN 978-4-492-53270-6　https://toyokeizai.net/

[索 引]

【カ行】

【タ行】

【ナ行】

［注 記］

第1章

1 丹羽宇一郎（2005）『人は仕事で磨かれる』文藝春秋.

2 沼上幹（2000）『行為の経営学――経営学における意図せざる結果の探求』白桃書房.

3 マーヴィン・ゲイ（Marvin Gaye：1939～1984）は，アメリカのモータウン黄金期のR&Bシンガーで，代表曲に1971年の大ヒット，“What's Going On”があります．本論には関係ありませんが，私が大好きなアーティストであります.

4 この戦略の定義は，ホファーとシェンデルの企業戦略の古典的研究によるものです．ホファー，チャールズ・W／ダン・シェンデル（1978）『戦略策定――その理論と技法』奥村昭博ほか訳，千倉書房.

5 三品和広（2006a）『経営戦略を問いなおす』ちくま新書.

6 小倉昌男（1999）『経営学』日経BP社.

7 三枝匡（1991）『戦略プロフェッショナル――競争逆転のドラマ』ダイヤモンド社；三枝匡（1994）『経営パワーの危機――熱き心を失っていないか』日本経済新聞社；三枝匡（2001）『V字回復の経営――2年で会社を変えられますか』日本経済新聞社；三枝匡・伊丹敬之（2008）『「日本の経営」を創る――社員を熱くする戦略と組織』日本経済新聞出版社.

8 永守重信（1998）『人を動かす人になれ！――すぐやる，必ずやる，出来るまでやる』三笠書房.

9 丹羽（2005）.

10 柳井正（2009）『成功は一日で捨て去れ』新潮社；柳井正（2003）『一勝九敗』新潮社.

11 Geneen, Harold（1984）*Managing*, Doubleday（邦訳『プロフェッショナルマネジャー――58四半期連続増益の男』田中融二訳，プレジデント社，2004年）.

12 Ouchi, William（1981）*Theory Z: How American Business Can Meet the Japanese Challenge*, Addison-Wesley（邦訳『セオリーZ――日本に学び，日本を超える』徳山二郎監訳，CBS・ソニー出版，1981年）.

13 McGregor, Douglas (1960) *The Human Side of Enterprise*, McGraw-Hill.

14 マブチモーターの戦略の詳細については，次を参照のこと．楠木建(2001a)「マブチモーター——標準化戦略と持続的な競争優位」『一橋ビジネスレビュー』49巻2号．

15 マニーについての記述は，同社の代表取締役社長，松谷正明さんへのインタビューに基づいています．

16 経営学における法則定立の不可能性については，沼上幹さんがこれ以上ないほど精緻かつ包括的に議論していますので，興味のある方は沼上(2000)を参照してください．

17 これは三品和広さんの指摘です．三品(2006a)を参照．

18 沼上幹(2009)『経営戦略の思考法——時間展開・相互作用・ダイナミクス』日本経済新聞出版社．

19 藤本隆宏(2004)『日本のもの造り哲学』日本経済新聞社．

20 ゲーム論的な戦略論については，青島矢一さんと加藤俊彦さんがとてもわかりやすい議論をしています．青島矢一・加藤俊彦(2003)『競争戦略論』東洋経済新報社．

21 デル，マイケル／キャサリン・フレッドマン(1999)『デルの革命——「ダイレクト」戦略で産業を変える』吉川明希訳，日本経済新聞社．

22 ビジネスモデルやビジネスシステム，アーキテクチャの概念を使った戦略論としては，以下のような代表的な文献があります．加護野忠男(1999)『「競争優位」のシステム——事業戦略の静かな革命』PHP新書；加護野忠男・井上達彦(2004)『事業システム戦略——事業の仕組みと競争優位』有斐閣；早稲田大学IT戦略研究所編(2005)『デジタル時代の経営戦略』根来龍之監修，メディアセレクト；藤本隆宏・武石彰・青島矢一(2001)『ビジネス・アーキテクチャ——製品・組織・プロセスの戦略的設計』有斐閣；小川進(2000)『ディマンド・チェーン経営——流通業の新ビジネスモデル』日本経済新聞社．

23 Magretta, Joan (2002) “Why Business Models Matter,” *Harvard Business Review*, May.

24 ジャスパー・チャンさん（アマゾンジャパン代表取締役社長）へのインタビュー(2005年12月)．

25 このような私の意図は沼上幹さんの提示した「行為の経営学」(action

system theory of management）というパラダイムに強い影響を受けています．静止画的な戦略論があふれる中で，沼上さんは早くから，打ち手の相互作用や時間展開に注目した「行為のシステム」として戦略を理解することの重要性を主張しています．沼上さんは，「カテゴリー適応法」のような論理が欠如しがちな思考法の問題点を指摘し，「メカニズム解明法」という思考法が論理的な思考にとって重要であるという主張を展開しています．メカニズム解明法とは，さまざまな要因や人々の行為と相互作用に注目し，時間展開の中でこれらが複雑に絡み合う様子を解明しようとする思考法を意味しています．メカニズム解明法はストーリーとしての競争戦略の基礎となる重要な考え方です．この辺の議論については，沼上（2000; 2009）をぜひご参照ください．

26 考えてみれば，戦略コンサルティングという仕事は，「対応する部署がない」（だから経営者が自分の頭の中でやるしかない）という戦略の特徴をうまく衝いているといえます．社内に対応する部署がないので，経営者に能力や時間のキャパシティーがない場合は，丸ごと外注するしかなくなります．シンセシスだからこそ，外注せざるをえなくなるというパラドックスです．

27 これはハーバート・サイモンさんの言葉です．Simon, H. A. (1997) "Designing Organizations for an Information-rich World," in D. M. Lamberton, ed., *The Economics of Communication and Information*, Edward Elgar.

28 桜井章一・甲野善紀（2008）『賢い身体　バカな身体』講談社．

29 三枝・伊丹（2008）．

30 藤本隆宏・東京大学21世紀COEものづくり経営研究センター（2007）『ものづくり経営学――製造業を超える生産思想』光文社新書．

31 藤本隆宏（2003）『能力構築競争――日本の自動車産業はなぜ強いのか』中公新書．

32 機能分化と価値分化という組織原理の対比を切り口に，日本企業の傾向的な特徴を論じたものとしては，私のいくつかの論文を参照していただければ幸いです．楠木建（2001b）「価値分化と制約共存――コンセプト創造の組織論」一橋大学イノベーション研究センター編『知識とイノベーション』東洋経済新報社；Kusunoki, K. (2004) "Value Differentiation: Organizing Know-What for Product Concept Innovation," in H.

Takeuchi and I. Nonaka, eds., *Hitotsubashi on Knowledge Management*, Wiley.

33 菊池誠（1992）『日本の半導体 40 年——ハイテク技術開発の体験から』中公新書.

34 柳井（2009）.

第2章

1 強いていえば，資本市場では「競争している」といえるかもしれません．パナソニックとソニーは限られた投資家のお金を取り合う関係にあります．ですから，すぐ後にお話しするように，コーポレート・ファイナンスは全社戦略に深くかかわっています．

2 たとえば次のような本です．ティシー，ノエル／ストラトフォード・シャーマン（1994）『ジャック・ウェルチの GE 革命——世界最強企業への選択』小林規一訳，東洋経済新報社；ウィリアム・E・ロスチャイルド（2007）『GE ——世界一強い会社の秘密』中村起子訳，インデックス・コミュニケーションズ.

3 ウェルチ，ジャック／ジョン・A・バーン（2001）『ジャック・ウェルチわが経営』宮本喜一訳，日本経済新聞社.

4 PIMS については，以下を参照してください．Buzzel, R. D., Gale, B. D., and Sultan, R. G. M. (1987) *The PIMS Principles: Linking Strategy to Performance*, Free Press.

5 「ソフトバンクの時価総額極大経営」『日経ビジネス』1999 年 10 月 25 日号.

6 同上.

7 「特集　GE——世界最強の秘密」『日経ビジネス』2005 年 7 月 25 日号.

8 Porter, Michael (1998) *On Competition*, Harvard Business School Press（邦訳『競争戦略論 I・II』竹内弘高訳，ダイヤモンド社, 1999 年）.

9 ところで，この本のもとになった連載をお読みくださった松井さんから批判が寄せられました．第 1 章で，私は「床の間の掛け軸」という言葉を否定的な比喩として文中で使ったのですが，松井さんによると，日本画は掛け軸にして床の間に飾るのが正統であり，一番美しいとのことです．つまり，「床の間の掛け軸」というのは本来は「良いもの」「正しい状態」を示すべき言葉だというわけです．松井さんは相当に絵画芸術がお好きのよう

ですね．松井さん，失礼しました！

10 ホファー／シェンデル（1978）.

11 Porter, Michael (1980) *Competitive Strategy*, Free Press（邦訳『競争の戦略』土岐坤ほか訳，ダイヤモンド社，1982 年）.

12 マブチモーターの利益水準は 2005 年以降低下傾向にあり，同社の戦略はこれを書いている時点では曲がり角を迎えていることがうかがえます．しかし，ここでは 30 年間という長期にわたって業界の平均水準をはるかに超える利益を実現してきた戦略に注目しています．マブチモーターの戦略の詳細な内容については，楠木（2001a）を参照.

13 Ogawa, Susumu (2002) "The Hypothesis-Testing Ordering System: A New Competitive Weapon of Japanese Convenience Stores in a New Digital Era," *Industrial Relations*, Vol.41, No.4.

14 藤本隆宏・延岡健太郎（2006）「競争力分析における継続の力——製品開発と組織能力の進化」『組織科学』39 巻 4 号.

15 コリンズ，ジェームズ（2001）『ビジョナリー・カンパニー 2　飛躍の法則』山岡洋一訳，日経 BP 社.

16 ただし，ゴーン・レシピが効いている日産といえども，OC の軸ではまだまだトヨタとのギャップは大きいでしょうし，その後の日産を見ていると，「SP 疲れ」の症状が出て，OC が薄くなってしまっているようにも思えます．これはすでにお話しした SP と OC のテンションの問題です.

第 3 章

1 石倉洋子（2003）「しまむら——ローコストオペレーションの確立と新業態の開発」『一橋ビジネスレビュー』51 巻 2 号.

2 マブチモーターの戦略の詳細については，楠木（2001a）を参照.

3 三枝・伊丹（2008）.

4 「カード乱発の愚」『日経ビジネス』1998 年 10 月 19 日号.

5 ベネッセの事例は以下によります．青島矢一（2001）「ベネッセコーポレーション——企業理念の追求とビジネスモデル」『一橋ビジネスレビュー』49 巻 2 号.

6 高校講座では赤ペン先生自体が少ないのでグループ制をとっていません.

7 三枝・伊丹（2008）.

8 競争戦略論の教科書としては，たとえば，Porter (1998) や Saloner, Garth,

Andrea Shepard, and Joel Podolny (2001) *Strategic Management*, John Wiley & Sons（邦訳『戦略経営論』石倉洋子訳，東洋経済新報社，2002年）がある．サウスウエスト航空の戦略の詳細を紹介した本やケースとしては，Freiberg, Kevin, and Jackie Freiberg (1996) *Nuts!: Southwest Airlines' Crazy Recipe for Business and Personal Success*, Bard Press（邦訳『破天荒！――サウスウエスト航空　驚愕の経営』小幡照雄訳，日経BP社，1997年）やWiersema, Fred, ed. (1998) *Customer Service: Extraordinary Results at Southwest Airlines, Charles Schwab, Lands' End, American Express, Staples, and USAA*, Harper Business（邦訳『クレームはチャンスだ！――アメリカ流サービスの極意』酒井泰介訳，日経BP社，1999年）；清水洋（2006）「サウスウエスト航空――ポイント・システムの経営戦略」『一橋ビジネスレビュー』53巻4号を参照．

9　サウスウエストでは，総人件費だけでなく，従業員1人当たりの人件費も他社より低い水準に抑えられている．この背景には，企業文化・価値観を共有するためのさまざまな仕組み，ユニークな採用や昇進の方法といったOCにかかわる一連のパスがあるが，これについては本書では省略します．

10　このあたりのいきさつは，清水（2006）に詳しく記述されています．

11　ジャスパー・チャンさん（アマゾン・ジャパン代表取締役社長）へのインタビュー（2005年12月）．

12　Porter（1998）．

13　デル／フレッドマン（1999）．

14　吹野博司さん（当時，デル株式会社代表取締役会長）へのインタビュー．

15　「アルバック――ダラダラ会議が革新生む」『日経ビジネス』2008年2月25日号．

16　「ローコスト経営は自前主義が生む」『日経ビジネス』1999年1月25日号．

第4章

1　藤原雅俊（2005）「リコー――デジタル化時代を先取りした浜田広」三品和広編著『経営は十年にして成らず』東洋経済新報社．

2　福武哲彦（1985）『福武の心――ひとすじの道』ベネッセコーポレーション．

3　ここでのブックオフの事例は，佐藤弘志さん（ブックオフコーポレーション代表取締役社長）へのインタビュー（2009年7月）に基づいています．

ブックオフの戦略の詳細は次を参照．藤川佳則・吉川恵美子（2007）「ブックオフコーポレーション——中古品ビジネスにおけるサービスイノベーション」『一橋ビジネスレビュー』54巻4号．

4 平尾勇司さんは2003年にリクルートの狭域ビジネスディビジョンカンパニー執行役員となり，のちに退任しています．ホットペッパーの事例は平尾さんへのインタビュー（2009年4月）のほか，平尾さんの著書に基づいています．平尾勇司（2008）『Hot Pepper ミラクル・ストーリー——リクルート式「楽しい事業」のつくり方』東洋経済新報社．

5 平尾（2008）．

6 「プレイボーイ・インタビュー」『PLAYBOY 日本版』2000年4月号．

7 “Mighty Amazon,” *Fortune*, May 26, 2003.

8 1999年6月25日の一橋大学イノベーション研究センターの研究会「IIR コンソーシアム研究会」における三木谷浩史さんの発言．

9 Schultz, H., and D. J. Yang (1997) *Pour Your Heart into It*, Hyperion Books（邦訳『スターバックス成功物語』小幡照雄・大川修二訳，日経BP社，1998年）．

10 青島（2001）．

11 「世界最速FCを生んだ男」『日経ビジネス』2007年9月3日号．

12 1999年11月24日の岩田彰一郎さんへのインタビュー．

13 「明日来る仕組み次々転用」『日経ビジネス』2006年8月21日号．

14 宮本茂さん（任天堂専務取締役情報開発本部長）へのインタビュー（2006年3月）．

15 同インタビュー．

第5章

1 スターバックスの戦略ストーリーには，その後さまざまな修正や微調整が加えられました．これを書いている時点では，成長を続けた結果として市場飽和の問題が顕在化し，とりわけ2008年の不況以降は，さしものスターバックスも（特に本国のアメリカでは）ストーリーの大幅な書き換えの必要性に直面しているようです．ただし，ここではスターバックスが株式を公開して成長軌道を確かなものにした1992年から97年のオリジナルバージョンの戦略ストーリーで話を進めています．詳細はSchultz and Yang（1997）を参照．

2　シュルツさんがCEOになる以前のスターバックスは，プレミアムコーヒー豆の小売会社でした．シュルツさんは当時のスターバックスにマネジャーとして入社しました．その後MBOによって会社の経営権を取得し，現在のスターバックスを始めます．

3　神戸大学の三品和広さんは，本当に重要な思考や論理というものは指摘を受けなければ意識から完全に脱落してしまっているような「賢者の盲点」を衝くものだ，と主張しています．三品和広（2006b）「経営体制のライフサイクル」『組織科学』39巻4号．

4　馬渕隆一さん（当時マブチモーター代表取締役社長）へのインタビュー（2001年4月）．

5　Harvard Business School Case (1999) “Matching Dell” (9-779-158).

6　カスタマイゼーションにしても，IBMは「モデル0」と呼ばれる最小機能に限定したベースとなる標準モデルを需要予測に基づいて見込み生産し，その上に注文に応じて顧客の仕様に合わせた組立てを追加するというやり方をとっていました．この場合，ベースモデルに追加する組立て工程は，IBMのPCの流通業者に委託されました．

7　清水（2006）．

8　「アマゾン・ドット・コム――ネットの旗手か，バブルの寵児か」『日経ビジネス』2000年7月3日号．

9　“Mighty Amazon,” *Fortune*, May 26, 2003.

10　吉原英樹（1988）『「バカな」と「なるほど」――経営成功のキメ手！』同文舘出版．

11　吉原先生は経営学者の研究に対する評価という点でも慧眼というか，一級の「目利き」でいらっしゃいまして，私の経験でも，他の人の研究についての吉原先生の評価やコメントに目を開かされることが多くあります．吉原先生は長く神戸大学にいらしたので，日常的にやり取りする機会はなかったのですが，私が学者になって間もない20代の頃，何かの用事で神戸大学に行き，仕事の後で吉原先生にご飯をごちそうしていただいたことがありました．そのときの用事は忘れてしまったのですが，吉原先生が「キミね，なんで僕が研究者になったかっていうとね……」というお話をしてくださり（詳細は省略しますが，これがまたヒジョーにイイ話），研究者という仕事にいまひとつ釈然としていなかった私は大いにやる気になったものでした．そのとき以来，吉原先生は絶妙はタイミングで私の仕事場に

いらして，「キミは怠けている！」とお叱りくださったり，学会での発表の後など「あの話はイイ！　もっとやれ」とか唐突に励ましてくださるわけです．この場を借りて吉原先生にお礼を申し上げます．

12 吉村典久（2008）『部長の経営学』ちくま新書．

13 三品（2006a）．

14 吉原英樹・安室憲一・金井一頼（1987）『「非」常識の経営』東洋経済新報社．

15 吉原ほか（1987）．

16 Austin, Robert (1999) "Ford Motor Company: Supply Chain Strategy." Harvard Business School Case (9-699-198).

第6章

1 ガリバーインターナショナルの事例の記述は特定の引用がない限り，筆者によるガリバーの経営陣へのインタビューと，同社によって公開されているアニュアルレポートをはじめとする資料に基づいています．なお，この事例の詳細は次を参照．楠木建・吉田彰（2004）「ガリバーインターナショナル——中古車流通の革新とビジネスモデル」『一橋ビジネスレビュー』52巻3号．

2 ただし，2000年以降のガリバーはフランチャイズ方式から直営店による展開への転換を進め，2001年から04年にかけてガリバーは直営店の割合を21%から42%まで増加させました．従来のガリバーのフランチャイズ店舗は，在庫の展示販売を行わないことから，小規模な店舗が多かったので，消費者の来店しやすい雰囲気づくりや認知度アップのために，より大規模な直営店が必要とされました．ただし，「大規模店舗」といってもガリバーでは展示販売を行わないので，他社の一般的な店舗よりも低コストでした．既存のフランチャイズ店については契約更新を厳格化し，資金面での支援策などを用意し，直営店と同様のリニューアルを促進しています．

3 USS「第23期事業報告書（2003）」．

4 USS「アニュアルレポート2003」．

5 ハナテン「第39期有価証券報告書」．

6 余談ですが，その2軒目の店舗では「ガリバーでは，どこに持って行っても今だったら同じ値段ですよ．つい先ほど別のガリバーの店で査定しているのに，なぜまたこちらにいらしたのですか」といぶかしがられてしまい

ました（査定を受けた記録がデータベースに入っているのですね）．「えー，それは話すとわりと長い話になるのですが，聞きますか？」と言ったら，わりと忙しかったようで「いえ，別にいいです……」というお返事でした．

7 ただし，2008年は金融危機のあおりを受けて車の買替えが減少し，ガリバーも減収減益を余儀なくされました．

第7章

1 文学作品と文学理論の関係については，助川幸逸郎（2008）『文学理論の冒険——〈いま・ここ〉への脱出』東海大学出版会を参照．

2 笠原和夫（2003）『映画はやくざなり』新潮社．

3 これは戦略ストーリーというよりも，ビジネスモデルの設計の話になるのですが，たとえばスライウォツキーとモリソンは，企業の利益の出し方を，「顧客ソリューション利益」「スイッチボード利益」「時間利益」「専門家利益」といった22のパターンに分類しています．スライウォツキー，エイドリアン／デイヴィッド・モリソン（1999）『プロフィット・ゾーン経営戦略——真の利益中心型ビジネスへの革新』恩藏直人・石塚浩訳，ダイヤモンド社．

4 柳井正さんへのインタビュー（2009年12月）．

5 私自身の経験でも，優れたコンセプトを起点に戦略ストーリーの名作を創造した人々は，実際に仕事やインタビューでお会いしてみると，意外なほどに「普通の人」が圧倒的に多いという印象です．この連載で事例として取り上げた企業でも，馬渕隆一さん（マブチモーター），岩田彰一郎さん（アスクル），ハワード・シュルツさん（スターバックス），マイケル・デルさん（デル），羽鳥兼市さん（ガリバー）といった方々は，その戦略ストーリーの成功という意味では「普通じゃない」のですが，提供している顧客価値に関しては，癖がないというか，いたって「普通の人」のスタンスで考えているように思いました．

6 平尾（2008）．

7 平尾（2008）．

8 平尾（2008）．

9 当時は，どの放送局にもナベプロを専門に担当するディレクターがいて，「ユニット番組」と呼ばれるナベプロ丸抱えの番組をつくっていました．1960年代の大ヒット番組，『シャボン玉ホリデー』がその典型です．

10　井原高忠（1983）『元祖テレビ屋大奮戦！』文藝春秋．

11　このエピソードは次の本で知りました．嵐山光三郎（2000）『「不良中年」は楽しい』講談社文庫．

12　Minzberg, Henry (1987) "Crafting Strategy," *Harvard Business Review*, July/Aug.

13　マイケル・デルさんへのインタビュー（2004 年 5 月）．

14　松井道夫（2001）『おやんなさいよ　でもつまんないよ』日本短波放送．

15　「ネットであらゆるサービス提供――世界制覇へ日本進出は不可欠」『日経ビジネス』2000 年 7 月 3 日号．

16　平尾勇司さんへのインタビュー（2009 年 4 月）．

17　吉越浩一郎さんへのインタビュー（2006 年 5 月）．トリンプの戦略については次を参照．楠木建・五十嵐みゆき（2007）「トリンプ・インターナショナル／ワコール――女性下着業界の競争戦略」『一橋ビジネスレビュー』55 巻 1 号．

18　藤本隆宏（1997）『生産システムの進化論――トヨタ自動車にみる組織能力と創発プロセス』有斐閣．

19　Dell, Michael (1999) *Direct from Dell: Strategies That Revolutionized an Industry*, Harper Business.

20　"The Perils of Being No.1," *Forbes*, December 1, 1997.

21　"Michael Dell Turns the PC World Inside Out," *Fortune*, September 8, 1997.

22　三枝・伊丹（2008）．

23　ストーク Jr.，ジョージ／トーマス・ハウト（1993）『タイムベース競争戦略――競争優位の新たな源泉』中辻萬治・川口恵一訳，ダイヤモンド社．

24　ホットペッパーには，もともとインデックス（目次・索引に相当するページ）がありませんでした．これは，読者にとってホットペッパーはインターネットのような「検索」ではなく「発見」の雑誌メディアであるというコンセプトを反映したものでした．読者が寝転がってペラペラとページをめくって，行きたいお店を発見するという使われ方が意図されていました．しかし，顧客からは自分の店が見つけにくいからインデックスをつけてほしいという要望が寄せられました．そこで，1 ページの 9 分の 1 のスペースを 3 回連続で発注した顧客に限って，36 分の 1 のスペースを巻頭インデックスとして無料サービスするという販促方法がとられました．こ

れが「インデックス営業」です．

25 平尾（2008）．

26 ファーストリテイリングの柳井正さんや，任天堂の岩田聡さんは，一般的な基準では「話し上手」ではないかもしれませんが，とにかく「話が面白い」経営者の典型例だと思います．友人として私がよく話をする人々でいえば，オールアバウトの江幡哲也さんや，第6章でお話ししたケースの登場人物で，現在はガリバーを離れて独立した村田育生さん，早稲田大学ラグビー部監督の中竹竜二さんは，「話し上手」かつ，めったやたらに「話が面白い」という例です．中竹さんはスポーツチームのリーダーなので，やっていることはビジネスではないのですが，お話を聞いていると，戦略とかリーダーシップの本質について，いろいろと学ぶことがあります．私の個人的な経験でいえば，話の面白さの東西両横綱は，日本発の創薬ベンチャーに挑戦している所源亮さん（アリジェン製薬会長）と日本の音楽業界をリードしてきた「丸さん」こと丸山茂雄さん（に・よん・なな・みゅーじっく会長，元ソニー・ミュージックエンタテインメント社長）でして，いつまでも聞いていたいというほど話が面白い（特に，所さんは話が面白すぎて危ないくらい）のですが，ここでその内容を紹介していると，この脚注が何ページにもなってしまうので，残念ながらやめておきます．

27 佐藤弘志さん（ブックオフコーポレーション代表取締役社長）へのインタビュー（2009年7月）．

28 小林三郎さん（一橋大学大学院国際企業戦略研究科客員教授）はホンダで長い間にわたって開発業務に携わり，初めての量産型エアバッグを開発した技術者です．